LUCINDA RILEY

A IRMÃ DA TEMPESTADE

As Sete Irmãs | Livro 2
A História de Ally

ARQUEIRO

Título original: *The Storm Sister*

Copyright © Lucinda Riley, 2015
Copyright da tradução © 2015 por Editora Arqueiro Ltda.

Todos os direitos reservados. Nenhuma parte deste livro pode ser utilizada ou reproduzida sob quaisquer meios existentes sem autorização por escrito dos editores.

tradução: Fernanda Abreu

preparo de originais: Rafaella Lemos

revisão: Clarissa Peixoto e Raphani Margiotta

projeto gráfico e diagramação: Valéria Teixeira

capa: Alan Dingman

adaptação de capa: Raul Fernandes

imagens de capa: Getty Images; esfera armilar: © nicoolay/ mulher: © Stas Perov

impressão e acabamento: Lis Gráfica e Editora Ltda.

CIP-BRASIL. CATALOGAÇÃO NA PUBLICAÇÃO
SINDICATO NACIONAL DOS EDITORES DE LIVROS, RJ

R43i   Riley, Lucinda
         A irmã da tempestade/ Lucinda Riley; tradução de Fernanda Abreu. São Paulo: Arqueiro, 2016.
         528 p.; 16x23 cm.   (As sete irmãs; 2)

         Tradução de: The storm sister
         Sequência de: As sete irmãs
         ISBN 978-85-8041-605-3

         1. Ficção irlandesa. I. Abreu, Fernanda. II. Título. III. Série.

16-33731   CDD: 892.43
         CDU: 821.411.16

Todos os direitos reservados, no Brasil, por
Editora Arqueiro Ltda.
Rua Funchal, 538 – conjuntos 52 e 54 – Vila Olímpia
04551-060 – São Paulo – SP
Tel.: (11) 3868-4492 – Fax: (11) 3862-5818
E-mail: atendimento@editoraarqueiro.com.br
www.editoraarqueiro.com.br

Para Susan Moss,
minha irmã "de alma".

"Todos estamos deitados na sarjeta, só que alguns estão olhando para as estrelas."

OSCAR WILDE

Árvore genealógica da família Halvorsen

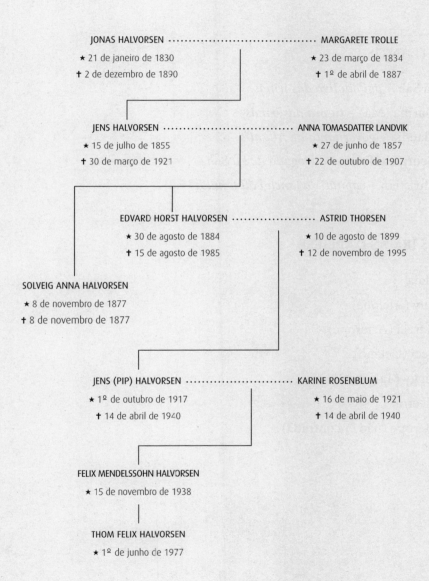

Personagens

ATLANTIS

Pa Salt – *pai adotivo das irmãs*

Marina (Ma) – *tutora das irmãs*

Claudia – *governanta de Atlantis*

Georg Hoffman – *advogado de Pa Salt*

Christian – *capitão da lancha da família*

AS IRMÃS D'APLIÈSE

Maia

Ally (Alcíone)

Estrela (Astérope)

Ceci (Celeno)

Tiggy (Taígeta)

Electra

Mérope (não encontrada)

Ally

Junho de 2007

1

Mar Egeu

Sempre vou lembrar exatamente onde me encontrava e o que estava fazendo quando recebi a notícia de que meu pai havia morrido.
Estava deitada ao sol no convés do *Netuno*, nua, com a mão de Theo pousada sobre minha barriga em um gesto protetor. A curva deserta na praia dourada da ilha à nossa frente cintilava ao sol, aninhada em sua enseada rochosa. A água azul-turquesa, transparente como cristal, fazia preguiçosas tentativas de formar ondas ao bater na areia, que se desfaziam em uma espuma elegante como a de um cappuccino.
Calmaria, pensei. *Tanto no mar quanto dentro de mim.*
Tínhamos deitado âncora na pequena baía da minúscula ilha grega de Macheres no pôr do sol do dia anterior, depois havíamos caminhado com dificuldade pela água até a praia, levando dois *coolers*, um repleto dos salmonetes e sardinhas frescas que Theo havia pescado mais cedo, e o outro cheio de vinho e água. Pousei meu *cooler* na areia, ofegante por causa do esforço, e Theo beijou meu nariz com delicadeza.
– Somos dois náufragos em nossa própria ilha deserta – declarou, abrindo bem os braços para abarcar aquele cenário de sonho. – Agora vou procurar lenha para assarmos os peixes.
Fiquei observando Theo me dar as costas e sair caminhando em direção às pedras, que formavam uma meia-lua ao redor da enseada na direção dos arbustos muito secos e espaçados que brotavam nas fendas. Theo era magro, porém seu porte físico não fazia jus à sua força de velejador de alto nível. Em comparação com meus outros companheiros de competições de vela, que eram montanhas de músculos com peitorais de Tarzã, ele chegava a ser diminuto. Uma das primeiras coisas que eu reparara nele era seu andar

um pouco irregular. Então, certa vez, ele me contou que tinha quebrado o tornozelo ao cair de uma árvore quando era pequeno e que a fratura nunca tinha calcificado direito.

– Acho que esse é mais um motivo para o meu destino sempre ter sido viver no mar. Quando estou velejando, ninguém percebe quão ridículo eu sou andando em terra firme – dissera ele, rindo.

Assamos o peixe e, mais tarde, fizemos amor sob as estrelas. A manhã seguinte seria a última que passaríamos juntos no veleiro. Logo antes de concluir que não podia mais adiar a hora de retomar o contato com o mundo exterior e decidir ligar o celular para descobrir que minha vida tinha se estilhaçado em mil pedaços, passei um tempo ali, deitada ao seu lado, perfeitamente em paz. E me pus a recordar, como num sonho surreal, o milagre de nós dois e de como acabáramos indo parar juntos naquele lugar lindo...

❖ ❖ ❖

Fazia mais ou menos um ano desde que eu tinha visto Theo pela primeira vez, na Regata Heineken, em St. Maarten, no Caribe. A tripulação vencedora estava comemorando no jantar dos campeões, e eu ficara intrigada ao saber que o comandante era Theo Falys-Kings. Theo era famoso no mundo da vela e, nos cinco anos anteriores, havia conduzido mais tripulações à vitória do que qualquer outro capitão.

– Ele não é nem um pouco como eu o imaginava – comentei em voz baixa com Rob Bellamy, um velho companheiro de tripulação com quem eu já tinha velejado na equipe nacional da Suíça. – Parece mais um *nerd* com esses oculinhos de armação grossa – arrematei.

Theo se levantou e foi até outra mesa.

– E ele anda de um jeito bem esquisito.

– Não é mesmo o típico velejador fortão – concordou Rob. – Mas, Al, o cara é um gênio. Tem um sexto sentido quando se trata do mar, e não confiaria em ninguém mais do que nele para ser meu capitão em mares revoltos.

Mais tarde nessa mesma noite, Rob me apresentou rapidamente a Theo, e reparei que seus olhos verdes entremeados de castanho-claro adotaram uma expressão pensativa quando ele apertou minha mão.

– Quer dizer que você é a famosa Al D'Aplièse.

Com seu sotaque britânico, a voz era calorosa e firme.

– A resposta para a última parte da sua pergunta é sim – falei, encabulada com o elogio. – Mas acho que o famoso aqui é *você*. – Fazendo o possível para não deixar meus olhos vacilarem diante daquele olhar insistente, vi os traços de seu rosto se suavizarem, e ele deu uma risadinha.

– Qual é a graça? – perguntei.

– Para ser sincero, você não é como eu imaginava.

– Como assim?

Mas a atenção de Theo foi atraída por um fotógrafo que pediu uma pose do grupo, então não cheguei a ouvir o que ele queria dizer.

Depois disso, comecei a notar sua presença em diversos eventos sociais ligados às regatas das quais participávamos. Theo tinha uma qualidade indefinível, uma vibração, além de uma risada fácil e suave que, apesar de sua postura aparentemente reservada, parecia atrair as pessoas. Se o evento fosse formal, ele quase sempre aparecia de calça social e blazer de linho amarfanhado em respeito ao protocolo e aos patrocinadores da competição, mas os sapatos surrados e os cabelos castanhos despenteados sempre o deixavam com cara de quem tinha acabado de sair do barco.

Nesses primeiros encontros, foi como se estivéssemos em uma dança nossa. Nossos olhares se cruzavam com frequência, mas ele nunca tentou dar continuidade àquela nossa primeira conversa. Foi só há um mês e meio, depois de a minha equipe vencer em Antígua, quando estávamos comemorando no Baile de Lorde Nelson, último evento da semana de competições, que ele se aproximou para me dar um tapinha no ombro.

– Parabéns, Al.

– Obrigada – respondi, satisfeita com o fato de a nossa equipe ter derrotado a dele, o que era raro.

– Tenho ouvido muita coisa boa sobre você nesta temporada. Quer fazer parte da minha equipe na Regata das Cíclades, em junho?

Eu já tinha recebido uma proposta para participar de outra equipe, mas ainda não havia aceitado. Theo percebeu minha hesitação.

– Você já está comprometida?

– É, estou. Provisoriamente.

– Bom, este é o meu cartão. Pense um pouco e me avise até o fim da semana. Seria muito útil ter alguém como você a bordo.

– Obrigada – agradeci, tentando afastar da mente a minha própria hesitação. Quem, em sã consciência, recusaria um convite para trabalhar com o cara atualmente conhecido como "Rei dos Mares"? Quando ele começou a se afastar, chamei-o: – A propósito, da última vez que a gente conversou, por que você falou que eu não era como você imaginava?

Ele parou e me deu uma conferida rápida com o olhar.

– Eu nunca tinha encontrado você pessoalmente; só tinha ouvido pedaços de conversas sobre a sua habilidade com a vela. Enfim... Você não é como eu imaginava. Boa noite, Al.

Fiquei remoendo essa conversa enquanto voltava para o meu quarto numa pequena pousada próxima ao porto de St. John, deixando o ar da noite me refrescar e imaginando por que Theo me fascinava tanto. Os postes conferiam às alegres fachadas multicoloridas da rua um cálido brilho noturno, e o burburinho preguiçoso das pessoas em bares e cafés flutuava de longe na minha direção. Mas eu não prestei atenção em nada disso, de tão animada que estava com a vitória... e com a proposta de Theo Falys-King.

Assim que entrei no quarto, fui direto para o laptop e escrevi um e-mail para ele aceitando o convite. Antes de mandar o e-mail, tomei uma chuveirada, depois reli o texto e enrubesci ao constatar que parecia empolgada demais. Decidi guardá-lo na pasta de rascunhos e enviá-lo dali a um ou dois dias, então me estiquei na cama e flexionei os braços para aliviar a tensão e as dores provocadas pela regata mais cedo.

– Bom, Al – murmurei comigo mesma com um sorriso. – *Essa, sim*, vai ser uma regata interessante.

Mandei o e-mail conforme o planejado, e Theo me respondeu na mesma hora dizendo que estava contente por eu ter decidido entrar para a sua equipe. Então, há apenas duas semanas, foi com um nervosismo inexplicável que coloquei os pés a bordo do iate Hanse 540 preparado para a competição no porto de Naxos, onde começaria o treinamento para a Regata das Cíclades.

A regata não exigia muito em termos competitivos, pois os participantes eram um misto de velejadores sérios e entusiastas de fim de semana, todos animados com a perspectiva de passar uma semana velejando em um cenário incrível, em meio a algumas das ilhas mais bonitas do mundo. Como éramos uma das tripulações mais experientes da competição, eu sabia que tínhamos fortes chances de vencer.

As tripulações de Theo eram conhecidas por serem sempre muito jovens. Meu amigo Rob Bellamy e eu éramos os mais velhos e experientes. Eu ouvira dizer que Theo preferia recrutar os talentos da vela bem no início da carreira, a fim de evitar maus hábitos. Guy, um inglês fortão, Tim, um australiano despreocupado e Mick, um velejador meio alemão, meio grego, que conhecia as águas do Egeu como a palma da mão, completavam a tripulação de seis pessoas.

Embora empolgada com a oportunidade de trabalhar com Theo, eu não estava às cegas. Tinha me esforçado para reunir o máximo de informações, nas minhas pesquisas na internet e com gente que já havia trabalhado com ele, sobre o enigma conhecido como "Rei dos Mares".

Descobri que Theo era britânico e havia estudado em Oxford, o que explicava o sotaque, mas na internet seu perfil dizia que ele era um cidadão americano e que tinha conduzido o time universitário de Yale muitas vezes à vitória. Um amigo ouvira dizer que ele vinha de uma família rica, outro, que ele morava em um barco.

"Perfeccionista"... "Controlador"... "Difícil de agradar"... "Workaholic"... "Misógino"... Esses foram alguns dos outros comentários que eu havia reunido – o último deles da boca de uma companheira velejadora que alegava ter sido colocada de lado e maltratada em uma tripulação de Theo, afirmação que me deu o que pensar. Mas a maioria esmagadora das opiniões dizia a mesma coisa: "Sem qualquer sombra de dúvida, o melhor capitão com quem já trabalhei."

Nesse primeiro dia a bordo, comecei a entender por que Theo era tão respeitado por seus pares. Eu estava acostumada com capitães que viviam aos gritos, berrando comandos e xingamentos para todo lado, feito um chef de cozinha mal-humorado. O estilo discreto de Theo foi uma revelação para mim. Ele falava muito pouco ao nos mandar executar nossas funções e ficava só observando a certa distância. No fim do dia, reunia todo mundo e, com sua voz calma e firme, assinalava os pontos fortes e fracos de cada um. Percebi que ele não deixava passar nada, e seu ar natural de autoridade nos fazia prestar atenção em cada palavra que dizia.

– Falando nisso, Guy, não quero mais saber dessas escapadinhas para fumar durante os treinos em condições de regata – completou ele, com um meio sorriso antes de nos dispensar.

Guy ficou com o rosto vermelho, até a raiz dos cabelos louros.

– Esse cara deve ter olhos na nuca – resmungou ele comigo um pouco depois, enquanto desembarcávamos para tomar banho e trocar de roupa antes do jantar.

Nessa primeira noite, saí da pensão com o resto da tripulação feliz por ter decidido competir com eles. Passeamos pelo porto de Naxos, com seu antigo castelo de pedra iluminado acima da cidade e um labirinto de ruazinhas sinuosas que serpenteiam entre as casas caiadas de branco. Os restaurantes do porto estavam lotados de velejadores e turistas que saboreavam frutos do mar e faziam brindes com *ouzo*. Achamos um pequeno restaurante familiar em uma rua afastada, com cadeiras de madeira bambas e louça que não combinava. A comida caseira era bem o que precisávamos após o longo dia no iate. A maresia nos deixara famintos.

Minha fome evidente atraiu os olhares de alguns homens enquanto eu devorava a *moussaka* e generosas porções de arroz.

– O que foi? Nunca viram uma mulher comer? – comentei, sarcástica, enquanto me inclinava para pegar mais um pedaço de pão sírio.

Theo entrou na brincadeira fazendo uma ou outra observação sagaz, mas foi embora logo depois do jantar. Ele preferia não participar da noitada pós-refeição pelos bares do porto. Pouco depois, segui seu exemplo. Durante meus anos como velejadora profissional, já havia aprendido que o comportamento dos rapazes após o anoitecer não era algo que eu gostaria de testemunhar.

Nos dias que se seguiram, sob os olhos verdes atentos de Theo, começamos a nos entrosar, e logo nos tornamos uma equipe fluida e eficiente. Minha admiração por seus métodos aumentou depressa. Na terceira noite em Naxos, particularmente cansada depois de um dia extenuante sob o sol inclemente do mar Egeu, fui a primeira a me levantar da mesa do jantar.

– Certo, rapazes. Vou me recolher.

– Eu também. Boa noite, rapaziada. Sem ressaca a bordo amanhã, por favor – disse Theo, acompanhando-me para fora do restaurante. – Posso ir com você? – perguntou ele ao me alcançar na rua.

– Pode, claro – concordei, subitamente tensa por estarmos sozinhos pela primeira vez.

Caminhamos de volta até a pensão pelas ruas estreitas de paralelepípedos; o luar iluminava as casinhas brancas com suas portas pintadas de azul e janelas com venezianas de ambos os lados. Fiz o que pude para puxar conversa, mas Theo dizia apenas um ou outro "sim" ou "não", e suas respostas taciturnas começaram a me irritar.

Quando chegamos à recepção da pequena pensão, ele de repente se virou para mim e disse:

– Você tem mesmo um instinto de velejadora, Al. Dá um banho na maioria dos seus companheiros de tripulação. Quem ensinou você a velejar?

– Meu pai – respondi, surpresa com o elogio. – Ele me leva para velejar no lago Léman, em Genebra, desde que eu era muito pequena.

– Ah, Genebra. Está explicado o sotaque francês.

Preparei-me para o comentário típico "diga alguma coisa sexy em francês" que os homens em geral faziam nessa hora, mas ele não fez.

– Bom, seu pai deve ser um velejador e tanto... ele fez um trabalho excelente.

– Obrigada – agradeci, desarmada.

– O que você acha de ser a única mulher a bordo? Embora eu tenha certeza de que essa não é a primeira vez... – emendou ele depressa.

– Sinceramente, eu nem penso nesse assunto.

Ele me encarou com um olhar observador através dos óculos com aros grossos.

– Ah, não? Bom, desculpe dizer, mas eu acho que pensa, sim. Eu sinto que às vezes você exagera tentando compensar esse fato, e é nessas horas que comete erros. Sugiro que relaxe mais e tente ser você mesma. Enfim, boa noite. – Ele abriu um breve sorriso, então subiu a escada de lajotas brancas que conduzia a seu quarto.

Nessa noite, deitada na cama estreita, senti os lençóis brancos engomados pinicando minha pele e as bochechas ardendo com a crítica de Theo. Por acaso era culpa *minha* se a presença de mulheres a bordo de embarcações de competição profissionais ainda era uma relativa raridade – ou uma novidade, como diriam sem dúvida alguns dos meus colegas homens? E quem Theo Falys-Kings pensava que era? Alguma espécie de psicólogo pop, que saía por aí analisando gente que não precisava de análise?

Eu sempre havia pensado que sabia lidar bem com aquela coisa de "ser mulher em um mundo dominado pelos homens" e conseguia levar na boa os comentários brincalhões e as indiretas sobre minha condição feminina. Havia construído um muro impenetrável no universo profissional e tinha duas personalidades distintas: em casa era "Ally" e, no trabalho, era "Al". Sim, muitas vezes era difícil, e eu tinha aprendido a segurar a língua, sobretudo quando os comentários eram de natureza obviamente sexista e faziam alusão ao meu suposto comportamento "de loura". Sempre fiz questão de evitar esse tipo de comentário mantendo meus cachos louros com reflexos ruivos longe do rosto e presos em um firme rabo de cavalo e não usando um pingo sequer de maquiagem para realçar os olhos ou esconder as sardas. Para completar, eu dava duro igualzinho a qualquer um dos marmanjos a bordo – e talvez mais ainda, pensei com irritação.

Ainda indignada, sem conseguir pegar no sono, lembrei do meu pai me dizendo que grande parte da irritação que as pessoas sentem em relação a comentários pessoais em geral se deve ao fato de existir neles um tiquinho de verdade. À medida que as horas foram passando, tive que reconhecer que Theo provavelmente tinha razão. Eu não estava sendo "eu mesma".

Na noite seguinte, ele tornou a me acompanhar até a pensão. Embora não fosse fisicamente grande, eu o achava muito intimidador, e me peguei gaguejando e tropeçando nas palavras. Sem dizer nada, ele escutou enquanto eu me esforçava para explicar minha dupla personalidade.

– Bom, meu pai... cuja opinião em geral não considero justa, um dia me disse que, se as mulheres usassem os próprios pontos fortes em vez de ficarem tentando ser como os homens, elas mandariam no mundo. Talvez você devesse tentar fazer isso – comentou ele.

– Sendo homem, é fácil falar, mas o seu pai por acaso já trabalhou em um ambiente totalmente dominado por mulheres? E, se tivesse trabalhado, será que teria sido "ele mesmo"? – rebati, irritada por ser tratada com aquela condescendência.

– Esse é um bom argumento – concordou Theo. – Bem, pelo menos talvez ajude um pouco se eu chamá-la de "Ally". Combina mais com você do que "Al". Você se importa?

Antes de eu ter a chance de responder, ele parou abruptamente no cais do pitoresco porto, onde pequenas embarcações de pesca balançavam suavemente entre iates e lanchas maiores, com os ruídos tranquilizadores de um mar calmo a bater em seus cascos. Vi-o erguer os olhos para o céu e inflar visivelmente as narinas para farejar o ar e tentar descobrir que tipo de clima o dia seguinte traria. Era algo que eu só tinha visto velejadores mais velhos fazerem, e dei uma risadinha ao imaginar Theo como um lobo do mar idoso e desgrenhado.

Ele se virou para mim com um sorriso intrigado.

– Qual é a graça?

– Nenhuma – respondi. – E, se você preferir, fique à vontade para me chamar de Ally.

– Obrigado. Agora vamos dormir um pouco. Programei um dia pesado para a gente amanhã.

Nessa noite, assim como na anterior, perdi o sono relembrando nossa conversa. Logo *eu*, que em geral dormia feito uma pedra, sobretudo quando estava treinando ou competindo.

E os conselhos de Theo tiveram um efeito contrário. Nos dias que se seguiram, cometi vários errinhos bobos que me fizeram sentir mais uma novata do que a profissional que eu de fato era. Repreendi-me com severidade, mas, por ironia e apesar das provocações bem-humoradas dos colegas, Theo não fez crítica nenhuma.

Na nossa quinta noite, muito constrangida e confusa com o nível medíocre da minha performance, nada característico de mim, nem sequer jantei com o resto da tripulação. Em vez disso, fiquei sentada na varandinha da pensão e comi pão, queijo *feta* e azeitonas que a simpática proprietária havia providenciado para mim. Afoguei as mágoas no vinho tinto forte que ela me serviu e, depois de várias taças, comecei a ficar tonta e sentir pena de mim mesma. Estava cambaleando trôpega, levantando da mesa para ir para a cama, quando Theo apareceu na varanda.

– Está tudo bem? – perguntou ele, ajeitando os óculos mais para cima do nariz para me enxergar melhor.

Olhei para ele estreitando os olhos, mas sua silhueta havia se transformado em um borrão inexplicável.

– Tudo – respondi, com a voz arrastada, e voltei a me sentar depressa quando tudo em que tentava focar os olhos começou a rodar.

– Ficamos preocupados por você não aparecer hoje. Não está doente, está?

– Não – respondi, sentindo o gosto amargo da bile subir pela garganta. – Está tudo bem.

– Se estiver doente, pode me contar, tá? Não vou usar isso contra você. Posso me sentar?

Não respondi. Na verdade, constatei que não conseguia falar, dado o esforço que estava fazendo para controlar minhas náuseas. Mesmo assim, ele se sentou na cadeira de plástico do outro lado da mesa.

– Qual é o problema, então?

– Nenhum – consegui dizer.

– Ally, você está com uma aparência terrível. Tem certeza de que não está passando mal?

– Eu... com licença.

Dizendo isso, levantei-me aos tropeços e mal consegui chegar até a beirada da varanda antes de vomitar por cima do guarda-corpo na calçada do outro lado.

– Coitadinha. – Senti duas mãos me segurarem com firmeza pela cintura. – É óbvio que você não está nada bem. Vou ajudá-la a ir para o quarto. Qual é o número?

– Eu estou... estou muito bem – balbuciei como uma boba, totalmente horrorizada com o que acabara de acontecer.

E logo na frente de Theo Falys-Kings, um homem que, por algum motivo, eu estava desesperadamente tentando impressionar. No fim das contas, a situação não poderia ter sido pior.

– Vamos lá.

Ele passou meu braço inerte por cima do próprio ombro e meio que me carregou para fora da varanda enquanto os outros hóspedes nos olhavam com repulsa.

Quando cheguei ao quarto, ainda vomitei mais algumas vezes, mas pelo menos foi na privada. A cada vez que eu saía do banheiro, Theo estava à minha espera, pronto para me ajudar a me deitar de novo.

– É sério – grunhi. – Amanhã de manhã vou estar bem, juro.

– Faz duas horas que você está dizendo isso entre uma vomitada e outra – retrucou ele, pragmático, enquanto limpava o suor pegajoso da minha testa com uma toalha umedecida em água fria.

– Vá dormir, Theo – murmurei, grogue. – Eu já estou bem, sério mesmo. Só preciso dormir.

– Daqui a pouco eu vou.

– Obrigada por cuidar de mim – murmurei ao mesmo tempo que meus olhos começavam a fechar.

– Não tem de quê, Ally.

Então, enquanto eu pairava num mundo intermediário, naqueles poucos segundos antes de pegar no sono, nem lá nem cá, sorri.

– Eu acho que amo você – ouvi-me dizer, e então apaguei.

No dia seguinte, acordei um pouco trêmula, mas me sentindo melhor. Ao sair da cama, tropecei em Theo, que havia pegado um travesseiro extra e estava encolhido no chão, ferrado no sono. Fechei a porta do banheiro, deixei-me cair sentada na borda da banheira e recordei as palavras que havia pensado na noite anterior... ai, meu Deus! Será que eu chegara a *dizê-las*?

Eu acho que amo você...

De onde tinha saído aquilo, pelo amor de Deus? Ou será que tinha sido um sonho? Afinal de contas, estava passando muito mal e poderia ter delirado. *Meu Deus, tomara*, grunhi para mim mesma, segurando a cabeça entre as mãos. Mas... se eu não tivesse dito nada, como conseguia me lembrar daquelas palavras de um modo tão vívido? Era ridículo, claro, mas agora Theo talvez pensasse que eu estava falando sério. E eu não estava... ou será que estava?

Algum tempo depois, saí do banheiro toda encabulada e vi que ele estava indo embora. Não consegui encará-lo nos olhos quando me disse que iria até o quarto dele tomar uma chuveirada e voltaria para me buscar dali a dez minutos, para irmos tomar café da manhã.

– Sério, Theo, pode ir. Não quero arriscar.

– Ally, você precisa pôr alguma coisa para dentro. Se não conseguir manter a comida no estômago por uma hora depois de comer, infelizmente estará banida do veleiro até conseguir. Você conhece as regras.

– Tá bom – concordei, tristonha.

Quando ele saiu, desejei com todas as minhas forças ter o poder de ficar invisível. Nunca, em toda a minha vida, quisera estar em outro lugar tanto quanto naquele instante.

Quinze minutos depois, saímos juntos para a varanda. Os outros membros da tripulação ergueram os olhos da mesa para nós dois com sorrisos maliciosos de quem tinha entendido tudo. Eu quis socar todos eles.

– Ally passou mal – informou Theo enquanto nos sentávamos. – Mas pelo visto você também não dormiu muito bem, Rob.

Os outros tripulantes deram risadinhas para Rob, que deu de ombros, envergonhado, enquanto Theo começava a falar calmamente sobre o treino que havia planejado.

Fiquei sentada sem dizer nada, satisfeita por ele ter mudado o rumo da conversa, mas sabia o que os outros estavam pensando. E a ironia era que estavam todos muito errados. Eu havia jurado nunca ir para a cama com um companheiro de embarcação, pois sabia com que rapidez as mulheres podiam ficar mal faladas no mundinho das regatas. E agora parecia ter conquistado essa má reputação sem motivo.

Pelo menos consegui não vomitar o café da manhã e pude embarcar. A partir desse momento, me esforcei ao máximo para deixar claro para todo mundo – especialmente para o próprio – que eu não estava nem um pouco interessada em Theo Falys-Kings. Durante os treinos, mantinha a maior distância possível dele e lhe respondia em monossílabos. À noite, depois do jantar, cerrava os dentes e continuava sentada à mesa com os outros quando ele se levantava para voltar para a pensão.

Porque eu não o amava, dizia para mim mesma. E não queria que ninguém mais pensasse isso. No entanto, na minha determinação por convencer todos à minha volta, percebi que não havia nenhuma convicção firme na minha própria mente. Eu me pegava olhando para ele quando achava que ele não estava vendo. Admirava seu jeito calmo e contido de lidar com a tripulação e seus comentários sensíveis, que nos uniam e nos faziam trabalhar melhor em equipe. E admirava a maneira como, apesar de ele não ser muito alto em comparação com os outros, seu corpo era firme e musculoso debaixo das roupas. Ficava observando enquanto ele demonstrava repetidas vezes que era o mais em forma e o mais forte de todos nós.

Sempre que a minha mente traiçoeira se deixava levar *nessa* direção, eu fazia o possível para puxá-la de volta. De uma hora para a outra, porém, comecei a reparar que Theo vivia sem camisa. De fato, fazia muito calor durante o dia, mas será que ele precisava mesmo ficar sem camisa para examinar os mapas da regata?

– Está precisando de alguma coisa, Ally? – perguntou-me ele certa vez, virando-se e me flagrando com os olhos pregados nele.

Não me lembro nem do que balbuciei ao lhe dar as costas, com o rosto muito vermelho de vergonha.

Só fiquei aliviada por Theo nunca ter mencionado o que eu talvez tivesse dito a ele na noite em que passara mal. Comecei a me convencer de que tudo não devia mesmo ter passado de um sonho. Mesmo assim, sabia que algo tinha acontecido comigo e não era possível voltar atrás. Algo sobre o qual, pela primeira vez na vida, eu parecia não ter nenhum controle. Da mesma forma que meu padrão de sono habitual tinha me abandonado, meu saudável apetite havia desaparecido. Quando eu conseguia pegar no sono, tinha sonhos vívidos com ele, do tipo que me fazia enrubescer ao acordar e que tornava meu comportamento em relação a ele ainda mais desajeitado. Quando eu era adolescente, lia histórias de amor e não lhes dava importância; preferia os thrillers de trama densa. No entanto, ao listar mentalmente meus sintomas atuais, constatei com tristeza que todos eles pareciam corresponder à mesma realidade: por algum motivo, eu dera um jeito de me apaixonar por Theo Falys-Kings.

Na última noite de treino, Theo se levantou da mesa depois do jantar e nos disse que tínhamos feito um trabalho espetacular e que ele acreditava de verdade que poderíamos vencer a regata. Depois do brinde, eu estava a ponto de me retirar para a pensão quando notei o olhar dele em mim.

– Ally, só tem uma coisa que eu queria conversar com você. Segundo o regulamento, precisamos de um membro da tripulação que fique responsável pelos primeiros-socorros. Não significa nada, é só burocracia e uns formulários para assinar. Você faria isso?

Ele apontou para uma pasta de plástico e meneou a cabeça em direção a uma mesa vazia. Seguimos até ela.

– Eu não sei rigorosamente nada sobre primeiros-socorros. E só porque sou mulher não quer dizer que saiba cuidar dos outros melhor do que os homens – falei, desafiadora, enquanto nos sentávamos à mesa longe dos outros. – Por que não pede a Tim ou um dos outros?

– Ally, cale a boca, por favor. Era só uma desculpa. Olhe aqui. – Theo me mostrou as duas folhas de papel em branco que acabara de tirar da pasta. – Então... – continuou, passando-me uma caneta. – Em nome das aparências, principalmente da sua, nós agora vamos ter uma conversa sobre as suas responsabilidades como membro da tripulação responsável pelos primeiros-socorros. E ao mesmo tempo vamos conversar sobre o fato de que, na noite em que você passou mal, disse que achava que me amava. E a verdade, Ally, é que eu acho que talvez esteja sentindo a mesma coisa por você.

Theo fez uma pausa, e eu o encarei com total incredulidade para ver se ele estava me provocando, mas estava entretido fingindo verificar os papéis.

– O que eu gostaria de sugerir é que a gente descubra o que isso significa para nós dois – continuou ele. – Amanhã, vou pegar meu iate e sumir durante um fim de semana prolongado. Gostaria que você viesse comigo. – Ele enfim ergueu os olhos para mim. – Você topa?

Minha boca abria e fechava, decerto criando uma boa imitação de um peixinho dourado, mas eu simplesmente não sabia o que responder.

– Pelo amor de Deus, Ally, diga que sim e pronto. Desculpe o péssimo trocadilho, mas estamos no mesmo barco. Nós dois sabemos que existe algo entre a gente, e isso desde o momento em que nos conhecemos, um ano atrás. Para ser franco, pelo que ouvi a seu respeito, esperava uma mulher musculosa e masculina. Mas aí apareceu você, com esses olhos azuis e essa deslumbrante cabeleira loura, e me desarmou completamente.

– Ah – falei, sem saber o que dizer.

– Então. – Ele pigarreou e percebi que estava igualmente nervoso. – Vamos fazer aquilo que mais amamos: ficar um tempo de bobeira no mar e dar a essa "coisa", seja ela qual for, uma chance de evoluir. Na pior das hipóteses, você vai gostar do iate. É muito confortável e veloz.

– Vai... vai ter mais alguém a bordo? – perguntei, quando consegui recuperar a voz.

– Não.

– Então você vai ser o capitão e eu, a única tripulante?

– É, mas eu prometo não obrigar você a subir nas cordas nem a passar a noite inteira sentada no cesto da gávea. – Ele então sorriu e seus olhos verdes tinham uma expressão calorosa. – Ally, diga que sim e pronto.

– Tá – concordei.

– Ótimo. Agora, quem sabe, você possa assinar aqui na linha pontilhada para... Ahn, para fechar o acordo. – Ele apontou com o dedo para um ponto da folha em branco.

Olhei de relance em sua direção e vi que ele ainda estava sorrindo para mim. Finalmente lhe sorri de volta. Assinei meu nome e lhe devolvi o papel. Ele o estudou com uma expressão séria fingida e em seguida a recolocou dentro da pasta de plástico.

– Então, combinado – disse ele, erguendo a voz para nossos colegas poderem escutar.

Eles deviam estar mesmo de orelha em pé.

– E vejo você lá no porto ao meio-dia para lhe passar suas tarefas.

Ele me deu uma piscadela e calmamente voltamos para junto dos outros, mas meu ritmo controlado era só um disfarce para a maravilhosa onda de entusiasmo que me percorria por dentro.

2

A verdade é que nem Theo nem eu tínhamos certeza do que esperar quando içamos as velas e saímos de Naxos no seu iate Sunseeker, o esguio e potente *Netuno*, que era pelo menos 20 pés mais longo do que o Hanse, com o qual íamos participar da regata. Eu havia me acostumado a dividir com muitas outras pessoas as pequenas cabines, e agora que estávamos só os dois, todo aquele espaço adquiria uma presença exagerada. A cabine principal era uma luxuosa suíte, em teca envernizada, e quando vi a grande cama de casal me lembrei das circunstâncias em que dormíramos no mesmo quarto pela última vez.

– Comprei o iate bem baratinho uns dois anos atrás, quando o dono foi à falência – explicou ele enquanto conduzia a embarcação para fora do porto de Naxos. – Pelo menos agora eu tenho um teto.

– Você mora mesmo no barco? – indaguei, surpresa.

– Nos intervalos maiores, fico em Londres, na casa da minha mãe, mas no último ano tenho morado aqui nas raras ocasiões em que não estou levando outro barco até o local de uma regata ou competindo. Mas agora quero ter minha própria casa em terra firme. Na verdade, acabei de comprar uma, mas ela precisa de uma obra enorme e só Deus sabe quando vou ter tempo para isso.

Como eu já estava acostumada com o superiate oceânico do meu pai, o *Titã*, que tinha um sofisticado sistema computadorizado de navegação, nós dois dividimos a "condução", como Theo gostava de dizer. Nessa primeira manhã, porém, tive dificuldade para deixar de lado o protocolo habitual quando estava a bordo com ele. Sempre que Theo me pedia para fazer alguma coisa, eu precisava me segurar para não responder: "Sim, capitão!"

Dava para sentir a tensão entre nós; nenhum dos dois tinha certeza de como ultrapassar a barreira do relacionamento profissional que tínhamos até então e levar as coisas para um patamar mais íntimo. Nossas conversas eram engessadas; eu pensava duas vezes antes de dizer qualquer coisa naquela situação estranha, e acabava recorrendo sobretudo a banalidades sem importância. Theo ficava praticamente o tempo todo calado, e quando lançamos a âncora para almoçar, eu já estava começando a achar que aquela ideia toda tinha sido um completo desastre.

Fiquei grata quando ele apareceu com uma garrafa de *rosé* da Provence geladinho para acompanhar nossa salada. Nunca fui de beber muito, e certamente não no mar, mas de alguma forma conseguimos dar conta da garrafa sem dificuldade. Para tirá-lo daquele silêncio constrangedor, decidi falar sobre regatas. Falamos sobre nossa estratégia para as Cíclades e conversamos sobre como seria diferente a competição seguinte, nas Olimpíadas de Pequim. Minhas últimas provas eliminatórias para uma vaga na equipe suíça seriam no fim do verão, e Theo me disse que iria velejar até os Estados Unidos.

– Quer dizer que você nasceu nos Estados Unidos? Mas seu sotaque é britânico.

– Meu pai é americano, e minha mãe, inglesa. Eu estudei num colégio interno em Hampshire, depois fui para Oxford, e de lá para Yale – explicou ele. – Sempre fui meio CDF.

– O que você estudou?

– Letras clássicas em Oxford, depois fiz mestrado em psicologia em Yale. Tive sorte de conseguir entrar para a equipe de vela da universidade e acabei virando capitão. Tudo bem privilegiado. E você?

– Estudei flauta no Conservatoire de Musique de Genève. Mas então está explicado... – Olhei para ele de soslaio com um leve sorriso.

– O que está explicado?

– O fato de você gostar tanto de analisar os outros. E uma parte do motivo de você fazer tanto sucesso como capitão é porque sabe lidar tão bem com a tripulação. Principalmente comigo – arrematei, encorajada pela bebida. – Seus comentários me ajudaram, de verdade, mesmo que na hora eu não tenha gostado de escutá-los.

– Obrigado. – O elogio o fez encolher a cabeça com timidez. – Em Yale, me deram total liberdade para aliar meu amor pela vela com a psicologia, e eu desenvolvi um estilo de comando que alguns podem considerar um pouco fora do comum, mas que para mim funciona.

– Seus pais apoiavam a sua paixão pela vela?

– Minha mãe sim, mas meu pai... Bom, eles se separaram quando eu tinha 11 anos, e uns dois anos depois passaram por um divórcio difícil. Então, papai voltou para os Estados Unidos. Eu passava as férias com ele lá quando era mais novo, mas ele vivia viajando a trabalho e contratava babás para ficarem comigo. Foi me visitar algumas vezes quando eu estava em Yale para me ver competir, mas não posso dizer que o conhecia muito bem. Só pelo que ele fez com a minha mãe, e reconheço que a antipatia dela em relação a ele atrapalhou meu julgamento. Bem... de toda forma, eu adoraria ouvir você tocar flauta – disse ele, recuperando-se, mudando de assunto de repente e me encarando de frente, olhos verdes mergulhados em azuis. Mas o momento logo passou; ele tornou a olhar para o outro lado e se remexeu na cadeira.

Frustrada pelo aparente fracasso das minhas tentativas de fazê-lo se abrir, também mergulhei em um silêncio contrariado. Depois de levarmos a louça suja para a cozinha, mergulhei pela lateral do iate e nadei num ritmo forte e rápido para desanuviar meu cérebro embotado pelo vinho.

– Quer subir lá no convés de cima para pegar um sol antes de prosseguirmos? – indagou ele quando voltei a bordo.

– Está bem – concordei, embora sentisse que a minha pele clara e sardenta já tinha pegado sol mais do que suficiente.

Quando estava no mar, em geral me cobria inteira com um bloqueador solar à prova d'água, mas isso praticamente equivalia a me pintar de branco, e não era um visual dos mais sedutores. Naquela manhã, tinha usado um filtro solar mais leve, mas estava começando a achar que a queimadura não valeria a pena.

Theo pegou duas garrafas d'água no *cooler* e fomos nos acomodar no confortável convés de cima, na proa do iate. Deitamo-nos um ao lado do outro sobre as almofadas confortáveis, e arrisquei uma olhadela discreta na sua direção; meu coração batia descontrolado diante da proximidade seminua. Decidi que, se ele não tomasse logo a iniciativa, eu teria que fazer algo nada digno de uma dama e simplesmente pular em cima dele. Virei a cabeça para o outro lado, tentando impedir que mais pensamentos safadinhos invadissem a minha cabeça.

– Mas me fale sobre as suas irmãs e a casa no lago Léman onde vocês moram. Parece um lugar idílico – disse ele.

– E é... eu...

Com o cérebro todo bagunçado pelo desejo e pelo álcool, a última coisa que eu queria era iniciar um longo monólogo sobre a minha complexa situação familiar.

– Estou meio com sono. Posso contar depois? – falei, virando de bruços.

– É claro que pode. Ally?

Senti o leve toque de seus dedos nas minhas costas.

– O quê? – Virei-me e ergui os olhos para ele; minha garganta se contraiu de expectativa, e fiquei sem ar.

– Seus ombros estão ficando queimados.

– Ah. Tá bom – rebati. – Bom, então vou lá para baixo sentar na sombra.

– Quer que eu vá também?

Não respondi, apenas dei de ombros enquanto me levantava e percorria a estreita parte do convés que dava na popa. Ele então segurou a minha mão.

– Ally, o que houve?

– Nada, por quê?

– Você está parecendo muito... tensa.

– Ah! Você também – retorqui.

– É mesmo?

– É – falei, enquanto ele me seguia escada abaixo até a popa e eu me sentava pesadamente em um banco à sombra.

– Desculpe. – Ele suspirou. – Eu nunca fui muito bom nessa parte.

– A que "parte" exatamente você está se referindo?

– Ah, você sabe. Todos esses preâmbulos, saber como conduzir a coisa. Quero dizer, eu respeito você e gosto de você, e não queria deixá-la com a sensação de que a trouxe no iate pensando só em sacanagem. Você poderia muito bem ter achado que era só isso que eu queria, já que é tão sensível em relação a ser mulher em um mundo de homens e...

– Pelo amor de Deus, Theo, eu não sou nada sensível!

– Sério? – Ele revirou os olhos, incrédulo. – Para ser sincero, hoje em dia a gente fica com medo de levar um processo por assédio sexual pelo simples fato de olhar para uma mulher com admiração. Já aconteceu comigo uma vez, com outra tripulante da minha equipe.

– Foi mesmo? – Fingi surpresa.

– Foi. Acho que eu disse alguma coisa do tipo: "Oi, Jo. Que bom ter você a bordo para animar os rapazes." Depois disso, não tive mais chance de me redimir.

Encarei-o.

– Você *não disse* isso!

– Ah, pelo amor de Deus, Ally, o que eu quis dizer foi que ela iria nos deixar em alerta. A reputação profissional dela era excelente. E por algum motivo ela levou a coisa para o outro lado.

– Não consigo imaginar por quê... – comentei, ácida.

– Infelizmente, nem eu consegui.

– Theo, eu estava sendo irônica! Entendo perfeitamente por que ela se ofendeu. Você não pode imaginar os comentários que nós velejadoras escutamos. Não é de espantar que ela tenha se ofendido.

– Bom, foi por isso que eu fiquei tão nervoso quando soube que teria você a bordo. Principalmente porque eu achava você tão atraente.

– Eu sou o contrário, lembra? – rebati. – Você me criticou por tentar ser homem e não saber aproveitar meus pontos fortes!

– É verdade – disse ele com um sorriso. – E agora você está aqui sozinha comigo e trabalhamos juntos, você talvez pense que...

– Theo! Isso já está ficando ridículo. Acho que é você quem tem problema, não *eu*! – disparei em resposta, agora irritada de verdade. – Você me convidou para vir ao seu iate, e eu vim por livre e espontânea vontade!

– Veio, mesmo, mas, para ser sincero, essa coisa toda... – Ele fez uma pausa e me encarou com um olhar intenso. – Você é muito importante para mim. E desculpe me comportar como um idiota, mas faz tanto tempo que não pratico essa coisa de... paquerar. E não quero fazer nada errado.

Meu coração amoleceu.

– Bom, nesse caso, que tal tentar parar de analisar tudo e relaxar um pouco? – sugeri. – Aí quem sabe eu relaxo também. Lembre-se: eu *quero* estar aqui.

– Tá, vou tentar.

– Ótimo. – Examinei meus braços queimados de sol. – Agora, como estou mesmo começando a parecer um tomate maduro, vou descer para fazer uma pausa do sol. E você é muito bem-vindo para me acompanhar, se quiser. – Levantei-me e fui até a escada. – E prometo não processá-lo por assédio sexual. Na verdade... – acrescentei, ousada. – Talvez eu até o encoraje um pouquinho.

Desapareci escada abaixo, rindo por ter feito um convite tão direto e me perguntando como ele iria reagir. Quando entrei na cabine e me deitei na cama, senti-me poderosa. Theo podia ser o chefe no trabalho, mas eu estava decidida a obter paridade, ou quem sabe até proeminência, em qualquer relacionamento pessoal que nós dois pudéssemos vir a ter.

Cinco minutos depois, ele apareceu encabulado na porta e pediu mil desculpas por ter sido "ridículo". Quando ele acabou de falar, mandei-o calar a boca e vir para a cama.

Depois que *tudo* aconteceu, as coisas ficaram bem entre nós. Nos dias que se seguiram, ambos percebemos que o que estava acontecendo era muito mais profundo do que uma simples atração física: era a rara trindade de corpo, coração e mente. Por fim, então, mergulhamos na alegria mútua daquele encontro.

Nossa proximidade aumentou a um ritmo mais veloz do que o normal, uma vez que já tínhamos consciência das qualidades e dos defeitos de cada um, embora eu deva dizer que não falávamos muito sobre os últimos. Apenas nos esbaldávamos com o quão maravilhosos parecíamos aos olhos um do outro. Passávamos o tempo inteiro fazendo amor, bebendo vinho e comendo os peixes frescos que ele pescava da popa do iate enquanto eu ficava deitada em seu colo lendo um livro, preguiçosa. Nosso apetite físico vinha acompanhado por uma fome igualmente insaciável de saber o máximo que pudéssemos sobre o outro. Juntos e sozinhos, na paz proporcionada pelo mar, minha sensação era de que estávamos vivendo fora do tempo e de que não precisávamos de nada a não ser um do outro.

Na nossa segunda noite, deitada nos braços de Theo sob as estrelas no convés superior, contei-lhe sobre Pa Salt e minhas irmãs. Como todos sempre faziam, ele escutou com fascínio a história da minha estranha e mágica infância.

– Então deixe-me entender direito: o seu pai, a quem sua irmã mais velha apelidou de "Pa Salt", trouxe você e cinco outras bebezinhas de suas viagens ao redor do mundo. Da mesma forma que outras pessoas colecionariam ímãs de geladeira?

– É, basicamente isso. Embora eu goste de pensar que sou um pouco mais preciosa do que um ímã de geladeira.

– Isso a gente vai ver – disse ele, mordiscando com delicadeza minha orelha. – Ele mesmo cuidava de vocês?

– Não. Para isso tinha a Marina, que a gente sempre chamou de "Ma". Pa a contratou como babá quando adotou Maia, minha irmã mais velha. Ela é praticamente nossa mãe, e todas nós a adoramos. Como ela é francesa, esse foi um dos motivos pelos quais fomos criadas falando francês, além de ser um dos idiomas oficiais da Suíça. Como Pa tinha obsessão por sermos bilíngues, falava com a gente em inglês.

– Ele fez um bom trabalho. Eu nunca teria percebido que o inglês não era sua língua materna, a não ser pelo seu sensacional sotaque francês – disse ele, puxando-me para si e dando um beijo nos meus cabelos. – Seu pai algum dia contou por que adotou vocês?

– Eu perguntei para Ma um dia, e ela respondeu que ele estava solitário em Atlantis e tinha dinheiro de sobra para gastar, só isso. A gente nunca questionou por quê, simplesmente aceitou que estava ali, como qualquer criança. Somos uma família, nunca precisamos de motivo. Nós simplesmente... *somos*.

– Parece um conto de fadas. O rico benfeitor que adota seis órfãs. Por que só meninas?

– A gente brincava que, como ele tinha começado a nos batizar em homenagem às estrelas da constelação das Sete Irmãs, adotar um menino talvez atrapalhasse a sequência – falei, com uma risadinha. – Mas, para ser sincera, nenhuma de nós faz a menor ideia.

– Quer dizer então que o seu nome é Alcíone, a segunda irmã? É um pouco mais complicado de pronunciar do que Al – provocou ele.

– É, mas ninguém nunca me chama assim, a não ser Ma, quando está zangada – falei, com uma careta. – E não se atreva a começar!

– Eu adoro seu nome, minha pequena Alcíone. Acho que combina com você. Mas por que só seis irmãs, quando deveriam ter sido sete para corresponder à mitologia?

– Não faço a menor ideia. A última irmã, que teria sido batizada de Mérope se Pa a tivesse levado para casa, nunca chegou – expliquei.

– Que pena.

– É mesmo. Mas levando em conta o pesadelo que foi minha sexta irmã, Electra, quando chegou a Atlantis, acho que nenhuma de nós queria mais um bebê se esgoelando em casa.

– Electra? – Theo reconheceu o nome na hora. – Aquela supermodelo famosa?

– Ela mesma – respondi, cautelosa.

Theo se virou para mim, assombrado. Eu quase nunca mencionava que era parente de Electra, pois isso costumava gerar um interrogatório interminável para descobrir quem de fato estava por trás de um dos rostos mais fotografados do mundo.

– Muito bem. E as suas outras irmãs? – indagou ele, deixando-me feliz por não perguntar mais nada sobre Electra.

– Maia vem logo antes de mim e é a mais velha. Ela é tradutora, e herdou de Pa o talento com idiomas. Perdi a conta de quantos ela fala. E se você acha Electra bonita, deveria ver Maia. Enquanto eu sou ruiva e sardenta, ela tem uma pele morena linda de morrer, cabelos escuros, parece uma diva latina exótica. Já em termos de personalidade, ela é bem diferente: vive praticamente reclusa e ainda mora em Atlantis. Diz que quer ficar lá para cuidar de Pa Salt. A gente acha que ela está se escondendo, mas de quê... – Deixei escapar um suspiro. – Eu não sei. Tenho certeza de que alguma coisa aconteceu quando ela foi para a universidade. Ela mudou da água para o vinho. Enfim, eu adorava Maia quando era pequena e ainda adoro, embora sinta que ela se afastou de mim nos últimos anos. Para dizer a verdade, ela fez isso com todo mundo, mas nós éramos muito próximas.

– Quando você se fecha, tende a ficar sozinho, se é que você me entende – murmurou Theo.

– Que profundo. – Provoquei-o com um sorriso. – Mas, sim, é mais ou menos isso.

– E a irmã seguinte?

– Chama-se Estrela, e tem três anos a menos do que eu. Na verdade, minhas duas irmãs do meio vieram em par. Ceci, a quarta, foi trazida para casa por Pa só três meses depois de Estrela, e desde então as duas são unha e carne. Ambas tiveram uma vida meio nômade depois que deixaram a universidade, viajaram pela Europa e pelo Extremo Oriente, mas aparentemente agora pretendem se fixar em Londres para Ceci fazer um curso em uma fundação de arte. Se você me perguntasse quem Estrela *realmente* é como pessoa, ou quais são seus talentos e ambições, eu infelizmente não saberia dizer, porque Ceci a domina por completo. Ela não fala muito, e deixa a irmã falar pelas duas. Ceci tem uma personalidade bem forte, igual à de Electra. Como você pode imaginar, existe um pouco de tensão entre as duas. Electra é tão intensa quanto seu nome sugere, mas eu sempre a achei muito vulnerável por dentro.

– Suas irmãs com certeza dariam um estudo psicológico fascinante, disso eu tenho certeza – comentou Theo. – E a última?

– A última é Tiggy, que é muito fácil de descrever porque é simplesmente um amor. Ela se formou em biologia e passou um tempo envolvida com pesquisa no zoológico de Servion antes de ir trabalhar em uma reserva de cervos nas Terras Altas da Escócia. Ela é muito... – Busquei a palavra certa. – Muito etérea, e tem um monte de crenças espirituais esquisitas. Literalmente parece flutuar em algum ponto entre o céu e a terra. A verdade é que todas nós implicamos com ela sem trégua ao longo dos anos toda vez que afirmava ter ouvido vozes ou visto um anjo na árvore do jardim.

– Quer dizer que você não acredita em nada disso? – perguntou-me Theo.

– Eu diria que tenho os pés bem firmes no chão. Ou pelo menos na água – emendei, com um sorriso. – Tenho uma natureza muito prática, e acho que é em parte por isso que minhas irmãs sempre me consideraram a "líder" do nosso pequeno bando. Mas isso não significa que eu não tenha respeito por aquilo que não conheço ou não entendo. E você?

– Bom, apesar de eu nunca ter visto nenhum anjo como a sua irmã, sempre me senti protegido. Principalmente velejando. Passei por vários momentos difíceis a bordo, mas até agora... vou até bater na madeira... consegui sair ileso. Talvez Poseidon esteja do meu lado, para usar uma analogia mitológica.

– Que continue assim por muito tempo – murmurei, com fervor.

– Então por fim, mas não menos importante: me fale sobre esse seu incrível pai. – Theo começou a acariciar com delicadeza os meus cabelos. – O que ele faz da vida?

– Para ser sincera outra vez, nenhuma de nós sabe muito bem. Seja lá o que for, com certeza teve muito sucesso. O iate dele, o *Titã*, é um Benetti – falei, tentando traduzir a riqueza de Pa em uma língua que Theo pudesse entender.

– Nossa! Assim o meu fica parecendo um bote de criança. Bom... com esses dois palácios, na terra e no mar, imagino que você seja uma princesa secreta – provocou Theo.

– A gente com certeza teve uma vida boa, sim, mas Pa fez questão de que todas nós ganhássemos nosso próprio dinheiro. Depois de adultas, ninguém nunca recebeu nenhum tostão de mão beijada, a não ser para pagar os estudos.

– Um homem sensato. Vocês são próximos?

– Ah, muito. Ele é... é tudo para mim e para todas nós. Tenho certeza de que cada uma gosta de pensar que tem um relacionamento especial com ele, mas como nós dois temos em comum o amor pela vela, passei muito tempo sozinha com ele quando era pequena. E não foi só vela que ele me ensinou – arrematei. – Ele é a pessoa mais bondosa e mais sábia que já conheci.

– Quer dizer que você é uma verdadeira queridinha do papai. Pelo visto eu tenho um exemplo e tanto a superar – observou Theo, descendo a mão dos meus cabelos para acariciar meu pescoço.

– Chega de falar de mim, quero saber de você – falei, distraída pelo seu toque.

– Depois, Ally, depois... você precisa saber o efeito que esse seu lindo sotaque francês tem em mim. Eu poderia passar a noite inteira ouvindo você falar. – Ele se levantou, apoiando-se no cotovelo, e se inclinou para me dar um beijo na boca. Depois disso não dissemos mais nada.

3

Na manhã seguinte, tínhamos decidido velejar até Mikonos para comprar mantimentos quando Theo me chamou do convés superior para que eu me juntasse a ele no passadiço.

– Adivinhe só? – falou, com um ar satisfeito.

– O quê?

– Eu estava batendo papo no rádio com Andy, um amigo velejador que está por aqui com seu catamarã, e ele sugeriu nos encontrarmos em uma baía perto de Delos para uns drinques mais tarde. E ele brincou dizendo que tinha um superiate chamado *Titã* atracado bem ao lado dele, de modo que a gente não tinha como não o encontrar.

– *Titã*? – exclamei. – Tem certeza?

– Ele disse que era um Benetti, e duvido que o iate do seu pai tenha um sósia. Andy também disse que tinha um outro palácio flutuante se aproximando e que ele estava começando a ficar claustrofóbico, então tinha se afastado alguns quilômetros até uma baía distante. E aí, vamos tomar uma xícara de chá com seu pai antes de ir encontrar Andy? – perguntou ele.

– Estou perplexa – respondi, sincera. – Pa não comentou comigo que estava planejando vir para a Grécia, embora eu saiba que o seu lugar preferido para navegar é o mar Egeu.

– Na verdade, ele não devia imaginar que você estaria tão perto. Você pode verificar se é mesmo o iate do seu pai pelo binóculo quando chegarmos um pouco mais perto, para eu avisar ao capitão pelo rádio que estamos chegando. Seria bem constrangedor se não fosse o iate do seu pai e interrompêssemos algum oligarca russo dando uma orgia em um barco cheio de vodca e garotas de programa. Aliás, bem pensado. – Theo se virou para mim. – Seu pai nunca aluga o *Titã*, não é?

– Nunca – respondi, firme.

– Certo, então, madame, pegue o binóculo e volte para relaxar lá em cima enquanto seu fiel capitão assume o leme. Quando vir o iate, me faça um sinal pela janela que eu mando um recado pelo rádio para o *Titã* dizendo que estamos chegando.

Subi de volta até o convés superior e me sentei, tensa, para esperar avistar o *Titã* surgindo no horizonte; perguntei-me como iria me sentir apresentando o homem que eu mais amava no mundo ao homem que amava mais a cada dia que passava. Tentei lembrar se Pa algum dia havia conhecido algum namorado meu. Talvez eu o tivesse apresentado a algum paquera na época da escola de música em Genebra, mas não passara disso. Para ser sincera, nunca tinha conhecido uma "pessoa especial" que tivesse tido vontade de apresentar ao meu pai ou ao resto da família.

Até agora...

Vinte minutos mais tarde, um casco de formato familiar apareceu e mirei nele o binóculo. Sim, com certeza era o iate de Pa. Virei-me, dei uma batidinha na janela de vidro do passadiço atrás de mim e ergui o polegar para Theo. Ele assentiu e pegou o receptor do rádio.

Desci até a coberta, domei os cabelos despenteados pelo vento em um rabo de cavalo bem-feito e vesti uma camiseta e um short, subitamente animada por poder virar o jogo com meu pai e fazer uma surpresa *para ele*, só para variar. De volta ao passadiço, perguntei a Theo se Hans, capitão do meu pai, já tinha respondido alguma coisa pelo rádio.

– Não. Acabei de mandar outra mensagem. Se não recebermos resposta, parece que vamos ter que arriscar e aparecer sem avisar. Interessante. – Theo pegou o binóculo e o mirou no iate próximo ao *Titã*. – Eu sei de quem é o outro superiate que Andy mencionou. Chama-se *Olimpo* e pertence ao magnata Kreeg Eszu. A empresa dele, a Lightning Communications, já patrocinou algumas das embarcações em que fui capitão, de modo que nos encontramos algumas vezes.

– Sério? – Aquilo me fascinou. Kreeg Eszu, à sua maneira, era tão famoso quanto Electra. – Como ele é?

– Bem, vejamos... não posso dizer que me afeiçoei a ele. Sentei-me ao seu lado uma vez durante o jantar, e ele passou a noite inteira falando de si e dos seus sucessos. E Zed, filho dele, é pior ainda... um riquinho mimado, que acha que o dinheiro do pai significa que pode fazer o que quiser.

Vi seus olhos se encherem de uma raiva pouco habitual.

Eu havia apurado os ouvidos. Não era a primeira vez que ouvia o nome de Zed Eszu ser citado por alguém próximo.

– Ele é tão ruim assim?

– É, ruim *mesmo* – confirmou Theo. – Uma amiga minha se envolveu com o cara, e ele a tratou feito lixo. Enfim... – Theo tornou a levar o binóculo aos olhos. – Acho melhor a gente passar outro rádio para o *Titã*. Parece que o iate está indo embora. Que tal você mandar o recado? Se o seu pai ou o capitão estiverem escutando, talvez reconheçam a sua voz.

Fiz isso, mas não houve resposta. O iate continuou a ganhar velocidade, se afastando de nós.

– Quer que a gente vá atrás? – sugeriu Theo enquanto o *Titã* se afastava.

– Vou pegar meu celular e ligar direto para Pa – falei.

– Enquanto você faz isso, vou apressar o passo aqui. Eles já devem estar longe, mas, como eu nunca tentei alcançar um superiate, talvez isso seja divertido – brincou ele.

Deixei-o brincando de gato e rato com o iate de Pa e desci para a coberta, segurando-me no batente da porta quando ele acelerou. Vasculhei a mochila em busca do celular e tentei ligá-lo, encarando com impaciência a tela sem vida. O aparelho me encarou de volta feito um bicho de estimação deixado à própria sorte que eu me esquecera de alimentar, e entendi que a bateria tinha acabado. Tornei a vasculhar a mochila em busca do carregador, até encontrar um adaptador americano adequado à tomada junto à cama, em seguida pluguei o telefone e torci para que voltasse depressa a funcionar.

Retornei ao passadiço. Theo tinha diminuído nossa velocidade para um ritmo relativamente normal.

– Não temos como alcançar seu pai agora, nem na velocidade máxima. O *Titã* está à toda. Você ligou para ele?

– Não, meu celular está carregando.

– Tome aqui, use o meu.

Theo me estendeu o telefone e digitei o número de Pa Salt. A ligação caiu direto na caixa postal. Deixei recado explicando a situação e pedindo a meu pai para me ligar assim que possível.

– Parece que seu pai está fugindo de você – provocou Theo. – Talvez ele não queira ser visto neste exato momento. Enfim, vou mandar um rádio para o Andy, descobrir onde ele está, e vamos direto encontrá-lo.

Minha confusão deve ter transparecido no meu rosto, pois Theo me puxou para si e me deu um abraço.

– Ah, princesa, eu estava só brincando. É só uma linha aberta de rádio, lembre-se, e o *Titã* pode muito bem não ter ouvido as mensagens. Com certeza já aconteceu comigo. Você deveria ter ligado direto para ele, logo de cara.

– É – concordei. No entanto, enquanto seguíamos para Delos em um ritmo mais relaxado para encontrar o amigo de Theo, pensei numa coisa: depois de passar tantas horas velejando com Pa, eu sabia quanto ele fazia questão de manter o rádio ligado o tempo todo, e o capitão Hans sempre ficava alerta para qualquer mensagem que o *Titã* recebesse.

Agora, quando penso no assunto, lembro-me de ter ficado bastante abalada pelo resto da tarde. Talvez tenha sido uma premonição em relação ao que estava por vir.

❁ ❁ ❁

Assim, acordei na manhã seguinte abraçada a Theo na linda e deserta baía de Macheres, triste por pensar que teria que voltar para Naxos mais tarde naquele mesmo dia. Theo já havia comentado sobre seus planos de treinar para a regata que iria começar dali a alguns dias, e aquela nossa idílica estadia estava quase no fim – pelo menos por enquanto.

Deitada nua no convés superior ao lado dele, tentando despertar do meu devaneio, tive que forçar a mente a engatar a primeira para sair daquele maravilhoso casulo que éramos nós dois. Meu telefone continuava carregando desde a véspera, e comecei a me levantar para ir pegá-lo.

– Aonde você vai? – Theo me segurou com força.

– Pegar meu celular. Seria bom ouvir meus recados.

– Volte logo, tá?

Voltei, e ele então me abraçou e me disse para largar o telefone por mais um tempinho. Basta dizer que demorei mais uma hora para ligá-lo.

Sabia que devia haver alguns recados de amigos e parentes, mas, enquanto tirava a mão de Theo delicadamente de cima da minha barriga para não acordá-lo, reparei que tinha recebido um número de mensagens de texto bem maior do que o normal. E tinha vários alertas de recados na caixa postal.

Todas as mensagens eram das minhas irmãs.

Ally, por favor, me ligue assim que puder. Beijos, Maia.

Ally, é a Ceci. Está todo mundo atrás de você. Ligue para a Ma ou para a gente assim que der.

Ally, querida, é a Tiggy. A gente não sabe onde você está, mas precisamos falar com você.

Até que a mensagem de Electra fez meu corpo ser percorrido por calafrios de terror. *Ai, meu Deus, Ally! Que coisa horrível, né? Dá para acreditar? Estou indo de LA para casa agora.*

Levantei-me e fui até a proa do iate. Estava claro que algo terrível havia acontecido. Foi com as mãos trêmulas que liguei para a caixa postal e esperei para ouvir o que tinha feito minhas irmãs me procurarem com tamanha urgência.

Entendi assim que escutei o recado mais recente.

Oi, é a Ceci de novo. Parece que está todo mundo com medo de contar para você, mas a gente precisa que você volte para casa urgente. Ally, lamento muito ser eu a dar a má notícia, mas Pa Salt morreu. Sinto muito. Sinto muito. Por favor, ligue assim que puder.

Ceci provavelmente pensou que tinha encerrado a ligação antes de fazê-lo, pois um soluço alto ecoou antes do bipe do recado seguinte.

Meus olhos se perderam ao longe, sem ver nada, e pensei em como, na véspera mesmo, eu tinha visto o *Titã* pelo binóculo. *Deve ter havido algum engano*, pensei, para me reconfortar enquanto escutava o recado seguinte de Marina, minha mãe em tudo, menos no sangue, que também me pedia para entrar em contato com urgência, e em seguida recados semelhantes de Maia, Tiggy e Electra...

– Ai, meu Deus, ai, meu Deus...

Segurei-me na amurada para não cair. O celular escapuliu da minha mão e bateu no convés de teca com uma pancada. Abaixei a cabeça; parecia que todo o meu sangue estava se esvaindo, e achei que fosse desmaiar. Com a respiração pesada, desabei no convés e enterrei a cabeça nas mãos.

– Não pode ser, não pode ser verdade... – gemi.

– Mas, querida, o que foi que aconteceu? – Theo surgiu do meu lado, ainda nu, agachou-se e ergueu meu queixo na sua direção. – O que houve?

Tudo que consegui fazer foi apontar para o celular caído.

– Más notícias? – indagou ele, pegando o aparelho.

Assenti.

– Ally, parece que você viu um fantasma. Venha para a sombra, e vamos pegar um copo d'água.

Ainda segurando meu celular, ele me levantou do convés e me escorou até um banco de couro na coberta. Lembro-me de ter pensado aleatoriamente se estaria fadada a sempre ser vista por ele em situações de total desamparo.

Ele pôs depressa um short e pegou para mim uma das suas camisetas; com delicadeza, ajudou meu corpo inerte a vestir a roupa, em seguida me passou uma bela dose de conhaque e um copo d'água. Minhas mãos tremiam tanto que tive que pedir a ele para ligar para minha caixa postal, pois precisava ouvir os outros recados. Engasguei e cuspi ao engolir o conhaque, mas a bebida aqueceu meu corpo e ajudou a me acalmar.

– Tome. – Ele me passou o aparelho e, anestesiada, tornei a escutar o recado de Ceci e todos os outros, incluindo três de Maia e um de Marina, seguidos pela voz desconhecida de Georg Hoffman, que eu lembrava vagamente ser o advogado de Pa. Além disso, havia cinco recados mudos nos quais a pessoa evidentemente não soubera o que dizer e acabara desligando.

Pousei o celular ao meu lado no banco. Theo não havia desgrudado os olhos do meu rosto.

– Pa Salt morreu – sussurrei baixinho, e passei um tempão com os olhos perdidos no vazio.

– Como?

– Não sei...

– Tem certeza absoluta?

– Tenho. Ceci foi a única que teve a coragem de dizer com todas as letras. Mas eu ainda não entendo como é possível... a gente viu o iate dele ontem mesmo.

– Infelizmente eu não tenho explicação para isso, princesa. Tome, o melhor a fazer é você ligar para casa agora mesmo – disse ele, tornando a deslizar o telefone pelo banco na minha direção.

– Eu... *eu não consigo*.

– Entendo. Quer que eu ligue? Se você me der o telefone eu...

– *NÃO!* – gritei. – Eu só preciso voltar para casa. Agora! – Levantei-me, olhei em volta com impotência, então ergui os olhos para o céu, como se um helicóptero fosse aparecer lá em cima e me levar para o lugar em que eu precisava estar com tanta urgência.

– Escute, vou entrar na internet e dar uns telefonemas. Já volto.

Ele desapareceu no passadiço enquanto eu fiquei ali sentada, catatônica em choque.

Meu pai... Pa Salt... morto?! Essa ideia ridícula me fez deixar escapar uma gargalhada de indignação. Meu pai era indestrutível, onipotente, *vivo*...

– Não, por favor – articulei, impotente.

Comecei a tremer de repente e a sentir os pés e as mãos formigarem como se eu estivesse na neve dos Alpes, e não em um iate sob o sol do mar Egeu.

– Então tá – disse Theo ao voltar do passadiço. – Não vai dar para você pegar o voo de 14h40 de Naxos para Atenas, então vamos ter de ir por mar. Tem um voo de Atenas para Genebra bem cedinho amanhã de manhã. Fiz reserva para você, só restavam poucos assentos livres.

– Então não vou conseguir chegar em casa hoje?

– Ally, já é uma e meia da tarde, e o trajeto até Atenas de barco é longo. Sem falar no de avião até Genebra. Pelos meus cálculos, se usarmos a velocidade máxima na maior parte do caminho, com uma parada em Naxos para abastecer, conseguimos chegar em Atenas hoje no pôr do sol. Ainda que não me agrade entrar com este iate em um porto lotado como o Pireu depois de escurecer.

– Claro – respondi, no automático. Perguntei-me como conseguiria suportar as intermináveis horas que me separavam da viagem para casa.

– Certo, vou ligar o motor – disse Theo. – Quer vir sentar ao meu lado?

– Daqui a pouco.

Cinco minutos depois, quando escutei o clangor hidráulico ritmado da âncora sendo puxada e o ronco suave dos motores ganhando vida, levantei-me e fui até a popa, onde me apoiei na amurada. Fiquei olhando enquanto nos afastávamos da ilha, que na véspera eu considerava um verdadeiro paraíso, mas agora seria para sempre o lugar onde ficara sabendo da morte do meu pai. À medida que o iate ganhava velocidade, comecei a ficar enjoada de choque e culpa. Nos últimos dias, fora total e completamente egoísta. Só havia pensado em *mim* e na minha própria felicidade por ter encontrado Theo.

E enquanto eu estava transando, deitada abraçada com ele, meu pai jazia, morrendo em algum lugar. Como é que eu *algum dia* poderia me perdoar por isso?

❖ ❖ ❖

Theo cumpriu o prometido, e chegamos ao porto do Pireu, em Atenas, na hora em que o sol estava se pondo. Durante o terrível trajeto, eu passara o tempo inteiro deitada no seu colo no passadiço, enquanto ele acariciava delicadamente meus cabelos com uma das mãos e usava a outra para manobrar com segurança pelo mar batido. Depois de atracarmos, ele desceu até a cozinha, pôs um macarrão no micro-ondas e me deu de comer como se eu fosse uma criança.

– Vamos descer para dormir? – perguntou, e pude ver que a concentração das últimas horas o havia deixado exausto. – Temos que acordar às quatro amanhã por causa do horário do seu voo.

Concordei, pois sabia que ele insistiria para ficar acordado comigo caso eu não quisesse ir para a cama. Preparando-me para uma longa noite acordada, deixei-o me conduzir até lá embaixo, onde ele me ajudou a deitar na cama, tomou-me nos braços e me aninhou junto de si.

– Se isso for algum consolo, Ally, eu amo você. Não "acho"... *sei*.

Encarei a escuridão e, embora não tivesse derramado uma só lágrima desde a notícia, constatei que meus olhos estavam subitamente molhados.

– E juro que não estou dizendo isso só para fazer você se sentir melhor. Ia dizer hoje à noite, de qualquer jeito – arrematou ele.

– Eu também amo você – sussurrei.

– Sério?

– Sim.

– Bom, se isso for verdade, fico mais feliz do que se tivesse ganhado a regata Fastnet deste ano. Agora tente dormir.

E, para minha própria surpresa, reconfortada por Theo e sua declaração de amor, adormeci.

❖ ❖ ❖

Na manhã seguinte, enquanto o táxi se arrastava pelo trânsito de Atenas, pesado mesmo naquelas primeiras horas do dia, vi Theo verificando dis-

41

cretamente o relógio. Em geral quem controlava essas coisas era eu, sempre monitorando o tempo para os outros, mas nesse momento fiquei satisfeita por ele assumir o comando.

Fiz o check-in quarenta minutos antes do voo, com o guichê já quase fechando.

– Ally, princesa, me diga uma coisa... tem certeza que você vai ficar bem? – Theo franziu o cenho. – E não quer que eu vá até Genebra com você?

– Eu vou ficar bem, sério – falei, e comecei a andar em direção ao portão de embarque.

– Escute, se tiver alguma coisa que eu possa fazer, por favor me avise.

Tínhamos chegado ao final da fila do raio X que serpenteava entre as balizas. Virei-me para ele:

– Obrigada, por tudo. Você foi incrível.

– Não fui não, Ally, e escute... – Ele me puxou de volta com urgência. – Não esqueça que eu amo você.

– Não vou esquecer – sussurrei, conseguindo, não sei como, abrir um sorriso desanimado.

– A qualquer momento em que não estiver se sentindo forte, é só me ligar ou mandar mensagem.

– Prometo fazer isso.

– E aliás... – disse ele, soltando-me do abraço. – Eu vou entender totalmente se você não puder mais participar da regata, dadas as atuais circunstâncias.

– Eu aviso assim que der.

– Sem você nós vamos perder. – Ele abriu um sorriso repentino. – Você é a melhor velejadora que eu já tive. Tchau, minha princesa.

– Tchau.

Entrei na fila e fui tragada pelo mar de pessoas que avançava lentamente. Quando estava prestes a pôr a mochila na esteira do raio X, virei-me.

Theo continuava lá.

"Eu amo você", articulou ele com os lábios. Jogou-me um beijo, deu um aceno e foi embora.

Durante a espera no portão de embarque, a bolha de amor surreal na qual eu havia passado os últimos quatro dias estourou de repente, e minha barriga começou a se contrair de apreensão e angústia diante do que teria que enfrentar. Saquei o celular e liguei para Christian, o jovem capitão da lancha da nossa família, que me levaria da cidade até a casa da minha infância pelo lago Léman. Deixei recado pedindo a ele que me pegasse às dez da manhã no píer. Também lhe pedi para não comentar com Ma nem com minhas irmãs sobre a minha chegada. Disse que eu mesma avisaria.

No entanto, quando embarquei no avião e pensei que estava na hora de fazer a ligação, constatei que era incapaz. A terrível perspectiva de passar mais algumas horas sozinha depois de ter a notícia confirmada pessoalmente por alguém da família me impediu. O avião começou a manobrar pela pista, e quando decolamos e subimos pelo céu de Atenas em direção ao sol nascente, apoiei a bochecha quente na janela fria e me senti invadida pelo pânico. Para me distrair, espiei a manchete de um exemplar do *International Herald Tribune* que a comissária de bordo havia me dado. Estava prestes a deixar o jornal de lado quando uma das notícias chamou minha atenção.

"CORPO DE MAGNATA BILIONÁRIO ENCONTRADO
EM ILHA GREGA."

Havia a foto de um rosto vagamente conhecido, e abaixo dela a legenda: "Kreeg Eszu encontrado morto em praia de ilha grega histórica."

Fiquei encarando a notícia, chocada. Theo me dissera que era o iate de Eszu, o *Olimpo*, que estava perto do de Pa Salt na baía próxima a Delos...

Deixei o jornal escorregar para o chão e me pus a olhar pela janela, arrasada. Não estava entendendo aquilo... não estava entendendo mais nada.

Quase três horas mais tarde, quando o avião começou a aterrissar no aeroporto de Genebra, meu coração pôs-se a bater tão depressa que mal consegui respirar. Eu estava voltando para casa, o que em geral me deixava feliz e animada, já que a pessoa que mais amava no mundo estaria lá para me acolher de braços abertos naquele mundo mágico, só nosso. Dessa vez, porém, sabia que ele não iria me receber. Nunca mais.

4

— Quer dirigir, mademoiselle Ally? – Christian apontou para meu lugar habitual em frente ao leme onde eu me sentaria para nos conduzir pelas águas paradas e calmas do lago Léman.

— Hoje não, Christian – falei, e ele assentiu com um ar sério, confirmando com a expressão do rosto tudo que eu já sabia ser verdade.

Deu a partida no motor e eu afundei em um dos bancos traseiros e abaixei a cabeça, desolada, sem conseguir olhar para lugar algum a não ser para baixo, lembrando-me de como Pa Salt tinha me posto no seu colo quando eu era pequenininha e me deixado dirigir uma lancha pela primeira vez. Agora, estava a poucos minutos de ser obrigada não apenas a encarar a realidade, mas também a reconhecer o fato de que eu não tinha recebido nem respondido os recados da minha família. Perguntei-me como qualquer deus seria capaz de me tirar dos píncaros da felicidade e me atirar no desespero abjeto que senti ao me aproximar de Atlantis.

Visto do lago, tudo para lá das cercas vivas perfeitas que protegiam a casa da visão externa estava como sempre estivera. Com certeza teria havido algum engano, rezei, enquanto Christian encostava a lancha no deque e eu saltava e a amarrava com firmeza ao cabeço. Pa viria me receber a qualquer momento, ele *tinha* que estar ali...

Segundos depois, vi Ceci e Estrela chegando pelo gramado. Então Tiggy também apareceu, e ouvi-a gritar alguma coisa para a porta da frente aberta enquanto ela apressava o passo para alcançar as duas irmãs mais velhas. Comecei a correr pelo gramado, mas meus joelhos perderam as forças de tanta apreensão e parei. Tentei interpretar a expressão no rosto delas.

Ally, pedi a mim mesma, *a líder aqui é você, você precisa se controlar...*

— Ally! Ai, Ally, que bom que você chegou! – Tiggy foi a primeira a me alcançar parada no gramado, tentando parecer calma. Abraçou-me e me apertou com força. – Faz dias que estamos esperando você aparecer!

Ceci foi a segunda a se aproximar, seguida por Estrela, sua fiel escudeira, que não disse nada, mas se uniu a Tiggy em nosso abraço.

Depois de algum tempo, afastei-me do abraço. Vi lágrimas nos olhos das minhas irmãs, e juntas caminhamos até Atlantis.

Ao ver a casa, fui atingida por uma nova onda de perda. Pa Salt chamava aquilo de nosso reino particular. Construída no século XVIII, a casa chegava a lembrar um castelo de conto de fadas, com suas cinco torretas e seu exterior pintado de rosa. Aninhada em uma península só sua e cercada por esplendorosos jardins, era um lugar em que eu sempre me sentira segura... mas que agora parecia vazio sem Pa Salt.

Quando chegamos à varanda, Maia, minha irmã mais velha, saiu do pavilhão localizado ao lado da casa principal. Pude ver que os lindos traços de seu rosto estavam marcados pela dor, mas se iluminaram de alívio quando ela me viu.

– Ally! – arquejou ela, e correu para me receber.

– Maia – falei, sentindo seus braços me enlaçarem. – Que coisa horrível, não é?

– Horrível, mesmo. Mas como você ficou sabendo? Faz dois dias que estamos tentando encontrar você.

– Vamos entrar? – perguntei a elas. – Aí eu explico.

Minhas outras irmãs me cercaram para entrarmos em casa, enquanto Maia ficou para trás. Embora fosse ela a mais velha e a quem todas recorriam individualmente quando tinham algum problema emocional, em grupo quem assumia o comando era sempre eu. E eu sabia que ela estava me deixando fazer isso agora.

Ma já estava à nossa espera no hall de entrada e me envolveu em um abraço cálido e silencioso. Deixei-me afundar no conforto daqueles braços e a apertei com força. Fiquei aliviada quando ela sugeriu que fôssemos todas para a cozinha; a viagem tinha sido longa, e eu estava louca por um café.

Enquanto Claudia, nossa governanta, preparava café numa cafeteira grande, Electra apareceu na cozinha – de algum jeito, mesmo de short e camiseta, seus braços e pernas compridos e morenos tinham um aspecto elegante sem qualquer esforço.

– Ally – cumprimentou-me ela, em voz baixa. Pude ver como parecia esgotada, como se alguém a tivesse furado e sugado o brilho de seus incríveis olhos cor de âmbar. Ela me deu um abraço rápido e apertou meu ombro.

Olhei para cada uma das minhas irmãs, e pensei no quanto era raro ultimamente estarmos todas assim reunidas. Quando pensei no motivo deste encontro, senti um nó na garganta. Embora eu alguma hora tivesse que ser informada sobre o que havia acontecido com Pa, sabia que primeiro precisava contar a elas onde estivera, o que tinha visto lá e por que levara tanto tempo para chegar em casa.

– Certo. – Respirei fundo antes de começar. – Vou contar o que aconteceu porque, para ser sincera, eu mesma ainda estou confusa. – Quando nos sentamos em volta da mesa, reparei que Ma estava em pé um pouco afastada e acenei para ela puxar uma cadeira. – Ma, você também deveria escutar o que vou dizer. Talvez possa ajudar a explicar.

Enquanto ela se sentava, tentei organizar os pensamentos para explicar a aparição do *Titã* na mira do meu binóculo.

– Então, eu estava no mar Egeu, treinando para a regata da Cíclades na semana que vem, quando um amigo velejador me convidou para passar um fim de semana prolongado no iate dele. O tempo estava incrível, e foi ótimo relaxar de verdade no mar, para variar um pouco.

– De quem era o iate? – perguntou Electra, como eu sabia que faria.

– De um amigo, já disse – respondi, evasiva. Por mais que quisesse compartilhar Theo com minhas irmãs em algum momento, certamente essa hora ainda não tinha chegado. – Enfim, dois dias atrás, de tarde, a gente estava lá e o meu amigo me disse que outro colega velejador dele tinha mandado um rádio dizendo ter visto o *Titã*...

Ao relembrar esse instante, tomei um gole de café, em seguida me esforcei ao máximo para descrever como nossas mensagens de rádio tinham ficado sem resposta, e minha incompreensão quando o iate de Pa Salt tinha continuado a se afastar de nós. Todas escutaram minha história com uma atenção fascinada, e vi Ma e Maia trocarem um olhar de tristeza. Então respirei fundo e lhes disse que, por causa do sinal ruim de telefonia celular na região, não tinha recebido nenhum dos recados até a véspera. Detestei-me por mentir desse jeito, mas não consegui suportar contar a elas que havia simplesmente desligado o telefone. Também não disse nada sobre o *Olimpo*, o outro iate que Theo e eu tínhamos visto na baía.

– Então, por favor – pedi, por fim. – Alguém pode me dizer que porcaria estava acontecendo? E por que o iate de Pa Salt estava na Grécia quando ele já estava... morto?

Viramo-nos todas para Maia. Vi que ela estava medindo as palavras antes de falar.

– Ally, Pa Salt sofreu um infarto três dias atrás. Não houve nada que ninguém pudesse fazer.

Ouvir o jeito como ele havia morrido da boca da minha irmã mais velha tornou tudo bem mais definitivo. Enquanto eu tentava conter as lágrimas que já me brotavam dos olhos, ela prosseguiu:

– O corpo dele foi levado de avião até o *Titã*, depois jogado no mar. Ele quis descansar no oceano; não queria nos incomodar.

Sem parar de encará-la, dei-me conta da terrível realidade.

– Ai, meu Deus... – sussurrei, por fim. – Então existe uma grande chance de eu ter surpreendido o funeral particular dele. Não é de espantar que o iate tenha se afastado de mim o mais depressa possível. Eu...

Sem conseguir mais fingir que estava forte ou calma, segurei a cabeça com as mãos e respirei fundo várias vezes para controlar o pânico, enquanto minhas irmãs se reuniam à minha volta para tentar me reconfortar. Desacostumada a demonstrar emoção na frente delas, ouvi-me pedindo desculpas ao mesmo tempo que tentava me recompor.

– Deve ter sido um choque terrível para você entender o que estava de fato acontecendo. A gente sente muito, Ally – disse Tiggy, delicada.

– Obrigada – consegui dizer, e em seguida balbuciei alguns lugares-comuns sobre ter ouvido Pa me dizer certa vez que queria ser enterrado no mar. Que coincidência ridícula eu ter cruzado com o *Titã* durante a sua última viagem; pensar isso fez minha cabeça girar, e precisei urgentemente de ar. – Escutem, vocês ficariam muito chateadas se eu ficasse um tempo sozinha? – perguntei, com a voz mais firme de que fui capaz.

Todas concordaram e deixei a cozinha seguida pelas calorosas palavras de apoio delas.

De pé no corredor, olhei em volta, desesperada, tentando fazer meu corpo seguir na direção do conforto pelo qual ansiava, mas sabendo que, para onde quer que me virasse, ele continuaria morto e eu não encontraria conforto algum.

Saí pela pesada porta da frente cambaleando; o que mais queria era estar ao ar livre para aliviar a sensação de pânico que me apertava o peito. Meu corpo me conduziu automaticamente até o deque, onde fiquei aliviada ao ver o Laser atracado. Subi a bordo, icei as velas e soltei as cordas.

Quando me afastei da margem, senti que o vento estava bom, então alcei a bujarrona e saí velejando pelo lago o mais depressa que consegui. Depois de algum tempo, exausta, lancei âncora em uma enseada protegida por uma península rochosa.

Deixei meus pensamentos fluírem para tentar entender o que acabara de saber, mas eles estavam tão confusos que não aconteceu grande coisa, e fiquei apenas olhando para a água feito uma idiota, sem pensar em absolutamente nada, desejando conseguir atinar coisa com coisa. Os fios emaranhados da minha consciência se recusavam a se conformar com o que *de fato* tinha acontecido. Ter estado presente no que pelo visto fora o funeral de Pa Salt... Por que *logo eu* estava lá para presenciar aquilo? Será que havia um motivo? Ou seria apenas coincidência?

Aos poucos, conforme meu coração começou a desacelerar e meu cérebro voltava a funcionar de novo, a dura realidade me atingiu. Pa Salt tinha morrido, e era provável que isso não tivesse *nenhuma* explicação ou motivo. E se eu, a eterna otimista, quisesse superar isso, precisava simplesmente aceitar os fatos como eram. No entanto, todas as referências que eu em geral usava quando algo horrível acontecia comigo pareciam não se encaixar; todas as banalidades vazias eram levadas embora pela maré da dor e da incredulidade que sentia. Entendi que, para onde quer que a minha mente me levasse, os caminhos conhecidos do reconforto tinham desaparecido, e nada *nunca* faria eu me sentir melhor com o fato de meu pai ter ido embora sem se despedir de mim.

Fiquei um tempão ali, sentada na popa do Laser, ciente de que mais um dia terminava aqui na Terra sem a presença dele. E de que, de alguma forma, eu tinha que lidar com a culpa horrorosa que sentia por ter posto a minha felicidade em primeiro lugar no momento em que minhas irmãs tanto tinham precisado de mim – e Pa também. Eu os havia decepcionado na hora mais importante de todas. Ergui os olhos para o céu, lágrimas escorrendo pelo rosto, e pedi perdão a Pa Salt.

Engoli um pouco d'água e me recostei na popa para deixar que a brisa cálida envolvesse o meu corpo. O balanço suave do barco me tranquilizou, como sempre acontecia, e cheguei a cochilar um pouco.

Tudo que temos é o momento presente, Ally. Nunca se esqueça disso, está bem?

Acordei pensando que aquela era uma das citações preferidas de Pa. E, muito embora ainda ficasse vermelha de vergonha ao imaginar o que devia estar fazendo com Theo na hora em que Pa dava seu último suspiro – naquela contrastante justaposição dos processos da vida que começava e terminava –, pensei que pouco teria importado para ele ou para o Universo se eu estivesse apenas tomando uma xícara de chá ou dormindo a sono solto. E sabia que, mais do que ninguém, meu pai teria ficado muito feliz por eu ter encontrado alguém como Theo.

Voltei para Atlantis um pouco mais calma. No entanto, ainda havia uma informação que eu deixara de fora ao descrever para minhas irmãs como tinha encontrado o iate de Pa. Sabia que precisava compartilhar aquilo com alguém para tentar entender o que havia acontecido.

Como em todos os grupos grandes de irmãos, o nosso tinha vários subgrupos: Maia e eu éramos as mais velhas, e foi a ela que decidi confidenciar o que vira.

Atraquei o Laser no deque e subi de volta até a casa; pelo menos o peso no meu peito estava menor do que ao sair. Marina, ofegante, me alcançou no gramado, e eu a cumprimentei com um sorriso desamparado.

– Ally, você saiu no Laser?
– Sim. Precisava de um tempo para esfriar a cabeça.
– Bom, você se desencontrou das outras. Elas foram para o lago.
– Todas?
– Menos Maia. Ela se trancou no pavilhão para trabalhar um pouco.

Trocamos um olhar e, embora eu pudesse ver quanto a morte de Pa também lhe pesava, amei Ma por sempre colocar nossas preocupações e anseios em primeiro lugar. Era óbvio que ela estava muito preocupada com Maia, sua preferida, como sempre fora o meu palpite.

– Eu estava mesmo indo falar com ela, então nós vamos fazer companhia uma para a outra – disse.

– Nesse caso, pode avisar a ela que Georg Hoffman vai chegar daqui a pouco? Ele quer falar comigo primeiro, não consigo imaginar por quê. Então ela precisa estar na casa daqui a uma hora. Você também, claro.

– Pode deixar – assenti.

Ma apertou minha mão com carinho e voltou a seguir para a casa principal.

Chegando ao pavilhão, bati de leve à porta, mas não obtive resposta. Como sabia que Maia sempre deixava a porta destrancada, entrei e chamei seu nome. Cheguei na sala de estar e vi minha irmã dormindo encolhida no sofá, com os traços perfeitos relaxados e os cabelos escuros lustrosos naturalmente arrumados, como se estivesse posando para uma sessão de fotos. Quando cheguei perto, ela se sentou, assustada e encabulada.

– Desculpe, Maia. Você estava dormindo, né?

– Acho que sim – respondeu ela, corando.

– Ma disse que as outras saíram, então pensei em vir conversar. Você se importa?

– Claro que não.

Ficou claro que ela estava dormindo um sono profundo, e para lhe dar tempo de acordar sugeri que eu preparasse um chá para nós duas. Quando nos acomodamos com as xícaras fumegantes nas mãos, percebi que as minhas tremiam e eu precisava de algo mais forte do que chá para contar minha história.

– Tem um pouco de vinho branco na geladeira – disse Maia, compreensiva, e foi buscar uma taça de vinho na cozinha para mim.

Depois de tomar um gole, reuni as forças e contei-lhe sobre ter visto o iate de Kreeg Eszu perto do de Pa dois dias antes. Para minha surpresa, ela empalideceu, e embora eu tivesse ficado perturbada com a proximidade do *Olimpo*, sobretudo agora que sabia o que estava acontecendo no *Titã*, Maia pareceu bem mais chocada do que eu esperava. Vi-a tentar se recompor e, à medida que conversávamos, tentar minimizar a importância daquilo e me dar algum conforto.

– Ally, por favor, esqueça isso de o outro iate estar por perto... é irrelevante. Mas o fato de você estar lá para ver o lugar em que Pa escolheu ser enterrado na verdade é reconfortante. Quem sabe, como sugeriu Tiggy ontem à noite, mais para o fim do verão possamos fazer um cruzeiro juntas e depositar uma coroa de flores na água.

– Mas o pior é que eu me sinto tão culpada! – falei de repente, sem conseguir mais me segurar.

– Por quê?

– Porque... porque aqueles poucos dias no iate foram tão lindos! Eu estava tão feliz, mais feliz do que jamais estive na vida. E a verdade é que eu não queria que ninguém me encontrasse, então desliguei o celular. E enquanto eu estava incomunicável, Pa estava morrendo! Bem, quando ele precisou de mim, eu não estava lá!

– Ally, Ally... – Maia veio se sentar ao meu lado e começou a afastar os cabelos do meu rosto enquanto me confortava com carinho. – Nenhuma de nós estava lá. E eu sinceramente acho que é assim que Pa queria que fosse.

Por favor, lembre que eu moro aqui, e até eu tinha voado para longe do ninho quando tudo aconteceu. Pelo que Ma falou, não havia nada mesmo a fazer. E a gente precisa acreditar nisso.

– É, eu sei. Mas parece que existem tantas coisas que eu queria perguntar para ele, contar para ele... e agora ele se foi.

– Acho que todas estamos nos sentindo assim. Mas pelo menos temos umas às outras.

– É verdade. Obrigada, Maia – respondi. – Não é incrível como nossas vidas podem virar de cabeça para baixo em questão de horas?

– É, sim, e em algum momento eu gostaria de saber o motivo dessa sua felicidade – disse ela com um sorriso.

Pensei em Theo e aproveitei o conforto que isso me proporcionou.

– Em algum momento eu conto a você, prometo, só não vai ser agora. Como você está, Maia? – perguntei, querendo mudar de assunto.

– Bem – respondeu ela. – Ainda em choque, como todo mundo.

– É claro que você está em choque, e não deve ter sido fácil contar para as outras. Sinto muito não ter estado aqui para ajudar.

– Bom, pelo menos o fato de você estar aqui agora significa que podemos encontrar Georg Hoffman e começar a tocar a vida para frente.

– Ah, esqueci que Ma nos pediu para subir até a casa em uma hora – falei, olhando para o relógio. – Georg vai chegar a qualquer momento, mas parece que ele quer conversar primeiro com ela. Então... – Suspirei. – Posso tomar mais uma taça de vinho enquanto a gente espera, por favor?

5

Às sete, Maia e eu subimos até a casa para encontrar Georg Hoffman. Nossas irmãs já estavam esperando na varanda havia algum tempo, aproveitando o sol do fim do dia, apesar de tensas e impacientes. Electra, como sempre, disfarçava o nervosismo fazendo comentários sarcásticos sobre o gosto de Pa Salt pelo drama e o mistério quando Marina finalmente chegou com Georg. Ele era um homem alto, grisalho, e estava usando um terno cinza impecável: o típico advogado suíço bem-sucedido.

– Desculpe fazê-las esperarem tanto, meninas, mas eu precisava organizar umas coisas – disse ele. – Meus pêsames a todas. – Ele apertou a mão de cada uma de nós. – Posso me sentar?

Maia indicou a cadeira ao seu lado, e quando ele se sentou pude perceber sua tensão, ao vê-lo torcer em volta do pulso o relógio caro, porém discreto. Marina pediu licença e entrou em casa para nos deixar sozinhas com o advogado.

– Bem, meninas – começou ele. – Sinto muitíssimo que nosso primeiro encontro ao vivo seja nestas circunstâncias tão trágicas. Mas tenho a impressão de já conhecer todas vocês muito bem por intermédio do seu pai, e a primeira coisa que preciso lhes dizer é que ele as amava muito. – Vi uma emoção genuína brotar em seu rosto. – Não só isso, ele também tinha muito orgulho das pessoas em quem vocês se transformaram. Nos falamos logo antes de ele... nos deixar, e ele queria que eu lhes dissesse isso.

Ele olhou para cada uma de nós antes de se virar para a pasta que tinha à sua frente.

– Tenho certeza de que a primeira coisa a fazer é tirar as questões financeiras do caminho e garantir a vocês que todas terão recursos razoáveis pelo resto da vida. Apesar disso, seu pai fazia questão de que não vivessem como princesas preguiçosas, então vocês todas vão receber uma quantia que será suficiente para sustentá-las, mas nunca vai lhes proporcionar uma vida de luxo. Essa parte, como ele enfatizou para mim, é o que vocês terão que conseguir por si mesmas, como ele o fez. Os bens do seu pai vão para um fundo de pensão em nome de todas vocês, e ele me concedeu a honra de administrar. Caberá a mim decidir lhes dar ou não ajuda financeira sempre que vocês me procurarem com uma proposta ou um problema.

Escutamos com atenção, e nenhuma de nós disse nada.

– Esta casa também faz parte do fundo de pensão, e tanto Claudia quanto Marina disseram que teriam prazer em continuar aqui e tomar conta de tudo. No dia em que a última de vocês morrer, o fundo será dissolvido, a propriedade poderá ser vendida e o lucro dividido entre os descendentes que vocês vierem a ter. Se não houver descendentes, o dinheiro será doado a uma instituição de caridade que seu pai escolheu. Pessoalmente, acho que ele fez uma escolha muito inteligente – comentou Georg, deixando enfim de lado o tom formal de advogado. – Garantiu que a casa continuará aqui até o fim da vida de vocês, então sempre terão um lugar seguro para voltar. Mas é claro que o maior desejo dele era que todas vocês ganhassem o mundo e determinassem o próprio destino.

Entreolhamo-nos, pensando em que tipo de mudança isso resultaria para todas nós. No meu caso, refleti, ao menos meu futuro financeiro não seria afetado. Eu sempre havia sido independente, e trabalhara duro para conquistar tudo o que tinha. Quanto ao meu destino... pensei em Theo e naquilo que torcia para que continuássemos a compartilhar.

– Agora há mais uma coisa que o seu pai deixou para vocês, e devo pedir a todas que me acompanhem – disse Georg, despertando-me de meus devaneios. – Por aqui, por favor.

Seguimos Georg, sem saber aonde ele estava nos levando, e ele nos fez dar a volta na casa e no terreno até chegarmos ao jardim secreto de Pa Salt, abrigado atrás de uma fileira de cercas vivas de teixo imaculadamente podadas. Fomos recebidos pela profusão de cores das lavandas, levísticos e cravos amarelos que sempre atraíam borboletas no verão. O banco preferido de Pa ficava sob um arco de rosas brancas, e nessa noite as flores pendiam, preguiçosas, acima do lugar em que ele costumava se sentar. Quando éramos mais novas, ele adorava nos ver brincar na pequena praia de seixos que ia do jardim até o lago, onde eu, desajeitada, havia tentado remar na pequena canoa verde que ele me dera de presente no meu aniversário de 6 anos.

– Isso é que quero mostrar a vocês – disse Georg, arrancando-me de meus devaneios e apontando para o meio do terraço.

Ali, uma bela escultura havia surgido em cima de um pedestal de pedra mais ou menos na altura do meu quadril, e todas nos aproximamos para ver melhor. Tratava-se de uma bola dourada atravessada por uma fina flecha de metal, rodeada por aros metálicos que se entrelaçavam em torno dela. Quando reparei no desenho de continentes e oceanos gravados delicadamente na esfera dourada central, entendi que aquilo era um globo terrestre, e que a ponta da flecha apontava bem para onde a Estrela do Norte deveria estar. Um aro de metal mais largo envolvia o globo na altura do Equador, e nela estavam gravados os doze símbolos astrológicos do zodíaco. A escultura parecia um antigo instrumento de navegação, mas o que Pa quisera dizer com aquilo?

– Isso aqui é uma esfera armilar – informou Georg a todas nós.

Ele então explicou que as esferas armilares existem há milhares de anos e que os gregos antigos originalmente as usavam para determinar a posição das estrelas e a hora do dia.

Agora que entendia para que servia, admirei a extrema inteligência daquele mecanismo antigo. Deixamos escapar exclamações de admiração, mas foi Electra quem as interrompeu, impaciente:

– Sim, mas o que isso tem a ver com a gente?

– Explicar isso não faz parte das minhas atribuições – disse Georg como se pedisse desculpa. – Mas, se vocês olharem com atenção, verão que os nomes de todas vocês aparecem nos aros para os quais acabei de apontar.

E, de fato, ali estavam eles, gravados no metal em caracteres nítidos e elegantes.

– Essa aqui é a sua, Maia. – Apontei. – Tem uns números depois do nome, que me parecem um conjunto de coordenadas – falei, passando a examinar os meus. – Sim, tenho certeza de que é isso mesmo.

Havia outras coisas escritas além das coordenadas, e foi Maia quem percebeu que eram palavras em grego; comentou que as traduziria mais tarde.

– Tá, é uma escultura bem legal e está aqui no terraço. – A paciência de Ceci estava se esgotando. – Mas o que ela significa?

– Isso também não cabe a mim dizer – respondeu Georg. – Marina está servindo champanhe no terraço principal, conforme instruções do seu pai. Ele queria que todas vocês brindassem o seu falecimento. Em seguida vou entregar a cada uma um envelope que ele deixou. Espero que isso explique bem mais do que posso lhes contar.

Matutando sobre as possíveis localizações das coordenadas, caminhei de volta com minhas irmãs até o terraço principal. Ficamos todas mudas, tentando entender o que significava o legado deixado por nosso pai. Quando Ma serviu uma taça de champanhe para cada uma, perguntei-me quanto ela sabia sobre as atividades daquela noite, mas sua expressão estava impassível.

Georg ergueu a taça para o brinde.

– Por favor, juntem-se a nós na celebração da vida notável que seu pai teve. Tudo que posso lhes dizer é que este era o funeral que ele desejava, com todas as suas meninas reunidas em Atlantis, lar que ele teve a honra de dividir com vocês durante todos esses anos.

– A Pa Salt – dissemos todos juntos ao erguer nossas taças.

Enquanto bebíamos o champanhe, imersos cada qual em suas reflexões, pensei no que tínhamos visto e senti uma necessidade desesperada de respostas.

– Mas e aí? Quando vamos receber as cartas? – indaguei.

– Vou pegá-las agora – disse o advogado, levantando-se e saindo da mesa.

– Bom, este deve ser o velório mais bizarro que eu já vi – comentou Ceci.

– Pode me servir um pouco mais de champanhe? – pedi a Ma, enquanto perguntas começavam a ser disparadas ao redor da mesa e Tiggy se punha a chorar baixinho.

– Ah, eu só queria que ele estivesse aqui para explicar pessoalmente... – sussurrou ela.

– Mas ele não está, querida – falei, recuperando as forças ao sentir que o clima começava a ficar sombrio e desanimado. – E por algum motivo eu acho que é perfeito assim. Ele tornou as coisas o mais fáceis possível. E agora temos que tirar forças umas das outras.

Todas elas assentiram com tristeza, inclusive Electra, e apertei a mão de Tiggy. Georg voltou e pôs sobre a mesa seis envelopes grandes de papel de carta. Olhei e vi que na frente de cada um deles, na caligrafia inconfundível de Pa, estava escrito o nome de uma de nós.

– Essas cartas foram deixadas comigo umas seis semanas atrás – disse o advogado. – No caso da morte do seu pai, fui instruído a entregar uma para cada uma de vocês.

– Temos que abri-las agora ou depois, quando estivermos sozinhas? – perguntei.

– Seu pai não estipulou nada em relação a isso – foi a resposta de Georg. – Tudo que ele disse foi que deveriam abri-las quando cada uma de vocês estivesse pronta e se sentisse à vontade para fazê-lo.

Olhei para minhas irmãs e entendi que todas nós provavelmente devíamos estar pensando que preferiríamos ler nossa carta a sós.

– Então meu trabalho está feito – disse Georg com um meneio de cabeça. Entregou um cartão de visita a cada uma de nós e nos disse para entrar em contato caso precisássemos. – De qualquer jeito, conhecendo seu pai, tenho certeza de que ele já deve ter previsto tudo de que cada uma de vocês pode precisar. De modo que chegou a hora de eu deixá-las. Mais uma vez, meninas, meus sentimentos.

Eu sabia como devia ser difícil para o advogado nos transmitir aquele misterioso legado de Pa, e fiquei contente quando Maia lhe agradeceu em nome de todas nós.

– Adeus. Se precisarem de mim, sabem onde me encontrar.

Com um sorriso sem alegria, ele disse que sabia onde ficava a saída e se retirou.

Ma também se levantou da mesa.

– Acho que vocês devem estar com fome. Vou pedir a Claudia para servir o jantar aqui fora – disse ela, desaparecendo dentro da casa.

Eu havia passado o dia inteiro sem nem pensar em comer. Ainda estava concentrada nas cartas e na esfera armilar.

– Maia, você acha que poderia voltar até a escultura e traduzir aquelas citações gravadas? – perguntei.

– Claro – respondeu ela, enquanto Marina e Claudia voltavam com os pratos e talheres. – Farei isso depois do jantar.

Electra espiou os pratos e se levantou para ir embora.

– Espero que vocês não fiquem chateadas, mas estou sem fome.

– Você está com fome? – perguntou Ceci a Estrela ao ver Electra sair.

Estrela apertava com força seu envelope na mão.

– Acho que seria bom a gente comer alguma coisa – murmurou baixinho.

Era a coisa mais sensata a fazer e, quando a comida chegou, nós cinco tentamos nos forçar a engolir as fatias de pizza caseiras e a salada. Então, uma após a outra, todas as minhas irmãs foram saindo aos poucos até restarem apenas Maia e eu.

– Maia, você fica chateada se eu também for me deitar? Estou completamente exausta.

– É claro que não fico chateada – respondeu ela. – Você foi a última a saber, ainda está se recuperando do choque.

– É, acho que é isso mesmo – concordei. Levantei-me e lhe dei um beijo na bochecha. – Boa noite, Maia querida.

– Boa noite.

Fiquei culpada por deixá-la sozinha à mesa mas, assim como o restante de minhas irmãs, eu precisava ficar um pouco sozinha. Além do mais, a carta que estava segurando me queimava os dedos. Ao pensar onde poderia encontrar solidão e paz, decidi que meu quarto da infância seria o lugar que me traria mais conforto naquele momento, então subi os dois lances de escada.

Os nossos quartos ficavam no último andar da casa, e quando Maia e eu éramos pequenas, às vezes brincávamos de princesas na torre. O meu era claro e decorado com simplicidade: paredes lisas brancas e cortinas quadriculadas de branco e azul. Tiggy um dia dissera que o quarto parecia a cabine antiquada de um barco. Um espelho redondo era emoldurado por uma corda salva-vidas com as palavras "SS Ally" gravadas em molde vazado, um presente de Natal de Estrela e Ceci anos antes.

Ao me sentar na cama e olhar para o envelope, perguntei-me se minhas outras irmãs estariam abrindo os delas, ansiosas, ou se estariam cheias de apreensão quanto ao que poderiam encontrar. O meu tinha uma leve saliência que se moveu quando o segurei na mão. De todas, eu sempre fora a mais ansiosa para abrir os presentes de Natal ou aniversário, e ao estudar aquele envelope tive a mesma sensação. Abri-o com um rasgo e, ao sacar uma grossa folha de papel, sobressaltei-me quando algo pequeno e sólido caiu em cima do edredom. Espantada, percebi que era um sapinho marrom.

Depois de examiná-lo com atenção por alguns instantes e em seguida me sentir boba por pensar que pudesse ser uma criatura viva, peguei-o. Tinha as costas cobertas por pintinhas amarelas e os olhos eram suaves e expressivos. Corri os dedos pela superfície do sapinho enquanto o aninhava na palma da mão, sem entender o motivo que tinha levado Pa Salt a incluí-lo na minha carta. Até onde eu me lembrava, sapos nunca haviam tido importância especial para nenhum de nós dois. Talvez aquilo fosse uma das brincadeirinhas de Pa Salt e a carta devia explicar tudo.

Peguei-a, desdobrei o papel e comecei a ler.

Atlantis
Lago Léman
Suíça

Ally, minha querida,

Agora que começo a escrever esta carta, posso imaginar você, minha linda e vibrante segunda filha, lendo as palavras depressa, louca para chegar ao fim. E depois tendo que ler tudo outra vez, mais devagar.

Enfim, a esta altura você já sabe que não estou mais entre vocês, e tenho certeza de que o choque deve ter sido imenso para cada uma das minhas meninas. Sei também que, como você é a mais otimista de todas, aquela cuja positividade e alegria de viver iluminaram a minha vida, vai chorar a minha partida, mas, depois, como sempre fez, vai dar a volta por cima e seguir em frente. E é assim que deve ser.

Talvez, de todas as minhas filhas, você seja a mais parecida comigo. E só posso dizer quanto sempre me orgulhei de você e esperar que, embora não esteja mais presente para protegê-la, você continue levando a sua vida como fez até aqui. O medo é o inimigo mais poderoso que os seres humanos têm que enfrentar, e o seu caráter destemido é o melhor presente que Deus lhe deu. Nunca perca isso, querida Ally, nem mesmo agora quando está sofrendo, está bem?

O motivo pelo qual lhe escrevo – além de uma despedida oficial – é que decidi algum tempo atrás que seria certo deixar para cada uma de vocês uma pista quanto à sua família de origem. Com isso não quero dizer que desejo que vocês larguem tudo agora mesmo, mas ninguém nunca pode saber exatamente o que vai acontecer no futuro nem quando vão precisar ou querer saber.

Vocês já devem ter visto a esfera armilar com as coordenadas gravadas. Elas indicam um bom local para cada uma de vocês iniciar sua viagem. Há também um livro na estante do meu escritório escrito por um homem chamado Jens Halvorsen, morto há muito tempo. Ele vai lhe revelar mui-

tas coisas e talvez a ajude a decidir se quer explorar suas origens mais a fundo. Se essa for a sua intenção, você tem recursos suficientes para descobrir como.

Minha querida menina, você nasceu com muitos dotes; às vezes – cheguei a pensar –, quase excessivos. Ter algo em excesso pode ser tão difícil quanto não ter o bastante. Também temo que, por ter me encantado tanto com nossa paixão comum pelo mar, eu possa ter lhe desviado do seu curso quando tinha outro caminho pela frente, aberto com a mesma facilidade. Você tinha um grande talento para a música, e eu adorava ouvi-la tocar flauta. Se eu tiver feito isso, me perdoe, mas saiba que aqueles dias que passamos juntos no lago são alguns dos mais felizes que tive. Então, do fundo meu coração: obrigado.

Junto com esta carta está um de meus objetos mais preciosos. Mesmo que você não escolha descobrir seu passado, guarde-o com carinho e, talvez, um dia, entregue-o a seus próprios filhos.

Ally, querida, tenho certeza de que, mesmo depois do golpe sofrido, a sua tenacidade e a sua positividade lhe permitirão ser o que quiser, com quem você quiser. Não desperdice um só segundo da sua vida, está bem?

Vou continuar cuidando de você.

Seu pai, que tanto te ama,

Um beijo,

Pa Salt

Justo como Pa havia previsto, tive que ler a carta duas vezes, pois da primeira passei correndo pelas palavras. Sabia que ainda a leria mais centenas de vezes nos dias e anos que estavam por vir.

Fiquei deitada na cama com o sapinho na mão, ainda sem saber que relevância ele tinha e pensando no que Pa Salt dissera na carta. Então decidi que queria conversar com Theo a respeito, pois talvez ele me ajudasse a entender. Por instinto, levei a mão à bolsa para pegar o celular e ver se ele havia mandando alguma mensagem de texto, mas então me lembrei de que tinha deixado o aparelho carregando na cozinha ao chegar em casa de manhã.

Atravessei o patamar da escada em silêncio, pois não queria incomodar minhas irmãs. Vi a porta de Electra entreaberta e espiei para dentro do quarto com cuidado, para o caso de ela estar dormindo. Ela estava sentada na beirada da cama, de costas para mim, tomando um gole de uma garrafa.

De início, pensei que devia ser água, mas quando ela tomou outro gole percebi que era vodca. Fiquei olhando enquanto ela tornava a atarraxar a tampa e depois empurrava a garrafa para baixo da cama.

Saí da porta antes que ela me visse, terminei de percorrer o patamar pé ante pé e desci o primeiro lance da escada, abalada com o que acabara de ver. De todas nós, Electra era de longe a mais obcecada com a saúde, e me espantava que estivesse bebendo destilados àquela hora da noite. No entanto, pensando bem, talvez as regras normais não se aplicassem a nenhuma de nós naquele momento triste e difícil.

Por instinto, parei no patamar intermediário da escada e fui em direção aos aposentos de Pa, no segundo andar; de uma hora para outra, estava desesperada para senti-lo próximo de mim.

Hesitante, abri a porta com um empurrão, e lágrimas me brotaram dos olhos ao encarar a cama alta de solteiro na qual meu pai pelo visto tinha dado seu último suspiro. O quarto era muito diferente do resto da casa: utilitário, com pouca mobília, com um piso de tábua corrida sem tapetes, a cama com cabeceira de madeira e um criado-mudo de mogno já bem danificado pelo tempo. Em cima da mesinha estava o despertador de Pa. Lembrei-me de ter entrado naquele quarto certa vez, quando era muito pequena, e ficado fascinada com aquele despertador. Pa me deixara apertar e soltar o botão, apertar e soltar, para fazer o alarme tocar e parar. Eu ria, deliciada, a cada vez que o despertador tocava.

– Preciso dar corda todo dia, senão ele para – dissera-me ele, fazendo exatamente isso.

O despertador agora não fazia tique-taque.

Atravessei o quarto e me sentei na cama. Os lençóis estavam lisinhos, imaculados, mas mesmo assim estiquei as pontas dos dedos para alisar o algodão branco engomado do travesseiro, no lugar em que a cabeça do meu pai havia repousado pela última vez.

Perguntei-me onde estaria seu velho relógio de pulso Omega Seamaster, e o que teria acontecido com o restante do que o pessoal da funerária teria chamado de seus "pertences pessoais". Ainda podia ver o relógio em seu pulso, com o mostrador de ouro simples e elegante e a correia de couro já bem desgastada no quarto furo. Eu certa vez havia lhe dado de Natal uma nova, que ele prometera usar quando a velha finalmente arrebentasse, mas isso nunca aconteceu.

Minhas irmãs e eu muitas vezes pensávamos que Pa poderia ter comprado o relógio que quisesse ou se vestido só com roupas de marca, mas todas nós achávamos que ele havia se vestido sempre do mesmo jeito, até onde nossa memória alcançava – ao menos quando não estava velejando. O velho paletó de tweed sempre combinava com uma camisa branquinha perfeitamente lavada e passada, abotoaduras de ouro discretas com as suas iniciais e uma calça escura cujos vincos na frente tinham uma precisão militar. Nos pés, ele calçava invariavelmente sapatos sociais marrons de furinhos, sempre com a biqueira reluzente. Na verdade, pensei, correndo os olhos pelo quarto e pousando-os no pequeno guarda-roupa e na igualmente pequena cômoda de mogno – os únicos outros móveis do quarto –, as necessidades pessoais de Pa sempre beiraram a frugalidade.

Olhei para a foto no porta-retratos em cima da cômoda, de meu pai, minhas irmãs e eu, a bordo do *Titã*. Embora ele tivesse 70 e poucos anos na ocasião, dava para ver que tinha o físico de um homem bem mais jovem. Alto, muito bronzeado, tinha os traços bonitos e marcados pela vida ao ar livre, vincados em um largo sorriso, e posava reclinado na amurada do iate cercado pelas filhas. Então meu olhar foi atraído pelo único quadro pendurado na parede, posicionado bem em frente à cama estreita.

Levantei-me e fui observá-lo. Era um desenho em carvão de uma jovem muito bonita, que calculei ter uns 20 e poucos anos. Ao olhar mais de perto, vi que sua expressão continha uma certa tristeza. Os traços eram belos, mas quase grandes demais para o rosto estreito em formato de coração. Os olhos imensos eram proporcionais aos lábios carnudos, e pude ver uma covinha de cada lado da boca. A moça tinha uma farta cabeleira grossa e cacheada que descia até abaixo dos ombros. O desenho estava assinado, mas não consegui decifrar as letras.

– Quem é você? – perguntei à moça do desenho. – E quem era o meu pai...?

Com um suspiro, voltei até a cama de Pa, deitei-me e me encolhi em posição fetal. Lágrimas escorreram dos meus olhos até encharcar o travesseiro que ainda tinha o cheiro limpo e cítrico dele.

– Estou aqui, Pa querido – murmurei. – Mas e você? Onde está?

6

Na manhã seguinte, acordei na cama de Pa meio grogue, mas purificada. Nem sequer me lembrava de ter pegado no sono, e não fazia ideia de que horas eram. Levantei-me e fui olhar pela janela. Tudo que o quarto de Pa Salt não tinha de luxo era mais do que compensado pela vista da janela. O dia estava glorioso e o sol se refletia na superfície lisa do lago, que parecia se estender em um infinito enevoado para a esquerda e para a direita. Bem à frente, vi o verde luxuriante da colina que subia íngreme pela margem oposta. E nesses poucos segundos Atlantis me pareceu outra vez um lugar mágico.

Subi até meu quarto, tomei banho, e saí do chuveiro pensando em Theo e no quanto ele devia estar preocupado por eu ainda não ter ligado dizendo que tinha chegado. Vesti-me às pressas, peguei o laptop e desci as escadas correndo para pegar o celular que pretendia buscar na noite anterior. Havia várias mensagens de Theo, e meu coração se aqueceu ao lê-las.

Só para saber se está tudo bem. Muitos beijos.
Boa noite, querida Ally. Meus pensamentos estão com você.
Não quero incomodar. Ligue ou escreva quando puder. Saudades. Bj

Eram mensagens carinhosas e nada exigentes; nem sequer pediam uma resposta imediata. Sorri e respondi lembrando-me da carta de Pa, na qual ele me dizia que eu poderia ser qualquer coisa ou estar com qualquer pessoa que quisesse.

E naquele momento eu queria estar com Theo.

Em pé junto à bancada da cozinha, Claudia preparava massa em uma tigela. Cumprimentou-me oferecendo um café quente, que aceitei agradecida.

– Sou a primeira a descer? – perguntei a ela.

– Não. Estrela e Ceci já saíram para Genebra de lancha.

– Sério? – falei, dando um gole no café forte e escuro. – E as outras ainda não acordaram?

– Se acordaram, eu não vi – respondeu ela com calma enquanto continuava a bater a massa com as mãos vigorosas.

Peguei um croissant fresco em meio ao banquete de café da manhã disposto no centro da mesa comprida e mordi a massa amanteigada.

– Não é maravilhoso podermos ficar aqui em Atlantis? Pensei que talvez tivessem que vender a propriedade.

– É, é muito bom sim. Para todo mundo. Vai querer mais alguma coisa? – perguntou-me Claudia enquanto virava o conteúdo da tigela sobre uma assadeira e a colocava ao lado do forno.

– Não, obrigada.

Ela meneou a cabeça, em seguida despiu o avental e saiu da cozinha.

Durante a nossa infância, Claudia tinha sido uma presença tão constante em Atlantis quanto Ma e Pa Salt. O sotaque alemão dava à sua voz um tom severo, mas todas sabíamos que ela tinha o coração de manteiga. Conhecíamos pouco sobre as origens dela. Quando crianças, porém, ou mesmo no início da idade adulta, jamais nos ocorreu questionar detalhes de onde, como e por quê. Assim como todas as outras coisas no universo encantado em que havíamos sido criadas, Claudia simplesmente *era*.

Pensei então nas coordenadas da esfera armilar e em como os segredos contidos nelas poderiam abalar tudo o que sabíamos – ou o que *não* sabíamos – sobre nós mesmas até ali. Não era fácil pensar isso, mas Pa Salt obviamente nos havia deixado as coordenadas por um motivo, e eu precisava confiar na decisão dele. Agora, cabia a cada uma de nós, individualmente, explorá-las mais a fundo ou não, como preferíssemos.

Peguei uma caneta e um bloquinho no aparador e saí da cozinha pela porta dos fundos; a luz da manhã ofuscou meus olhos. Foi refrescante sentir o ar frio na pele. A grama fresca e úmida de orvalho, ainda não aquecida pelo sol, roçou as laterais dos meus pés. Os jardins exibiam uma tranquilidade perfeita, e somente o trinado ocasional de um pássaro flutuando no ar e as suaves batidas da água na margem do lago perturbavam o silêncio.

Refiz o caminho da noite anterior e dei a volta na casa até o jardim especial de Pa Salt, admirando as variedades de rosas que haviam acabado de abrir e espalhavam seu forte perfume pelo ar matinal.

A bola dourada no centro da esfera armilar reluzia ao sol, que já fazia sombra nos aros navegacionais. Com a manga da camisa, limpei o orvalho do aro gravado com o meu nome e corri o dedo pela inscrição em grego, perguntando-me o que dizia e há quanto tempo Pa vinha planejando isso.

Pus mãos à obra e anotei com cuidado as coordenadas de cada uma, tentando não pensar para onde cada uma delas iria nos levar – sobretudo a minha. Então reparei em uma coisa. Tornei a contar os aros, e toquei o sétimo. O nome gravado nele era "Mérope".

– Nossa sétima irmã que nunca chegou – falei, baixinho, perguntando-me por que cargas-d'água Pa havia posto o nome dela na esfera quando agora já era tarde demais para trazê-la para casa algum dia.

Tantos mistérios, pensei, enquanto voltava para a casa. *E ninguém para responder às minhas perguntas.*

De volta à cozinha com as coordenadas, liguei o laptop e comi outro croissant enquanto aguardava, frustrada, uma conexão de internet – que mais parecia ter saído de férias e deixado no seu lugar uma substituta temporária e amadora. Quando a conexão enfim resolveu funcionar, pesquisei sites que usavam coordenadas para situar locais e acabei optando pelo Google Earth. Pensei com que irmã deveria começar e resolvi ir por ordem de idade, deixando, porém, as minhas coordenadas por último. Digitei as coordenadas de Maia e, perguntando-me se o site iria reconhecê-las, observei o globo girar, ficar mais próximo, e indicar uma localização precisa.

– Nossa, funciona mesmo – murmurei, fascinada.

Passei uma hora frustrante, com uma conexão que não parava de cair, mas quando Claudia reapareceu na cozinha para começar a preparar o almoço, eu já tinha conseguido anotar os principais dados de cada conjunto de coordenadas, exceto das minhas.

Digitei-as e prendi a respiração por um tempo interminável enquanto o computador fazia sua mágica.

– Meu Deus! – murmurei quando li os detalhes.

– O quê? – perguntou Claudia.

– Nada – respondi depressa, anotando a localização no bloquinho ao meu lado.

– Vai querer almoçar, Ally?

– Sim, seria ótimo, obrigada – assenti, distraída, refletindo sobre o fato de que o local apontado pela busca parecia ser um museu.

Aquilo não fazia o menor sentido, mas, afinal de contas, eu também não sabia que lógica tinham as coordenadas das minhas irmãs.

Ergui os olhos bem na hora em que Tiggy entrou na cozinha; ela me abriu um sorriso encantador.

– Somos só você e eu para almoçar?

– É, parece que sim.

– Que ótimo, não é? – disse ela, flutuando em direção à mesa.

Apesar de todas as suas ideias espirituais esquisitas, ao vê-la se sentar diante de mim, invejei sua paz interior – que provinha de uma crença inabalável de que a vida era mais do que a vida em si, como ela gostava de dizer. Tiggy parecia carregar todo o frescor das Terras Altas escocesas na pele perfeita e nos fartos cabelos ruivos, e sua calma se refletia nos suaves olhos castanhos.

– Como você está, Ally?

– Bem. E você?

– Indo. Eu sinto ele ao meu redor, sabe? Como... – Ela suspirou e passou a mão pelos cachos lustrosos. – Como se ele ainda estivesse aqui.

– É, Tiggy, mas infelizmente ele *não* está.

– É, mas só porque você não consegue ver uma pessoa, isso quer dizer que ela não existe?

– Na minha cartilha, sim – respondi, ríspida, sem saber se estava com disposição para os comentários esotéricos dela.

A única maneira de lidar com a perda de Pa que eu conhecia era aceitá-la o quanto antes.

Claudia interrompeu nossa conversa servindo uma salada caesar.

– Há suficiente para todas, mas se ninguém mais vier, elas podem comer no jantar.

– Obrigada. Aliás, eu anotei todas as coordenadas e descobri como localizá-las no Google Earth – falei, servindo-me de salada. – Quer saber a sua, Tiggy?

– Em algum momento vou querer. Mas não agora. Enfim, será que isso importa?

– Para ser sincera, não sei.

– Porque de onde quer que eu tenha vindo, foram Pa Salt e Ma que cuidaram de mim e me criaram para ser quem eu sou. Talvez eu pegue as informações e, caso um dia sinta necessidade de procurar, resolva fazer isso.

Eu meio que... – Ela suspirou, e percebi sua incerteza. – Não quero acreditar que vim de nenhum outro lugar. Pa Salt é meu pai e sempre vai ser.

– Entendo. Então, só por curiosidade, onde você acha que Pa Salt está, Tiggy? – perguntei quando começamos a comer.

– Não sei, Ally. Mas ele com certeza não partiu, disso eu tenho certeza.

– Isso no seu mundo ou no meu?

– E faz diferença? Bom, para mim pelo menos não faz – emendou ela antes que eu conseguisse responder. – Nós somos apenas energia. Assim como tudo que existe à nossa volta.

– Bem, acho que essa é uma forma de ver as coisas – retruquei, e eu mesma pude notar o cinismo na minha voz. – Sei que essas crenças funcionam para você, Tiggy. Mas, neste momento, logo após o funeral de Pa, elas não servem para mim.

– Eu entendo. Mas o círculo da vida continua, e não só para nós, humanos, mas para a natureza toda também. Uma rosa desabrocha e atinge o ápice de sua beleza, depois morre, e outra na mesma roseira floresce no seu lugar. E Ally... – Ela me olhou de relance e abriu um leve sorriso. – Eu estou com o pressentimento de que, apesar dessa notícia terrível, alguma coisa boa está acontecendo com você neste momento.

– É mesmo? – Olhei para ela, desconfiada.

– É. – Ela pousou a mão sobre a minha. – Aproveite enquanto puder, está bem? Como você sabe, nada dura para sempre.

– É, eu sei – falei, subitamente na defensiva e me sentindo vulnerável com aquele comentário certeiro. Mudei de assunto. – Mas e você, como está?

– Estou bem... – Ela parecia estar tentando tranquilizar a si mesma tanto quanto a mim. – Estou, sim.

– Ainda curtindo cuidar dos seus veados lá na reserva?

– Eu amo o meu trabalho. É perfeito para mim, mesmo que eu não tenha um instante de sossego, com a falta de funcionários. Falando nisso, preciso mesmo voltar o mais rápido possível. Já chequei os voos e vou embora hoje à tarde. Electra também vai para o aeroporto comigo.

– Mas já?

– Pois é, mas o que a gente pode fazer aqui? Tenho certeza de que Pa preferiria que todas nós tocássemos a vida, em vez de ficar choramingando pelos cantos.

– É, você tem razão – concordei. Então, pela primeira vez, meus pensamentos foram além daquele terrível hiato, em direção ao futuro. – Eu ia participar da Regata das Cíclades daqui a alguns dias.

– Então vá, Ally, sério – incentivou Tiggy.

– Talvez eu vá mesmo – murmurei.

– Então está bem. Tenho que fazer as malas e me despedir de Maia. De todas nós, acho que ela foi a mais afetada. Está arrasada.

– Eu sei. Tome, leve as suas coordenadas. – Entreguei-lhe a folha de papel na qual as havia anotado.

– Obrigada.

Observei-a se levantar e então parar na porta da cozinha e olhar para mim com uma expressão compreensiva.

– E lembre sempre que estou apenas a um telefonema de distância, se precisar de mim nas próximas semanas.

– Obrigada, Tiggy. Pode contar comigo também.

Depois de ajudar Claudia a tirar a mesa, subi novamente até meu quarto, perguntando-me se deveria ir embora de Atlantis. Tiggy tinha razão: não havia mais nada a fazer ali. E a ideia de voltar para o mar, para não dizer aos braços de Theo, me fez descer outra vez para o térreo com o laptop e verificar se havia algum voo para Atenas nas 24 horas seguintes. Quando entrei na cozinha, vi Ma em pé, diante da janela, de costas para mim, obviamente perdida em pensamentos. Ela me ouviu entrar e se virou, sorrindo, mas não antes de eu conseguir detectar a tristeza fugidia em seu olhar.

– Oi, *chérie*. Tudo bem com você?

– Estou pensando se volto de avião para Atenas e participo da regata das Cíclades, como tinha planejado. Mas fico preocupada em deixar você e as outras meninas aqui. Principalmente Maia.

– Eu acho uma excelente ideia você ir competir, *chérie*. Tenho certeza de que é exatamente o que o seu pai teria lhe dito para fazer. Não se preocupe com Maia. Estou aqui com ela.

– Eu sei que está – falei, pensando em como, mesmo ela não sendo nossa mãe biológica, era impossível pensar em outra figura materna que nos amasse e nos apoiasse tanto.

Levantei-me, fui até ela e lhe dei um abraço bem apertado.

– E lembre-se: estamos todas aqui para ajudar você, também.

Subi a escada e fui falar com Electra, para lhe passar suas coordenadas antes de ela ir embora. Quando bati à porta do quarto, ela abriu, mas não me convidou para entrar.

– Oi, Ally. Estou na correria, fazendo as malas.

– Só vim trazer as suas coordenadas da esfera armilar. Aqui estão.

– Acho que eu não quero. Sério, Ally, qual o problema do nosso pai? Parece que ele está jogando com a gente do além-túmulo – disse ela, soturna.

– Ele só queria que a gente soubesse de onde veio, Electra, só para o caso de algum dia precisarmos dessa informação.

– Então por que ele não fez como a maioria dos outros seres humanos normais? Tipo escrever os fatos no papel, em vez de nos submeter a uma estranha caça ao tesouro genealógica? Meu Deus, ele sempre foi muito controlador mesmo...

– Electra, por favor! Ele provavelmente não queria revelar nada assim, na hora, caso a gente preferisse *não* saber. Então só nos deixou informação suficiente para a gente descobrir se quisesse.

– Bom, eu não quero – disse ela, friamente.

– Por que está com tanta raiva dele? – perguntei, com cautela.

– Eu, eu não estou... – Seus olhos cor de âmbar brilharam de dor e incompreensão. – Tá. Estou, sim. Eu... – Ela deu de ombros e balançou a cabeça. – Não consigo explicar.

– Bem, fique com isso mesmo assim. – Sabendo por experiência que não deveria insistir mais, estendi-lhe o envelope. – Não precisa fazer nada com a informação.

– Obrigada, Ally. Desculpe.

– Não tem problema. Tem certeza de que você está bem, Electra?

– Eu... tenho. Estou bem. Agora tenho que fazer a mala. Nos vemos daqui a pouco.

A porta se fechou na minha cara, e fui embora sabendo muito bem que ela estava mentindo.

❊ ❊ ❊

Nessa mesma tarde, Maia, Estrela, Ceci e eu descemos até o deque para nos despedirmos de Electra e Tiggy. Maia também lhes entregou suas citações traduzidas.

– Acho que Estrela e eu também vamos embora hoje mais tarde – comentou Ceci quando estávamos subindo de volta para a casa.

– Sério? Não podemos ficar mais um pouco? – perguntou Estrela, chorosa.

Como sempre, reparei o contraste físico entre as duas: Estrela, alta e magra quase a ponto de parecer esquelética, dona de cabelos louro-platinados e de uma pele branca feito neve; e Ceci, morena e atarracada.

– De que adianta? Pa não está mais aqui, a gente já falou com o advogado, e precisamos chegar a Londres o quanto antes para encontrar um lugar para morar.

– Tem razão – disse Estrela.

– O que você vai fazer em Londres enquanto Ceci estiver estudando arte? – perguntei.

– Ainda não sei muito bem – respondeu Estrela, olhando para Ceci.

– Está pensando em fazer um curso da *Cordon Bleu*, não é, Estrela? – respondeu Ceci no seu lugar. – Ela cozinha superbem, sabia?

Maia e eu trocamos um olhar preocupado enquanto Ceci chamava Estrela com a intenção de verificar os voos para Heathrow naquela noite.

– Não precisa nem dizer nada – falou Maia com um suspiro depois de as duas saírem. – Eu sei.

Fomos caminhando em direção à varanda conversando sobre nossa preocupação com o relacionamento entre Estrela e Ceci. Elas sempre haviam sido inseparáveis ao extremo. Minha única esperança era que, quando Ceci se concentrasse no curso de arte, as duas se desgrudassem um pouco.

Reparei em como Maia estava pálida e me dei conta de que ela não havia almoçado. Disse-lhe que se sentasse na varanda e fui até a cozinha pedir a Claudia que preparasse algo para comer. Ela me lançou um olhar compreensivo e começou a fazer uns sanduíches, enquanto voltei para ficar com Maia.

– Maia, não quero ser enxerida, mas você abriu sua carta ontem à noite? – indaguei, cuidadosa.

– Abri, sim. Bom, na verdade foi hoje de manhã.

– E está claro que ficou aborrecida.

– No começo, sim, mas agora estou bem, Ally. Sério – disse ela. – E você?

Seu tom havia se tornado seco, e eu sabia que aquilo significava que eu devia parar de insistir.

– Sim, eu abri a minha – afirmei. – Era linda e me fez chorar, mas também me deixou um pouco mais animada. Falando nisso, passei a manhã pesquisando as coordenadas na internet. Agora sei exatamente de onde cada uma de nós veio. E uma coisa eu posso dizer: tem algumas surpresas na lista – acrescentei. Claudia trouxe uma travessa de sanduíches e a colocou sobre a mesa antes de se retirar depressa.

– Você sabe exatamente onde nós nascemos? Onde *eu* nasci? – indagou Maia, hesitante.

– Sim, ou pelo menos onde Pa nos encontrou – esclareci. – Você quer saber, Maia? Eu posso contar ou posso deixá-la pesquisar sozinha.

– Eu... não tenho certeza.

– Tudo que posso dizer é o seguinte: Pa conheceu mesmo muitos lugares – foi a brincadeira sem graça que consegui fazer.

– Então você sabe de onde veio? – perguntou ela.

– Sei, mesmo que ainda não faça sentido.

– E as outras? Você disse a elas que sabe onde nasceram?

– Não, mas expliquei como procurar as coordenadas no Google Earth. Quer que eu conte a você também? Ou prefere só saber onde Pa a encontrou? – sugeri.

– No momento, eu realmente não sei – disse ela, baixando os lindos olhos.

– Bem, como eu falei, é bem fácil pesquisar.

– Então, provavelmente, é isso que eu vou fazer quando estiver pronta – disse ela.

Ofereci-me para anotar as instruções de como pesquisar as coordenadas, mas duvidava que Maia algum dia fosse ter coragem de procurá-las.

– Você teve tempo de traduzir aquelas citações em grego gravadas na esfera armilar? – indaguei.

– Tive. Traduzi todas.

– Bom, eu gostaria muito de saber o que Pa escolheu para mim. Pode me dizer, por favor?

– Não me lembro exatamente, mas posso voltar ao pavilhão e anotar para você – disse Maia.

– Então, pelo visto, nós duas somos capazes de oferecer às outras irmãs as informações de que elas precisam se quiserem explorar seu passado.

– Sim, mas talvez seja cedo demais para qualquer uma de nós decidir se vai querer seguir as pistas que Pa nos deixou.

– Talvez. – Suspirei, pensando em Theo e nas semanas que tinha pela frente. – Além do mais, tenho a Regata das Cíclades que vai começar em breve, e terei que ir embora daqui assim que possível para me juntar à tripulação. Sinceramente, Maia, depois do que vi alguns dias atrás, voltar para o mar vai ser complicado.

– Faço ideia. Mas você vai ficar bem, tenho certeza – disse ela, me tranquilizando.

– Tomara. Para ser sincera, é a primeira vez que fico apreensiva desde que comecei a competir profissionalmente.

Dizer isso em voz alta para minha irmã mais velha foi um alívio. Nos últimos dias, sempre que eu pensava nas Cíclades, a única imagem que me vinha à mente era a de Pa deitado em seu caixão no fundo do mar.

– Ally, há anos você se dedica à vela, então não se deixe intimidar. Faça isso por Pa. Ele não iria querer que você perdesse a confiança em si mesma – incentivou Maia.

– Tem razão. Mas você vai ficar bem aqui sozinha?

– É claro que vou. Por favor, não se preocupe comigo. Eu tenho Ma e o meu trabalho. Vou ficar bem.

Enquanto ajudava Maia a acabar com os sanduíches, consegui que ela prometesse manter contato e perguntei se gostaria de velejar comigo no fim do verão, embora soubesse que ela provavelmente não aceitaria.

Ceci apareceu na varanda.

– Conseguimos dois lugares em um voo para Heathrow. Christian vai nos levar ao aeroporto daqui a uma hora.

– Então vou ver se consigo um voo para Atenas e vou com vocês. Maia, não se esqueça de anotar a citação para mim, está bem? – pedi, e saí para pegar meu laptop.

Depois de encontrar um voo de última hora para Atenas que sairia no fim do dia, fiz as malas às pressas. Ao verificar meu quarto para me certificar de que estava levando tudo, dei com os olhos na flauta, aninhada dentro de seu estojo na prateleira. Fazia tempo que não era aberta. Por impulso, e pensando em como Pa havia mencionado o instrumento em sua carta, peguei-a e decidi levá-la comigo. Theo tinha dito que gostaria de me ouvir tocar e, talvez, depois de treinar um pouco, eu até conseguisse mesmo tocar. Então desci para o térreo em busca de Ma para me despedir.

Ela me deu um abraço apertado e dois beijos cálidos nas bochechas.

– Cuide-se, *chérie*, por favor, e venha me visitar quando puder.

– Virei sim, Ma. Prometo – falei.

Então Maia e eu andamos juntas até o deque.

– Boa sorte na regata – disse minha irmã, entregando-me o envelope com a tradução da citação que Pa tinha escolhido para mim.

Dei-lhe um último abraço e embarquei na lancha, onde Ceci e Estrela já estavam me esperando. Nós três acenamos para Maia enquanto Christian se afastava do deque. Quando avançamos lago adentro, pensei em Pa Salt me dizendo que nunca deveríamos olhar para trás. Sabia, no entanto, que faria isso de novo e de novo, e olharia para o que *tinha sido* e já não era mais.

Afastei-me de Ceci e Estrela e fui até a popa da lancha ainda com o envelope apertado na mão, sentindo que era adequado ler a citação de Pa ali, no lago Léman, onde ele e eu tínhamos velejado juntos tantas vezes. Abri o envelope e tirei o pedaço de papel lá de dentro.

Em momentos de fraqueza, você vai encontrar sua maior força.

À medida que Atlantis diminuía de tamanho ao longe e a casa desaparecia entre as árvores, implorei para que as palavras de Pa penetrassem meu espírito e me ajudassem a encontrar a coragem de que eu precisava para seguir em frente.

7

Theo tinha me mandado uma mensagem dizendo que estaria à minha espera no aeroporto de Atenas. Quando saí pelo portão do desembarque, ele veio na minha direção parecendo ansioso e me deu um abraço.

– Estava tão preocupado com você, querida... Está tudo bem? Você deve estar arrasada, coitadinha. E emagreceu – acrescentou ele, apalpando minhas costelas.

– Estou bem – afirmei, com convicção, sentindo seu cheiro maravilhoso e reconfortante.

Ele pegou minha mochila e, juntos, saímos para o calor escuro e sufocante de uma noite de julho em Atenas.

Tomamos um táxi cujos bancos de vinil colavam na pele e que fedia a cigarro; pelo visto, estávamos a caminho de um hotel no porto de Faliro, de onde partiria a Regata das Cíclades dali a 24 horas.

– Estou falando sério: se não estiver com ânimo, a gente se vira sem você, mesmo – disse Theo enquanto percorríamos as ruas da cidade.

– Não sei se devo interpretar isso como um elogio ou como um insulto – retruquei.

– Um elogio, com certeza, levando em conta que você é importante para a equipe. Mas como estamos falando de você, que eu amo, não quero que se sinta pressionada.

Eu amo você. Toda vez que ele dizia essas palavras com naturalidade, eu sentia uma emoção especial. E agora ele estava ali, do meu lado, segurando minha mão e repetindo a mesma coisa. Eu também o amava por sua sinceridade, por sua franqueza e pelo fato de ele não fazer joguinhos. Como ele mesmo me dissera certa vez durante aqueles dias maravilhosos a bordo do *Netuno*, antes de eu ficar sabendo sobre a morte de Pa Salt: se eu partisse o seu coração, ele simplesmente teria que encontrar outro para pôr no lugar.

– Sério, eu sei que é isso que Pa gostaria que eu fizesse. Voltar para bordo de um veleiro e para a minha vida, em vez de ficar choramingando pelos cantos. E vencer, é claro.

– Ally. – Ele apertou minha mão. – A gente vai fazer isso por ele. Eu prometo.

❋ ❋ ❋

Na manhã seguinte, quando embarquei no Hanse junto com o restante da tripulação, os outros também pareciam tomados por uma verdadeira ânsia de vencer. Fiquei tocada com o fato de todos tentarem tornar minha vida o mais fácil possível. Em matéria de dificuldade, as Cíclades não chegavam nem aos pés das outras regatas *offshore* das quais eu já tinha participado: eram oito dias no total, mas com um intervalo de 24 horas e um dia de descanso em cada ilha pela qual passássemos.

Theo reparou que eu tinha levado a flauta.

– Por que não a leva a bordo? Você pode fazer uma serenata para nos incentivar – sugeriu ele.

Enquanto chispávamos pelo mar sob o glorioso poente do nosso primeiro dia de regata, levei o instrumento aos lábios e sorri para Theo antes de tocar uma versão de sopro improvisada da *Fantasia* de Thomas Tallis, música que se tornara famosa por causa do épico sobre navegação *Mestre dos mares*. Do leme, Theo olhou para trás e sorriu, reconhecendo a brincadeira sem dizer nada, ao mesmo tempo que entrávamos no porto de Milos. Todos os rapazes me aplaudiram com elegância e tive a sensação de ter prestado minha pequena homenagem a Pa Salt.

Ganhamos a primeira perna da regata com folga, chegamos em terceiro na segunda perna e em segundo na terceira. Ficamos empatados no primeiro lugar com uma equipe grega.

Na penúltima noite da competição, estávamos no porto de Finikas, na pequena e idílica ilha grega de Syros, onde os habitantes tinham preparado uma comemoração para todos os participantes. Depois do jantar, Theo reuniu a tripulação.

– Senhores... e senhora, eu sei que vocês todos vão pensar que eu sou um estraga-prazeres, mas seu capitão está ordenando que vocês durmam cedo. Enquanto a concorrência está se acabando... – Ele meneou a cabeça em direção à tripulação grega, já meio embriagada que, abraçada pelos ombros, dançava uma coreografia típica ao som de um *bouzouki*. – Nós vamos dormir nosso sono reparador e acordar amanhã renovados e prontos para ganhar. Certo?

Ouviu-se um ou outro grunhido, mas todos obedeceram e retornaram ao barco e às suas respectivas cabines.

Devido à proximidade em que vivíamos com o resto da tripulação, Theo e eu tínhamos combinado um jeito de podermos ter alguns momentos a sós à noite sem levantar suspeitas. Como eu era a única mulher, tinha meu próprio compartimento apertado na proa do veleiro, enquanto Theo dormia no banco do compartimento que servia de cozinha e área de estar.

Eu esperava até ouvir os outros usarem o pequeno cubículo que continha uma pia e um vaso sanitário. Então, quando o silêncio caía, subia até em cima no escuro, onde aquela mão quentinha estava sempre à espera para me puxar para si. Nós passávamos cinco minutos trocando carinhos, nervosos, feito dois adolescentes com medo de serem flagrados pelos pais. Então, para ter um álibi caso alguém me ouvisse andando pelo barco, eu descia de novo até a cozinha, abria o *cooler*, pegava uma garrafa d'água, voltava para minha cabine e fechava a porta com alarde. Estávamos convencidos de estar executando essa farsa tão bem que ninguém na tripulação teria a menor ideia do que estava acontecendo entre nós. Quando ele me puxou para si, na véspera da final da regata, senti que seus beijos de boa-noite estavam mais apaixonados do que o normal.

– Nossa, espero que você esteja disposta a passar pelo menos 24 horas na cama comigo para compensar toda a frustração que tenho sofrido nesses últimos dias – grunhiu ele.

– Sim, meu capitão. Como o senhor quiser. Mas não é justo mandar o restante da tripulação para a cama cedo e depois o capitão desobedecer às próprias ordens – sussurrei em seu ouvido ao mesmo tempo que retirava sua mão boba do meu seio esquerdo.

– Você tem razão, como sempre. Então vai, minha Julieta, some da minha vista, ou não vou mesmo conseguir conter minha luxúria por você.

Aos risos, dei-lhe um último beijo e me desvencilhei do seu abraço.

– Eu amo você. Durma bem.

– Eu também amo você – articulei em resposta sem emitir som algum.

❋ ❋ ❋

Mais uma vez, a estratégia disciplinada de Theo rendeu frutos. Foi tenso ficar ombro a ombro com a tripulação grega durante a última perna da regata, mas, como comentou ele em tom triunfante no sábado, ao passarmos pela linha de chegada no porto de Vouliagmeni uns bons cinco minutos antes dos gregos, no final das contas o *ouzo* acabou levando a melhor. Na cerimônia de encerramento, o restante da tripulação pôs sobre a minha cabeça a coroa da vitória feita de folhas de louro, os flashes dispararam e todo mundo tomou banho de champanhe. Quando alguém me estendeu uma garrafa para eu beber, levantei-a e, em silêncio, disse a Pa Salt que aquela vitória era para ele. E mandei para o céu um fervoroso "Estou com saudades".

Depois do jantar de comemoração, Theo me deu a mão na mesa e me puxou para que eu me levantasse.

– Em primeiro lugar, um brinde a Ally. Considerando as circunstâncias, acho que todos podemos concordar que ela foi incrível.

Os rapazes deram vivas, e seu tom caloroso e sincero fez meus olhos se encherem de lágrimas.

– Em segundo lugar, gostaria que todos vocês considerassem a possibilidade de fazer parte da minha tripulação na regata Fastnet, em agosto. Vou comandar o *Tigresa* em sua regata inaugural. Talvez alguns de vocês já tenham ouvido falar nesse veleiro... é um modelo novinho, que acabou de ser lançado. Eu já o vi, e posso dizer sem sombra de dúvidas que ele vai nos conduzir a mais uma vitória. O que me dizem?

– O *Tigresa*? – indagou Rob, animado. – Estou dentro!

O resto dos rapazes concordou num coro entusiasmado.

– Estou incluída no convite? – perguntei.

– Claro que está, Ally. – Com isso, Theo se virou para mim, me abraçou e me deu um beijão na boca.

O beijo gerou uma nova rodada de aplausos enquanto eu me soltava do abraço, vermelha até a raiz dos cabelos.

– E essa era a última coisa que eu ia anunciar. Ao que parece, Ally e eu somos um casal. Então, se alguém tem algum problema com isso é só avisar, certo?

Vi todos os rapazes arquearem as sobrancelhas com um ar de tédio.

– Notícia velha – comentou Rob com um suspiro.

– É mesmo... Grande coisa – disse Guy.

Encaramos com surpresa o restante da tripulação.

– Vocês já sabiam? – perguntou Theo.

– Desculpe, capitão, mas a gente passou os últimos dias amontoado. E como ninguém mais teve o prazer de pôr a mão na bunda da Ally sem levar um tapa, nem de ganhar um beijo e uns amassos de boa-noite, não precisava ser nenhum gênio para entender – disse Rob. – Todo mundo já sabe há séculos. Foi mal.

– Ah – foi tudo que Theo conseguiu dizer enquanto me apertava com mais força.

– Arrumem logo um quarto! – gritou Guy, enquanto o restante dos rapazes fazia comentários maliciosos quaisquer.

Theo me deu outro beijo e eu quis que o chão se abrisse para me esconder ao perceber que o amor podia mesmo ser cego.

Então arrumamos "um quarto" em um hotel ali mesmo em Vouliagmeni. Theo cumpriu sua palavra e nos manteve mais do que ocupados por 24 horas. Deitados na cama, conversamos sobre os planos para a Fastnet e outros assuntos.

– Mas, me diga, você está disponível para embarcar comigo no *Tigresa*?

– Agora estou, sim. Normalmente, em agosto eu estaria no *Titã*, passando as férias anuais com Pa Salt e minhas irmãs... – Engoli em seco e prossegui depressa. – Aí, em setembro, se eu passar na fase final das eliminatórias, espero começar a treinar com a equipe suíça para a Olimpíada de Pequim.

– Eu também estarei lá, com os americanos.

– Tenho certeza de que vai ser um adversário e tanto, e não posso deixá-lo vencer – provoquei.

– Bem, obrigado, bela dama. Espero estar à altura do desafio. – Theo me fez uma mesura fingida. – Mas e os próximos dias? Eu vou tirar férias merecidas na casa de veraneio da minha família. Fica a poucas horas daqui por mar. Depois, é claro, vou para a ilha de Wight me preparar para a Fastnet. Quer ir comigo?

– Para as férias ou a Fastnet?

– Os dois. Mas pensando bem, sei que você é uma velejadora experiente, mas a Fastnet são outros quinhentos. É sério... Eu participei da última edição dessa regata, há dois anos, e quase perdemos um dos nossos tripulantes quando estávamos dando a volta na Fastnet Rock. O vento por pouco não jogou Matt para fora do barco. É uma regata perigosa, e... – Ele inspirou fundo. – Para ser sincero, agora estou começando a me perguntar se foi uma boa ideia sugerir que você fizesse parte da tripulação.

– Por quê? Porque eu sou mulher?

– Pelo amor de Deus, Ally, chega desse papo! É claro que não é por causa disso. É porque amo você e se alguma coisa acontecesse, eu não conseguiria suportar a culpa. Mas, enfim, vamos pensar nisso nos próximos dias, está bem? De preferência bebendo alguma coisa em uma varanda com vista para o mar. Amanhã de manhã tenho que devolver o *Hanse* para o dono no porto, o mesmo em que deixei o *Netuno* ancorado, então a gente poderia zarpar direto. O que acha?

– Na verdade, eu estava pensando que deveria ir para casa – falei. – Ficar com Ma e Maia.

– Se achar que deve, eu vou entender perfeitamente. Embora, sendo egoísta, eu adoraria se você viesse comigo. Está parecendo que o ano que vem vai ser uma loucura para nós dois.

– Eu quero muito ir, mas primeiro preciso ligar para Ma e me certificar de que está tudo bem, aí posso decidir.

– Por que não faz isso enquanto eu tomo uma chuveirada? – disse ele, dando-me um beijo no alto da cabeça, pulando da cama e indo em direção ao banheiro.

Quando liguei para Ma, ela me garantiu que estava tudo bem em Atlantis e que não havia absolutamente nenhuma necessidade de eu voltar.

– Tire umas férias, *chérie*. Maia decidiu passar um tempo fora, então não vai estar aqui, mesmo.

– Ah, é? Estou surpresa – comentei. – Mas tem certeza de que não está se sentindo sozinha sem mais ninguém em casa? Juro que dessa vez meu celular vai ficar ligado o tempo todo, caso precise de mim.

– Eu estou bem e não vou precisar, *chérie* – respondeu ela, estoica. – Infelizmente, o pior já aconteceu.

Encerrei a ligação e me senti subitamente triste, como toda vez que me permitia pensar que Pa não estava mais com a gente. Mas Ma tinha razão. O pior *já tinha* acontecido. E pela primeira vez desejei pertencer a alguma religião com regras estabelecidas para lidar com a morte. Apesar de antigamente considerar essas regras arcaicas, agora eu via que eram um ritual criado para ajudar as pessoas a atravessarem a fase mais sombria da vida – a perda de alguém.

Na manhã seguinte, Theo e eu saímos do hotel e fomos a pé até o porto.

Depois de um drinque comemorativo a bordo com o dono do Hanse – que, encantado com a vitória, já falava com Theo sobre futuras regatas –, caminhamos pelo porto e subimos a bordo do *Netuno*. Antes de zarpar, Theo mapeou nosso trajeto no sistema de navegação. Recusou com veemência me dizer para onde estávamos indo, e, enquanto ele ocupava o leme mais uma vez e conduzia o barco para fora do porto de Vouliagmeni rumo ao mar aberto, ocupei-me em encher a geladeira e o *cooler* com cerveja, água e vinho.

Por mais que eu tentasse me concentrar na beleza da paisagem marítima conforme velejávamos pelas calmas águas azul-turquesa, a dicotomia de emoções que havia experimentado durante minha última viagem no *Netuno* voltou feito uma enxurrada. Peguei-me pensando que havia semelhanças entre Pa Salt e meu namorado: ambos gostavam de mistério e com certeza apreciavam estar no controle da situação.

Bem na hora em que eu estava me perguntando se havia me apaixonado por uma figura paterna, senti o *Netuno* diminuir a velocidade e ouvi a âncora baixar. Instantes depois, quando Theo apareceu no convés ao meu lado, decidi não compartilhar com ele meus últimos pensamentos. Do jeito que ele gostava de analisar tudo, o assunto seria interminável.

Enquanto tomávamos uma cerveja e comíamos uma salada de queijo feta e azeitonas frescas que eu havia comprado em uma barraquinha no porto, expliquei melhor para Theo a história da esfera armilar com suas citações e coordenadas gravadas. E falei sobre a carta que Pa Salt havia me deixado.

– Bom, com certeza parece que ele estava bem preparado. Isso deve ter exigido algum planejamento.

– Ah, sim, ele era bem esse tipo de pessoa. Sempre organizava tudo de forma perfeita.

– Pelo visto era o meu tipo de pessoa – comentou Theo, num reflexo dos pensamentos que eu tivera antes. – Também já fiz meu testamento e deixei instruções para o meu funeral.

– Não diga uma coisa dessas – falei, com um calafrio.

– Desculpe, Ally, mas todo velejador leva uma vida cheia de perigos, e nunca se sabe o que pode acontecer.

– Enfim, tenho certeza de que Pa teria gostado muito de você. – Para mudar logo de assunto, olhei para o relógio. – Não seria melhor continuarmos a viagem para qualquer que seja o nosso destino?

– Sim, daqui a pouco. Quero calcular perfeitamente a hora da nossa chegada. – Theo abriu um sorriso misterioso. – Quer nadar um pouco?

Três horas mais tarde, ao ver o poente tomar o céu com um intenso brilho alaranjado acima de uma ilha minúscula, refletindo as casas caiadas que margeavam o litoral, entendi por que ele quisera esperar.

– Viu? Não é simplesmente perfeito? – perguntou ele num sussurro ao entrarmos no pequeno porto, com uma das mãos no leme e a outra em volta da minha cintura.

– É – concordei, observando a maneira como os raios do pôr do sol haviam penetrado as nuvens como uma gema de ovo que libera seu conteúdo após ser estourada. – Pa sempre disse que os poentes gregos eram os mais lindos do mundo.

– Então isso é mais uma coisa sobre a qual teríamos concordado. – Theo me deu um beijo carinhoso no pescoço.

Considerando os pensamentos que tivera mais cedo, resolvi que, enquanto durassem nossas férias, definitivamente manteria distância das preferências e implicâncias de Pa Salt.

Entramos no porto e um jovem moreno se apressou em segurar a corda que lhe lancei para atracar o veleiro.

– Agora você vai me dizer onde a gente está? – perguntei a Theo.

– Faz alguma diferença? Você vai acabar descobrindo. Por enquanto, vamos chamar apenas de "Algum Lugar".

Imaginando que fôssemos ter que subir a encosta íngreme carregando nossas mochilas, fiquei surpresa quando Theo me disse para deixá-las no barco. Depois de trancar bem a cabine, desembarcamos e Theo deu alguns euros ao rapaz para recompensá-lo pela ajuda. Então me pegou pela mão e me conduziu pelo porto até uma fila de mobiletes. Vasculhando o bolso, ele encontrou uma chave e destrancou um cadeado, que liberou o emaranhado de pesadas correntes de metal enroladas em volta de uma delas.

– Os gregos são um povo encantador, mas a situação econômica atual é bem desesperadora, de modo que é melhor se precaver. Não quero chegar aqui um dia e descobrir que roubaram as duas rodas. Pode subir – disse ele, e eu o fiz com relutância, desanimada.

Eu odiava essas motonetas. No ano sabático que tirara entre a escola e faculdade, seguira o conselho de Pa Salt e partira para conhecer o mundo com duas amigas, Marielle e Hélène. Começamos pelo Extremo Oriente e fomos à Tailândia, ao Camboja e ao Vietnã. De volta à Europa, onde eu havia arrumado um emprego de verão como garçonete na ilha de Kynthos, percorremos a Turquia a bordo de mobiletes alugadas. A caminho do aeroporto de Bodrum para Kalkan, Marielle avaliou mal uma curva fechada e traiçoeira, e bateu.

Encontrar o corpo aparentemente sem vida de minha amiga no meio da vegetação rasteira do morro e em seguida ficar parada no meio da estrada, desesperada para que algum carro passasse e nos ajudasse foi uma situação que eu nunca tinha conseguido esquecer.

Como a estrada continuara deserta, eu acabara recorrendo ao celular. Liguei para a única pessoa em que consegui pensar que saberia o que fazer. Expliquei a Pa Salt o que tinha acontecido e onde, e ele me disse para não me desesperar, que a ajuda estava a caminho. Meia hora de agonia mais tarde, um helicóptero apareceu com um piloto e um paramédico. Nós três fomos levadas para um hospital em Dalaman. Marielle sobreviveu com a pélvis estilhaçada e três costelas quebradas, mas a pancada na cabeça até hoje lhe causa fortes enxaquecas.

Nessa noite, na garupa de Theo, depois de nunca mais ter chegado perto de uma motoneta desde o acidente de Marielle, senti um frio no estômago.

– Preparada? – indagou ele.

– Tanto quanto jamais estarei – murmurei em resposta, apertando sua cintura com os dois braços como se fossem um torno.

Enquanto começávamos a subir as ruas estreitas de "Algum Lugar", decidi que, se Theo fosse um daqueles homens imprudentes que gostam de impressionar ao guiar uma moto, pediria a ele que parasse e me deixasse saltar. Mesmo não sendo desse tipo, fechei os olhos enquanto deixávamos o porto para trás e seguíamos por uma estrada íngreme e poeirenta. Depois de algum tempo e de uma subida que pareceu durar uma eternidade – mas que na verdade deve ter levado menos de quinze minutos –, senti quando ele freou e a mobilete se inclinou para um dos lados, então ele pousou um pé no chão e desligou o motor.

– Pronto, chegamos.

– Que bom.

Abri os olhos, trêmula de alívio, e me concentrei em descer da mobilete.

– Não é lindo? – perguntou ele em tom de admiração. – A vista da subida é espetacular, mas eu acho que esta aqui é a melhor de todas.

Como eu tinha passado a subida inteira de olhos fechados, não sabia dizer nada sobre a vista. Então ele pegou minha mão e me conduziu por um gramado áspero e ressecado. Oliveiras muito antigas coalhavam o terreno em declive, que descia em ângulo acentuado até o mar lá embaixo. Assenti concordando que era lindo, sim.

– Para onde estamos indo? – perguntei, enquanto ele me conduzia pelo olival.

Não estava vendo casa nenhuma na nossa frente. Só havia um celeiro velho, provavelmente para as cabras.

– Para lá. – Ele apontou para o estábulo e se virou para mim. – Lar doce lar. Não é incrível?

– É... eu...

– Ally, você está muito pálida. Está se sentindo bem?

– Estou – garanti a ele no mesmo instante em que enfim chegamos ao estábulo, e me perguntei qual de nós dois não tinha entendido direito. Se aquilo ali de fato era o seu "lar", mesmo que eu tivesse que descer no escuro cada quilômetro daquela encosta, era isso que eu faria. Não passaria a noite ali nem por um decreto.

– Sei que agora parece um casebre, mas eu comprei faz pouco tempo e queria que você fosse a primeira a ver, principalmente na hora do pôr do sol. Sei que precisa de muitas obras, e é claro que o regulamento de construção por aqui é bem rígido – continuou ele, abrindo a porta de madeira cheia de farpas para entrarmos.

Pelo telhado, à luz do crepúsculo, pude ver as primeiras estrelas que começavam a despontar no imenso buraco aberto lá em cima. O interior tinha um cheiro forte de cabra, o que fez meu estômago já afetado se revirar outra vez.

– O que acha? – perguntou ele.

– Eu acho que, como você falou, a vista é linda.

Enquanto eu estava ali em pé, ouvindo Theo explicar que havia contratado um arquiteto para planejar uma cozinha bem aqui, uma sala de estar grande logo ali e ainda uma varanda com vista para o mar, maneei a cabeça, impotente, e cambaleei até lá fora, sem conseguir mais suportar o cheiro de cabra. Corri pelo chão áspero de terra batida e consegui dobrar a esquina do celeiro antes de me curvar e quase vomitar.

– O que foi, Ally? Está passando mal outra vez?

Theo logo apareceu do meu lado e me amparou com os braços enquanto eu balançava a cabeça, consternada.

– Não, sério, eu estou bem. É só... é que...

E então me sentei na grama e desatei a chorar feito uma criança. Contei-lhe sobre o acidente de mobilete, falei da saudade que estava sentindo do meu pai e de como lamentava o fato de ele estar me vendo tão chateada outra vez.

– Olhe, quem precisa pedir desculpas sou eu. É tudo culpa minha. É claro que você está exausta por causa da regata e do trauma da morte do seu pai. Você transmite uma impressão tão boa de ser forte que eu não soube ajudá-la, logo eu, um homem que gosta de se gabar por ser capaz de decifrar os outros como ninguém. Vou ligar para um amigo e dizer para ele vir nos buscar de carro agora mesmo.

Cansada demais para discutir, fiquei sentada na grama observando Theo se levantar e fazer uma ligação no celular. O sol agora estava sumindo no mar lá embaixo e, à medida que fui me acalmando, concluí que Theo tinha razão: a vista era mesmo de tirar o fôlego.

Dez minutos depois, prostrada, fui conduzida morro abaixo em um Volvo muito velho por um homem igualmente velho que Theo me apresentou rapidamente como Kreon, enquanto ele nos seguia na mobilete. Na metade da descida, o carro dobrou à direita e pegou outra estrada poeirenta e esburacada, que mais uma vez parecia não levar a lugar nenhum. Dessa vez, porém, quando chegamos ao fim, vi as luzes de boas-vindas de uma linda casa empoleirada bem na beirada de um penhasco.

– Sinta-se em casa, querida – disse Theo, quando entramos num hall espaçoso. Uma mulher de meia-idade e olhos escuros apareceu e o abraçou calorosamente, murmurando palavras carinhosas em grego. – Esta é Irene, nossa governanta – explicou ele. – Ela vai lhe mostrar seu quarto e preparar um banho de banheira para você. Vou descer até o porto com Kreon para pegar nossas coisas no barco.

A banheira, no fim das contas, ficava em uma varanda que, assim como o restante da casa, era escavada nas rochas irregulares que desciam íngremes pela encosta do morro até o mar que batia lá embaixo. Depois de me deliciar em um banho de água perfumada e cheia de espuma, fui até o quarto lindo e arejado. Depois saí para explorar a casa e encontrei uma sala de estar mobiliada com muito bom gosto, que se abria para uma varanda principal imensa, com uma vista espetacular e uma piscina infinita que nem um competidor olímpico teria esnobado. Concluí que aquela casa era um pouco como Atlantis, só que suspensa no ar.

Pouco depois, enrolada em um roupão de algodão macio que havia encontrado sobre a cama, sentei-me em uma das confortáveis poltronas da varanda. Irene apareceu com uma garrafa de vinho branco e duas taças.

– Obrigada.

Fiquei bebericando enquanto admirava a escuridão salpicada de estrelas, aproveitando o luxo daquelas acomodações depois de vários dias no mar. Agora também sabia que, quando levasse Theo para conhecer Atlantis, ele ficaria totalmente à vontade. Muitas vezes, quando eu levava alguma amiga do colégio interno para passar uns dias lá ou então velejar no *Titã*, via sua personalidade gregária ser esmagada, tamanho o assombro ao ver como nós vivíamos. Então ela ia embora e, na vez seguinte em que a encontrava, era como se irradiasse algo que eu agora imagino ser animosidade, e a nossa amizade nunca mais voltava a ser como antes.

Felizmente, com Theo não haveria nenhum desses problemas. Estava claro que a família dele era tão bem de vida quanto a minha. Ri ao pensar que nós dois passávamos no mínimo três quartos da vida dormindo em camas duras dentro de cabines abafadas e nos considerávamos com sorte quando o único chuveiro apertado produzia um filete de água, fosse ela quente ou fria.

Senti a mão de alguém no meu ombro e um beijo no rosto.

– Oi, meu amor. Está se sentindo melhor?

– Sim, muito. Obrigada. Nada como um banho de banheira quentinho depois de alguns dias de regata.

– Verdade – concordou Theo, servindo-se do vinho e sentando-se diante de mim. – Daqui a pouco vou fazer a mesma coisa. E, mais uma vez, Ally, me perdoe. Sei que posso ser bem teimoso quando estou em uma missão. Mas eu queria muito mostrar a você minha casa nova.

– Não tem problema, sério. Tenho certeza de que vai ficar incrível quando estiver pronta.

– Não tão incrível quanto esta, claro, mas pelo menos vai ser minha. Às vezes isso é tudo que importa, não? – completou ele, dando de ombros.

– Para ser sincera, nunca pensei em ter uma casa só minha. Eu viajo tanto competindo que comprar uma casa parece inútil quando posso simplesmente voltar para Atlantis. E nós, velejadores, ganhamos tão pouco que eu não poderia comprar grande coisa, mesmo.

– Por isso comprei um estábulo de cabras – concordou Theo. – Mas, apesar disso, não há como negar que nós dois sempre tivemos uma rede de segurança para nos amparar em caso de necessidade. Pessoalmente, eu preferiria morrer de fome do que pedir dinheiro ao meu pai. O privilégio tem seu preço, você não acha?

– Pode ser, mas duvido que alguém sinta pena de mim ou de você.

– Não estou sugerindo que sejamos dignos de pena, mas, apesar de este nosso mundo moderno materialista pregar o contrário, não acho que o dinheiro seja capaz de resolver todos os problemas. Veja meu pai, por exemplo. Ele inventou um chip para computadores que o tornou multimilionário aos 35 anos, mesma idade que eu tenho agora. Durante toda a minha infância, adorava me contar que tivera que dar duro quando jovem e me dizer que eu precisava entender a sorte que eu tinha. É claro que a experiência dele não foi – nem é – a minha, porque eu fui criado *com* dinheiro. É quase como um círculo que se fecha: meu pai não tinha nada, e isso o inspirou a fazer o que pudesse com a sua vida, enquanto eu ostensivamente sempre tive tudo, mas ele fez eu me sentir culpado por isso. Então passei a vida inteira tentando me virar sem a ajuda dele, sempre duro e com a sensação de nunca ter correspondido às suas expectativas. Com você foi assim também? – indagou ele.

– Não, embora Pa Salt tenha nos ensinado o valor do dinheiro. Ele sempre dizia que tínhamos nascido para ser nós mesmas e que deveríamos nos esforçar para ser o melhor que pudéssemos ser. Sempre senti que ele se orgulhava de mim, sobretudo em relação à vela. Acho que isso ajudava, porque era uma paixão comum a nós dois. Embora ele tenha escrito uma coisa bem estranha na carta que me deixou. Deu a entender que eu não tinha prosseguido minha carreira na música porque quis agradá-lo virando velejadora profissional.

– E não é verdade?

– Não exatamente. Eu amava as duas coisas, mas havia oportunidades na vela e eu aproveitei. A vida é assim, não é?

– É – concordou Theo. – Curiosamente, sou a mistura dos meus pais: tenho o faro do meu pai para as coisas técnicas e o amor da minha mãe pela vela.

– Bom, já eu, como sou adotada, não faço a menor ideia do que está nos meus genes. Minha vida foi toda criação e zero genética.

– Nesse caso, não seria fascinante descobrir se os seus genes tiveram alguma influência na sua vida até aqui? Talvez um dia você deva pegar as pistas que seu pai deixou e descobrir de onde veio. Seria um estudo psicológico incrível.

– Seria mesmo – falei, abafando um bocejo. – Mas estou cansada demais para pensar nisso. E você está fedendo a cabra. Já passou da hora do seu banho.

– Tem razão. Vou lá e aproveito para pedir a Irene que ponha a mesa do jantar. Volto em dez minutos. – Ele me deu um beijo no nariz e saiu da varanda.

8

Agora mais calmos depois da onda inicial de paixão do início de namoro, Theo e eu aproveitamos aqueles poucos dias preguiçosos em "Algum Lugar" para nos conhecermos melhor. Peguei-me confidenciando a ele coisas que nunca tinha contado a ninguém. Detalhes mínimos, sem importância para qualquer outra pessoa, mas que para mim significavam muito. A atenção de Theo não fraquejou uma vez sequer enquanto ele me escutava, olhos verdes cravados em mim, com aquele olhar intenso. Não sei como, mas ele conseguia fazer eu me sentir mais amada do que eu jamais me sentira na vida. Mostrou-se especialmente interessado em Pa Salt e nas minhas irmãs – no "orfanato de luxo", como passou a se referir a nossa vida em Atlantis.

Certa manhã quente e úmida, quando o ar estava tão abafado que tanto Theo quanto eu notamos que um temporal era iminente, ele veio se juntar a mim no sofá que ficava na parte sombreada da varanda.

– Por onde você andou? – perguntei quando ele se sentou.

– Infelizmente, estava fazendo uma teleconferência muito chata com nosso patrocinador da Fastnet, o administrador da tripulação e o dono do *Tigresa*. Enquanto eles discutiam questões de semântica, fiquei rabiscando um papel.

– É mesmo?

– É. Quando era mais nova, você já tentou formar anagramas com o seu nome ou escrevê-lo de trás para a frente? Eu tentei com o meu, e saiu uma coisa ridícula – disse ele com um sorriso. – "Oeht".

– É claro que eu já fiz isso, e o resultado foi igualmente bobo. O meu é "Ylla".

– Já fez anagramas com o seu sobrenome?

– Não – respondi, perguntando-me aonde ele queria chegar.

– Tá. Bom, eu adoro brincar com palavras, e agora mesmo, enquanto aquela conversa quase me fazia morrer de tanto tédio, fiquei brincando com o seu sobrenome.

– E daí?

– Certo, sei que sou obsessivo e adoro um mistério, mas também conheço um pouco de mitologia grega, pois estudei letras clássicas em Oxford e passei todos os verões aqui desde criança – explicou Theo. – Posso mostrar a você o que descobri?

– Já que insiste... – assenti. Ele me entregou um pedaço de papel com algumas palavras rabiscadas.

– Está vendo em que D'Aplièse se transforma?

Pronunciei a palavra que ele havia escrito abaixo do meu sobrenome; pelo visto, Theo a havia formado usando as mesmas letras de D'Aplièse.

– Plêiades.

– Isso. Reconhece essa palavra?

– Com certeza me soa familiar – reconheci, a contragosto.

– Ally, Plêiades é o nome grego do agrupamento de estrelas que contém as Sete Irmãs.

– E daí? O que você está dizendo? – retruquei, sentindo-me irracionalmente na defensiva.

– Só estou dizendo que é uma grande coincidência você e suas irmãs terem sido batizadas em homenagem às sete... ou será que eu deveria dizer seis famosas estrelas – corrigiu-se ele. – E, além disso, o seu sobrenome ser um anagrama de Plêiades. Seu pai também tinha esse sobrenome?

Senti um calor queimar minha face enquanto vasculhava a memória para ver se conseguia me lembrar de alguém já ter chamado Pa de Sr. D'Aplièse. Os empregados da nossa casa e os do *Titã* sempre o chamavam apenas de "patrão", com exceção de Marina, que o chamava de Pa Salt como nós ou então se referia a ele como "o seu pai". Tentei pensar se já vira um sobrenome escrito em alguma correspondência dele, mas tudo de que consegui me lembrar foram envelopes e pacotes de aspecto oficial endereçados a alguma de suas muitas empresas.

– Provavelmente – respondi, por fim.

– Desculpe, Ally. – Theo havia percebido meu desconforto. – Estava só tentando descobrir se ele tinha apenas inventado um sobrenome para vocês ou se também se chamava assim. De qualquer forma, muitas pessoas mudam de nome oficialmente. Na verdade, é um nome bem bonito. Você se chama "Alcíone Plêiades". Quanto ao apelido Pa Salt, eu...

– Chega, Theo!

– Desculpe, é que acho isso fascinante. Estou convencido de que seu pai era muito mais interessante do que parece.

Nessa hora, pedi licença e entrei em casa, desconfortável com o fato de Theo ter percebido algo tão íntimo sobre a minha família apenas brincando com algumas letras, e que eu e minhas irmãs nunca tivéssemos notado antes. Ou, se *tínhamos*, pelo menos a questão nunca havia sido conversada abertamente entre nós.

Quando voltei para a varanda, Theo seguiu minha deixa e não tocou mais no assunto. Durante o almoço, contou-me mais sobre seus pais e seu amargo divórcio. Ele passara a infância inteira entre a casa da mãe, na Inglaterra, e as férias com o pai, nos Estados Unidos. Em um estilo tipicamente seu, relatou a história quase na terceira pessoa, de modo analítico, como se ela pouco tivesse a ver com ele, mas pude notar a tensão subjacente e a raiva subconsciente que ele sentia. Pareceu-me que, por lealdade à mãe, Theo nunca tinha dado uma chance ao pai. Mas eu ainda não me sentia confiante o suficiente para lhe dizer isso, embora achasse que, com o tempo, viria a fazê-lo.

Nessa noite, na cama, ainda abalada pela revelação sobre meu sobrenome, não consegui pegar no sono. Se o nosso sobrenome era um anagrama criado por Pa por causa de sua obsessão com as estrelas e a mitologia das Sete Irmãs, então quem éramos nós?

E, mais importante ainda: quem *ele* tinha sido?

A terrível verdade era que agora eu jamais poderia descobrir.

❋ ❋ ❋

No dia seguinte, peguei emprestado o laptop de Theo e pesquisei as Sete Irmãs das Plêiades. Embora Pa tivesse conversado sobre as estrelas com todas nós, e Maia em especial tivesse passado bastante tempo com ele em seu observatório com cúpula localizado bem no alto de Atlantis, eu nunca havia me interessado muito pelo assunto. Todas as informações que Pa havia me transmitido eram técnicas, quando estávamos velejando juntos. Ele dera o melhor de si para me ensinar a me orientar pelas estrelas ao navegar e me contara que as Sete Irmãs eram conhecidas por serem usadas há milhares de anos para guiar os marinheiros. Depois de algum tempo, fechei o computador e pensei que, fossem quais fossem as razões para ele ter nos batizado com aqueles nomes, isso era apenas mais um mistério que jamais seria solucionado. E que tentar desvendá-lo só me deixaria mais abalada ainda.

Falei sobre isso com Theo durante o almoço, e ele concordou comigo.

– Sinto muito, Ally. De verdade. Eu nunca deveria ter tocado nesse assunto. O que importa é o presente e o futuro. E quem quer que tenha sido o seu pai, tudo que me importa é que ele fez a coisa certa ao adotar você quando era bebê. E apesar de eu ter descoberto mais coisas que estou me coçando para contar para você... – Ele me espiou com um olhar inquisitivo.

– Theo!

– Tá bom, tá bom – aceitou ele. – Entendo que agora não é o momento.

E não era, mas mesmo assim, mais tarde nesse dia, peguei a carta de Pa na última página do meu diário, onde a havia deixado, e a li mais uma vez. Talvez a intenção de Theo tivesse sido exatamente essa. Talvez, pensei, um dia eu devesse mesmo seguir a trilha que Pa deixara para mim. Ou então, no pior dos casos, encontrar o livro que ele havia mencionado, o tal que estava em uma das prateleiras de seu escritório em Atlantis...

✼ ✼ ✼

À medida que nossas férias iam chegando ao fim, tive a sensação de que Theo havia se tornado parte de mim. Quando repeti essa frase para mim mesma, mal pude acreditar que era eu quem a estava dizendo. Mas, apesar de esta ser uma ideia romântica, eu sentia mesmo que ele era minha alma gêmea. Com ele, eu me sentia completa.

E só percebi o quanto essa recém-descoberta sobre nós podia ser assustadora quando, à sua maneira calma de sempre, ele começou a discutir a logística para sair de "Algum Lugar" – que eu agora sabia ser a Ilha de Anafi – e voltar à realidade.

– Em primeiro lugar, tenho que visitar minha mãe em Londres. Depois vou buscar o *Tigresa* em Southampton e levar o veleiro até a Ilha de Wight. Pelo menos assim vou poder sentir um pouco o barco. E você, querida?

– Eu também precisava passar algum tempo em casa – falei. – Ma até que convence quando diz que está bem, mas sem Maia nem Pa em casa eu sinto que deveria estar lá com ela.

– Dei uma olhada nos voos. Por que não velejamos juntos até Atenas no *Netuno*, no fim de semana, e depois você pega um voo para Genebra? Verifiquei no site, e ainda tem vaga em um voo na hora do almoço que sai mais ou menos no mesmo horário do meu para Londres.

– Ótimo. Obrigada – respondi, bruscamente, sentindo-me de repente muito vulnerável, com medo de ficar sem ele e do que o futuro nos reservava.

Cheguei a ter medo de não haver um futuro depois de "Algum Lugar".

– Ally, o que houve?

– Nada. Tomei muito sol hoje, e o melhor seria eu me deitar cedo. – Levantei-me e fiz menção de sair da varanda, mas antes disso ele me segurou pela mão.

– A gente ainda não terminou a conversa, então, sente-se, por favor. – Ele me sentou com firmeza de volta na cadeira e me deu um beijo na boca. – É óbvio que a gente precisa conversar sobre outros planos além do nosso voo para casa. A Fastnet, por exemplo. Tenho pensado muito nisso desde que chegamos aqui, e quero fazer uma sugestão.

– Pode falar – concordei, apesar de soar contrariada até mesmo para mim. Não era sobre aquele tipo de "plano" que eu estava interessada em ouvir no momento.

– Eu quero que você venha e treine junto com a tripulação. Mas se eu achar que as condições meteorológicas estão perigosas demais para você ficar a bordo durante a regata propriamente dita ou se você começar a regata, mas eu lhe disser em algum momento que precisa ficar em terra, você tem que jurar que vai obedecer às minhas ordens.

Com esforço, aquiesci.

– Sim, capitão.

– Não faça graça, Ally. Estou falando sério. Já disse que não conseguiria me perdoar se alguma coisa acontecesse com você.

– Essa decisão não deveria ser minha?

– Não. Como seu capitão, para não dizer seu namorado, a decisão é minha.

– Quer dizer que *eu* não posso fazer *você* parar se achar que as condições estão perigosas demais para velejar?

– É claro que não! – Ele balançou a cabeça, frustrado. – Sou eu quem vou tomar a decisão. Para o bem ou para o mal.

– E se for "para o mal" e eu souber que é?

– Aí você me diz, e eu vou escutar seu aviso, mas quem vai tomar a decisão final sou eu.

– Por que não posso ser eu? Não é justo, eu...

– Ally, isso está ficando ridículo. Estamos em círculos e, além do mais, tenho certeza de que nada disso vai acontecer. Tudo que estou tentando dizer é que você tem que me escutar, está bem?

– Certo – concordei, emburrada. Aquilo era o mais perto que nós dois já tínhamos chegado de um bate-boca, e com o pouco tempo que nos restava naquele lugar perfeito, eu não queria deixar a situação se deteriorar ainda mais.

Vi a expressão nos olhos dele se suavizar. Ele estendeu uma das mãos na minha direção e acariciou meu rosto com os dedos.

– Mais importante ainda, não vamos esquecer que existe um futuro depois da Fastnet. Porque, apesar de todo o trauma, essas foram as melhores semanas da minha vida. Ally, querida, você sabe que a verbosidade romântica não faz o meu estilo, mas seria ótimo se a gente arrumasse um jeito de ficar juntos sempre. O que acha?

– Para mim parece ótimo – balbuciei, sem conseguir passar em poucos segundos de "extremamente irritada" para "vamos passar a vida juntos".

Quase dei uma olhada nos papéis diante de Theo para ver se "conversar sobre o futuro com Ally" estava anotado na agenda.

– Por mais antiquado que isso possa parecer, eu sei que nunca vou encontrar ninguém como você. Assim sendo, e considerando que nem eu nem você somos mais crianças e ambos já vivemos bastante, só estou dizendo a você que *eu* tenho certeza. E ficaria louco de felicidade se a gente se casasse amanhã. E você?

Encarei-o, tentando absorver o que ele estava dizendo, mas não consegui.

– Isso por acaso é um pedido de casamento à la Theo? – disparei.

– Acho que é, sim. E então?

– Entendi.

– E...?

– Bem, Theo, para ser bem direta, isto aqui não é uma cena de *Romeu e Julieta*.

– Não. Não é, mesmo. Como você pôde constatar, eu não tenho muito talento para os momentos importantes. Só quero passar logo por eles e tocar a ... tocar a *vida*, eu acho. E realmente gostaria de morar com você... quero dizer, de me casar com você – corrigiu ele.

– A gente não precisa se casar.

– Não, mas acho que é nessa hora que a minha criação tradicional assume a dianteira. Eu quero passar o resto da vida com você e, portanto, preciso fazer um pedido formal de casamento. Gostaria que você virasse a Sra. Falys-Kings, e de poder dizer "minha esposa e eu" para as pessoas.

– Eu talvez não queira usar seu sobrenome. Hoje várias mulheres não põem o nome do marido – contrapus.

– É verdade, é verdade – concordou ele, calmo. – Mas é tão mais simples, não acha? Ter um nome só? Para as contas no banco e também para poupar explicações nas conversas ao telefone com eletricistas, bombeiros e...

– Theo?

– O quê?

– Pelo amor de Deus, cale a boca um instante! Por mais que o seu lado prático seja enfurecedor às vezes e antes de você me analisar tanto a ponto de me fazer recusar seu pedido, quero dizer que também me casaria com você amanhã.

– Sério?

– Claro.

Então reparei no que pensei serem lágrimas se formando nos seus olhos. E a parte de mim que tanto se parecia com ele percebeu que até os seres humanos externamente mais seguros de si ficavam vulneráveis quando acreditavam que a pessoa que amavam correspondia ao seu amor. E que os queria e precisavam deles com o mesmo desespero. Cheguei mais perto e lhe dei um abraço apertado.

– Bem. Isso é maravilhoso, não é? – Ele sorriu e enxugou os olhos discretamente.

– Levando em consideração quanto esse pedido foi ridículo, sim, maravilhoso.

– Ótimo. Bem... mesmo isso sendo também meio antiquado, e pode pôr a culpa na minha criação, eu gostaria muito se pudéssemos ir às compras amanhã e escolher alguma coisa para marcar o fato de que você está comprometida comigo.

– Noivar, você quer dizer? – provoquei. – Mesmo que você pareça um personagem de um romance de antigamente, eu adoraria.

– Obrigada. – Ele então olhou para as estrelas, balançou a cabeça e olhou para mim. – Não é um milagre?

– Que parte?

– Tudo. Passei 35 anos me sentindo sozinho no mundo, e aí você apareceu, do nada. E de repente eu entendi tudo.

– Entendeu o quê?

Ele balançou a cabeça e ergueu os ombros de leve.

– O amor.

❄ ❄ ❄

Fizemos o que Theo pedira, e na manhã seguinte ele me levou até a capital da ilha, Chora – na realidade pouco mais que um vilarejo caiado e modorrento encarapitado no alto de um morro com vista para o litoral sul da ilha. Passeamos pelas ruas estreitas e pitorescas, onde encontramos duas lojinhas minúsculas que vendiam joias feitas à mão junto com uma mistureba de produtos alimentícios e utilidades para o lar, além de um pequeno mercado de rua com algumas barracas de bugigangas. De modo geral, eu nunca tinha sido muito ligada em joias, e depois de passar meia hora experimentando diversos anéis, pude ver que Theo estava começando a perder a paciência.

– Mas, enfim, deve ter alguma coisa aqui de que você gosta – instou ele quando paramos diante da última barraca do mercado.

Na verdade, meus olhos haviam sido atraídos por uma das peças.

– Você se importaria se não fosse um anel?

– A esta altura, eu não me importo nem se for um piercing de mamilo, contanto que seja algo que a deixe feliz e que a gente possa ir almoçar. Estou morrendo de fome.

– Tá, então eu quero isto aqui.

Apontei para um amuleto usado para afastar o mau-olhado, um pingente tradicional grego formado por um olho estilizado de vidro azul pendurado em uma delicada correntinha de prata.

O vendedor tirou a peça do mostruário e a segurou na palma da mão para podermos ver melhor, indicando a etiqueta de preço manuscrita. Theo tirou os óculos escuros e segurou o pingente entre o polegar e o indicador para examiná-lo.

– Ally, é fofo, mas custa 15 euros. Não é exatamente um anel de brilhante.

– Eu gosto. Os marinheiros usam esse amuleto para evitar mares revoltos. E, afinal de contas, o meu nome significa que eu sou protetora dos marinheiros.

– Eu sei, mas não tenho muita certeza se um olho grego é mesmo um símbolo apropriado para um noivado.

– Bem, eu adorei, e antes de nós dois ficarmos doidos e desistirmos, será que pode ser este, por favor?

– Contanto que você prometa me proteger.

– É claro que eu prometo – falei, abraçando-o pela cintura.

– Tá. Mas vou logo avisando, só para fazer tudo como manda o figurino, talvez depois eu precise dar a você algo mais... tradicional.

Alguns minutos depois, saímos do mercado com o pequeno talismã pendurado no meu pescoço. Voltamos a percorrer as ruas tranquilas à procura de uma cerveja e de algo para almoçar.

– Pensando bem, acho que acorrentar você pelo pescoço é bem mais apropriado do que só por um dedo, ainda que em algum momento a gente tenha que arrumar um anel de verdade para você usar – disse ele. – Só que, infelizmente, não tenho certeza se vou poder correr para a Tiffany ou a Cartier.

– Quem é que está mostrando as raízes agora? – provoquei. Encontramos uma mesa à sombra na frente de uma taberna e nos sentamos. – E, só para você saber, eu detesto coisas de marca.

– Tem razão. Desculpe deixar transparecer o meu passado arraigado de *country club* de Connecticut. – Ele pegou um cardápio de plástico. – Mas então, o que você vai querer comer?

❋ ❋ ❋

No dia seguinte, depois de me separar de Theo no aeroporto de Atenas com relutância, sentei-me no avião me sentindo perdida sem ele. Não parava de me virar involuntariamente na direção de meu espantado vizinho para dizer a Theo algo em que acabara de pensar, mas aí me lembrava de que ele não estava mais do meu lado. Admiti para mim mesma que me sentia completamente sem rumo longe dele.

Não tinha avisado a Ma que voltaria para casa, pois pensei que seria bacana simplesmente aparecer e lhe fazer uma surpresa. Enquanto a aeronave me transportava até Genebra e eu me preparava para chegar a uma Atlantis que havia perdido seu coração, minhas emoções se alternaram entre a alegria pelo que tinha encontrado e o pesar pelo que havia perdido e para o qual estava retornando. E dessa vez minhas irmãs não estariam presentes para preencher o imenso vazio deixado por Pa Salt.

Quando cheguei, pela primeira vez na vida ninguém desceu para me receber no deque, o que me deprimiu mais ainda. Claudia tampouco estava em seu lugar habitual na cozinha, mas sobre a bancada havia um bolo de limão recém-saído do forno, por acaso o meu preferido. Cortei uma generosa fatia, saí da cozinha e subi a escada até meu quarto. Joguei a mochila no chão e me sentei na cama para admirar a esplêndida vista do lago por cima das árvores e escutar o silêncio perturbador.

Tornei a me levantar, fui até a estante e peguei a garrafa com um barco dentro que Pa Salt tinha me dado de presente de aniversário quando completei 7 anos. Observei a intrincada réplica de madeira e lona dentro do vidro e sorri ao me lembrar de como havia atormentado Pa Salt para que me contasse como o barquinho conseguira passar pelo estreito gargalo da garrafa.

– Por magia, Ally – sussurrara ele em tom de segredo. – E todo mundo precisa acreditar nisso.

Tirei meu diário da mochila, louca para senti-lo perto de mim outra vez, e peguei a carta que ele havia escrito para mim. Reli os detalhes e resolvi descer até seu escritório e procurar o livro que ele sugerira que eu lesse.

Parada na porta do escritório, deixei os conhecidos aromas de frutas cítricas, ar fresco e segurança encherem minhas narinas.

– Ally! Desculpe não estar em casa quando você chegou. Não sabia que você viria. Mas que surpresa maravilhosa!

– Ma! – Virei-me para abraçá-la. – Tudo bem com você? Tive uns dias de folga e quis vir me certificar de que você estava bem.

– Estou, estou sim... – disse ela, meio apressada. – E você, *chérie*? Como está?

Senti seus olhos observadores e inteligentes me avaliarem.

– Você me conhece, Ma. Eu nunca fico doente.

– Ally, nós duas sabemos que eu não estava perguntando sobre a sua saúde – retrucou Ma com delicadeza.

– Andei ocupada, então acho que isso ajudou. Aliás, nós ganhamos a regata – falei, feito uma boba.

Ainda não estava pronta para contar a Ma sobre Theo e a possível felicidade que tinha encontrado. Estar ali em Atlantis sem Pa fazia isso parecer inadequado.

– Maia também está aqui. Ela foi para Genebra mais cedo, logo depois de o... amigo que trouxe do Brasil ir embora. Vai voltar logo e tenho certeza de que vai ficar feliz em ver você.

– Eu também vou ficar feliz em vê-la. Ela me mandou um e-mail faz alguns dias e parecia feliz de verdade. Mal posso esperar para saber mais sobre a viagem.

– O que acha de um chá? Venha até a cozinha, assim pode me contar tudo sobre a regata.

– Está bem. – Obediente, saí do escritório de Pa atrás dela.

Talvez fosse apenas o fato de ter aparecido em casa sem ligar, mas senti que ela estava tensa, que havia perdido temporariamente sua serenidade habitual. Conversamos sobre Maia e a regata das Cíclades, e vinte minutos depois ouvimos a lancha chegando. Fui receber minha irmã no deque.

– Surpresa! – falei, abrindo os braços para ela.

– Ally! – Maia parecia maravilhada. – O que está fazendo aqui?

– Por estranho que pareça, esta também é a minha casa – respondi, com um sorriso, enquanto subíamos juntas, de braços dados.

– Eu sei, mas não estava esperando você aparecer.

Decidimos nos sentar na varanda, e fui pegar uma jarra da limonada caseira de Claudia. Fiquei observando Maia enquanto a ouvia falar sobre a viagem recente ao Brasil, e pensei que fazia muitos anos que não a via tão viva. A pele estava linda, os olhos brilhavam. Descobrir seu passado graças às pistas póstumas de Pa Salt com certeza parecia ter ajudado Maia a se curar.

– E, Ally, tem mais uma coisa que eu queria contar a você. Que talvez devesse ter contado há muito tempo...

Ela então me disse o que havia acontecido na universidade que a fizera se esconder desde então. Fiquei com lágrimas nos olhos ao escutar a história e estendi a mão para reconfortá-la.

– Maia, que terrível você ter tido que passar por isso tudo sozinha. Por que não me contou, caramba? Eu sou sua irmã! Sempre achei que fôssemos próximas. Eu teria dado força a você, teria mesmo.

– Eu sei, Ally, mas você tinha só 16 anos na época. Além do mais, eu estava envergonhada.

Então perguntei quem era essa pessoa horrível que tinha causado tanta dor à minha irmã.

– Ah, ninguém que você conheça. Um cara que conheci na universidade chamado Zed.

– Zed Eszu?

– Isso. Você talvez tenha visto o nome dele no jornal. O pai dele era o magnata que se suicidou.

– E cujo iate eu vi perto do de Pa naquele dia horrível em que soube da morte dele, se você bem se lembra – falei, com um arrepio.

– Por ironia, foi Zed que, sem perceber, me forçou a embarcar no avião para o Rio de Janeiro quando eu ainda estava decidindo se ia ou não. Depois de 14 anos de silêncio, ele me deixou uma mensagem de voz do nada, dizendo que viria à Suíça e perguntando se a gente poderia se encontrar.

Olhei para ela com uma expressão estranha.

– Ele queria encontrar *você*?

– Sim. Disse que tinha ficado sabendo da morte de Pa e sugeriu que talvez a gente pudesse consolar um ao outro. Se havia algo que me faria sair correndo da Suíça, era isso.

Perguntei-lhe se Zed sabia o que havia acontecido com ela tantos anos antes.

– Não. – Maia balançou a cabeça com firmeza. – E, se soubesse, duvido que tivesse se importado.

– Eu acho que definitivamente foi melhor para você se livrar dele – disse, sombria.

– Então você o conhece?

– Não pessoalmente. Mas tenho um... amigo que conhece. Enfim, pelo visto embarcar nesse avião foi a melhor coisa que você já fez – falei, disfarçando antes que Maia me fizesse outras perguntas. – Mas você ainda não me contou sobre esse brasileiro lindo que trouxe para cá. Acho que Ma ficou caidinha por ele. Quando cheguei, ela não conseguia falar em outra coisa. Ele é escritor?

Conversamos um pouco sobre ele e, então, Maia perguntou de mim. Decidi que aquele era o momento *dela*, já que tinha encontrado alguém depois de tantos anos, e não lhe disse nada sobre Theo. Em vez disso, falei sobre a Fastnet e as eliminatórias das Olimpíadas que seriam em breve.

– Ally! Que maravilha! Me avise sobre o resultado, tá? – pediu ela.

– Claro.

Nesse exato instante, Marina apareceu na varanda.

– Maia, *chérie*, eu só soube que você estava em casa quando encontrei Claudia agora há pouco. Christian deixou isto mais cedo para você e infelizmente esqueci de lhe entregar.

Marina lhe passou um envelope, e os olhos de Maia se acenderam quando ela reconheceu a caligrafia.

– Obrigada, Ma.

– Vocês vão querer jantar?

– Se tiver comida, claro. Maia? – Olhei para minha irmã. – Você me faz companhia? É tão raro termos uma chance de pôr a conversa em dia.

– Faço, claro – disse ela, levantando-se. – Mas, se você não se importar, vou dar um pulinho no pavilhão antes.

Ma e eu olhamos com um ar cúmplice para ela e para a carta bem apertada em sua mão.

– Nos vemos mais tarde então, *chérie* – falou Marina.

Segui Ma de volta até em casa, sentindo-me extremamente perturbada pelo que Maia acabara de me contar. Por um lado, era bom termos tirado aquilo do caminho e eu agora entender por que minha irmã tinha ficado tão distante depois da universidade e se jogado no que era praticamente um exílio autoimposto. Mas o fato de ela ter me contado que o motivo de sua dor se chamava Zed Eszu era algo totalmente diferente...

Com seis mulheres jovens na família, todas tão diferentes entre si, a quantidade de fofoca sobre namorados e casos de amor variava muito dependendo do temperamento de cada uma. Até agora, Maia tinha se mantido totalmente fechada em relação à sua vida sentimental, já Estrela e Ceci tinham uma à outra e raramente falavam com as outras irmãs. Sobravam Electra e Tiggy, que haviam – as duas – se confidenciado comigo ao longo dos anos...

Subi até meu quarto e fiquei andando para lá e para cá, pensando nas implicações morais de saber algo que afetava potencialmente outras pessoas que eu amava, e se era preciso compartilhar essa informação ou ficar calada. No entanto, como Maia acabara de se abrir comigo pela primeira vez em anos, resolvi que cabia a *ela* decidir contar ou não sua história às nossas outras irmãs. De que adiantaria eu interferir?

Depois de resolver isso, cheguei o celular e abri um sorriso espontâneo ao ver uma mensagem de Theo.

Minha Ally querida. Saudades. Batido mas verdadeiro.

Respondi na hora:

Eu também (mais batido ainda).

Enquanto tomava uma chuveirada antes de descer para jantar com Maia, senti muita vontade de contar a ela sobre o grande amor que também acabara de encontrar, mas tornei a lembrar a mim mesma que, depois de tantos anos, aquele precisava ser o momento dela. O meu poderia esperar outra ocasião.
Durante o jantar, Maia me disse que voltaria ao Brasil no dia seguinte.
– Só se vive uma vez, não é, Ma? – disse ela, radiante de felicidade, e pensei que nunca tinha visto minha irmã mais bonita.
– É, sim – respondeu Ma. – E se as últimas semanas nos ensinaram algo, foi isso.
– Chega de me esconder – disse Maia, erguendo o copo. – Mesmo se não der certo, pelo menos eu vou ter tentado.
– Chega de se esconder – falei, sorrindo, e brindei com ela.

9

*M*arina e eu nos despedimos de Maia com acenos e beijos quando ela foi embora de Atlantis.

– Estou tão feliz por ela! – comentou Ma, enxugando os olhos discretamente enquanto nos virávamos e caminhávamos de volta até a casa, onde preparamos um chá e conversamos sobre o passado difícil de Maia e seu futuro, ao que tudo indicava, cor-de-rosa. Pelo que Ma falou, ficou óbvio que ela nutria sentimentos semelhantes aos meus em relação a Zed Eszu. Terminei o chá e disse a ela que precisava checar meus e-mails.

– Tem problema se eu usar o escritório de Pa? – perguntei, porque o melhor sinal de internet da casa era lá.

– Claro que não. Lembre-se: esta casa agora é sua e das suas irmãs – respondeu Ma com um sorriso.

Fui buscar o laptop no quarto e abri a porta do escritório do meu pai. O aspecto era o mesmo de sempre, com as paredes revestidas de carvalho combinando com os confortáveis móveis antigos. Hesitante, sentei-me na cadeira de madeira de encosto curvo e assento de couro de Pa Salt e pus o laptop sobre a escrivaninha de nogueira à minha frente. Enquanto o sistema inicializava, girei a cadeira e observei com um olhar inexpressivo a profusão de objetos que Pa tinha nas estantes. Não havia nenhum tema específico comum a todos, e eu sempre imaginara que fossem apenas peças das quais ele havia gostado durante suas muitas viagens. Meus olhos então examinaram a estante que cobria uma das paredes do chão ao teto, e me perguntei onde estaria o livro mencionado por ele na carta. Quando vi Dante ao lado de Dickens e Shakespeare ao lado de Sartre, entendi que os livros estavam arrumados em ordem alfabética, e o gosto de Pa Salt era tão eclético e variado quanto ele próprio tinha sido.

O laptop, sempre temperamental, decidiu então avisar que precisava ser reiniciado, de modo que, enquanto aguardava, levantei e fui até o aparelho de CD de Pa. Todo mundo tinha tentado fazê-lo evoluir para um iPod, mas, embora ele tivesse um monte de computadores e equipamentos eletrônicos sofisticados no escritório, dizia que era velho demais para mudar e preferia "ver de forma concreta" a música que desejava pôr para tocar. Quando liguei o aparelho, fascinada ao pensar que iria descobrir a última música que Pa Salt tinha escutado, o recinto de repente foi tomado pelos lindos compassos iniciais do "Amanhecer", da suíte *Peer Gynt*, de Grieg.

Fiquei pregada onde estava, e uma onda de lembranças me inundou. Aquela era a obra para orquestra preferida de Pa, e ele muitas vezes havia me pedido que tocasse os compassos de abertura para ele na flauta. Aquela se tornara a música-tema da minha infância, e escutá-la me fez pensar em todos os gloriosos poentes que havíamos admirado juntos quando ele me levava até o lago para me ensinar pacientemente a velejar.

Quanta saudade...

E não era só dele que eu estava com saudade.

Por instinto, enquanto a música saía dos alto-falantes escondidos e preenchia o recinto com sua gloriosa sonoridade, peguei o fone no aparelho sobre a escrivaninha para fazer uma ligação.

Quando o levei ao ouvido, prestes a digitar o número, percebi que havia alguém na linha.

O choque de ouvir o timbre conhecido da voz que havia me reconfortado desde a infância me forçou a interromper a conversa.

– Alô?! – falei, e estendi a mão às pressas para desligar o aparelho de CD, para ter certeza absoluta de que era ele.

Mas a voz do outro lado havia se transformado em um bipe monótono, e percebi que ele havia desligado.

Fiquei sentada, recuperando o fôlego, depois me levantei, fui até o hall e gritei por Ma. Meus gritos também fizeram Claudia vir correndo da cozinha. A essa altura, eu já estava tomada por soluços histéricos, e quando Ma apareceu no topo da escada fui até ela.

– Ally, *chérie*, o que houve, pelo amor de Deus?

– Eu... eu acabei de escutar a voz dele, Ma! Eu escutei a voz dele!

– De quem, *chérie*?

– Pa Salt! Ele estava falando na linha quando peguei o telefone do escritório para digitar um número. Ai, meu Deus! Ele não morreu, ele não morreu!

– Ally. – Vi Ma lançar um olhar incisivo para Claudia enquanto passava o braço em volta do meu ombro e me conduzia até a sala de estar. – *Chérie*, por favor, tente se acalmar.

– Me acalmar como?! Meu instinto me dizia que ele não estava morto, Ma, o que significa que ele ainda está vivo em algum lugar. E alguém nesta casa está falando com ele... – Lancei-lhe um olhar de acusação.

– Ally, sério, eu entendo o que você acha que escutou, mas isso tem uma explicação simples.

– E qual poderia ser?

– O telefone tocou faz alguns minutos. Eu escutei, mas estava longe demais para atender, então a ligação caiu na secretária. Tenho certeza de que o que você ouviu foi a mensagem do seu pai na secretária eletrônica.

– Mas eu estava sentada bem em frente ao telefone e ele não tocou antes de eu tirar o gancho!

– Mas você tinha colocado a música bem alta. Dava para escutar até no meu quarto lá em cima. Isso pode ter abafado o toque do telefone.

– Tem certeza de que você não estava falando com ele? Ou quem sabe Claudia? – perguntei, desatinada.

– Ally, por mais que você precise que eu lhe diga algo diferente disso, infelizmente não vai ser possível. Quer ligar para o fixo aqui da casa com o seu celular? Se deixar tocar quatro vezes, vai ouvir a mensagem do seu pai na secretária eletrônica. Por favor, experimente – sugeriu ela.

Dei de ombros, agora constrangida por ter acusado Ma e Claudia de mentirem para mim.

– Não, é claro que eu acredito em vocês – falei. – Mas é que... eu *queria* que fosse ele. Quis pensar que toda essa terrível situação tinha sido um engano.

– É isso que todas nós queremos, Ally, mas o seu pai se foi, e nada do que qualquer uma de nós fizer vai trazê-lo de volta.

– É, eu sei. Desculpe.

– Não precisa se desculpar, *chérie*. Se houver alguma coisa que eu puder fazer...

– Não – falei, levantando-me. – Vou dar meu telefonema.

Marina me olhou e sorriu com uma expressão compreensiva. Voltei para o escritório de Pa Salt, sentei-me novamente diante da escrivaninha e fiquei encarando o telefone. Peguei o fone, digitei o número de Theo, e o celular caiu na caixa postal. Como queria falar com uma pessoa de verdade, e não com uma gravação, recoloquei o fone no gancho de forma abrupta sem deixar recado.

Então me lembrei de que ainda precisava procurar o livro que Pa Salt queria que eu lesse. Levantei-me, examinei os títulos da seção "H" da estante, encontrei-o em poucos segundos e o tirei da prateleira.

Grieg, Solveig og Jeg
En biografi av Anna og Jens Halvorsen
Jens Halvorsen

Sem entender nada, a não ser que era algum tipo de biografia, levei-o de volta até a escrivaninha e me sentei.

❁ ❁ ❁

O livro com certeza era bem velho, pois tinha as páginas frágeis e amareladas. Vi que fora publicado em 1907, exatos cem anos antes. Por ser musicista, entendi na hora a que Sr. Halvorsen o autor devia estar se referindo. Solveig, a triste heroína do poema de Ibsen, aparecia na música de renome mundial escrita por Edvard Grieg para acompanhar a peça. Virei mais uma página e notei que havia também um prefácio, no qual reconheci as palavras "Grieg" e "Peer Gynt". Infelizmente, porém, foi tudo que consegui ler, pois o restante das palavras estava escrito no que supus ser norueguês, língua materna tanto de Grieg quanto de Ibsen, sendo portanto indecifrável para mim.

Com um suspiro de decepção, folheei o livro e descobri algumas imagens em preto e branco de uma minúscula mulher vestida com o figurino de teatro de uma camponesa. A legenda informava: "*Anna Landvik som Solveig, September 1876.*" Estudei as fotos com atenção e vi que, fosse quem fosse, Anna Landvik era muito jovem quando foram tiradas. Por baixo da pesada maquiagem de palco, era quase uma criança. Dei uma olhada nas outras imagens e encontrei mais fotos dela, à medida que envelhecia, então me demorei ao deparar com os traços conhecidos do próprio Edvard Grieg. Anna Landvik estava de pé ao lado de um piano de cauda e Grieg a aplaudia atrás do instrumento.

Havia também outras imagens de um belo rapaz, o biógrafo, sentado em uma pose formal ao lado de Anna Landvik, que segurava uma criança pequena no colo. Frustrada com o fato de o livro não revelar quase nada devido à barreira da língua, senti minha curiosidade se aguçar. Precisava mandar traduzir aquilo e pensei que Maia, que era tradutora, provavelmente conheceria alguém que pudesse me ajudar.

Considerando minha afinidade com a música, era muito comovente pensar que meus antepassados pudessem ter tido ligação com um dos grandes compositores eruditos – ainda por cima um dos preferidos de Pa e eu. Seria por isso que ele amava tanto a suíte *Peer Gynt*? Talvez tivesse me mostrado essa música por causa da minha ligação com ela.

Mais uma vez, lamentei sua morte e as perguntas que permaneceriam para sempre sem resposta.

– Está tudo bem, *chérie*?

Despertada de meus devaneios, ergui os olhos e vi Ma de pé na porta.

– Tudo.

– Estava lendo?

– Estava – falei, pousando a mão sobre o livro de um modo protetor.

– Bom, o almoço está servido na varanda.

– Obrigada, Ma.

❊ ❊ ❊

Diante de uma salada de queijo de cabra e uma taça de vinho branco geladinho, pedi desculpas outra vez a Ma pelo acesso de histeria mais cedo.

– Sério, não há de que se desculpar – disse ela, tentando me tranquilizar. – E então? Nós duas já sabemos as novidades de Maia, mas você não disse quase nada sobre si mesma. Como você está, Ally? Sinto que alguma coisa boa aconteceu. Você parece diferente.

– Na verdade... o fato é que eu também conheci alguém, Ma.

– Bem que eu imaginei – retrucou ela com um sorriso.

– Foi por isso que não recebi as mensagens de vocês. Estava com ele quando Pa morreu, e tinha desligado o celular – falei de repente, precisando dizer a verdade, que estava me pesando. – Eu sinto muito, muito mesmo. Estou me sentindo tão culpada, Ma...

– Mas não tem por que ficar. Quem poderia imaginar o que iria acontecer?

– A verdade é que parece que estou em uma montanha-russa emocional... – Dei um suspiro.– Acho que nunca estive mais feliz e mais triste ao mesmo tempo. É muito estranho. Sinto culpa por estar feliz.

– Duvido muito que o seu pai fosse querer que você se sentisse assim, *chérie*. Mas quem é esse homem que roubou o seu coração?

Então lhe contei tudo. E o simples fato de dizer o nome de Theo já fez com que eu me sentisse melhor.

– Será que ele é o homem da sua vida, Ally? Com certeza eu nunca ouvi você falar de ninguém desse jeito.

– Acho que sim. Na verdade, ele... bom, ele me pediu em casamento.

– Nossa! – Ma me encarou com surpresa. – E você aceitou?

– Aceitei, mas ainda vai demorar muito para a gente se casar. Ele me deu isto aqui. – Puxei a correntinha de prata de baixo da gola da roupa e lhe mostrei o pingente do olho grego. – Sei que é tão rápido que chega a ser ridículo, mas essa parece ser a coisa certa. Para nós dois. E você me conhece, Ma, eu nunca fui de me deixar levar pelo romantismo, então tudo isso é um pouco estranho para mim.

– Eu conheço você, sim, e é por isso que acho que essa história deve ser para valer.

– Na verdade, ele me lembra Pa. Queria tanto que Pa tivesse conhecido Theo. – Suspirei e comi uma garfada de salada. – Mudando de assunto, você acha que Pa queria mesmo que a gente descobrisse a nossa origem?

– Acho que ele quis deixar as informações necessárias para o caso de algum dia vocês decidirem fazer isso. É claro que a escolha é sua.

– Bom, com certeza isso parece ter ajudado Maia. Enquanto ela estava descobrindo seu passado, acabou encontrando seu futuro ao mesmo tempo.

– É, foi mesmo – concordou Ma.

– Mas eu acho que talvez já tenha encontrado o meu, sem ter precisado pesquisar minha história. Talvez um dia eu investigue isso, mas não agora. Só quero tentar aproveitar o presente e ver aonde ele me leva.

– E você tem toda razão. Espero que traga Theo aqui em breve, para eu poder conhecê-lo.

– Vou trazer, sim, Ma – falei, sorrindo ao pensar nesse dia. – Prometo que vou.

❊ ❊ ❊

Após vários dias da comida caseira de Claudia, de noites bem-dormidas e do glorioso clima de verão, sentia-me renovada e tranquila. Todas as tardes, saía com o Laser para despreocupados passeios de vela no lago. Enquanto o sol me banhava, eu me deitava no barco e deixava meus sentimentos em relação a Theo me invadirem. Quando estava na água, eu me sentia mais próxima tanto dele quanto de Pa. Aos poucos, entendi que estava me reconciliando com a ideia de ter perdido meu pai e começando a aceitá-la. Embora tivesse dito a Marina que não iria investigar meu passado por enquanto, já tinha mandado um e-mail para Maia lhe perguntando se ela conhecia algum tradutor do norueguês. Ela respondeu que não, mas que iria se informar. Alguns dias depois, me escreveu de volta com o contato de uma certa Magdalena Jensen. Eu liguei para Magdalena, e ela disse que teria prazer em traduzir o livro para mim. Depois de tirar cópias da capa e das fotos, só por garantia caso o original se perdesse, eu o embalei cuidadosamente e despachei para ela por FedEx.

Enquanto preparava a mochila para a viagem até a ilha de Wight, que ficava próxima ao litoral da Inglaterra e onde eu começaria a treinar para a regata, senti um arrepio de nervosismo em relação ao futuro subir pela minha espinha. A Regata Fastnet era uma empreitada e tanto, e Theo estaria no comando de uma tripulação de vinte pessoas altamente experientes. Eu mesma nunca tinha feito nada tão desafiador. Teria que estar disposta a encarar qualquer dificuldade e preparada para observar e aprender. Pensando bem, o fato de ele ter me convidado já era uma grande honra.

– Pronta para partir? – indagou Ma quando apareci no hall com a mochila e a flauta, que Theo me pedira para levar outra vez. Ele parecia mesmo adorar me ouvir tocar.

– Estou.

Ela me puxou para si, me deu um abraço e então me senti rodeada por todo o conforto e a segurança que ela representava.

– Vai tomar cuidado nessa regata, não vai, *chérie*? – perguntou ela enquanto saíamos da casa e descíamos até o deque.

– Por favor, Ma, não se preocupe. Eu tenho o melhor capitão do mundo, juro. Theo vai me manter em segurança.

– Então não deixe de escutar o que ele diz, está bem? Eu sei como você pode ser cabeça-dura.

– É claro que vou escutar o que ele diz – afirmei com um sorriso irônico, pensando como ela me conhecia bem.

Afastei a lancha do deque enquanto Christian jogava as cordas a bordo e subia.

– Dê notícias, Ally – disse Ma.

– Pode deixar.

E quando a lancha acelerou pelo lago, senti de verdade que estava navegando em direção ao meu futuro.

10

— Oi, Ally.

Encarei Theo com surpresa enquanto o caldeirão de pessoas que era o aeroporto londrino de Heathrow passava por mim feito uma imensa onda.

– O que você está fazendo aqui?

– Que pergunta é essa? Quem ouvir vai pensar que você não está feliz em me ver – resmungou ele, brincalhão, antes de me puxar para si bem no meio do corredor de desembarque e me tascar um beijo.

– É claro que estou feliz! – respondi, rindo, quando interrompemos o beijo para tomar fôlego, e pensei em como ele sempre dava um jeito de superar minhas expectativas. – Achei que você estivesse ocupado no *Tigresa*. Venha, estamos causando um engarrafamento de gente – acrescentei, desvencilhando-me dele.

Theo me conduziu até o ponto de táxi do lado de fora do terminal.

– Entre – falou ele, e deu algumas instruções ao motorista.

– Não vamos de táxi até a estação da balsa para a ilha de Wight, não é? – indaguei. – Fica muito longe daqui.

– Não, Ally, claro que não. Só que, quando chegarmos lá, vamos começar a treinar sem parar. Então pensei que seria uma boa ideia passarmos uma noite juntos antes de eu virar "capitão" de novo e você só "Al". – Ele me puxou para um abraço. – Fiquei com saudade, querida – sussurrou ele.

– Eu também – falei, e vi o taxista nos olhar pelo retrovisor com um sorrisinho malicioso.

Para minha total surpresa e deleite, o táxi encostou em frente ao hotel Claridge's, onde Theo tinha reservado um quarto. Passamos a tarde e a noite compensando o tempo perdido. Antes de apagar a luz, olhei para ele dormindo ao meu lado e deixei sua presença me invadir. E entendi que, onde quer que ele estivesse, lá seria o meu lugar.

❀ ❀ ❀

– Então, antes de pegar o trem para Southampton, temos que fazer uma visita obrigatória – disse ele enquanto tomávamos café na cama no dia seguinte.

– É mesmo? A quem?

– À minha mãe. Eu lhe disse que ela mora em Londres, não disse? E ela está louca para conhecer você. Então, infelizmente, acho que vai ter que tirar essa bundinha perfeita da cama enquanto eu tomo uma ducha.

Levantei-me e examinei meus pertences, ansiosa porque, para todos os efeitos, estava indo conhecer minha futura sogra. Não tinha nada mais arrumado do que calças jeans, moletons e tênis que pusera na mala para as raras noites em que não estivesse no iate, vestida dos pés à cabeça com roupas de Gore-Tex, a irmã impermeável mas nem um pouco sexy da lycra.

Entrei no banheiro para procurar na nécessaire um rímel e um batom, mas constatei que pelo visto os tinha esquecido em Atlantis.

– Eu não trouxe nem maquiagem – choraminguei para Theo através do box.

– Ally, eu adoro você ao natural – disse ele ao sair do cubículo embaçado. – Você sabe como eu detesto muita maquiagem. Agora será que você consegue tomar banho rápido? Temos que sair agorinha.

Quarenta minutos depois, após percorrermos um labirinto de ruas que Theo me disse ficarem em uma região de Londres chamada Chelsea, o táxi encostou diante de uma bela casa branca. Três degraus de mármore conduziam à porta da frente, ladeada por vasos de pedra que transbordavam com gardênias perfumadas.

– Chegamos – disse ele. Subiu depressa os degraus, tirou uma chave do bolso e destrancou a porta. – Mãe? – chamou ao entrarmos no hall, e eu o segui por um corredor estreito até uma cozinha bem arejada dominada por uma mesa de carvalho rústica e por um imenso aparador galês abarrotado de peças de cerâmica coloridas.

– Aqui fora, querido! – cantarolou uma voz feminina pelas portas de vidro abertas.

Saímos para uma varanda com piso de pedra, onde uma mulher magra de cabelos louro-escuros presos em um rabo de cavalo curto podava roseiras no pequeno, mas bem provisionado, jardim murado.

– Mamãe foi criada no interior da Inglaterra e tenta reproduzir o mesmo ambiente aqui no centro de Londres – murmurou Theo em tom carinhoso. Ao nos ver, sua mãe ergueu o rosto e abriu um sorriso encantado.

– Oi, querido. Oi, Ally.

Quando ela veio caminhando na minha direção, um par de olhos azul-claros cravou em mim o mesmo olhar intenso de seu filho. Achei-a extraordinariamente bonita, com traços de boneca e a pele clara típica das inglesas.

– Ouvi falar tanto em você que sinto como se já a conhecesse – disse ela, dando-me dois beijos calorosos no rosto.

– Oi, mãe – disse Theo, e lhe deu um abraço. – Você está com uma cara boa.

– Ah, é? Hoje de manhã mesmo eu estava contando os cabelos brancos no espelho. – Ela deu um suspiro fingido. – Infelizmente, a idade chega para todo mundo. Mas o que vocês querem beber?

– Um café? – sugeriu Theo, olhando para mim com um ar interrogativo.

– Perfeito – concordei. – A propósito, como sua mãe se chama? – sussurrei para ele enquanto a seguíamos de volta para dentro de casa. – Não acho que já esteja no estágio em que posso chamá-la de "mamãe".

– Meu Deus, desculpe! O nome dela é Celia. – Theo pegou minha mão e apertou. – Tudo bem?

– Claro, tudo ótimo.

Durante o café, Celia fez algumas perguntas sobre mim, e quando lhe contei sobre a morte de Pa Salt, reconfortou-me de modo caloroso, compadecida.

– Acho que filho nenhum se recupera por completo da perda de um dos pais, principalmente uma filha que perde o pai. Sei que eu fiquei arrasada quando perdi o meu. O máximo que se pode esperar é conseguir aceitar esse fato. E ainda está muito cedo para isso, Ally. Espero que meu filho não esteja exigindo demais de você – completou ela, lançando um olhar a Theo.

– Não está não, Celia. E, para ser sincera, ficar chorando pelos cantos torna tudo bem mais difícil. Eu prefiro me manter ocupada.

– Bem, eu com certeza vou ficar muito contente quando essa Regata Fastnet terminar. E talvez, quando vocês tiverem seus próprios filhos, entendam como meu coração fica apertado do início ao fim de qualquer regata da qual Theo participa.

– Falando sério, mãe. Eu já completei essa regata duas vezes e sei o que estou fazendo – protestou Theo.

– E ele é mesmo um capitão incrível, Celia. A tripulação faria qualquer coisa por ele – acrescentei.

– Tenho certeza disso, e é claro que fico cheia de orgulho do meu filho, mas às vezes gostaria que ele tivesse escolhido ser contador, corretor da bolsa de valores ou pelo menos algo que não envolvesse tanto risco.

– Por favor, mãe, você normalmente não é tão ansiosa assim. Como já conversamos infinitas vezes, eu poderia ser atropelado por um ônibus amanhã. Além do mais, quem me ensinou a velejar foi você. – Ele lhe deu um encontrão afetuoso.

– Desculpem, vou calar a minha boca. Como eu disse mais cedo, deve ser a idade chegando e todos aqueles pensamentos dramáticos que vêm junto. Falando nisso, teve notícias do seu pai recentemente? – indagou Celia, e notei uma leve mudança em seu tom de voz.

Theo demorou alguns segundos para responder.

– Tive. Ele me mandou um e-mail dizendo que estava na casa do Caribe.

– Sozinho? – Celia ergueu uma das sobrancelhas de formato elegante.

– Não faço ideia. E também não me interessa – respondeu Theo, firme.

Ele mudou de assunto e perguntou à mãe se ela iria sair do país no mês de agosto.

Fiquei escutando sem dizer nada enquanto os dois conversavam sobre seus planos iminentes de passar uma semana no sul da França e alguns dias na Itália por volta do fim do mês. Pela maneira descontraída como se tratavam, ficou claro que os dois se adoravam.

Depois de cerca de uma hora, Theo esvaziou a segunda xícara de café e, relutante, olhou para o relógio de pulso.

– Mãe, infelizmente temos que ir.

– Já? Não querem almoçar primeiro? Posso fazer uma salada rapidinho, não vai dar trabalho nenhum.

– Não dá. Temos uma reunião a bordo do *Tigresa* com toda a tripulação às cinco, e pegaria muito mal se o capitão chegasse atrasado. Então nossa ideia é tomar o trem de meio-dia e meia em Waterloo. – Ele se levantou. – Vou dar um pulo no banheiro, vejo vocês duas no hall.

– Foi ótimo conhecer você, Ally – falou Celia depois que Theo saiu da cozinha. – Quando ele me disse que você era a mulher da vida dele, fiquei nervosa, o que é compreensível. Ele é meu filho único e é tudo para mim. Mas agora vejo que vocês foram feitos um para o outro.

– Obrigada por dizer isso. Estamos muito felizes – agradeci, sorrindo.

Quando nos levantamos da mesa para ir até o hall, ela estendeu a mão e a pousou no meu braço.

– Cuide bem dele, sim? Theo nunca pareceu entender o que é o perigo.

– Farei o melhor que puder, Celia.

– Eu...

Ela estava prestes a dizer algo mais quando Theo tornou a aparecer ao nosso lado.

– Tchau, mãe. Eu ligo, mas não se preocupe se eu não der notícias durante a semana da regata.

– Vou tentar – respondeu Celia, e sua voz falhou. – E vou estar lá para torcer por você na linha de chegada em Plymouth.

Sem querer me intrometer na despedida dos dois, avancei em direção à porta da frente, mas não pude deixar de reparar na maneira como Celia o abraçou, como se não conseguisse suportar a ideia de se separar do filho. Depois de algum tempo, Theo se desvencilhou e ela acenou para nós dois com um sorriso amarelo enquanto saíamos.

Na viagem de trem até Southampton, Theo pareceu distraído e mais calado do que o normal.

– Está tudo bem? – perguntei a ele, que olhava pensativo pela janela.

– Estou preocupado com minha mãe, só isso. Ela hoje me pareceu diferente do normal. Em geral não é tão pessimista; costuma se despedir de mim com um sorriso radiante e um abraço rápido.

– Ela adora você, isso é evidente.

– E eu também a adoro. Foi ela quem fez de mim tudo que eu sou hoje, e sempre apoiou minha carreira de velejador. Talvez ela esteja *mesmo* ficando velha – concluiu ele, dando de ombros. – Sem falar, é claro, que duvido que algum dia ela vá superar meu pai e o divórcio deles.

– Você acha que ela ainda o ama?

– Tenho quase certeza, embora isso não queira dizer necessariamente que ela *goste* dele. Como poderia? Quando descobriu a lista de casos que ele tinha, ficou mais do que arrasada. Coitada, ela se sentiu tão humilhada que pediu que ele fosse embora de casa, mesmo que isso tenha deixado seu coração partido.

– Meu Deus, que horror.

– Pois é. No fundo papai também a adora. Os dois são infelizes separados, mas acho que a fronteira entre amor e ódio é muito tênue. Talvez seja como viver com um alcoólatra: chega uma hora em que você precisa escolher entre perder a pessoa que ama ou a própria sanidade. E, por mais que os outros nos amem, ninguém pode nos salvar de nós mesmos, não é?

– É.

De repente, Theo segurou minha mão.

– Nunca deixe a mesma coisa acontecer com a gente, Ally. Está bem?

– Nunca – respondi, com fervor.

❋ ❋ ❋

Os dez dias seguintes foram frenéticos, tensos e exaustivos, como sempre acontecia antes de uma regata – ainda mais pelo fato de a Fastnet ser uma das competições mais difíceis e tecnicamente exigentes do mundo. Pelo regulamento, 50% da tripulação precisava ter percorrido no mínimo 300 milhas náuticas em regatas *offshore* no último ano. Na primeira noite, quando Theo reuniu todos os vinte tripulantes a bordo do *Tigresa*, percebi que eu tinha muito menos experiência do que a maioria deles. Embora Theo fosse conhecido por incentivar jovens talentos e houvesse chamado alguns tripulantes da Regata das Cíclades, ficou claro que não queria correr riscos e, por isso, havia escolhido os outros membros a dedo, na elite da comunidade da vela internacional.

O trajeto da regata era exigente e perigoso: primeiro seguia pelo litoral sul da Inglaterra, em seguida cruzava o Mar Celta até a Rocha Fastnet, na costa irlandesa, para então voltar e terminar em Plymouth. Ventos oeste e sudoeste muito fortes, correntezas traiçoeiras e sistemas meteorológicos famosos por sua imprevisibilidade haviam frustrado as chances de muitas embarcações nas edições anteriores. Além do mais, como todos sabíamos, houvera diversas mortes ao longo dos anos. Nenhuma tripulação se inscrevia na Fastnet de forma leviana, muito menos uma como a nossa, cujo objetivo era vencer.

Diariamente, nós acordávamos ao raiar do sol e passávamos o dia inteiro no mar, repetindo incontáveis vezes as manobras necessárias para levar ao limite a habilidade dos tripulantes e aquele estupendo veleiro, que era uma verdadeira joia. Embora durante algumas sessões de treino eu percebesse que Theo ficava frustrado quando algum tripulante não "trabalhava em equipe", como costumava dizer, ele não perdeu a calma sequer uma vez. Todas as noites, durante o jantar, a estratégia e as táticas para cada trecho da regata eram discutidas e refinadas de maneira incansável, e a última palavra era sempre dele.

Além dos treinos de vela propriamente ditos, tínhamos várias palestras profundas sobre segurança. Fazíamos simulações usando os sofisticados equipamentos de segurança do iate, e cada um de nós recebeu um EPIRB, um transmissor pessoal, que deveria ficar preso em nossos coletes salva-vidas. Mesmo quando não estávamos com as velas içadas, a tripulação trabalhava sem parar no veleiro e verificava meticulosamente cada detalhe sob o olhar vigilante de Theo: da verificação do rol de equipamentos ao teste das bombas e guinchos, e ao içamento e checagem de todo o velame. Entre suas muitas outras funções como capitão, Theo era responsável por alocar os leitos e organizar um revezamento de vigilância.

Graças à sua inspirada liderança, o *esprit de corps* estava bem elevado quando ele nos deu a última palestra de incentivo na véspera do início da regata, no dia 12 de agosto. No fim, todos os integrantes da tripulação se levantaram para aplaudi-lo.

Estávamos agora totalmente preparados. O único senão era a previsão de tempo desastrosa para os dias seguintes.

– Agora preciso ir ao Royal Ocean Racing Club para o *briefing* dos capitães, querida – disse-me Theo, dando um beijo rápido na minha bochecha enquanto o restante da tripulação começava a se dispersar. – Volte para o hotel e tome um banho de banheira demorado. É o último que vai poder tomar em muito tempo.

Fiz isso e tentei ao máximo curtir o luxo daquela água escaldante, mas, ao olhar pela janela mais tarde, vi como o vento havia aumentado e agora rugia pelo porto, fustigando com violência as 271 embarcações reunidas na ilha e ao seu redor. De repente, senti um frio na barriga. Aquilo era a última coisa de que precisávamos, e o semblante de Theo estava sombrio quando ele se juntou a mim mais tarde no quarto de hotel.

– Novidades? – perguntei.

– Todas ruins, infelizmente. Como já sabíamos, a previsão é catastrófica e estão até pensando em adiar o início da regata. Emitiram um alerta de clima severo, com previsão de ventos muito fortes. Para ser sincero, não poderia ser pior.

Com um ar muito abatido, ele se sentou. Fui até lá e massageei seus ombros.

– Você precisa se lembrar de que é só uma regata.

– Eu sei, mas se eu ganhasse seria o auge da minha carreira até agora. Estou com 35 anos, Ally, e não posso continuar fazendo isso para sempre. Que droga! – disse ele, socando o braço da cadeira com o punho fechado. – Por que logo este ano?

– Bom, vamos ver o que o amanhã vai trazer. As previsões muitas vezes erram.

– Mas a realidade não – suspirou ele, apontando para o céu cada vez mais escuro lá fora. – Enfim, você tem razão, não há nada que eu possa fazer. Eles vão ligar para todos os capitães amanhã de manhã às oito para nos avisar se o início da regata vai ser adiado. Então agora é a minha vez de tomar um banho quente e me deitar cedo.

– Vou encher a banheira.

– Obrigado. E... Ally?

– Hum? – No caminho para o banheiro, me virei.

Ele me abriu um sorriso.

– Eu amo você.

○ ○ ○

Como ele temia, a regata foi adiada pela primeira vez em 83 anos de existência. Os tripulantes almoçaram no Royal London Yacht Club, todos com a cara fechada, observando o céu pela janela e torcendo por um milagre. Uma nova decisão seria tomada na manhã seguinte, bem cedo, então depois do almoço Theo e eu voltamos desanimados para o quarto do hotel no porto.

– O tempo vai acabar abrindo, Theo. Sempre abre.

– Ally, eu entrei em todos os sites possíveis e imagináveis, sem falar que liguei pessoalmente para o centro de meteorologia, e parece que um sistema de baixa pressão se instalou e vai permanecer pelos próximos dias. Mesmo que a gente consiga começar a regata, chegar ao fim vai ser dificílimo. Mas, enfim, pelo menos temos tempo para mais um banho quente de banheira. – Ele olhou para mim e abriu um sorriso repentino.

Nesse domingo à noite, jantamos juntos no restaurante do hotel. Estávamos tensos e preocupados. Theo se permitiu até tomar uma taça de vinho, algo que normalmente jamais faria na véspera de uma regata, e voltamos para o quarto um pouco mais calmos do que tínhamos saído. Nessa noite, quando transamos, ele demonstrou uma urgência e uma paixão fora do normal. Depois do sexo, desabou nos travesseiros e me puxou para um abraço.

Quando estávamos quase pegando no sono, ouvi-o dizer:

– Ally?

– Hum?

– Se tudo correr bem amanhã, a gente vai zarpar. Mas a coisa vai ser feia. Só queria lembrar a você agora aquilo que me prometeu em "Algum Lugar". Se eu disser que quero você fora do barco, vai obedecer às minhas ordens como capitão.

– Theo, eu...

– Estou falando sério, Ally. Não posso deixar você embarcar amanhã se não tiver certeza de que vai me obedecer.

– Então sim – respondi, dando de ombros. – Você é meu capitão. Tenho que obedecer às suas ordens.

– E antes de você perguntar outra vez, não é porque você é mulher, nem porque eu tenha qualquer dúvida sobre a sua capacidade. É porque eu amo você.

– Eu sei.

– Ótimo. Durma bem, meu amor.

❋ ❋ ❋

Na manhã seguinte, bem cedo, recebemos a notícia de que a Regata Fastnet iria começar – com 24 horas de atraso. Após avisar à tripulação, Theo foi direto para o veleiro, e pude ver que ele já estava focado e revigorado.

Uma hora mais tarde, juntei-me a ele a bordo do *Tigresa* com os outros tripulantes. Mesmo no porto, os barcos se balançavam perigosamente de um lado para o outro, castigados pelo vento e pelas ondas.

– Meu Deus, e pensar que eu neste exato momento poderia estar conduzindo um iate alugado de luxo pelo Caribe – resmungou Rob quando ouvimos o tiro que marcava a largada e aguardávamos tensos para sair do porto.

Enquanto esperávamos, Theo reuniu todos no convés para uma foto de *bon voyage*.

Até mesmo os mais experientes velejadores do nosso grupo estavam com a expressão meio assustada quando finalmente deixamos o abrigo do porto. O mar extremamente revolto, que o vento transformava em um turbilhão de espuma, deixou todo mundo encharcado em poucos segundos.

Durante as oito turbulentas horas seguintes, à medida que a intensidade do vento continuava aumentando, Theo permaneceu calmo. Raras foram as vezes em que perdeu o equilíbrio ao manejar o leme do veleiro pelo mar enfurecido, e emitia uma série quase constante de ordens para nos manter no curso e preservar nossa velocidade. As velas foram abertas e fechadas uma dezena de vezes, e tivemos que enfrentar condições árduas e imprevisíveis, incluindo rajadas de quarenta nós que pareciam surgir do nada. Durante todo esse tempo, a chuva nos fustigava sem trégua.

Nesse primeiro dia, dois de nós ficamos incumbidos das tarefas de cozinha. Tentamos esquentar uma sopa, mas, mesmo com o fogão lastreado projetado para manter as panelas no prumo, a inclinação do veleiro era tão forte que o líquido se derramava para todos os lados e em mais de uma ocasião nos queimou. Então recorremos a alguns dos pacotes de comida pré-cozida e a aquecemos no micro-ondas. Os tripulantes desciam em turnos, tremendo dentro de suas roupas de regata e exaustos demais para tirá-las durante o curto intervalo de tempo que levariam para comer. Sua expressão de gratidão, porém, lembrava-me que, em uma regata, as tarefas domésticas eram tão importantes quanto as que eram realizadas acima do convés.

Theo estava no último turno para fazer a refeição; enquanto engolia a comida, contou-me que várias embarcações já tinham decidido buscar abrigo em diferentes portos no litoral sul da Inglaterra.

– Vai piorar muito quando sairmos do Canal da Mancha para o Mar Celta. Principalmente à noite – completou, olhando para o relógio.

Eram quase oito da noite, e a luz estava começando a baixar.

– O que os outros acham? – perguntei.

– Todo mundo vota por continuar. E eu acho que o veleiro aguenta...

Nesse exato instante, nós dois fomos derrubados dos bancos quando o *Tigresa* adernou para estibordo. Soltei um ganido quando bati violentamente com a barriga na quina da mesa. Theo, o homem que eu genuinamente acreditara ser capaz de andar sobre as águas, estava agora se levantando do chão.

– Certo. Chega – disse ele ao me ver curvada por causa da dor. – Como você disse, é só uma regata. Vamos aportar.

E antes de eu conseguir dizer qualquer coisa ele já estava subindo de dois em dois os degraus que conduziam ao convés.

Uma hora depois, Theo nos guiou para dentro do porto de Weymouth. Apesar das roupas à prova d'água de alta tecnologia, estávamos encharcados até os ossos, além de completamente exaustos. Após ancorarmos, baixarmos as velas e checarmos todo o equipamento para ver se não havia avarias, Theo nos convocou à cabine principal. Prostrados, sentamo-nos onde havia lugar, com que as roupas de competição cor de laranja nos faziam parecer lagostas meio mortas capturadas pela rede de um pescador.

– Hoje à noite está perigoso demais para continuar, e não vou pôr a vida de nenhum de vocês em risco. Mas a boa notícia é que quase todos os outros barcos da competição já se abrigaram, então talvez ainda tenhamos uma leve vantagem. Ally e Mick vão preparar um macarrão para mais tarde, e enquanto isso vocês podem tomar banho na ordem estabelecida. Assim que o sol raiar, vamos zarpar de novo. Alguém ponha a chaleira no fogo para podermos fazer um chá e nos esquentar um pouco. Amanhã de manhã precisamos estar em plena forma.

Mick e eu nos levantamos cambaleando e fomos em direção à cozinha. Enchemos uma panela grande com macarrão e pusemos o molho pronto para esquentar. Mick nos preparou um chá e bebi o meu com gratidão, imaginando o calor fluindo por todo meu corpo até os dedos gelados dos pés.

– Eu bem que aceitaria um golinho de alguma coisa mais forte – disse Mick com um sorriso. – Dá para entender por que os marinheiros de antigamente viviam à base de rum, não é?

– Ei, Al, você é a próxima no chuveiro – chamou Rob.

– Não se preocupe, eu passo a minha vez e tomo banho mais tarde.

– Ótimo – disse ele, agradecido. – Vou fingir que sou você.

Meus dotes culinários duvidosos nunca foram tão apreciados quanto nessa noite. Logo depois de comermos e lavarmos as tigelas de plástico, todos começaram a se dispersar para dormir enquanto podiam. Como o veleiro não havia sido projetado para tantos tripulantes dormirem ao mesmo tempo, as pessoas se acomodaram como dava, nos bancos ou no chão mesmo, enroladas em levíssimos sacos de dormir.

Fui tomar minha ducha me perguntando se me sentiria melhor ou pior com a água gelada, que era tudo que restava para o fim da fila. Quando saí, Theo estava me esperando do lado de fora.

– Ally, preciso falar com você. – Ele me puxou pela mão pelo compartimento agora na penumbra, cheio de corpos inertes, até o espaço diminuto cheio de equipamentos de navegação que chamava de "escritório". Fez eu me sentar e segurou minhas duas mãos.

– Ally, você acredita que eu te amo?

– É claro que acredito.

– E acredita que acho você uma velejadora incrível?

– Não tenho certeza. – Dei-lhe um meio sorriso enigmático. – Por quê?

– Porque eu não vou mais levar você nesta regata. Um bote inflável vai vir pegá-la daqui a poucos minutos. Fiz reserva para você em uma pousada no porto. Desculpe, mas para mim não dá.

– Não dá o quê?

– Não dá para arriscar. A previsão do tempo está péssima, e já conversei com vários outros capitães que estão falando em desistir. Acho que o *Tigresa* pode continuar, mas não posso deixar você continuar a bordo. Entende isso?

– Não. Não entendo. Por que eu? Por que não os outros? – protestei.

– Por favor, querida, você sabe por quê. – Ele fez uma pausa antes de continuar. – E, se quiser mesmo saber a verdade, com você a bordo fica bem mais difícil me concentrar e fazer o trabalho que precisa ser feito.

Encarei-o, chocada e atônita.

– Eu... Por favor, Theo, me deixe ficar – implorei.

– Desta vez não. Temos ainda muitas outras batalhas para vencer juntos, querida. E várias delas não vão ser na água. Não vamos colocar isso em risco.

– Mas se está tão preocupado com o fato de eu continuar competindo, por que não tem problema você fazer o mesmo? Se outros barcos estão pensando em desistir, por que também não desiste? – À medida que meu cérebro processava aquele anúncio devastador, minha raiva ia começando a aumentar.

– Porque esta regata sempre foi o meu destino, Ally. Eu simplesmente não posso decepcionar todo mundo. É melhor você arrumar suas coisas. Seu bote vai chegar a qualquer momento.

– Mas e *eu*? Posso decepcionar todo mundo? Posso decepcionar *você*? – perguntei; minha vontade era gritar, mas pensei nos outros tripulantes dormindo ali perto. – Meu papel é proteger você!

– Você com certeza vai me decepcionar se continuar discutindo comigo – disse ele, ríspido. – Junte suas coisas. Agora. É uma ordem do seu capitão. Por favor, obedeça.

– Sim, capitão – retruquei, petulante, sabendo que precisava aceitar a derrota.

Quando fui buscar minha mochila, porém, estava uma fera com Theo, por vários e confusos motivos. Ao subir de volta para o convés, vi as luzes do bote atravessando o porto na nossa direção e fui até a popa baixar a escada.

Estava decidida a ir embora sem me despedir dele. Segurei a boça que o capitão do bote me lançou e a prendi em um dos cunhos do convés enquanto ele emparelhava com o veleiro. Quando havia acabado de pisar na escada para descer, a luz de uma lanterna vinda de cima brilhou na minha cara.

– A sua pousada se chama The Warwick – disse a voz de Theo.

– Tá – respondi, sem entonação.

Joguei a mochila no bote que se balançava e desci mais um degrau. Foi então que a mão de alguém me segurou pelo braço, e ele me puxou de volta na sua direção.

– Pelo amor de Deus, Ally, eu amo você. Amo você... – murmurou ele, me abraçando; as pontas dos meus dedos dos pés se equilibravam mal e mal no último degrau da escada. – Nunca se esqueça disso, está bem?

Apesar da raiva que eu sentia, meu coração amoleceu.

– Nunca – falei, pegando a lanterna da sua mão e iluminando seu rosto para gravar seus traços na memória. – Se cuide, amor – sussurrei.

Relutante, Theo me soltou para poder desamarrar a boça. Desci os degraus restantes e pulei dentro da embarcação que me aguardava.

Nessa noite, exaurida pela mais árdua experiência como velejadora que já tivera que suportar, não consegui dormir. Além do mais, tinha revirado a mochila e percebido que, na pressa de sair do *Tigresa*, havia esquecido meu celular a bordo. Agora não poderia ter nenhum contato direto com Theo; recriminei-me pela minha burrice. Fiquei andando de um lado para o outro do quarto, dividida entre a indignação por ter sido despejada em terra firme sem a menor cerimônia e um medo sem tamanho ao ver as nuvens revoltas e a chuva torrencial no porto lá fora, ouvindo o clangor contínuo de velames fustigados pelo vento. Sabia quanto aquela regata significava para ele, mas tive medo de que o seu desejo de vencer obscurecesse a sua avaliação profissional. De repente, vi o mar como o que de fato era: um animal furioso, indomável, capaz de reduzir seres humanos a destroços com sua magnífica potência.

Quando um dia escuro começou a nascer, vi o *Tigresa* se mover de novo e começar a sair do porto de Weymouth rumo ao mar aberto.

Segurei com força meu colar de noivado e entendi que não havia mais nada que pudesse fazer.

– Tchau, meu amor – sussurrei, e fiquei observando até o veleiro virar um pontinho minúsculo arremessado pelas ondas cruéis do mar aberto.

Passei as horas seguintes me sentindo completamente isolada. Por fim, dei-me conta de que era inútil ficar ali em Weymouth sozinha e infeliz, então pus as coisas na mochila, peguei um trem e em seguida a balsa de volta para Cowes. Pelo menos assim estaria perto do centro de comando da regata e poderia saber como estavam indo as coisas sem ter que depender da internet. Todos os veleiros tinham localizadores GPS, mas eu sabia que, quando o tempo estava ruim, esses aparelhos eram conhecidos por não serem confiáveis.

Três horas e meia depois, fiz o check in no mesmo hotel em que Theo e eu tínhamos nos hospedado durante os treinos, e fui a pé até o Royal Yacht Squadron para ver o que conseguia descobrir. Fiquei desanimada ao avistar várias das tripulações que tinham começado a competição conosco reunidas em grupos cabisbaixos ao redor das mesas.

Vi Pascal Lemaire, um francês com quem tinha velejado alguns anos antes, e fui falar com ele.

– Oi, Al – disse ele, surpreso. – Não sabia que o *Tigresa* tinha desistido.

– Não desistiu, não. Pelo menos não que eu saiba. Meu capitão me mandou desembarcar ontem. Achou que estava perigoso demais.

– Ele tem razão, está mesmo. Dezenas de veleiros já desistiram oficialmente da regata ou estão esperando no porto até o tempo melhorar. Nosso capitão decidiu sair da competição. Para as embarcações menores como a nossa, o mar estava um verdadeiro inferno. Poucas vezes na vida vi um tempo desses. Mas com um veleiro de cem pés o seu pessoal deve ficar bem, e esse que o seu namorado está capitaneando é o melhor que existe –

garantiu-me ele ao ver minha expressão angustiada. – Aceita uma bebida? Vários de nós estamos aqui, afogando as mágoas.

Aceitei o convite e me juntei ao grupo, que inevitavelmente começou a comparar aquele tempo ao da Regata Fastnet de 1979, quando 112 veleiros foram derrotados pelas ondas e 18 pessoas haviam perdido a vida, entre elas três membros das equipes de resgate. Meia hora mais tarde, perturbada e aflita com a situação do *Tigresa* e de Theo, pedi licença e vesti meu casaco antes de descer a rua castigada pela chuva até o centro de comando da regata, que ficava no Royal Ocean Racing Club, ali perto. Chegando lá, perguntei na hora se havia alguma informação sobre o *Tigresa*.

– Sim, eles estão algumas milhas depois de Bishop Rock, e no momento estão avançando bem – disse o operador depois de verificar o monitor. – Estão na quarta posição. Mas, enfim, pelo andar da carruagem, com o tanto de desistências que vêm sendo anunciadas, é capaz de ele ganhar por eliminação – acrescentou ele, com um suspiro.

Reconfortada ao saber que, pelo menos até onde se sabia, tudo estava sob controle e Theo estava bem, voltei para o Royal Yacht Squadron e pedi um sanduíche. Outros tripulantes exaustos e desgrenhados começaram a chegar. A intensidade do vento havia aumentado outra vez, ouvi-os dizer, mas como estava perturbada demais para conseguir prestar atenção na conversa, voltei para o hotel, e acabei conseguindo umas duas horas de sono agitado. Por fim desisti de dormir, e às cinco da manhã seguinte, ao mesmo tempo que uma aurora cinza lutava para despontar, eu já estava de volta ao centro de comando. Quando entrei, fez-se um silêncio no recinto.

– Alguma notícia?

Vi os operadores trocando olhares nervosos.

– O que houve? – perguntei, sentindo o coração de repente subir à boca. – Está tudo bem com o *Tigresa*?

Mais uma troca de olhares.

– Recebemos um pedido de socorro por volta das três e meia da madrugada. Parece que um homem caiu no mar. Organizamos uma busca da guarda-costeira e um resgate por helicóptero. Ainda estamos aguardando notícias.

– Eles sabem quem é? O que aconteceu?

– Desculpe, princesa, por enquanto não temos mais nenhum detalhe. Por que não vai tomar um chá, e avisamos assim que soubermos de alguma coisa?

Assenti, fazendo força para controlar a histeria que sentia crescer dentro de mim. O *Tigresa* era um veleiro de última geração, com um excelente sistema de comunicação. Eu sabia que os operadores estavam mentindo ao afirmarem não saber nenhum detalhe. E, se eles estavam mentindo, isso só podia significar uma coisa.

Com o coração batendo tão depressa que pensei que fosse desmaiar, rumei para o banheiro feminino, deixei-me cair sentada em cima do vaso sanitário e comecei a arquejar, sentindo o pânico tomar conta de mim. Talvez estivesse errada; talvez eles apenas não pudessem divulgar os detalhes até esclarecerem exatamente o que havia acontecido. Mas no fundo da minha alma eu já sabia.

11

O corpo de Theo foi levado de volta à terra firme de helicóptero. O diretor da regata teve a gentileza de me oferecer um carro para me levar de balsa até Southampton mais tarde, e de lá, se eu quisesse, até o hospital, onde o corpo dele estaria no necrotério.

– Você e a mãe dele estão listadas como parentes mais próximas. Lamento muito dizer isso, mas uma das duas provavelmente vai precisar... bom... preencher a papelada necessária. É melhor eu entrar em contato com a Sra. Falys-Kings ou você pode fazer isso?

– Eu... eu não sei – respondi, anestesiada.

– Talvez seja melhor eu ligar. Estou muito preocupado que ela escute a notícia no rádio ou veja na televisão. Infelizmente, vai ser uma notícia importante no mundo inteiro. Eu sinto muito, Ally, muito mesmo. Vou poupá-la dos lugares-comuns habituais sobre Theo fazer aquilo que amava. Estou simplesmente consternado por você, pela tripulação dele e pelo mundo da vela.

Não respondi. Não havia o que dizer.

– Certo – disse o diretor; era evidente que não sabia o que fazer comigo, sentada, catatônica, ali na sala. – Quer que eu a leve de volta até o hotel, para tentar descansar um pouco?

Dei de ombros, impotente. Sabia que a sua intenção era boa, mas duvidava que algum dia fosse conseguir "descansar" outra vez.

– Está tudo bem, obrigada. Vou voltar a pé.

– Se eu puder fazer alguma coisa, Ally, por favor me avise. Você tem meu celular, então me fale se vai querer o carro. A tripulação está trazendo o *Tigresa* de volta até Cowes. Tenho certeza de que eles vão querer falar com você em algum momento para contar exatamente o que aconteceu, se você estiver com cabeça. Enquanto isso, vou ligar para a mãe de Theo.

Arrastando os pés, sem conseguir pensar em nada, margeei o porto a pé de volta até meu hotel, e parei por um instante para observar o mar cinzento e cruel. Fiquei ali, em pé, e comecei a gritar obscenidades para aquele mar, aos berros, feito uma louca, perguntando por que ele tinha levado meu pai e agora Theo.

E nessa hora jurei a mim mesma nunca mais colocar os pés em um barco.

As horas seguintes foram um vazio. Fiquei sentada no quarto, sem conseguir pensar nem processar coisa alguma.

Tudo que sabia era que agora não restava mais nada.

Nada.

O telefone ao lado da cama tocou e me levantei como um robô para atender. Era a recepção avisando que alguns amigos estavam esperando lá embaixo para falar comigo.

– Um senhor chamado Rob Bellamy e três outros – disse a mulher.

Apesar de anestesiada, eu sabia que, por mais doloroso que fosse encarar a tripulação, precisava saber como Theo tinha morrido. Pedi à recepcionista que lhes avisasse que eu iria encontrá-los no lounge do hotel.

Quando entrei, encontrei Rob, Chris, Mick e Guy à minha espera. Igualmente em choque, eles mal conseguiam olhar para mim ao murmurar seus pêsames.

– A gente fez tudo que pôde...

– Que coragem pular atrás do Rob...

– Não foi culpa de ninguém, foi um trágico acidente...

Aquiesci e consegui responder com monossílabos às suas palavras de condolências, fazendo o possível para parecer um ser humano funcional. Por fim, Mick, Chris e Guy se levantaram para ir embora, mas Rob disse que ficaria.

– Obrigada, rapazes – falei, dando-lhes um aceno patético quando os três se retiraram.

– Al, se você me permitir, preciso de uma bebida. – Rob fez sinal para a garçonete que aguardava no canto junto à estação de serviço. – E antes de eu contar exatamente o que aconteceu, você também precisa.

Por fim, enquanto cada qual empunhava um copo de conhaque, Rob inspirou fundo, e vi que estava com os olhos marejados.

– Rob, por favor, conte logo – apressei-o.

– Está bem. Como o tempo estava péssimo, a gente estava com as velas reduzidas, e não em movimento. Eu estava no convés de proa, no meu turno de vigia, quando Theo chegou para me render. Quando soltei meu colete da corda de segurança, uma onda imensa me acertou e fui arremessado para fora do barco. Parece que apaguei, então com certeza teria me afogado, mas Theo deu o alarme, jogou a boia de marcação e pulou no mar atrás de mim. Continuei apagado, mas a essa altura todos os outros já estavam no convés, e me disseram que Theo deu um jeito de nadar até mim, me puxar até a boia e me prender a ela, mas que, nessa hora, outra onda gigante o arrastou para longe de mim e para debaixo d'água. Depois disso, eles o perderam totalmente de vista, pois estava muito escuro e o mar estava muito agitado, e você sabe tão bem quanto eu que nessas condições é impossível enxergar alguém na água. Se pelo menos ele tivesse conseguido continuar agarrado à boia... – Rob engoliu um soluço. – Talvez tivesse se safado. A tripulação pediu um helicóptero de resgate pelo rádio, e eles me encontraram e me içaram a bordo graças à luz da boia. Mas o Theo... bom, eles acabaram encontrando o... o... o corpo dele uma hora depois pelo sinal do EPIRB. Meu Deus, Al, eu sinto muito... Nunca vou conseguir me perdoar por isso.

Pela primeira vez desde que havia recebido a notícia, senti algum tipo de emoção verdadeira tornar a correr por minhas veias. Pousei a mão em cima da dele.

– Rob, todos nós conhecemos os perigos da vela, e Theo os conhecia melhor do que ninguém.

– Eu sei tudo isso, Al, mas se eu não tivesse soltado meu colete naquele momento... que merda! – disse ele, e levou uma das mãos ao rosto para tapar os olhos. – Era para vocês dois ficarem juntos... e agora, por culpa minha, não vão poder. Você deve me odiar!

Rob foi então tomado por soluços incontroláveis, e tudo que consegui fazer foi afagar seu ombro com gestos mecânicos. O pior era que parte de mim o odiava *mesmo*, pois ele havia sobrevivido, e Theo não.

– Não foi culpa sua, Rob. Ele fez o que qualquer capitão teria feito. E eu não teria esperado dele nada menos do que isso. É que algumas coisas... – Quando a minha lenga-lenga se esgotou, mordi o lábio para impedir que minhas próprias lágrimas rolassem.

– Ally, me perdoe, quem deveria estar aqui sentado aos prantos não era eu. – Culpado, Rob secou os olhos. – Eu só precisava confessar como estava me sentindo.

– Obrigada. E agradeço por ter me contado o que aconteceu, agradeço mesmo. Também não deve ter sido fácil para você.

Passamos algum tempo sentados em silêncio antes de ele se levantar.

– Se houver alguma coisa que eu possa fazer, por favor, me ligue. Falando nisso... – Ele enfiou a mão no bolso da calça jeans. – Encontrei isto aqui na cozinha. É seu?

– É. Obrigada. – Peguei o celular da mão dele.

– O Theo salvou a minha vida – sussurrou ele. – Ele é um herói, caramba. Eu... eu sinto muito.

Observei-o sair do lounge, desconsolado, e fiquei sentada, pensando que nada mais me prendia ali. Tinha certeza de que Celia iria querer reconhecer o corpo do filho. Quando me levantei, louca para sair daquele lugar que servira de cenário à minha aniquilação pessoal, perguntei-me para onde poderia ir. De volta para Genebra, pensei. Mas lá também me aguardava o imenso buraco de uma perda.

Não havia refúgio possível.

Entrando no quarto, comecei a fazer as malas mecanicamente.

Dessa vez, deixei o celular desligado pelo motivo oposto de quando estava velejando com Theo. Estava abalada demais para falar com minha família e lhe contar o que havia acontecido. Além do mais, nenhuma das minhas irmãs sabia sobre o nosso namoro. Eu havia alegremente partido do princípio de que haveria tempo de sobra no futuro para elas o conhecerem. E, sendo que nós mesmos nos conhecíamos havia muito pouco tempo, como eu poderia explicar a elas o que ele significava para mim? Como explicar o fato de, ainda que só estivéssemos juntos fisicamente havia poucas semanas, eu sentir que nossas almas estavam unidas pela vida inteira?

Quando Pa Salt morreu, eu tinha pensado que pelo menos a sua morte fazia parte da ordem natural do ciclo da vida. E tinha Theo para me consolar, para me oferecer a esperança de um novo começo. Ao pensar nisso, entendi quanto havia confiado nele para preencher o gigantesco vazio deixado por Pa. Mas agora ele também tinha partido; como qualquer sonho que eu pudesse ter para o futuro. Em poucas e sinistras horas, não só Theo, mas também a minha paixão de uma vida inteira pela vela tinham sido brutalmente arrancados de mim.

Bem na hora em que eu estava prestes a sair do quarto com minha mochila, o telefone da mesinha de cabeceira tocou.

– Alô? – atendi, cautelosa.

– Ally, aqui é a Celia. O diretor da regata me disse que você estava hospedada no New Holmwood.

– Eu... oi.

– Como você está? – perguntou ela.

– Péssima – balbuciei, sem mais forças para bancar a forte. Entendia que, pelo menos com ela, não havia por que fazer isso. – E você?

– Péssima também. Acabei de chegar do hospital.

Ficamos as duas em silêncio, cada qual digerindo o horror que aquelas palavras definitivas representavam. Quase pude *sentir* Celia tentando conter as lágrimas antes de tornar a falar.

– Estava me perguntando para onde você vai agora, Ally.

– Eu não tenho certeza... não sei.

– Então que tal pegar a balsa para Southampton? Podemos ir juntas para Londres, e você pode passar uns dias comigo. A atenção sensacionalista da mídia que essa história toda está começando a atrair é um pesadelo. A gente poderia montar as barricadas e passar um tempo quietinhas na minha casa. O que acha?

– Eu acho que... que eu iria adorar. – Engoli em seco, agradecida e aliviada, enquanto sentia as lágrimas transbordarem dos olhos.

– Você tem meu telefone. É só me avisar a que horas vai chegar na estação de Southampton, e eu encontro você lá.

– Aviso, sim, Celia. E obrigada.

Desde então, muitas vezes pensei que, se não fosse por esse telefonema na hora mais sombria, eu poderia muito bem ter me jogado no mar revolto atrás de Theo quando estivesse na balsa para Southampton.

Quando nos encontramos na estação e vi seu rosto branco feito um fantasma escondido atrás de imensos óculos escuros, corri para seus braços abertos da mesma forma que teria feito com Ma. Passamos um tempão assim, duas quase desconhecidas totalmente ligadas pela dor; só nós duas no mundo éramos capazes de compreender uma à outra.

Chegando em Waterloo, pegamos um táxi até a bela casa branca em Chelsea, e Celia nos preparou uma omelete, pois ambas nos demos conta de que não tínhamos comido nada desde que ficáramos sabendo da notícia. Ela também serviu uma taça grande de vinho para cada uma, e ficamos sentadas na varanda naquela noite quente e calma de agosto.

– Ally, preciso lhe dizer uma coisa. Talvez você ache um absurdo, mas a verdade é que... – Um forte arrepio percorreu seu corpo delicado. – Quando vocês estiveram aqui, eu *sabia*. Quando me despedi dele, tive a sensação de que era para sempre.

– Pois é. O Theo sentiu seu medo, Celia. Depois que saímos daqui, no trem para Southampton, ele ficou todo esquisito.

– Será que foi por causa do meu pressentimento ou de algum pressentimento dele? Você lembra que ele foi ao banheiro e disse que nos encontraria no hall logo antes de vocês saírem? Bom, depois de fechar a porta, voltei para a cozinha e encontrei isto aqui em pé na mesinha, endereçado a mim.

Ela empurrou um envelope grande na minha direção, e li a palavra "Mamãe" escrita na frente com a caligrafia cheia de arabescos de Theo.

– Quando abri, encontrei aí dentro uma cópia novinha do testamento dele, além de uma carta para mim – explicou ela. – E uma para você também, Ally.

– Eu... – Levei a mão à boca. – Ai, meu Deus.

– Eu já li a minha, mas a sua está aqui, fechada, claro. Talvez você ainda não aguente ler, mas preciso lhe entregar, pois foi isso que ele me pediu para fazer na carta que deixou para mim.

Ela tirou um envelope menor de dentro do grande e me passou. Segurei-o com as mãos trêmulas.

– Mas, Celia, se ele estava com um pressentimento, então por que não desistiu da regata, como fizeram tantos outros capitães?

– Acho que nós duas sabemos por quê, Ally. Você também veleja, e entende que toda vez que coloca os pés em um barco no início de uma regata está enfrentando perigo. Como Theo nos disse naquele dia, ele poderia muito bem ter sido atropelado por um ônibus – disse ela com um dar de ombros pesaroso. – Talvez ele apenas achasse que o seu destino era...

– Morrer aos 35 anos?! Com certeza não. Se ele achasse isso, como poderia ter me amado? Ele me pediu em casamento! A gente tinha a vida inteira pela frente. Não. – Balancei a cabeça com veemência. – Não consigo aceitar isso.

– É claro que não, e você precisa me perdoar por tocar no assunto, mas eu acho isso reconfortante, de um jeito estranho. A morte confunde muito a gente. Nenhum de nós realmente aceita a mortalidade das pessoas que ama. Apesar disso, junto com o nascimento, a morte é a única certeza na vida.

Baixei os olhos para a carta ainda fechada que tinha nas mãos.

– É, Celia, talvez você tenha razão. – Suspirei, resignada. – Mas por que ele teria deixado um testamento novo ou um bilhete para cada uma de nós se *não* tivesse tido alguma espécie de premonição?

– Para ser sincera, você sabe como era o Theo: sempre muito organizado e eficiente, até mesmo na morte.

Involuntariamente, nós duas sorrimos.

– É. Igualzinho ao meu pai. Bom, acho melhor eu ler a carta dele.

– Não se apresse. E agora, querida, se me dá licença, vou subir e tomar um banho de banheira demorado.

Celia então se retirou, e eu sabia que era mais para me deixar um pouco sozinha do que por qualquer outro motivo.

Tomei um gole grande de vinho, pousei o copo e, com os dedos tremendo, abri o envelope. Não pude deixar de pensar que aquela era a segunda carta do além que eu recebia em poucas semanas.

✳ ✳ ✳

Remetente: eu, sem endereço fixo
(na verdade, a bordo do trem de Southampton
indo encontrar você em Heathrow)

Minha querida,

Admito que esta é uma ideia meio ridícula que recentemente vem me passando pela cabeça. Mas, como você já sabe e minha mãe vai confirmar, eu sou muito organizado. Ela tem uma cópia do meu testamento desde que comecei a competir em regatas. Não que eu tenha grande coisa para deixar, mas acho mais fácil para os que ficam quando a pessoa deixa tudo ajeitado.

E, é claro, agora que você chegou e virou o centro do meu universo e a pessoa com quem quero passar o resto da minha vida, as coisas mudaram. Como tudo ainda não está "oficializado" e eu preciso pôr um anel no seu dedo para se juntar ao colar que você já está usando no pescoço, parece-me vital garantir que todos saibam quais são as nossas intenções, pelo menos financeiramente, caso alguma coisa aconteça comigo.

Tenho certeza de que você vai ficar radiante e empolgada (hahaha!) quando eu disser que estou lhe deixando meu estábulo de cabras em "Algum Lugar". Pude ver naquela primeira noite quanto você amou aquele lugar (só que não), mas o terreno e o alvará de construção pelo menos valem alguma coisa. ("Alguma Coisa em Algum lugar": seria um nome possível para a casa, você não acha?). Além disso, quero que você fique com o Netuno, minha atual casa no mar. Para ser sincero, esses são meus únicos bens materiais com algum valor. Tem também a motinho, mas acho que você ficaria ofendida se eu lhe deixasse isso. Ah, e não posso esquecer o modesto fundo de pensão que meu generoso pai me deu, e que pelo menos vai bancar qualquer vinho tinto suspeito que você resolva beber em "Algum Lugar" no futuro.

Desculpe, estamos passando por um trecho de trilhos meio sacolejante, então perdoe a caligrafia tenebrosa; tenho certeza de que vou arrancar esta carta da mamãe no minuto em que voltarmos da regata para digitá-la no computador. Se por acaso eu não fizer isso, posso ficar descansado sabendo que tudo ficou como eu desejava que ficasse.

Mas, Ally, e eu talvez agora fique meio piegas, queria dizer quanto amo você e quanto você passou a significar para mim no curto tempo desde que a gente se conheceu, ou seja: tudo. Você balançou meu barco, literalmente (espero que goste da analogia náutica), e mal posso esperar para passar o resto da minha vida ajudando você enquanto vomita, conversando sobre as origens do seu estranho sobrenome e descobrindo cada ínfimo detalhe sobre a sua pessoa enquanto formos ficando velhos e desdentados.

E se por algum motivo você vier a ler esta carta, erga os olhos para as estrelas no céu e saiba que estou olhando para você lá de cima. E provavelmente tomando uma cerveja com o seu Pa enquanto ele me conta sobre seus maus hábitos da infância.

Minha Ally, Alcíone, você não faz ideia da alegria que me trouxe.
Seja FELIZ! É esse o seu presente.
Muito beijos, Theo

Fiquei ali sentada, rindo e chorando ao mesmo tempo. A carta era tão a cara de Theo que meu coração se partiu outra vez.

Na manhã seguinte, Celia e eu nos encontramos na mesa do café. Na noite anterior, ela havia me mostrado onde ficava meu quarto, mas não me fizera qualquer pergunta sobre o conteúdo da carta. Fiquei grata por isso. Ela me disse que tinha que ir registrar o óbito de Theo e organizar o traslado de seu corpo até Londres, e que precisávamos definir juntas uma data para o funeral.

– Ele me pediu mais uma coisa na carta que deixou para mim. Perguntou se você poderia tocar flauta no funeral dele.

– Sério?

Encarei-a; estava pasma com o nível de organização de Theo.

– Sério. – Ela suspirou. – Ele já tinha dado instruções para a cerimônia anos atrás. Um misto de funeral com homenagem celebratória seguido por uma cremação, que por sinal ele insiste que ninguém deve assistir. E depois ele queria que as cinzas fossem jogadas no porto de Lymington, onde aprendeu a velejar comigo quando era pequeno. Você acha que consegue tocar?

– Eu... eu não sei.

– Bom, ele me disse que você toca lindamente. Como pode imaginar, as músicas que ele escolheu não são nada convencionais, como ele mesmo não era. Ele queria que você tocasse "Jack's the Lad", do *Fantasia sobre Canções Marítimas Britânicas*. Tenho certeza de que já ouviu essa música na série anual de concertos Last Night of the Proms, que celebra as tradições da Grã-Bretanha.

– Sim, conheço essa música. Não acho que exista um só marinheiro vivo que não saiba pelo menos a melodia... É basicamente a mesma daquela antiga dança de marinheiros, a "Sailor's Hornpipe".

Rememorei algumas das notas que havia tocado muitos anos antes, mas que ainda conhecia intimamente. Tudo naquele pedido era a cara de Theo: um símbolo de seu amor pela vela e da sua alegria de viver.

– É, acho que eu adoraria tocar.

Então, pela primeira vez desde a morte dele, caí em prantos.

❈ ❈ ❈

Durante os dias horríveis que se seguiram, fechamos as escotilhas enquanto a imprensa acampava do lado de fora da casa. Vivemos como duas reclusas, aventurando-nos a sair apenas para comprar comida e um vestido preto para cada uma usar no funeral. À medida que executávamos as penosas tarefas que me fizeram respeitar muito mais Pa Salt por seu enterro auto-

-organizado, meu respeito por Celia também aumentou. Embora fosse óbvio que Theo era tudo na sua vida, ela nunca se deixou dominar pela tristeza.

– Não sei se já cheguei a comentar isso com você, mas o Theo sempre amou a igreja de Holy Trinity, em Sloane Street. Não fica muito longe daqui. Ele estudou em um colégio particular bem pertinho, e era a igreja que ele frequentava. Lembro-me de vê-lo cantar o solo em um coral na noite de Natal lá, quando devia ter uns 8 anos – contou ela com um sorriso afetuoso. – O que acha de fazermos o funeral nessa igreja?

O fato de ela estar pedindo minha opinião para tomar aquelas decisões, mesmo que os meus comentários fossem irrelevantes, me tocou de um jeito indescritível. Celia conhecera Theo a vida inteira; ele era seu único filho. Mesmo assim, tinha elegância e empatia suficientes para ver e entender o que eu sentia por ele. E o que ele havia sentido por mim.

– O que você achar melhor, Celia. Sério.

– Tem alguém que você queira convidar?

– Tirando quem você já convidou, os tripulantes e a comunidade náutica em geral, ninguém nos conhecia como casal – respondi, sincera. – Então não acho que eles entenderiam.

Mas *ela* entendia. E muitas vezes, quando nos encontrávamos na cozinha às três da manhã, na hora em que a dor era mais forte, sentávamo-nos à mesa e tínhamos conversas infindáveis sobre Theo, tentando encontrar o reconforto por que tanto ansiávamos. Pequenas lembranças, para as quais Celia dispunha de uma vasta reserva de 35 anos enquanto a minha abarcava apenas umas poucas semanas. Graças a ela, passei a conhecer Theo melhor, e nunca me cansava de ver suas fotos de infância ou ler alguma carta cheia de erros de ortografia que ele havia escrito no colégio interno.

Por mais que eu soubesse que aquilo não era a realidade, reconfortava-me o fato de Celia e eu o mantermos vivo com cada palavra que dizíamos. E isso era o mais importante.

12

— Está pronta? – indagou Celia quando nosso carro estacionou em frente à igreja de Holy Trinity. Assenti e, com um rápido aperto de mão solidário, nós duas descemos em frente às câmeras dos fotógrafos e entramos. A igreja era cavernosa, e vê-la assim, abarrotada, quase me levou às lágrimas que eu havia jurado não derramar.

Theo já estava à minha espera no altar quando desci o corredor com sua mãe em direção ao caixão. Engoli em seco com força diante dessa paródia medonha do casamento que, se ele tivesse sobrevivido, nós dois poderíamos ter tido.

Acomodamo-nos na primeira fila, e a missa começou. Theo havia escolhido várias músicas para a ocasião. Depois do discurso do vigário, chegou a minha vez. Fui me juntar à pequena orquestra composta por violinos, um violoncelo, duas clarinetas e um oboé que Celia conseguira reunir junto ao altar da igreja. Depois de fazer uma prece silenciosa, levei a flauta à boca e comecei a tocar. À medida que o resto dos instrumentos se juntava a mim e o andamento da música se acelerava, vi as pessoas presentes na igreja começarem a sorrir, e então, uma depois da outra, se levantarem. Uma vez que estavam todas de pé, elas se puseram a executar o movimento de joelhos dobrados da dança conhecida como "Sailor's Hornpipe", com os braços cruzados junto ao corpo. Nossa pequena orquestra acelerou o ritmo e deu o máximo de si, e todos foram dançando cada vez mais depressa, na mesma cadência da música.

Quando terminamos, um rugido se ergueu da plateia, e os vivas e as palmas começaram. Houve um bis, como naturalmente acontecia sempre que aquela música era tocada. Então voltei com minha flauta para a primeira fila e me sentei ao lado de Celia. Ela apertou minha mão com força.

— Obrigada, Ally querida. Muitíssimo obrigada.

Então Rob foi até o altar, subiu os degraus diante do caixão de Theo e ajeitou o microfone.

– Celia, mãe do Theo, me pediu para dizer algumas palavras. Como todos vocês sabem, ele perdeu a vida salvando a minha. Nunca vou poder lhe agradecer pelo que fez por mim naquela noite, mas sei que o seu sacrifício causou um sofrimento terrível para Celia e Ally, a mulher que ele amava. Theo, todos que já fizeram parte de uma equipe capitaneada por você deixam aqui seu amor, seu respeito e seu agradecimento. Você era o melhor, ponto. E Ally... – Ele olhou diretamente para mim. – Esta é a música que ele pediu que tocassem para você.

Mais uma vez senti a mão de Celia segurando a minha enquanto um dos membros do coro se levantava e cantava uma linda versão de "Somewhere", do filme *Amor, sublime amor*. Tentei sorrir com a piada secreta que Theo quisera fazer comigo com aquela música chamada "Em algum lugar", mas a letra me comoveu além da conta. Quando a canção terminou, oito membros da tripulação de Theo na Fastnet, inclusive Rob, ergueram delicadamente o caixão sobre os ombros largos e começaram a sair da igreja. Celia me puxou consigo, e nós duas encabeçamos a procissão que ia atrás do caixão.

Enquanto saíamos, vi alguns rostos conhecidos na igreja. Estrela e Ceci estavam presentes e sorriram para mim com amor e empatia quando passei. Celia e eu ficamos paradas em Sloane Street, vendo colocarem o caixão de Theo no carro funerário que conduziria seu corpo na solitária jornada até o crematório. Depois de o carro se afastar e ambas dizermos um derradeiro e silencioso adeus, virei-me para ela e perguntei como minhas irmãs tinham ficado sabendo.

– Na carta que me deixou, Theo me pediu para avisar a Marina se alguma coisa acontecesse com ele, para ela e suas irmãs ficarem sabendo. Ele pensou que você ia precisar delas.

Aos poucos, as pessoas foram saindo pela frente da igreja e se reunindo na calçada para se cumprimentar em voz baixa. Várias delas vieram direto na minha direção, a maioria amigos do mundo da vela, e todas deram pêsames e expressaram surpresa com o meu talento musical até então desconhecido. Olhei em volta e vi um homem alto de terno escuro e óculos de sol, um pouco afastado do resto. Algo nele me pareceu tão desolado que pedi licença ao grupo em que estava e fui até lá.

– Oi – falei. – Eu sou Ally, namorada do Theo. Me pediram para avisar a todos que estão convidados para comer e beber alguma coisa na casa da Celia. Fica só a cinco minutos a pé daqui.

O homem se virou para mim; os óculos escuros escondiam qualquer expressão em seus olhos.

– É, eu sei onde fica. Já morei lá.

Foi então que me dei conta de que aquele homem era o pai de Theo.

– É um grande prazer conhecê-lo.

– Tenho certeza de que você deve entender que, por mais que eu queira voltar lá, infelizmente não serei bem-vindo.

Sem saber como responder, apenas olhei para meus próprios pés, constrangida. Era óbvio que ele estava triste e que, independentemente do que pudesse ter acontecido no passado entre ele e a mulher, também tinha perdido um filho.

– Que pena – consegui dizer.

– Você deve ser a moça com quem Theo me disse que ia se casar. Ele me mandou um e-mail poucas semanas atrás – continuou ele com seu sotaque americano carregado, muito diferente das inflexões bem marcadas do inglês britânico de Theo. – Já estou indo embora, mas tome aqui meu cartão, Ally. Vou passar uns dias aqui em Londres, e seria ótimo poder conversar com você sobre o meu filho. Apesar do que você certamente escutou a meu respeito, eu amava muito Theo. Acho que você é inteligente o bastante para saber que toda história tem sempre dois lados.

– Sim – respondi, lembrando que Pa Salt me dissera exatamente a mesma coisa certa vez.

– É melhor você voltar lá, mas foi ótimo conhecê-la. Até breve, Ally – disse ele antes de se virar e se afastar com um passo vagaroso. Pude sentir o desconsolo saindo por cada poro do seu corpo.

Virei as costas para o restante dos presentes e vi Ceci e Estrela esperando respeitosamente eu terminar aquela conversa. Fui até elas, e as duas me abraçaram.

– Nossa, Ally – disse Ceci. – A gente está deixando mil recados no seu celular desde que ficou sabendo! Sentimos muito, muito mesmo, não é, Estrela?

– É. – Estrela assentiu, e percebi que ela também estava à beira das lágrimas. – Que homenagem linda, Ally.

– Obrigada.

– E que maravilha ouvir você tocar flauta. Não perdeu o jeito – acrescentou ela.

Vi Celia acenar para mim e apontar para o grande carro preto que aguardava junto ao meio-fio.

– Escutem, preciso ir com a mãe do Theo, mas vocês vão lá na casa dela?

– Infelizmente não vamos poder – respondeu Ceci. – Mas olhe, nosso apartamento fica em Battersea, logo do outro lado da ponte. Quando estiver se sentindo melhor, dê uma ligada e apareça, tá?

– A gente adoraria ver você, Ally – disse Estrela, dando-me outro abraço. – Todas as meninas mandaram beijos. Cuide-se, está bem?

– Vou tentar. E mais uma vez obrigada por terem vindo. Nem sei dizer quanto isso é importante para mim.

Subi no carro, fiquei observando as duas descerem a rua juntas e me senti intensamente tocada pela presença delas.

– Suas irmãs são um amor. Que coisa maravilhosa ter irmãos. Assim como Theo, eu sou filha única – comentou Celia enquanto o carro se afastava do meio-fio.

– Está tudo bem? – perguntei.

– Não, mas a homenagem foi linda, muito alto astral. E nem sei dizer quanto significou para mim ouvir você tocar. – Ela fez uma pausa de alguns segundos e deu um suspiro profundo. – Reparei que você estava falando agora há pouco com Peter, pai do Theo.

– Sim.

– Ele devia estar escondido nos fundos da igreja. Não o vi quando entrei. Se tivesse visto, eu o teria chamado para se sentar na frente conosco.

– Teria mesmo?

– Claro! Podemos não ser os melhores amigos, mas tenho certeza de que ele está tão arrasado quanto eu. Imagino que tenha dito que não vai passar lá em casa.

– É, mas ele disse que ia ficar uns dias em Londres e gostaria de me ver.

– Ai, ai. Que tristeza não podermos nos reunir nem sequer para o funeral do nosso próprio filho. Mas, enfim, estou muito grata por seu apoio – disse ela. O carro encostou em frente à casa. – Eu não teria conseguido passar por isso sem você, Ally. Agora vamos receber nossos convidados e celebrar a vida do nosso menino.

✺ ✺ ✺

Alguns dias depois, acordei no quarto de hóspedes confortável e com decoração um tanto datada da casa de Celia. Uma cortina florida na janela combinava com a cabeceira da grande cama de madeira na qual eu estava deitada e também com o papel de parede já desbotado. Olhei de relance para o relógio e vi que eram quase dez e meia da manhã. Desde o funeral, eu finalmente tinha voltado a dormir, porém tinha um sono quase anormal de tão pesado, e acordava como se estivesse de ressaca ou tivesse tomado um dos remédios para dormir que Celia me oferecia, mas eu recusava. Fiquei deitada na penumbra me sentindo tão exausta quanto na noite anterior, embora tivesse dormido direto por dez horas. Refleti que não podia continuar ali, escondida com Celia, por mais reconfortantes que fossem nossas intermináveis conversas sobre Theo. Ela viajaria para a Itália no dia seguinte, e embora tivesse tido a gentileza de me convidar para ir junto, eu sabia que precisava seguir em frente com a minha vida.

Restava saber para onde ir.

Já tinha decidido entrar em contato com o técnico da equipe nacional de vela da Suíça para lhe avisar que não participaria com eles das eliminatórias para as Olimpíadas. Embora Celia tivesse me dito várias vezes que eu não deveria deixar o que aconteceu estragar meu futuro e atrapalhar minha paixão, sempre que eu pensava em voltar ao mar um calafrio percorria meu corpo. Talvez um dia isso fosse passar, mas não a tempo de iniciar o que eu sabia que seriam meses de treinamento árduo para o mais importante evento esportivo do planeta. Além disso, no local de treinamento, haveria pessoas que tinham conhecido Theo, e ainda que conversar com a mãe dele tivesse sido uma válvula de escape maravilhosa, eu me sentia extremamente vulnerável sempre que alguma outra pessoa mencionava o seu nome.

Agora que estava sem Theo e não velejava mais, os dias à minha frente pareciam subitamente vazios, um vácuo interminável que eu não fazia ideia de como preencher.

Talvez eu fosse a nova "Maia" da família, ponderei, fadada a voltar a Atlantis e viver meu luto em solitário esplendor, como ela fizera. Sabia muito bem que Maia havia criado asas e voado rumo à sua nova vida no Rio de Janeiro, então eu poderia voltar para casa e ocupar seu ninho no pavilhão.

O que eu passara a entender nas últimas semanas era que, antes, tinha uma vida privilegiada e, se devesse julgar a mim mesma e meus próprios defeitos, precisaria admitir que sempre havia considerado com desdém qualquer pessoa mais fraca do que eu. Não entendia por que os outros não conseguiam se levantar, sacudir a poeira de fosse qual fosse o trauma que houvessem suportado, e seguir em frente. De modo brutal, começara a perceber que, a menos que se tenha sofrido na pele uma perda e uma dor tão profunda, era impossível compreender de verdade alguém que passasse por aquela situação.

Tentando desesperadamente pensar positivo, disse a mim mesma que o que havia me acontecido talvez me transformasse em uma pessoa melhor. Inspirada por esse pensamento, acabei pegando o celular. Senti vergonha ao admitir que não o havia ligado desde a morte de Theo, mais de quinze dias antes. Vendo que a bateria estava outra vez descarregada, pluguei o aparelho na tomada e fui tomar uma ducha. Enquanto estava no banho, escutei os "pings" insistentes das mensagens de texto e de voz chegando quando o aparelho voltou à vida.

Sequei-me, vesti a roupa, e me preparei mentalmente antes de pegar o telefone e percorrer as intermináveis mensagens de Ma e de minhas irmãs – e as incontáveis outras de quem ficara sabendo sobre Theo. *Ally, queria estar aí com você, não consigo nem imaginar como você deve estar se sentindo, mas mando aqui todo o meu amor,* escreveu Maia. *Ally, tentei ligar, mas ninguém atende. Ma me contou e fiquei arrasada. Estou aqui, Ally, dia e noite, se você precisar de mim. Beijos, Tiggy.*

Então passei aos recados de voz. Assim como os de texto, sem dúvida a maioria seria de gente dando os pêsames. Depois de discar o número da caixa postal, porém, senti o estômago se revirar ao escutar a mais antiga delas, deixada dez dias antes. A ligação estava ruim e a voz abafada, mas eu sabia que era Theo.

Oi, meu amor. Estou aproveitando a oportunidade para ligar do telefone por satélite. A gente está em algum lugar no Mar Celta. O tempo está terrível e até ando perdendo o equilíbrio. Sei que está brava porque expulsei você do barco, mas, antes de tentar dormir umas duas horas, eu só queria que você soubesse que isso não teve nada a ver com o seu talento como velejadora. Para ser sincero, queria que estivesse a bordo agora, pois você vale dez dos caras que estão aqui. Você sabe que eu só a mandei embora porque amo você, minha Ally querida. E espero que ainda queira falar comigo quando eu voltar! Boa noite, querida. Mais uma vez, amo você. Tchau.

Abandonei a ideia de escutar os outros recados e fiquei só repetindo o de Theo, vezes sem conta, absorvendo cada palavra. Pelo horário que tinha sido deixado, sabia que ele devia ter ligado cerca de uma hora antes de sair para o convés e ver Rob ser jogado ao mar. Antes de morrer para salvá-lo. Não sabia muito bem como se salvava um recado para sempre, mas precisava descobrir.

– Eu também amo você – sussurrei.

E qualquer vestígio de raiva que ainda restasse dentro de mim por ele ter me obrigado a descer do veleiro naquele dia se dissipou no ar.

❋ ❋ ❋

Durante o café da manhã, Celia me avisou que iria sair para fazer umas compras de última hora antes da viagem.

– Você já resolveu para onde vai? Sabe que está mais do que convidada a ficar aqui enquanto eu estiver fora. Ou então a vir comigo. Tenho certeza de que conseguiria arrumar um voo de última hora para Pisa.

– Obrigada, é muita gentileza sua, mas acho melhor eu ir para casa – falei, com medo de estar me tornando um fardo para ela.

– Como preferir. É só avisar.

Depois que ela saiu, subi ao primeiro andar e decidi que já estava forte o suficiente para dar uma ligada para Ceci e Estrela. Digitei primeiro o número de Ceci, já que era ela quem organizava tudo para as duas, mas como a ligação caiu na caixa postal liguei para Estrela.

– Ally?

– Oi. Tudo bem?

– Comigo, tudo. Mas, mais importante: e com você?

– Tudo bem também. Estava pensando em fazer uma visita amanhã.

– Bom, eu vou estar sozinha. A Ceci vai sair para fotografar a usina de energia de Battersea. Quer usá-la como inspiração para um dos trabalhos do curso de artes antes de transformarem-na em algum novo empreendimento.

– Posso passar para ver você, então?

– Seria ótimo.
– Então tá. A que horas é melhor?
– Estou aqui o dia todo. Por que não vem almoçar?
– Está bem. Apareço lá pela uma. Até amanhã.

Depois de desligar, fiquei sentada na cama e me dei conta de que o almoço do dia seguinte seria a primeira vez que eu passaria mais do que alguns minutos com minha irmã caçula sem que Ceci também estivesse presente.

Pensando que seria bom checar meus e-mails, tirei o laptop da mochila, coloquei em cima da penteadeira e o liguei na tomada. Havia mais mensagens de pêsames e os habituais spams, inclusive um de uma menina supostamente chamada "Tamara" me oferecendo companhia agora que as noites estavam ficando mais curtas. Então vi outro nome que não reconheci na hora: Magdalena Jensen. Demorei alguns instantes para lembrar que era a tradutora que estava trabalhando para mim no livro da biblioteca de Pa Salt, e agradeci a Deus por não ter apertado "deletar".

De: magdalenajensen1@trans.no
Para: allygeneva@gmail.com
Assunto: Grieg, Solveig og Jeg / Grieg, Solveig e eu
20 de agosto de 2007

Cara Srta. D'Aplièse,
Estou gostando muito de traduzir *Grieg, Solveig og Jeg*. É uma leitura fascinante, e uma história que eu nunca tinha ouvido aqui na Noruega. Pensei que a senhora fosse ter interesse em começar a ler o texto, então anexei as páginas que já fiz, até a 200. Devo entregar o resto nos próximos dez dias.
Atenciosamente,
Magdalena

Abri o anexo que continha a tradução e li a primeira página. Depois a segunda. Na terceira, já tinha mudado o laptop de lugar e o ligado na tomada ao lado da cama, para poder ficar em uma posição confortável enquanto continuava a leitura...

Anna

Telemark, Noruega

Agosto de 1875

13

Anna Tomasdatter Landvik parou para esperar Rosa, a vaca mais velha do rebanho, descer o íngreme declive. Como sempre, Rosa fora deixada para trás pelas outras, que tinham ido embora em busca de pastos mais frescos.

– Cante para ela, Anna, e ela vai vir – dizia-lhe sempre seu pai. – Vai vir até você.

Anna cantou umas poucas notas de "Per Spelmann", a canção preferida de Rosa, e a melodia fluiu de seus pulmões e ecoou feito um sino pelo vale. Sabendo que Rosa levaria algum tempo para chegar até onde ela estava, sentou-se na grama áspera e posicionou o corpo esguio em sua postura de reflexão predileta, com os joelhos erguidos até o queixo e os braços em volta das pernas. Inspirou o ar ainda morno do início da noite e admirou a vista enquanto cantarolava no mesmo ritmo do zumbido dos insetos na campina. Do outro lado do vale, o sol começava a afundar na direção das montanhas, fazendo a água do lago lá embaixo cintilar como ouro rosa derretido. Logo desapareceria por completo e a noite cairia depressa.

Nas últimas duas semanas, a noite vinha começando perceptivelmente mais cedo enquanto ela contava as vacas que desciam da encosta da montanha. Depois de meses com luz até quase a meia-noite, Anna sabia que hoje, quando voltasse para o chalé, sua mãe já teria acendido as lamparinas a óleo e que o pai e o irmão mais novo teriam ido ajudá-la a fechar a leiteria de verão e transportar os animais novamente até o fundo do vale, em preparação para o inverno. Esse acontecimento, que anunciava o fim do verão nórdico, era o advento daquilo que, para Anna, pareciam meses intermináveis de uma escuridão quase perpétua. O verde vivo da encosta da montanha logo estaria coberto por uma grossa camada branca de neve, e ela e a mãe deixariam o chalé de madeira onde passavam os meses mais quentes e voltariam para a fazenda da família, no limite do pequeno vilarejo de Heddal.

Enquanto Rosa avançava na sua direção, parando de vez em quando para fuçar algum capim, Anna cantou mais algumas estrofes da canção a fim de incentivá-la. Seu pai, Anders, não achava que Rosa fosse ver outro verão. Ninguém parecia saber exatamente quantos anos a vaca tinha, mas ela com certeza não era muito mais jovem do que Anna, que tinha 18. Pensar que ela não estaria mais ali para cumprimentá-la com o que gostava de interpretar como uma expressão agradecida nos suaves olhos cor de âmbar deixou os olhos da menina marejados de lágrimas e a lembrança dos longos e escuros meses que estavam por vir fez as gotas transbordarem e escorrerem por suas bochechas.

Pelo menos, pensou, enquanto as enxugava sem cuidado, quando elas voltassem para a casa da fazenda em Heddal poderia ver Gerdy e Viva, seu gato e sua cadela. Não havia nada de que Anna gostasse mais do que se enrodilhar em frente ao fogareiro quentinho comendo um doce chamado *gomme* no pão enquanto Gerdy ronronava no seu colo e Viva esperava para lamber as migalhas. Mas ela sabia que a mãe não a deixaria passar o inverno inteiro sentada, sonhando.

– Você um dia vai ter sua própria casa para cuidar, *Kjære*, e não estarei lá para alimentar você e seu marido! – dizia-lhe sempre a mãe, Berit.

Fosse para bater manteiga, cerzir roupas, dar comida às galinhas ou estender a massa do *lefse*, o pão ázimo que seu pai devorava às dezenas, Anna pouco se interessava pelos afazeres domésticos, e com certeza nem sequer pensava em alimentar um marido imaginário ainda. Por mais que tentasse – e, para ser totalmente sincera consigo mesma, sabia que não tentava o suficiente –, o resultado de suas investidas culinárias era muitas vezes intragável ou beiravam o desastre.

– Você prepara o *gomme* há anos, mas o gosto não melhorou nada – comentara sua mãe na semana anterior, pousando sobre a mesa da cozinha uma tigela de açúcar e uma jarra de leite fresco. – Já está mais do que na hora de aprender a fazer direito.

Por mais que Anna se esforçasse, porém, seu *gomme* sempre acabava talhando e queimando no fundo.

– Traidora – sussurrava ela para Viva, quando até mesmo a eternamente faminta cadela de fazenda torcia o nariz para seu doce.

Embora tivesse largado a escola quatro anos antes, Anna ainda sentia falta da terceira semana de cada mês, quando *Frøken* Jacobsen, a professora que se revezava entre as aldeias do condado de Telemark, chegava com matérias novas para ensinar aos alunos. Preferia isso mil vezes às rígidas aulas do pastor Erslev, que os obrigava a recitar trechos da Bíblia de cor e os testava na frente da turma toda. Anna detestava isso, e sempre sentia as bochechas ficando vermelhas ao ver os olhos de todos os colegas cravados nela quando se confundia com alguma palavra desconhecida.

Fru Erslev, a mulher do pastor, era bem mais gentil e tinha mais paciência com Anna quando ela estava aprendendo os hinos para o coral da igreja. Ultimamente, ela muitas vezes ficava incumbida do solo. Cantar era bem mais fácil do que ler, pensava Anna. Quando cantava, simplesmente fechava os olhos, abria a boca, e um som que parecia agradar a todos saía lá de dentro.

Às vezes, ela sonhava em se apresentar diante de uma congregação em uma grande igreja em Christiania. O único momento em que sentia ter algum valor era quando estava cantando. Na realidade, porém, como sua mãe sempre lhe lembrava, esse talento pouco lhe adiantava, a não ser para chamar as vacas para casa e ninar os filhos que um dia tivesse. Todas as meninas do coral que tinham a mesma idade de Anna já estavam noivas, casadas ou sofrendo as consequências do que acontecia depois do casamento, que pelo visto era ficar enjoada e gorda, e após algum tempo parir um bebê de rosto vermelho e berreiro sempre aberto e ter que parar de cantar.

No casamento de seu irmão mais velho, Nils, ela havia suportado os cutucões e indiretas dos parentes em relação às suas futuras núpcias, mas, como nenhum pretendente tinha se apresentado até então, naquele inverno Anna seria a única a ficar para trás com as *gammel Frøken*, como seu irmão mais novo Knut chamava as solteiras mais velhas da cidade.

– Se Deus quiser, você vai achar um marido capaz de ignorar a comida no prato e, em vez disso, ficar olhando para esses seus belos olhos azuis – provocava sempre seu pai.

Anna sabia que a dúvida que atormentava todos os parentes era se Lars Trulssen, que muitas vezes havia comido seus pratos queimados, seria esse corajoso rapaz. Ele e o pai doente moravam na fazenda vizinha à da família de Anna, em Heddal. Seus dois irmãos haviam transformado Lars, filho único e órfão de mãe desde os 6 anos, em um terceiro irmão não oficial, e ele volta e meia era visto à noite em volta da mesa de jantar da família Landvik. Ela se lembrava de como todos haviam brincado juntos nos dias de nevasca dos longos invernos. Seus irmãos, brutos e barulhentos, gostavam de enterrar uns aos outros na neve, onde os cabelos louros arruivados típicos dos Landvik os destacavam na paisagem branca. Lars, que era bem mais delicado, para grande consternação dos outros meninos, sempre entrava em casa para ler um livro.

Como era o mais velho, Nils tradicionalmente teria ficado na casa dos Landvik com sua nova esposa depois do casamento. No entanto, a morte recente dos sogros fizera sua mulher herdar uma fazenda em uma aldeia a poucas horas de Heddal, e Nils havia se mudado para administrar a propriedade. Coubera a Knut passar todo o tempo disponível na fazenda dos Landvik, ajudando o pai.

Assim, Anna muitas vezes se pegava sentada sozinha com Lars, que ainda fazia visitas regulares. Às vezes ele lhe contava sobre o livro que estava lendo, e ela se esforçava para escutar sua voz baixa desfiar histórias fascinantes sobre outros mundos, que pareciam bem mais interessantes do que Heddal.

– Acabei de ler *Peer Gynt* – disse-lhe ele certa noite. – Quem me mandou o livro foi meu tio de Christiania, e acho que você iria gostar. Para mim, é a melhor que Ibsen escreveu até hoje.

Anna baixou os olhos, sem querer admitir que não fazia ideia de quem fosse Ibsen, mas Lars não a julgou e lhe contou tudo sobre o maior dramaturgo norueguês vivo, aparentemente nativo de Skien, cidade bem próxima de Heddal, e que estava tornando a literatura e a cultura norueguesas conhecidas mundo afora. Lars afirmou ter lido tudo que Ibsen já havia escrito. Para Anna, na verdade, Lars parecia ter lido a maioria dos livros que *qualquer um* tivesse escrito, e ele chegara até a lhe confidenciar seus sonhos de um dia se tornar escritor.

– Só que aqui não é provável que isso aconteça – dissera-lhe ele, encarando-a nervoso com seus olhos azuis. – A Noruega é pequena demais, e muitos de nós não têm instrução. Mas ouvi dizer que nos Estados Unidos quem trabalha duro o suficiente pode ser qualquer coisa que quiser...

Anna sabia que Lars tinha até aprendido sozinho a ler e escrever inglês com o objetivo de se preparar para esse acontecimento. Escrevia poemas nesse idioma e dizia que em breve os mandaria para um editor. Sempre que ele começava a falar sobre os Estados Unidos, Anna sentia uma pontada de dor, porque sabia que o rapaz jamais teria dinheiro para tal coisa. Como seu pai ficara aleijado por causa da artrite e vivia com as mãos imobilizadas em punhos semicerrados, Lars agora administrava sozinho a fazenda e continuava morando até hoje na sede malconservada.

Quando o rapaz não aparecia para jantar, o pai de Anna muitas vezes lamentava como as terras da família Trulssen tinham passado anos sem os devidos cuidados, com porcos soltos chafurdando no solo até torná-lo pobre e infértil.

– Com toda a chuva que tivemos nos últimos tempos, aquilo lá virou quase um charco – comentava Anders. – Mas aquele rapaz vive no mundo dos livros, não no mundo real dos campos e fazendas.

Em uma noite do inverno anterior, quando Anna estava tentando decifrar a letra de um novo hino que Fru Erslev tinha lhe dado para aprender, Lars erguera os olhos do livro que estava lendo e a ficara observando do outro lado da mesa da cozinha.

– Quer ajuda? – ofereceu.

Corando ao se dar conta de que vinha pronunciando as mesmas palavras repetidamente na tentativa de acertar, Anna pensou se queria que o rapaz chegasse mais perto, pois ele sempre fedia a porcos. Acabou assentindo, e ele foi se sentar ao seu lado. Juntos, os dois repassaram cada palavra até ela se sentir capaz de ler o hino inteiro, de cabo a rabo, sem nenhuma pausa.

– Obrigada por me ajudar – agradeceu.

– Foi um prazer – retrucou ele, corando. – Anna, se você quiser, posso ajudá-la a melhorar sua leitura e sua escrita. Contanto que você prometa cantar para mim de vez em quando.

Como sabia que sua leitura e sua escrita tinham sofrido com a negligência de quatro anos desde que havia largado a escola, Anna concordou. E depois disso, em muitas noites do inverno anterior, os dois tinham se sentado à mesa da cozinha, com as cabeças bem juntas, e Anna havia deixado o bordado totalmente de lado, para grande contrariedade da mãe. Em pouco tempo, tinham passado de hinos aos livros que Lars trazia de casa, envoltos em papel encerado para proteger as preciosas páginas da neve e da chuva incessantes. Quando terminavam de estudar, os dois fechavam os livros e Anna cantava para ele.

Embora seus pais inicialmente tenham ficado preocupados que ela estivesse se tornando excessivamente apegada aos livros, gostavam de ouvir a filha ler para eles à noite.

– Eu teria fugido desses ogros bem mais depressa – anunciou-lhes ela depois de ler *As três princesas de Whiteland*, certa noite, junto ao fogo.

– Mas um dos ogros tinha seis cabeças – contrapôs Knut.

– Seis cabeças só servem para deixar você mais lento – respondeu ela com um sorriso.

Anna também treinava caligrafia, e Lars tinha deixado escapar uma risadinha ao ver como ela segurava o lápis, seus dedos esbranquiçados pela força que ela fazia.

– O lápis não vai fugir – disse ele, ajustando sua mão e colocando cada dedo cuidadosamente na posição correta.

Certa noite, ele pôs sobre os ombros o casaco de pele de lobo que usava para se proteger do frio intenso e abriu a porta. Quando fez isso, flocos de neve do tamanho de borboletas entraram na casa. Um deles pousou em cima do nariz de Anna, e Lars estendeu a mão para tirá-lo antes que derretesse. O contato daquela mão grande na sua pele foi áspero, e ele rapidamente tornou a enfiá-la no bolso do casaco.

– Boa noite – murmurou, e saiu para a escuridão invernal, os flocos de neve derretendo no chão quando a porta se fechou atrás dele.

◆ ◆ ◆

Anna se levantou quando Rosa enfim alcançou o local onde ela estava. Enquanto acariciava as orelhas sedosas da vaca e em seguida beijava a estrela branca no centro de sua testa, não pôde deixar de reparar nos pelos grisalhos em volta da boca macia e rosada do animal.

– Por favor, esteja aqui no verão que vem – murmurou suavemente para o bicho.

Após se certificar de que Rosa avançava devagar na direção do resto do rebanho para ir pastar tranquilamente o capim da encosta mais embaixo, Anna partiu rumo ao chalé. Enquanto caminhava, decidiu que não estava pronta para a mudança; tudo que desejava era voltar àquele lugar todos os verões e ficar sentada nos campos junto a Rosa. Sua família podia achá-la ingênua, mas Anna sabia exatamente o que estavam planejando para ela. E lembrava-se muito bem do jeito estranho como Lars havia se comportado ao se despedir dela no início do verão.

Ele tinha lhe dado para ler o poema *Peer Gynt*, de Ibsen, e segurado uma de suas mãos enquanto ela mantinha o livro em frente ao corpo. Anna congelou. Aquele toque significava um novo tipo de intimidade, muito diferente do relacionamento entre irmãos que ela sempre pensara que os dois tivessem. Quando seus olhos se moveram para o rosto do rapaz, ela viu uma expressão diferente em seus olhos azuis, e de repente Lars lhe pareceu um estranho. Nessa noite, foi para a cama estremecendo ao pensar na expressão daquele olhar, pois sabia exatamente o que significava.

Pelo visto, seus pais já sabiam das intenções de Lars.

– Nós podemos comprar as terras dos Trulssens como dote de Anna – ela entreouviu o pai dizer à mãe certa noite, bem tarde.

– Com certeza podemos encontrar alguém de uma família melhor para Anna – retrucou Berit em voz baixa. – Os Haakonssens ainda têm um filho solteiro lá em Bø.

– Eu gostaria que ela morasse aqui perto – respondeu Anders, firme. – Comprar as terras dos Trulssens renderia zero por uns três anos, até o solo se recuperar, mas se isso acontecesse nossa produção agrícola dobraria. Eu acho que Lars é o melhor que podemos esperar, levando em conta as... desvantagens de Anna.

O comentário deixou Anna magoada, e ela foi ficando cada vez mais ressentida à medida que os pais começaram a conversar abertamente sobre possíveis planos de casamento para ela e Lars. Anna imaginava se eles algum dia lhe fariam a simples pergunta: por acaso *ela* queria se casar com Lars? Só que ninguém perguntou, então Anna tampouco disse que, ainda que gostasse do rapaz, com certeza não estava convencida de que pudesse vir a amá-lo.

Embora houvesse imaginado vez ou outra como seria beijar um homem, não tinha a menor convicção de que isso seria algo que a agradaria. Quanto àquela outra coisa desconhecida, o ato que ela sabia que tinha que ocorrer para gerar filhos, bem, isso só lhe restava imaginar. De vez em quando, à noite, ela ouvia estranhos rangidos e gemidos vindos do quarto do pais, mas quando perguntou a Knut sobre o assunto, o irmão só fez dar uma risadinha furtiva e respondeu que era assim que todos eles tinham vindo ao mundo. Se fosse parecido com o jeito como o touro era levado até a vaca... O simples fato de pensar nisso já provocava uma careta em Anna, que se lembrava de como o animal, aos mugidos, tinha que ser incentivado a montar na fêmea que havia conquistado, e de como o ajudante de fazenda ajudava a pôr a "coisa" lá dentro de modo que a vaca desse cria alguns meses depois.

Se pelo menos Anna pudesse perguntar à mãe se com os humanos acontecia algo parecido... Mas ela nunca tivera coragem para tal.

Para piorar as coisas, aquele era o verão em que ela, com muito esforço, havia lido *Peer Gynt*, e mesmo agora, depois de refletir longamente sobre a história, não conseguia entender por que a pobre camponesa protagonista do livro – chamada Solveig – jogara a vida inteira fora esperando por um homem horrível e promíscuo como Peer. E então, quando ele de fato *voltou*, o tinha aceitado de volta e pousado sobre o próprio joelho aquela cabeça mentirosa e traiçoeira.

– Eu a teria usado como bola para Viva brincar – resmungou ela ao chegar perto de casa. E a única coisa que ela havia decidido categoricamente naquele verão era que nunca, *jamais* se casaria com um homem que não amasse.

Chegando ao fim do caminho, viu o sólido chalé de madeira mais à frente, intocado havia muitas gerações. O telhado de sapê se destacava contra a folhagem mais escura das coníferas da floresta em volta, como um brilhante e saudável quadrado verde. Anna pegou um pouco d'água no barril que ficava ao lado da porta e lavou as mãos para tirar o cheiro de vaca antes de entrar no alegre cômodo que fazia as vezes de sala e cozinha onde, conforme ela previa, as lamparinas a óleo já estavam acesas e emitiam uma luz forte.

O cômodo tinha uma mesa grande coberta por uma toalha quadriculada, uma cômoda de pinho esculpido, um velho fogareiro a lenha e uma grande lareira aberta, na qual ela e a mãe esquentavam o panelão de ferro cheio de mingau para o café da manhã e o jantar, e a carne e os legumes para a refeição do meio-dia. Mais para o fundo ficavam os quartos: o dos pais, o de Knut, e o minúsculo quartinho no qual ela dormia.

Anna pegou uma das lamparinas sobre a mesa, atravessou o piso gasto de tábuas corridas e abriu a porta do quarto com um empurrão. O espaço mal dava para ela passar, pois a cabeceira da cama quase encostava na porta. Depois de pousar a lamparina sobre o criado-mudo, ela tirou o gorro, e seus cabelos cascatearam até abaixo dos ombros, uma juba encaracolada ruiva digna de um quadro de Ticiano.

Após pegar o espelho gasto, Anna se sentou na cama e examinou o próprio rosto, limpando uma mancha de sujeira da testa para ficar apresentável antes do jantar. Passou alguns segundos estudando seu reflexo na superfície rachada. Não se considerava particularmente bonita. O nariz lhe parecia pequeno demais em comparação com os grandes olhos azuis e os lábios cheios e curvos. A única coisa boa em relação ao inverno que se aproximava, pensou, era que as sardas que no verão salpicavam generosamente o osso do nariz e as bochechas diminuiriam e hibernariam junto com ela até a primavera seguinte.

Com um suspiro, ela pousou o espelho, espremeu-se para sair pela porta e verificou o relógio na parede da cozinha. Eram sete da noite. Ela ficou surpresa por não encontrar ninguém em casa, principalmente porque sabia que seu pai e Knut eram aguardados.

– Olá? – chamou, mas ninguém respondeu. Anna saiu para o crepúsculo que caía depressa e deu a volta até os fundos do chalé, onde havia uma sólida mesa de pinho posicionada direto sobre a terra batida. Para sua surpresa, viu os pais e Knut sentados na companhia de um desconhecido, cujo rosto estava iluminado pela claridade da lamparina a óleo.

– Por onde você andou, menina? – indagou sua mãe, levantando-se da cadeira.

– Fui ver se as vacas tinham descido da montanha, como você pediu.

– Faz horas que você saiu – repreendeu Berit.

– Tive que ir atrás de Rosa, que ficara sozinha quilômetros para trás das outras.

– Bom, pelo menos agora você voltou. – Berit parecia aliviada. – Este cavalheiro veio aqui com seu pai e seu irmão para conhecê-la.

Anna olhou de relance para o cavalheiro em questão e se perguntou por que cargas-d'água ele faria uma coisa dessas. Em toda a sua vida, ninguém nunca tinha ido até lá "para conhecê-la". Ao examiná-lo mais de perto, viu que ele não era um homem do campo. Estava usando um paletó escuro de alfaiataria, com largas lapelas, uma gravata de seda no pescoço e uma calça de flanela que, embora salpicada de lama na barra, era do tipo usado por homens elegantes da cidade. Tinha um bigode grande curvado para cima nas duas pontas, bem parecido com os chifres no alto da cabeça de um bode, e pelas rugas do rosto Anna calculou que tivesse 50 e poucos anos. Enquanto o estudava, pôde ver que ele também a estava avaliando. O cavalheiro então lhe sorriu, e foi um sorriso cheio de aprovação.

– Venha, Anna, venha conhecer *Herr* Bayer. – O pai acenou para ela chegar mais perto, ao mesmo tempo que erguia a grande jarra sobre a mesa para encher a caneca do visitante de cerveja caseira.

Anna caminhou em direção ao homem com passos hesitantes; na mesma hora, ele se levantou e estendeu a mão. Ela estendeu a sua de volta, e em vez de apertá-la ele a segurou com suas duas mãos.

– *Frøken* Landvik, é um privilégio conhecê-la.

– É mesmo? – estranhou ela, espantada com o entusiasmo da saudação.

– Anna, não seja mal-educada! – ralhou a mãe.

– Não, imaginem – respondeu o cavalheiro. – Tenho certeza de que Anna não teve a intenção de ser rude. Está só surpresa por me ver. Não é todo dia que sua filha chega em casa, uma fazenda isolada no flanco da montanha, e encontra um desconhecido à sua espera. Anna, por favor, sente-se. Vou explicar por que estou aqui.

Seus pais e Knut a observaram com um ar de expectativa quando ela se sentou.

– Em primeiro lugar, permita que eu me apresente. Meu nome é Franz Bayer e sou professor de história norueguesa na Universidade de Christiania. Sou também pianista e professor de música. Eu e alguns amigos que compartilham de meus interesses passamos a maioria dos verões em Telemark pesquisando a cultura nacional que vocês sabem tão bem preservar nesta região, e à procura de talentos musicais para representar essa cultura na capital de Christiania. Quando cheguei ao vilarejo de Heddal, fiz como sempre faço, e fui primeiro à igreja. Lá encontrei a mulher do pastor, Fru Erslev. Ela me disse que cuida do coral da igreja, e quando lhe perguntei se havia alguma voz excepcional no grupo, ela me falou da senhorita. Naturalmente, imaginei que devesse morar por perto. Ela então me disse que a senhorita passava os verões aqui na montanha, a quase um dia de viagem a cavalo e por carroça, mas que por acaso o seu pai talvez pudesse me dar uma carona, o que de fato aconteceu. – *Herr* Bayer fez uma mesura para Anders. – Minha cara senhorita, confesso ter sentido certa reticência quando Fru Erslev me disse onde ficava a sua casa. Mas ela me convenceu que a viagem valeria a pena. Segundo ela, a senhorita tem a voz de um anjo. Portanto, cá estou. – Ele abriu os braços e deu um largo sorriso. – E os seus caros pais se mostraram mais do que hospitaleiros enquanto esperávamos você voltar.

Enquanto Anna se esforçava para assimilar as palavras de *Herr* Bayer, reparou que sua boca estava escancarada de surpresa e fechou rapidamente os lábios. Não queria que um homem da cidade, sofisticado como ele, a tomasse por uma camponesa tonta.

– Fico honrada que tenha feito essa viagem só para me ver – disse ela, fazendo a mesura mais graciosa de que foi capaz.

– Bem, se a regente do seu coral estiver certa... Seus pais também acham que a senhorita tem talento... nesse caso a honra é toda minha – respondeu *Herr* Bayer, galante. – E é claro que, agora que a senhorita está aqui, muito me encanta afirmar que tem a oportunidade de provar que estão todos certos. Gostaria muito de ouvi-la cantar para mim, Anna.

– É claro que ela vai cantar – disse Anders quando a filha ficou parada, calada e hesitante. – Anna?

– Mas *Herr* Bayer, eu só conheço canções folclóricas e hinos religiosos.

– Qualquer um dos dois vai bastar, posso lhe garantir – incentivou ele.

– Cante "Per Spelmann" – sugeriu Berit.

– Para começar, serve – concordou *Herr* Bayer com um meneio de cabeça.

– Mas eu até hoje só cantei para vacas.

– Então imagine que eu sou sua vaca preferida, e que está me chamando de volta para casa – retrucou o cavalheiro com um brilho bem-humorado nos olhos.

– Está bem, senhor. Vou fazer o melhor que puder.

Anna fechou os olhos e tentou se imaginar de volta à montanha chamando Rosa, como tinha feito mais cedo naquela mesma noite. Inspirou fundo e começou a cantar. As palavras lhe vieram à mente sem pensar, e ela cantou a história do músico pobre que trocava sua única vaca para ter seu violino de volta. Quando a última nota cristalina se dissipou no ar da noite, ela abriu os olhos.

Olhou para *Herr* Bayer com um ar hesitante, à espera de uma reação verbal. Um silêncio pairou por alguns instantes enquanto ele a estudava com atenção.

– E agora um hino, quem sabe? A senhorita conhece "Herre Gud, dit dyre Navn og Ære"? – indagou ele por fim.

Anna assentiu e novamente abriu a boca para cantar. Dessa vez, quando ela terminou, *Herr* Bayer sacou um lenço grande e secou os olhos.

– Minha jovem – falou, com a voz rouca de emoção. – Foi simplesmente sublime. E valeu cada hora da dor nas costas de que padecerei esta noite por causa da viagem até aqui.

– Mas hoje o senhor fica conosco – interveio Berit. – Pode dormir no quarto de Knut, e nosso filho dorme na cozinha.

– Minha cara senhora, fico-lhe muitíssimo grato. Como temos muito o que conversar, vou aceitar sua oferta. Perdoe a presunção, mas será que haveria como a senhora oferecer um pouco de pão a este viajante cansado? Não como nada desde o desjejum.

– Por favor, me perdoe – disse Berit, horrorizada com o fato de, em seu entusiasmo, ter esquecido por completo da comida. – É claro. Anna e eu vamos preparar algo agora mesmo.

– Enquanto isso, *Herr* Landvik e eu conversaremos sobre como a voz de Anna pode ser apresentada a um público mais amplo na Noruega.

Com os olhos arregalados, Anna seguiu a mãe até a cozinha, obediente.

– O que ele deve estar pensando de nós? Que não somos nem um pouco hospitaleiros, ou tão pobres que não temos sequer comida na mesa para um convidado! – ralhou Berit consigo mesma enquanto preparava uma travessa com pão, manteiga e fatias de carne de porco curada. – Ele vai voltar para Christiania e contar a todos os amigos que as histórias que eles escutaram sobre nossos modos pouco civilizados são verdade.

– *Mor*, *Herr* Bayer parece um cavalheiro gentil, e tenho certeza de que não fará nada disso. Se estiver tudo encaminhado por aqui, preciso buscar lenha para o fogo.

– Bem, vá logo. Você precisa pôr a mesa.

– Sim, *Mor* – respondeu Anna, e saiu de casa levando um grande cesto de vime debaixo do braço. Após enchê-lo com lenha, ficou alguns instantes parada olhando para as luzes piscantes que brilhavam intermitentes na encosta da montanha na direção do lago, indicando a presença esporádica de outras habitações humanas. Seu coração ainda batia forte com a surpresa do que havia acabado de acontecer.

Não tinha uma ideia muito clara do que aquilo significava para ela, embora tivesse *sim* ouvido histórias sobre outros cantores e músicos de talento vindos de diversas aldeias do condado de Telemark e levados para a cidade por professores como *Herr* Bayer. Tentou pensar: se ele *realmente* lhe convidasse para ir com ele, será que iria querer? Como sua experiência fora da leiteria se limitava a Heddal ou à ocasional visita a Skien, nem sequer conseguiu começar a imaginar o que uma mudança dessas poderia envolver.

Ao ouvir a mãe chamar seu nome, virou-se e andou de volta até o chalé.

❂ ❂ ❂

Na manhã seguinte, nos poucos e sonolentos segundos entre o sono e a vigília, Anna se remexeu na cama. Sabia que algo incrível tinha acontecido na véspera. Lembrando-se por fim do quê, levantou-se e iniciou o penoso processo de vestir a calçola, a camisa de baixo, a blusa creme, a saia preta e o avental bordado colorido que eram seu traje do dia a dia. Após colocar na cabeça o gorro de algodão e guardar os cabelos lá dentro, calçou as botas.

Na noite anterior, depois de comerem, ela tinha cantado mais duas canções e um hino antes de a mãe mandá-la para a cama. Até então, a conversa não havia sido sobre Anna, mas sobre o tempo mais quente do que o normal e a previsão de colheita de seu pai para o ano seguinte. Apesar disso, ela ouviu as vozes baixas dos pais e de *Herr* Bayer pelas finas divisórias de madeira, e entendeu que era o seu futuro que os três discutiam. Em determinado momento, atreveu-se até a abrir uma frestinha da porta para poder bisbilhotar.

— É claro que me preocupo com o fato de, se Anna nos deixar e for para a cidade, minha mulher ter que dar conta das tarefas da casa sozinha — ouviu o pai dizer.

— Ela pode até não ter nenhum talento natural para a cozinha e a limpeza, mas é uma trabalhadora esforçada e também cuida dos animais — acrescentou Berit.

— Bem, tenho certeza de que podemos chegar a um acordo — respondeu *Herr* Bayer em tom tranquilizador. — Estou preparado para recompensá-los pela perda do trabalho de Anna.

Quando uma quantia foi mencionada, Anna prendeu a respiração, sem acreditar. Incapaz de ouvir qualquer outra coisa, fechou a porta da maneira mais silenciosa que conseguiu.

— Quer dizer que vou ser comprada e vendida como uma vaca no mercado! — murmurou, furiosa consigo mesma e indignada que o dinheiro tivesse algum papel na decisão de seus pais.

Apesar disso, sentiu também um estremecimento de animação. Só muito tempo depois é que o sono a dominou.

De manhã, Anna ficou sentada sem dizer nada diante de um prato de mingau enquanto a família falava sobre *Herr* Bayer, que ainda dormia para se recuperar da viagem desgastante. Pareceu-lhe que o entusiasmo da véspera tinha diminuído e que agora eles tinham começado a questionar a sensatez de permitir que a única filha mulher fosse para a cidade com um desconhecido.

– Tudo que temos é a palavra dele – disse Knut, soando amargurado por ter tido que ceder a própria cama ao forasteiro. – Como saber que Anna estará segura com ele?

– Bem, se Fru Erslev o mandou vir aqui com a sua aprovação, ele pelo menos deve ser um homem respeitável e temente a Deus – comentou Berit enquanto preparava uma tigela de mingau mais generosa para a visita, com uma colherada de geleia de *lingonberry* por cima.

– Acho que seria melhor eu falar com o pastor e a mulher dele na semana que vem, quando voltarmos para nossa casa em Heddal – disse Anders, e Berit meneou a cabeça para concordar.

– E depois ele precisa nos dar tempo para pensar, e vir nos visitar de novo para conversar – arrematou ela.

Anna não se atreveu a dizer nada; tinha certeza de que o que estava em jogo era o seu futuro, e não sabia para que lado desejava que a balança pendesse. Escapuliu antes de a mãe poder lhe atribuir mais alguma tarefa, pois queria passar o dia com as vacas e ter paz e tranquilidade para pensar. Cantarolando consigo mesma enquanto caminhava, perguntou-se por que *Herr* Bayer estava tão interessado nela quando com certeza deveria haver vários cantores melhores em Christiania. Restavam-lhe apenas poucos dias nas montanhas antes de descer para passar o inverno em Heddal, e ela de repente foi dominada pela consciência de que talvez não voltasse ali nem uma vez sequer no verão seguinte. Abraçou e beijou Rosa, fechou os olhos, e voltou a cantar para espantar as lágrimas.

❋ ❋ ❋

Uma semana depois, de volta à casa de Heddal, Anders foi conversar com o pastor Erslev e a mulher, que o tranquilizaram quanto ao caráter e às referências do professor. Pelo visto, *Herr* Bayer já tinha apadrinhado outras meninas, transformando-as em cantoras profissionais. Uma delas, contou Fru Erslev entusiasmada, tinha chegado a cantar no coro do Teatro de Christiania.

Pouco depois, quando *Herr* Bayer foi visitá-los, Berit se esfalfou na cozinha e preparou o melhor pernil de porco que tinha para a refeição do meio-dia. Depois de comerem, Anna foi cumprir suas tarefas habituais de alimentar as galinhas e encher os cochos com água. Parou várias vezes junto à janela da cozinha, louca para ouvir o que diziam lá dentro, mas não conseguiu ouvir nada. Por fim, Knut foi buscá-la.

Ao tirar o casaco, Anna viu que os pais estavam sentados descontraídos na companhia de *Herr* Bayer, tomando a cerveja caseira de Anders. Quando se sentou à mesa com Knut, o cavalheiro a cumprimentou com um sorriso jovial.

– Então, Anna, seus pais concordaram que você vá passar um ano morando comigo em Christiania. Além de seu professor, serei também seu mentor, e prometi a eles agir fielmente *in loco parentis*. O que me diz?

Anna o encarou sem responder; como não sabia o que significava nem "mentor" nem "*in loco parentis*", não quis soar ignorante.

– O que *Herr* Bayer quer dizer é que você vai morar com ele no apartamento dele em Christiania, e que ele vai lhe ensinar a cantar direito, apresentá-la a pessoas influentes e garantir que você receba todos os cuidados como se fosse sua própria filha – explicou Berit, pousando a mão no joelho de Anna em um gesto reconfortante.

Ao ver a expressão atônita no rosto da moça, *Herr* Bayer se apressou em tentar tranquilizá-la ainda mais.

– Como eu disse aos seus pais, as acomodações serão naturalmente mais do que apropriadas. Minha governanta, *Frøken* Olsdatter, também mora no meu apartamento, e estará sempre disponível para acompanhá-la e prover as suas necessidades. Também mostrei a seus pais cartas de apresentação da minha universidade e da comunidade musical de Christiania. De modo que não há nada a temer, minha cara jovem, posso lhe garantir.

– Entendo. – Anna se concentrou na caneca de café que sua mãe tinha lhe servido, e tomou vários goles.

– Esse plano a agradaria, Anna? – indagou *Herr* Bayer.

– Eu... eu acho que sim.

– *Herr* Bayer também está disposto a cobrir todas as suas despesas – incentivou Anders. – É uma oportunidade maravilhosa, Anna. Ele acredita que você tem um enorme talento.

– Acredito mesmo – confirmou *Herr* Bayer. – A senhorita tem uma das vozes mais puras que já escutei. E também receberá instrução, não só musical. Vai aprender outras línguas e providenciarei instrutores para melhorar sua leitura e sua escrita...

– Me perdoe, *Herr* Bayer, mas já sou proficiente em ambas – interveio Anna, sem conseguir se conter.

– Então isso vai ajudar e significa que podemos começar a treinar sua voz mais depressa do que eu imaginava. Mas, Anna, sua resposta é sim?

A maior vontade da jovem era perguntar *por quê*: por que ele queria pagar seu pais para gastar seu tempo cuidando tanto dela quanto de sua voz, e ainda por cima hospedando-a no próprio apartamento? No entanto, como ninguém mais pareceu questionar isso, sentiu que tampouco lhe coubesse fazê-lo.

– Mas Christiania fica muito longe, e um ano é muito tempo... – A voz de Anna se extinguiu quando ela se deu conta da enormidade do que estavam lhe propondo.

Tudo que ela conhecia, tudo que *havia* conhecido até então não existiria mais. Ela era uma menina simples de uma fazenda em Heddal, e ainda que houvesse considerado sua vida e seu futuro sem graça, o salto que estavam lhe pedindo que desse após apenas uns poucos segundos de reflexão de repente lhe pareceu excessivo.

– Bem...

Quatro pares de olhos se cravaram nela.

– Eu...

– Sim? – indagaram seus pais e *Herr* Bayer em uníssono.

– Quando eu for embora, por favor me prometam que, se Rosa morrer, vocês não vão comê-la.

E imediatamente após dizer essas palavras, Anna Landvik caiu em prantos.

14

Após a partida de *Herr* Bayer, o lar dos Landvik se transformou em um formigueiro de atividade. Berit começou a costurar uma mala na qual Anna pudesse levar para Christiania seus poucos pertences. Suas duas melhores saias e blusas, e também as roupas de baixo, foram lavadas e remendadas com todo o cuidado pois, como dizia Berit, nenhuma filha sua iria se apresentar como uma reles camponesa diante daquela gente da cidade de nariz empinado. Fru Erslev lhe deu de presente um novo livro de preces com as páginas rijas e branquinhas, recomendando-lhe que rezasse todas as noites e não se deixasse seduzir pelos comportamentos "pagãos" da cidade. O combinado era que o pastor Erslev iria buscá-la em Drammen e acompanhá-la de trem até Christiania, uma vez que tinha uma reunião eclesiástica à qual precisava comparecer.

Anna, por sua vez, constatou que mal tinha um segundo livre para sentar e refletir sobre sua decisão. Sempre que sentia dúvidas se insinuarem, fazia o possível para afastá-las. Sua mãe lhe dissera que Lars iria visitá-la no dia seguinte, e ela sentiu o coração bater dolorosamente dentro do peito ao recordar as conversas sussurradas dos pais sobre o casamento dos dois. Pareceu-lhe que, o que quer que o futuro lhe reservasse, fosse ali em Heddal ou em Christiania, eram as outras pessoas que estavam tomando as decisões no seu lugar.

❋ ❋ ❋

– Lars chegou – avisou Berit na manhã seguinte, como se a própria Anna não estivesse com os ouvidos apurados, ansiosa para ouvir o barulho das botas do rapaz se livrando da lama da chuva de setembro. – Vou abrir. Por que não o recebe na saleta?

Anna assentiu; sabia que a saleta era o cômodo "sério" da casa. Era lá que ficava o banco de encosto alto, a única peça de mobília estofada, bem como uma cristaleira contendo um misto de pratos e pequenos enfeites que sua mãe considerava bons o suficiente para expor. Era lá também que haviam sido velados os caixões de três de seus avós após deixarem este mundo. Enquanto percorria o estreito corredor até a saleta, Anna pensou que, desde que se entendia por gente, era muito raro aquele cômodo ter abrigado alguém que de fato respirasse. E quando ela abriu a porta, uma lufada de ar rançoso e parado emergiu lá de dentro.

A conversa que ela estava prestes a ter era provavelmente o que tinha lhe valido ocupar aquele ambiente sóbrio, e ela ficou parada se perguntando exatamente como deveria estar posicionada quando Lars entrasse. Ao ouvir seus passos pesados no corredor, moveu-se depressa e se acomodou no banco, cujas almofadas eram quase tão duras quanto as tábuas de pinho do assento que as sustentava.

Alguém bateu na porta, e Anna sentiu uma súbita vontade de rir. Ninguém nunca tinha lhe pedido permissão para entrar em algum cômodo que não fosse o seu quarto de dormir.

– Pois não? – respondeu.

A porta se abriu e o rosto redondo de Berit apareceu.

– Lars chegou.

Anna o observou entrar na saleta. O rapaz havia feito um esforço para escovar os fartos cabelos louros, e estava usando sua melhor camisa creme e uma calça preta que em geral só punha para ir à igreja, além de um colete que ela nunca tinha visto, um colete azul-escuro que na sua opinião combinava bem com os olhos dele. Pensou que Lars era mesmo bastante bonito, mas, afinal, pensava o mesmo em relação a Knut, seu próprio irmão. E certamente não gostaria de se casar com *ele*.

Os dois não se viam desde que Lars havia lhe dado o exemplar de *Peer Gynt*, e ela engoliu em seco, nervosa, ao se lembrar de como ele tinha segurado sua mão. Levantou-se para cumprimentá-lo.

– Olá, Lars.

– Aceita um café, Lars? – indagou Berit da porta.

– N-não, obrigado, Fru Landvik.

– Muito bem – disse a mãe de Anna após uma pausa. – Vou deixá-los a sós para conversarem.

– Quer se sentar? – perguntou Anna a Lars depois de Berit sair.

– Sim – respondeu ele, e se sentou.

Anna se acomodou desconfortavelmente na borda do banco, torcendo as mãos no colo.

– Anna... – Lars limpou a garganta. – Você sabe por que estou aqui?

– Porque você vem aqui sempre? – arriscou ela, e ele respondeu com uma risadinha suave, o que dissipou um pouco a tensão.

– É, acho que venho mesmo. Como foi seu verão?

– Como todos os outros verões antes dele, ou seja, bastante bem.

– Mas com certeza este verão foi especial para você, não? – insistiu ele.

– Por causa de *Herr* Bayer, você quer dizer? O homem de Christiania?

– Sim. Fru Erslev tem contado para todo mundo. Ela está muito orgulhosa de você... e eu também – acrescentou ele. – Acho que você deve ser a pessoa mais famosa de todo o condado de Telemark. Tirando *Herr* Ibsen, claro. Você vai?

– Bem, *Far* e *Mor* acham que é uma oportunidade maravilhosa para mim. Segundo eles, é uma honra ter um homem como *Herr* Bayer disposto a me ajudar.

– E eles têm razão. Mas eu gostaria de saber se você *quer* ir.

Anna refletiu a respeito.

– Acho que tenho de ir – respondeu. – Seria uma grosseira recusar, você não concorda? Principalmente ele tendo viajado um dia inteiro para subir a montanha e me ouvir cantar.

– É, acho que seria mesmo. – Lars olhou para trás dela em direção à parede feita com pesadas toras de pinheiro, e encarou o retrato do Lago Skisjøen pendurado nela.

Houve um longo silêncio que Anna não soube se deveria quebrar ou não. Por fim, Lars tornou a voltar sua atenção para ela.

– Anna.

– Sim, Lars?

Ele inspirou fundo, e ela reparou que teve que agarrar o braço do móvel para impedir que sua mão tremesse.

– Antes de você ir embora para o verão, eu conversei com seu pai sobre a possibilidade de pedir a sua mão em... em casamento. Combinamos que eu lhe venderia as terras da minha família e que nós as cultivaríamos juntos. Você sabia dessas coisas?

– Entreouvi meus pais conversando a respeito – confessou ela.

– Antes de *Herr* Bayer chegar, qual era a sua opinião em relação a esse plano?

– De *Far* comprar suas terras?

– Não. – Lars se permitiu um sorriso de ironia. – De se casar comigo.

– Bem, para ser sincera, eu não achava que você quisesse se casar comigo. Você nunca falou no assunto.

Lars olhou para ela, espantado.

– Anna, com certeza você devia ter alguma ideia dos meus sentimentos em relação a você, não? Passei a maior parte do último inverno vindo aqui todas as noites ajudá-la com sua escrita e leitura.

– Mas Lars, você *sempre* vem aqui, desde que eu sou pequena. Você... você é como um irmão para mim.

Um lampejo de dor cruzou o semblante do rapaz.

– A verdade é que eu amo você, Anna.

Ela o encarou, pasma. Imaginara que ele considerasse qualquer união uma simples questão de conveniência, sobretudo uma vez que ela não chegava a ser nenhuma beldade, sem falar em suas habilidades domésticas limitadas. Afinal, pelo que já tinha visto em sua curta vida, a maioria dos casamentos parecia se basear nessa premissa. Mas agora Lars estava dizendo que a amava... o que era completamente diferente.

– É muita gentileza sua, Lars. Me amar, quero dizer.

– Não se trata de "gentileza", Anna, trata-se de... – Ele se interrompeu; parecia perdido, confuso.

No longo silêncio que se seguiu, Anna pensou em como seus jantares seriam silenciosos caso os dois viessem a se casar. Lars decerto se concentraria na comida, o que realmente não seria uma coisa boa.

– Eu quero saber, Anna, se *Herr* Bayer não tivesse lhe pedido para ir com ele para Christiania, se você teria aceitado um pedido de casamento.

Ao pensar em tudo que ele havia feito para ajudá-la no inverno anterior e no quanto gostava dele, ela soube que só havia uma resposta possível.

– Eu teria dito sim.

– Obrigado – disse ele, com uma expressão de alívio evidente. – Seu pai e eu concordamos que, considerando as circunstâncias, os contratos para a compra das terras da minha família serão elaborados sem demora. Eu então aguardarei um ano enquanto você estiver em Christiania. Quando você voltar, pedirei sua mão oficialmente.

Ao ouvir isso, Anna começou a entrar em pânico. Lars havia entendido mal. Caso houvesse lhe perguntado se ela o *amava* como ele dizia amá-la, ela teria respondido que não.

– Anna, você concorda?

O silêncio reinou na saleta enquanto Anna tentava organizar seus pensamentos.

– Espero que consiga aprender a me amar como eu a amo – disse ele baixinho. – E talvez um dia possamos viajar para os Estados Unidos juntos e começar uma nova vida lá. Isto aqui é para você, para selar nosso compromisso informal um com o outro. Acho que é mais útil do que um anel, pelo menos por enquanto. – Ele levou a mão ao bolso do colete e pegou uma fina e comprida caixa de madeira, que lhe entregou.

– Eu... obrigada.

Anna correu os dedos pela madeira encerada e abriu a caixa. Aninhada lá dentro estava a mais linda pena que já vira, e ela entendeu que aquilo devia ter custado uma fortuna. O corpo era feito de um pinho claro, elegantemente recurvado para se encaixar com perfeição em sua mão, e a ponta terminava em um bico delicado. Ela segurou a pena do jeito exato que Lars havia lhe ensinado. Ainda que não o amasse nem quisesse se casar com ele, o presente tocou seu coração e deixou seus olhos marejados de lágrimas.

– Lars, isto é a coisa mais linda que eu já tive na vida.

– Vou esperá-la, Anna – disse ele. – E talvez você possa usar a pena para me escrever cartas contando sobre sua nova vida em Christiania.

– Claro.

– E concorda que noivemos formalmente no ano que vem, quando voltar de Christiania?

Sentindo toda a força do amor dele, e com os olhos pregados em sua linda pena, Anna sentiu que só podia dizer uma coisa.

– Sim.

Lars abriu um largo sorriso.

– Então estou contente. Agora vamos anunciar aos seus pais que chegamos a um acordo. – Ele se levantou e pegou a mão dela. Então curvou-se e depositou um beijo ali. – Minha Anna. Vamos torcer para Deus ser generoso com nós dois.

❖ ❖ ❖

Dois dias mais tarde, qualquer preocupação com Lars e com o que aconteceria dali a um ano foi varrida da mente de Anna quando ela se levantou cedo para embarcar na longa viagem até Christiania. Quase passando mal de nervosismo, ela engoliu com dificuldade as panquecas especiais que a mãe havia lhe preparado para o café. Quando Anders anunciou que estava na hora de saírem, levantou-se, e suas pernas pareciam feitas de queijo de cabra. Ela olhou pela última vez para a cozinha aconchegante e sentiu um impulso súbito e desesperado de desfazer a mala e cancelar tudo.

– Está tudo bem, *Kjære* – falou Berit, acariciando os longos cachos da filha para acalmá-la quando as duas se abraçaram. – Antes de você perceber, já estará voltando para nos visitar. Só não se esqueça de fazer suas preces todas as noites, ir à igreja aos domingos e escovar os cabelos direito.

– *Mor*, chega de tantas recomendações, senão ela nunca vai partir – disse Knut, seco, abraçando a irmã. – E não se esqueça de se divertir bastante – sussurrou em seu ouvido antes de enxugar as lágrimas dela com os polegares.

Anders a conduziu em sua carroça puxada a cavalo até Drammen, que ficava a quase um dia de viagem e onde ela pegaria o trem para a cidade com o pastor Erslev. Pai e filha passaram a noite em uma modesta hospedaria que tinha também uma estrebaria para o cavalo, de modo que puderam acordar cedo e chegar à estação com tempo de sobra para o trem.

O pastor os aguardava na plataforma repleta de viajantes. Quando o trem finalmente chegou resfolegando, Anna se inquietou com as sibilantes volutas de vapor e o guincho dos freios; os passageiros acorreram para embarcar. Seu pai a ajudou com a mala pesada, e os dois seguiram o pastor em direção ao trem.

– *Far*, estou com muito medo – sussurrou ela.

– Minha Anna, se você estiver infeliz é só voltar para casa – respondeu ele, delicado, estendendo a mão para acariciar seu rosto. – Agora vamos acomodá-la a bordo.

Eles subiram os degraus do trem e avançaram pelo vagão até encontrar lugares para os dois viajantes. Depois de Anders suspender a mala até a grade de metal acima da cabeça de Anna, o condutor apitou e seu pai se inclinou depressa para lhe dar um último beijo.

– Não se esqueça de escrever sempre para Lars, assim todos poderemos saber como estão as coisas e nos lembrar da honra que lhe foi concedida. Mostre àquela gente da cidade que seus conterrâneos rurais sabem se comportar.

– Sim, *Far*. Eu prometo.

– Boa menina. Nos vemos no Natal. Que o Senhor a abençoe e guarde. Até breve.

– Fique descansado, vou entregá-la direitinho a *Herr* Bayer – disse o pastor Erslev, apertando a mão de Anders.

Anna fez o possível para não chorar quando seu pai saltou do trem e caminhou junto ao vagão para lhe acenar pela janela. Mas o trem avançou com um tranco, e o rosto dele logo desapareceu em meio às nuvens de vapor.

Enquanto o pastor Erslev abria seu livro de orações, ela se distraiu observando os outros passageiros à sua volta no vagão, e de repente sentiu que destoava, vestida com seus trajes tradicionais. O resto das pessoas, todas com roupas elegantes da cidade, a fizeram se sentir exatamente como a camponesa que era. Ela pôs a mão no bolso da saia e pegou a carta que Lars tinha lhe dado na véspera, quando eles se despediram. Ele a fizera prometer lê-la apenas quando estivesse a caminho. Exagerando cada movimento só para mostrar aos outros ocupantes do vagão que, apesar de ser uma moça do campo, ela sabia *ler*, Anna rompeu o lacre da carta.

As palavras à sua frente, escritas na caligrafia certinha de Lars, foram um desafio para ela, mas Anna perseverou, obstinada.

Stalsberg Våningshuset
Tindevegen
Heddal

18 de setembro de 1875

Kjære *Anna*,

Queria lhe dizer que estou orgulhoso de você. Aproveite cada oportunidade que tiver para aperfeiçoar sua voz e seu conhecimento do mundo que existe fora de Heddal. Não tenha medo, e lembre-se de que, por baixo das roupas elegantes e dos modos diferentes das pessoas que vai conhecer, elas não passam de seres humanos como você e eu.

Enquanto isso, vou esperá-la aqui, ansiando pelo dia do seu retorno. Por favor, escreva-me para dizer que chegou bem em Christiania. Ficaremos fascinados ao ler todos os detalhes sobre sua nova vida lá.

Por enquanto, tenha a certeza de que sou seu amoroso e sempre fiel,
Lars.

Anna dobrou a carta com cuidado e tornou a guardá-la no bolso. Custava-lhe equacionar a presença física de Lars, sempre tão canhestro e calado, com a eloquência fluida das palavras escritas naquela carta. Enquanto o trem resfolegava rumo a Christiania e ela observava o pastor Erslev cochilar no assento à sua frente, com uma gotinha de umidade a oscilar perigosamente da ponta do nariz sem nunca chegar a cair, Anna reprimiu a onda de pânico que sentia toda vez que pensava em seu futuro casamento. Mas um ano era muito tempo, muita coisa podia acontecer. As pessoas podiam ser atingidas por raios ou então pegar um forte resfriado e morrer. *Ela* poderia morrer, pensou, ao sentir o trem se inclinar de repente para a direita. E com esse pensamento Anna fechou os olhos e tentou descansar um pouco.

❋ ❋ ❋

– Bom dia, pastor Erslev! E minha cara *Frøken* Landvik, permita-me lhe dar as boas-vindas a Christiania. Já que vamos viver tão próximos, posso chamá-la de Anna? – indagou *Herr* Bayer enquanto pegava sua mala e a ajudava a descer do trem.

– Sim, senhor. Claro – respondeu Anna, tímida.

– Que tal a viagem, pastor Erslev? – perguntou *Herr* Bayer ao idoso sacerdote que mancava pela plataforma repleta de gente.

– Muito cômoda. Agradecido. Agora meu dever está cumprido, e já vejo o pastor Eriksonn à minha espera – disse ele, acenando para um homem baixo e calvo trajando vestes idênticas às suas. – Então vou me despedir, Anna.

– Até logo, pastor Erslev.

Anna ficou olhando o último vínculo com tudo que ela conhecia desaparecer pelos portões da estação e se embrenhar em uma rua movimentada na qual várias carruagens puxadas a cavalo aguardavam.

– Venha, nós também vamos alugar uma dessas para chegar logo em casa. Em geral, eu vou de bonde, mas temo que talvez seja demais para você, depois de uma viagem tão longa.

Após dar instruções ao condutor, *Herr* Bayer ajudou Anna a subir. Quando ela se sentou no banco, estofado com uma fazenda vermelha macia e bem mais confortável do que o assento especial da casa de sua família, sentiu-se empolgada por estar viajando com tanto luxo.

– É um trajeto curto até meu apartamento – comentou *Herr* Bayer. – E minha governanta nos preparou um jantar. Você deve estar com fome depois da viagem.

Anna desejou secretamente que o trajeto de carruagem durasse muito tempo. Empurrou de lado as pequenas cortinas de brocado e espiou pela janela, assombrada, enquanto eles atravessavam o centro da cidade. Em vez das trilhas estreitas que se entrecruzavam na cidade de Skien, as vias ali eram largas, margeadas por árvores e muito movimentadas. Passaram por um bonde puxado a cavalo repleto de passageiros bem vestidos: os homens com as cabeças encimadas por cartolas e as mulheres ostentando extravagantes chapéus enfeitados com flores e fitas. Anna tentou se imaginar usando algo assim e precisou conter uma risadinha.

– Há muito o que conversar, claro – continuou *Herr* Bayer. – Mas temos tempo de sobra até...

– Até o quê, senhor?

– Ah, até você estar pronta para se apresentar a um público mais amplo, minha cara jovem. Pronto, chegamos.

Ele abriu a janela e gritou para o condutor encostar a carruagem. Ajudou Anna a descer e em seguida pegou sua mala. Ela ergueu os olhos para a alta construção de pedra, cujos vários andares de janelas reluzentes pareciam se estender até o céu.

– Infelizmente, ainda não mandamos instalar uma daquelas novidades chamadas elevadores, então teremos que subir de escada – disse ele. Os dois entraram pela imponente porta dupla e pararam um instante no hall de entrada, com piso de mármore e que fazia eco. – Quando chego ao apartamento, pelo menos tenho a sensação de ter feito jus ao jantar! – comentou *Herr* Bayer, começando a galgar a escadaria curva com seu corrimão de latão reluzente.

Anna contou apenas três lances curtos de escada: era bem mais fácil de subir do que uma encosta de montanha debaixo da chuva. *Herr* Bayer a guiou por um corredor largo e destrancou uma porta.

– *Frøken* Olsdatter, voltamos, e Anna está aqui! – chamou ele, conduzindo-a por outro corredor até uma sala de estar espaçosa, com paredes revestidas de papel vermelho-rubi e as maiores janelas de vidro que a moça já vira.

– Onde essa mulher foi parar? – reclamou *Herr* Bayer. – Me dê licença um instantinho, minha cara Anna, enquanto vou encontrá-la. Sente-se, por favor, e fique à vontade.

Tensa demais para ficar parada, Anna aproveitou a oportunidade para examinar o cômodo. Ao lado de uma das janelas ficava um piano de cauda, e debaixo dela uma imensa escrivaninha de mogno abarrotada de partituras. O centro da sala era dominado por uma versão maior e muito mais grandiosa do banco com encosto alto de seus pais. Em frente a este havia duas poltronas elegantes forradas com o mesmo pano listrado de rosa e marrom, e entre as duas uma mesa baixa feita de uma bela madeira escura, que sustentava uma grande pilha de livros e uma coleção de caixas de rapé. As paredes eram enfeitadas com quadros a óleo de paisagens rurais não muito diferentes das vistas ao redor de sua casa em Heddal. Havia também vários certificados e cartas emoldurados. Um deles atraiu seu olhar, e ela caminhou na sua direção para examiná-lo mais de perto.

Det kongelige Frederiks Universitet tildeler
Prof. Dr. Franz Bjørn Bayer
æresprofessorat i historie
16 DE JULHO DE 1847

Abaixo das palavras, um selo vermelho e uma assinatura. Anna se perguntou quantos anos de estudos teriam sido necessários para seu mentor conquistar aquilo.

– Minha nossa, já está ficando escuro aqui, e mal passam das cinco! – comentou *Herr* Bayer, tornando a entrar na sala acompanhado por uma mulher alta e magra que Anna avaliou ter uma idade próxima da de sua mãe.

A mulher usava um vestido de lã escura com gola alta e uma saia comprida e rodada. Apesar do corte elegante, a roupa era simples e sem adornos, excetuando-se o molho de chaves pendurado em uma correntinha fina em volta da cintura. Seus cabelos castanhos-claros estavam presos em um coque bem-feito na nuca.

– Anna, esta é *Frøken* Olsdatter, minha governanta.

– Prazer em conhecê-la, *Frøken* Olsdatter – disse Anna com uma mesura, como sempre fora ensinada a fazer para demonstrar respeito aos mais velhos.

– O prazer é todo meu, Anna – respondeu a mulher com um meio sorriso nos olhos castanhos calorosos, observando a jovem se reerguer. – Estou aqui para servi-la e cuidar de *você* – enfatizou. – Então não hesite em me avisar se estiver precisando de alguma coisa ou se algo não estiver a contento.

– Eu... – Anna ficou confusa. Aquela senhora de vestido elegante não podia ser uma serviçal, podia? – Obrigada.

– Pode acender as lamparinas, *Frøken* Olsdatter? – pediu *Herr* Bayer à governanta. – Está com frio, Anna? Não deixe de me dizer se estiver, e acenderemos também o braseiro.

Anna levou um ou dois minutos para responder; estava fascinada observando *Frøken* Olsdatter usar um pedaço de corda para baixar o lustre pendurado no teto, em seguida girar uma maçaneta de latão no centro antes de segurar junto àquele um papel encerado aceso. Delicadas chamas ganharam vida nos braços rebuscados do lustre, e encheram o recinto com uma luz dourada suave antes de ele ser içado outra vez para seu lugar lá em cima. Anna então olhou para o braseiro ao qual *Herr* Bayer havia se referido, feito de algum tipo de cerâmica em tom creme. A larga chaminé subia até o teto alto e forrado por uma delicada trama de madeira, o parapeito esculpido era debruado com folha de ouro. Em comparação com o feio utensílio de ferro preto de seus pais, aquilo não era um braseiro, pensou Anna: era uma obra de arte.

– Obrigada, *Herr* Bayer, mas não estou com o menor frio.

– *Frøken* Olsdatter, por favor, pegue a capa de Anna e leve-a para o quarto dela junto com a mala – pediu *Herr* Bayer.

Anna desamarrou a fita em volta do pescoço e a governanta tirou a capa de seus ombros.

– A cidade grande deve lhe parecer um tanto excessiva – comentou ela baixinho, dobrando a capa sobre o braço. – Com certeza foi assim comigo, quando cheguei de Ålesund.

Bastaram essas poucas palavras para Anna entender que *Frøken* Olsdatter também tinha sido uma moça do campo – que compreendia a sua situação.

– Então, minha cara jovem, vamos nos sentar e tomar um chá – disse *Herr* Bayer – Assim que *Frøken* Olsdatter tiver tempo de prepará-lo.

– Pois não, *Herr* Bayer – assentiu a governanta, pegando a mala de Anna e se retirando.

O professor indicou uma cadeira para Anna se sentar e se acomodou à sua frente, no banco de encosto alto.

– Temos muito o que conversar. E como o melhor momento é sempre agora, vou começar a lhe falar sobre sua nova vida aqui em Christiania. Você me disse que sabe ler e escrever bem, e isso vai nos poupar um tempo enorme. Também sabe ler partituras?

– Não – confessou Anna.

Ela observou *Herr* Bayer puxar na sua direção um caderno com capa de couro e empunhar uma pena laqueada que fazia o presente de Lars parecer um tosco pedaço de madeira. Ele mergulhou a pena em um tinteiro sobre a mesa baixa e começou a escrever.

– E imagino que não tenha conhecimento de outros idiomas?

– Não, não tenho.

Ele fez outra anotação no caderno.

– Você já foi a algum concerto? Estou falando de um espetáculo musical, em um teatro ou sala de concerto.

– Não senhor, nunca. Só na igreja.

– Então precisamos reparar isso o quanto antes. Sabe o que é ópera?

– Acho que sim. É quando as pessoas no palco cantam a história, em vez de falar.

– Muito bem. E em relação aos números?

– Sei contar até cem – respondeu Anna, com orgulho.

Herr Bayer reprimiu um sorriso.

– E isso é tudo de que você vai precisar na música, Anna. Um cantor só precisa saber contar os tempos. Você toca algum instrumento?

– Meu pai tem uma rabeca *hardanger*, e aprendi a tocar o básico.

– Muito bem, parece-me então que você é uma senhorita muito bem formada – disse ele em tom satisfeito bem na hora em que a governanta entrava com uma bandeja. – Agora vamos tomar nosso chá e, depois disso, se *Frøken* Olsdatter puder fazer essa gentileza, ela vai lhe mostrar seu quarto. Então jantaremos juntos às sete na sala de jantar.

A atenção de Anna foi atraída pelo formato da estranha cafeteira da qual a governanta serviu o que lhe pareceu um café bem fraco.

– É chá. *Darjeeling* – explicou *Herr* Bayer.

Sem querer parecer ignorante, Anna o imitou e levou aos lábios a delicada xícara de porcelana. O gosto era agradável, mas um tanto neutro em comparação com o café forte que sua mãe fazia em casa.

– No seu quarto, você também vai encontrar algumas roupas simples que pedi que *Frøken* Olsdatter lhe arranjasse. Naturalmente, tive que adivinhar seu tamanho, e agora posso ver que é ainda mais pequenina do que me lembrava, então as roupas talvez precisem de ajustes – acrescentou *Herr* Bayer. – Como você talvez já tenha reparado, o traje tradicional norueguês raramente é usado em Christiania, a não ser em festividades.

– Tenho certeza de que qualquer coisa que *Frøken* Olsdatter tenha costurado para mim estará ótimo, senhor – disse Anna, educadamente.

– Minha cara jovem, admito que estou muito impressionado com a sua compostura até aqui. Depois de ter estado na companhia de outras jovens cantoras da zona rural, entendo que isso tudo representa uma grande mudança para você. Infelizmente, muitas delas voltam correndo para casa feito camundongos para o ninho. Mas tenho a sensação de que você não fará o mesmo. Pois bem, Anna, *Frøken* Olsdatter agora vai levá-la até seu quarto para que possa se acomodar, enquanto eu resolvo um pouco da minha infindável papelada da universidade. Tornaremos a nos encontrar às sete para o jantar.

– Como quiser, senhor.

Anna se levantou e viu que a governanta já a esperava junto à porta. Fez uma mesura para *Herr* Bayer, saiu da sala e seguiu *Frøken* Olsdatter pelo corredor até a mulher parar diante de uma porta e a abrir.

– Este aqui vai ser o seu quarto, Anna. Espero que o ache confortável. As saias e blusas que fiz para você estão penduradas no armário. Experimente-as mais tarde para vermos se precisam de ajustes.

– Obrigada – disse Anna olhando para a imensa cama com uma colcha bordada, duas vezes maior do que a cama de seus pais em casa. Viu uma camisola de linho nova já separada ao pé da cama.

– Tirei algumas das suas coisas da mala, e mais tarde vou ajudá-la com o restante. Tem água na moringa da cabeceira se tiver sede, e o banheiro fica no final do corredor.

"Banheiro" não era uma palavra com a qual Anna estivesse acostumada, e ela encarou *Frøken* Olsdatter com um ar de incerteza.

– O cômodo onde ficam o reservado e a banheira. A falecida esposa de

Herr Bayer era americana, e insistia nesses confortos modernos. – A governanta arqueou de leve as sobrancelhas, mas Anna não soube dizer se era em aprovação ou o contrário. – Nos vemos na sala de jantar às sete – disse ela, e se retirou sem demora.

Anna foi até o guarda-roupa, abriu a porta e deixou escapar um suspiro de assombro ao ver suas roupas novas. Havia quatro elegantes blusas de algodão fechadas no pescoço por pequeninos botões de pérola, e duas saias de lã. O mais empolgante de tudo, porém, era que havia também um rebuscado vestido formal feito de um tecido verde lustroso e brilhante que, ela imaginou, devia ser seda. Anna fechou o armário com um arrepio de prazer, então seguiu as instruções de *Frøken* Olsdatter e desceu o corredor até o banheiro.

Dentre todas as coisas que tinha visto nesse dia, aquilo com que deparou ao abrir a porta foi a mais milagrosa de todas. Em um dos cantos havia um grande banco de madeira, equipado com um assento esmaltado com um buraco no meio e um anel suspenso em uma correntinha logo acima. Quando ela o puxou, temerosa, a água jorrou automaticamente, e Anna entendeu que aquilo era uma latrina dentro de casa. Havia também uma banheira funda e brilhante no meio do chão de ladrilhos, que fazia a tina usada ocasionalmente por sua família em Heddal parecer algo em que só uma cabra poderia ser banhada.

Maravilhada com o fato de aquelas coisas serem possíveis, Anna voltou para o quarto. O relógio lhe informou que ela dispunha de pouco mais de meia hora antes do horário marcado para o jantar com *Herr* Bayer. Ao ir até o armário escolher uma das roupas novas para aquela ocasião, percebeu que *Frøken* Olsdatter tinha disposto papel de carta e a sua própria pena sobre a pequena mesa encerada abaixo da janela. Prometeu a si mesma escrever para Lars e os pais na primeira oportunidade, contando-lhes tudo o que já tinha visto. Então abraçou a tarefa de se tornar apresentável para sua primeira noite em Christiania.

15

Apartamento 4
Portão de São Olavo, 10
Christiania

24 de setembro de 1875

Kjære *Lars, Mor, Far e Knut,*
 Por favor me perdoem os erros de ortografia e gramática, mas espero que estejam vendo como minha letra melhorou! Faz agora cinco dias que cheguei aqui, e sinto que devo compartilhar meu assombro com a vida na cidade.
 A primeira coisa – espero que não considerem impróprio eu mencionar isso – é que a casa é equipada com um reservado interno com uma correntinha para puxar depois e mandar tudo embora! Há também uma banheira, enchida com água quente para mim duas vezes por semana! Estou com medo de Frøken Olsdatter, a governanta daqui, e Herr Bayer pensarem que tenho alguma doença que me obriga a passar horas dentro da banheira cheia d'água.
 Há também iluminação a gás e um braseiro na sala que parece o altar-mor de uma igreja e irradia tanto calor que muitas vezes tenho a sensação de que vou desmaiar. Frøken Olsdatter organiza a rotina da casa, prepara e serve nossa comida, e temos também uma empregada diarista que vem todas as manhãs limpar o apartamento e lavar e passar as roupas, então devo confessar que mal levanto um dedo em comparação com minhas tarefas em casa.
 Moramos no terceiro andar em uma rua chamada Portão de São Olavo, com uma vista muito bonita para um parque onde os moradores daqui vão caminhar aos domingos. Pelo menos assim posso ver o verde da minha janela, e algumas árvores que estão perdendo as folhas depressa com

a chegada do inverno, mas elas me fazem lembrar muito de casa. *(Aqui é raro encontrar mais do que um pequeno pedaço de terra que não seja todo ocupado por ruas ou casas.)*

Quanto a meus estudos, estou aprendendo a tocar piano. Herr Bayer é muito paciente, mas eu me acho bem burra. Meus dedos pequenos não parecem conseguir se esticar pelas teclas do jeito que ele gostaria.

Mas é melhor eu contar no que consistem os meus dias, assim vocês vão entender melhor. Às oito da manhã, Frøken Olsdatter bate à minha porta e me acorda com uma bandeja de café da manhã. Nessa hora, confesso que me sinto uma princesa. Tomo chá, com cujo gosto estou me acostumando aos poucos, e como o pão branco fresquinho que, segundo Herr Bayer, é a última moda na Inglaterra e na França. Junto vem um vidro de geleia de fruta. Depois do café, visto as roupas que Frøken Olsdatter costurou para mim, muito modernas em comparação com as que uso em casa, e às nove me apresento na sala de estar para começar minha aula de música com Herr Bayer. Durante mais ou menos uma hora, ele me ensina as notas no piano, e depois disso estudamos partituras. Preciso aprender como as notas escritas no papel correspondem às teclas do piano, e aos poucos, graças à excelente didática de Herr Bayer, estou começando a entender. Depois da aula, Herr Bayer sai para a universidade onde leciona ou às vezes vai encontrar amigos para almoçar.

Então vem a parte do meu dia de que mais gosto: a refeição do meio-dia. Um dia depois de eu chegar, Frøken Olsdatter me serviu o almoço sozinha na sala de jantar, onde há uma mesa bem grande que faz eu me sentir ainda mais solitária. *(O tampo, de tão encerado, brilha feito um espelho, e consigo ver meu reflexo nele.)* Depois de comer, peguei meu prato e meu copo e os levei até a cozinha. Frøken Olsdatter pareceu muito chocada e disse que tirar a mesa era trabalho dela. Mas então, com o canto do olho, reparei em outra coisa que nunca tinha visto antes: um grande fogão de ferro preto. Frøken Olsdatter me mostrou como ela consegue colocar panelas em cima desse fogão e acender queimadores de gás embaixo delas para preparar a comida, em vez de fazê-lo diretamente sobre o fogo. Apesar de ser muito diferente da nossa cozinha na fazenda, isso me fez lembrar tanto de casa que implorei a ela que, nos dias em que Herr Bayer não fosse almoçar em casa, me deixasse comer ali com ela. E é assim que temos feito desde então. Conversamos como duas amigas. Ela se mostra muito gentil e compreende o quanto esta nova vida é estranha para mim. À tarde, espera-se que eu descanse no quarto por uma hora com um livro que possa "expandir minha mente". No momento, estou lendo (ou tentando ler) uma tradução para o norueguês das peças de um dramaturgo inglês chamado William Shakespeare. Tenho certeza de que vocês já devem ter ouvido falar nesse nome, mas ele morreu faz tempo, e a primeira peça que li foi sobre um príncipe escocês chamado Macbeth, uma história muito triste. Parece que todo mundo acaba morrendo!

Quando Herr Bayer volta da universidade, eu saio do quarto. Tomamos chá outra vez e ele me conta sobre o seu dia. Na semana que vem, quer me levar ao Teatro de Christiania. Vamos assistir a um balé apresentado por uns russos que, segundo ele me explicou, é uma dança executada ao som de música sem que ninguém fale ou cante (e na qual os homens não usam calças de verdade, mas sim meias-calças, como se fossem mulheres!). Depois do chá, volto para o quarto, onde troco de roupa e ponho o vestido de noite que Frøken Olsdatter fez para mim. Queria que vocês pudessem ver; é lindo de morrer e não se parece em nada com nenhuma roupa que eu já tenha usado antes. No jantar, tomamos um vinho tinto que Herr Bayer manda trazer da França e comemos muito peixe com um molho branco que ele diz ser muito comum aqui em Christiania. Depois do jantar, Herr Bayer acende um charuto, que é fumo enrolado em uma folha de tabaco seca, e toma um conhaque. Nessa hora, eu me recolho ao meu quarto, em geral muito cansada, e sempre encontro ao lado da cama um copo de leite quente.

No domingo, Frøken Olsdatter foi comigo à missa. Herr Bayer disse que iria também, no futuro, mas que dessa vez estava ocupado. A igreja é do tamanho de uma catedral, e havia centenas de fiéis. Como podem ver, minhas experiências são muito diferentes da vida que eu levava em Heddal. No momento, tenho um pouco a sensação de estar vivendo um sonho, de que nada é real, e a minha casa parece muito, muito distante.

Pensei que Herr Bayer tivesse me trazido para Christiania para cantar. A verdade é tudo que fiz até agora foi cantar uma coisa chamada escala em um piano, ou seja, repetir as notas na ordem correta, ascendente, descendente, depois ascendente outra vez, sem letra nenhuma.

Meu endereço está no cabeçalho, e eu ficaria muito grata se vocês pudessem me responder. Desculpem todas as manchas de tinta. Esta é a primeira e a mais longa carta que já escrevi, e me tomou muitas horas. Estou usando a pena que você me deu, Lars, é claro, e a coloquei sobre a escrivaninha para poder vê-la o tempo todo.

Por favor, diga a Mor, Far e meus irmãos que estou com saudades, e espero que possa ler esta carta para eles. Não consigo escrever outra, já que levei tanto tempo, e eles tampouco são muito bons de leitura.

Espero que você esteja bem e seus porcos também.

Anna

Anna releu a carta com dificuldade. Aquele devia ser o 12º rascunho de uma série escrita ao longo dos últimos cinco dias; os outros tinham sido começados e, em seguida, descartados. Ela sabia ter escrito algumas palavras que usara da forma que as pronunciava, e temia que estivessem incorretas. Apesar disso, pensou, Lars preferiria uma carta imperfeita a não receber carta nenhuma. Ela estava louca para contar à família sobre a transformação pela qual sua vida estava passando. Após dobrar a carta com cuidado, levantou-se e captou seu reflexo no espelho. Observou o próprio rosto por alguns segundos.

– Será que eu ainda sou eu? – perguntou à imagem.

Como não recebeu resposta, encaminhou-se para o banheiro.

Mais tarde nessa mesma noite, ao ir para a cama, Anna ficou escutando as vozes e risadas que ecoavam pelo corredor. *Herr* Bayer estava recebendo convidados, de modo que nessa noite Anna não havia jantado com ele na mesa encerada, mas sim sobre uma bandeja levada por *Frøken* Olsdatter, cujo nome de batismo ela agora sabia ser Lise.

– Minha cara jovem, permita que eu lhe explique – dissera-lhe *Herr* Bayer mais cedo, após anunciar que ela não estaria presente no jantar. – Você está progredindo muito bem e muito depressa. Na verdade, mais depressa do que qualquer outro aluno de música que eu já tive a honra de ensinar. Apesar disso, caso eu a apresentasse aos meus convidados, eles com certeza lhe pediriam que cantasse para eles, depois de tudo que eu lhes dissera sobre o seu potencial. E nós não podemos exibi-la antes de você estar completamente formada, que é quando a tiraremos do seu esconderijo para as luzes da glória.

Muito embora Anna já estivesse se acostumando à linguagem elaborada usada por *Herr* Bayer, ficou pensando no que significava "completamente formada". Será que uma terceira mão brotaria do seu braço? Isso sem dúvida a ajudaria nas aulas de piano. Ou quem sabe ela ganharia mais dedos do pé, o que ajudaria com sua postura nada adequada. Essa falha lhe havia sido assinalada naquele mesmo dia por um diretor de teatro que estivera no apartamento durante a tarde. Segundo ele, *Herr* Bayer o havia contratado para ensinar a Anna algo chamado "presença de palco", para quando ela se apresentasse em um teatro. Isso parecia consistir basicamente em manter a cabeça erguida e pressionar os dedos uns contra os outros dentro das botas para garantir que, uma vez atingida a posição desejada, ela não se mexesse mais.

– Então você espera eles terminarem de aplaudir. Faz uma pequena mesura, assim... – O homem havia demonstrado inclinando o queixo até o peito com o braço esquerdo cruzado em frente ao corpo até o ombro direito. – ... para demonstrar apreço pelos aplausos. E começa.

Durante a hora seguinte, o homem tinha lhe pedido que entrasse e saísse da sala e treinasse o mesmo movimento um número exaustivo de vezes. Foi extremamente entediante e muito desanimador, pois ainda que ela não soubesse cozinhar nem costurar, pelo menos pensava saber andar de modo apropriado.

Anna se virou de lado na imensa cama. Sentiu a maciez do travesseiro de pluma sob o rosto e pensou se algum dia se tornaria o que *Herr* Bayer queria que ela fosse.

Como tinha dito a Lars na carta, ela achava que havia sido levada até lá por causa de seu talento para o canto. No entanto, desde que chegara, *Herr* Bayer não tinha lhe pedido para cantar uma canção sequer. Ela entendia que ainda havia muitas coisas a aprender e que seria impossível encontrar um mentor mais paciente. No entanto às vezes tinha a sensação de estar perdendo seu antigo eu, por mais pouco instruído e caipira que fosse. Já se sentia isolada entre dois mundos: uma garota que menos de uma semana antes nunca tinha visto iluminação a gás nem entrado em um banheiro, mas que já se acostumara a ser servida por uma criada, bebia vinho tinto no jantar e comia peixe...

– Ai, meu Deus! – gemeu ela ao pensar no peixe que não acabava mais.

Talvez *Herr* Bayer a considerasse burra a ponto de não perceber suas intenções, mas ela havia entendido rapidamente que ele não a levara para Christiania apenas para treinar sua voz, mas também para transformá-la em uma dama que pudesse ser apresentada como tal. Estava lhe ensinando truques, como faziam com os animais da feira que às vezes passava por Heddal. Ela pensou naquela primeira noite em que *Herr* Bayer foi ao chalé de sua família na montanha e passara muito tempo tecendo elogios à cultura regional norueguesa. Então não conseguia entender muito bem por que ele sentia tanta necessidade de mudá-la.

– Eu não sou um experimento – sussurrou para si mesma com firmeza, entregando-se por fim ao sono.

❆ ❆ ❆

Em uma gelada manhã de outubro, Anna entrou como de hábito na sala de estar para a aula com *Herr* Bayer.

– Minha cara Anna, dormiu bem?

– Sim, muito bem, *Herr* Bayer. Obrigada.

– Ótimo, ótimo. Bem, tenho satisfação em dizer que, hoje, sinto que você está pronta para passar à etapa seguinte. Então vamos começar a cantar, sim?

– Está bem, *Herr* Bayer – retrucou ela, culpada pelos pensamentos negativos que tivera poucas noites antes.

– Está se sentindo bem, Anna? Parece-me um pouco pálida.

– Estou bem.

– Ótimo. Então não vamos perder mais tempo. Quero que cante para mim "Per Spelmann" como fez na primeira noite em que nos conhecemos. Irei acompanhá-la ao piano.

Anna ainda estava tão estupefata com aquele acontecimento inesperado que ficou parada encarando *Herr* Bayer, sem dizer nada.

– Não está pronta?

– Desculpe. Estou, sim.

– Ótimo. Então cante.

Pelos 45 minutos seguintes, Anna repetiu incontáveis vezes a canção que conhecia desde o berço. Em vários momentos, *Herr* Bayer lhe pediu para parar e lhe disse que usasse um pouco mais do que chamava de *vibrato* em uma determinada nota, que sustentasse alguma pausa por mais tempo ou contasse os tempos... Ela se esforçou ao máximo para seguir suas instruções mas, como tinha aprendido a canção 14 anos antes e a cantava da mesma forma desde então, foi muito difícil.

Às onze em ponto, a campainha tocou. Ela ouviu o som de vozes abafadas no corredor, e *Frøken* Olsdatter entrou na sala seguida por um cavalheiro de ar distinto e cabelos escuros, dono de um nariz aquilino e cabelos já ralos na testa. *Herr* Bayer se levantou do piano e foi cumprimentá-lo.

– *Herr* Hennum, obrigado por ter vindo. Esta é *Frøken* Anna Landvik, a moça sobre quem lhe falei.

O cavalheiro se virou para ela e fez uma mesura.

– *Frøken* Landvik. *Herr* Bayer se derramou em elogios à sua voz.

– E agora você vai ouvi-la! – disse *Herr* Bayer voltando ao piano. – Anna, cante como naquela primeira noite nas montanhas.

Anna olhou para ele sem entender. Se ele queria que ela cantasse como antes, por que havia passado uma hora tentando lhe ensinar a cantar diferente? Mas era tarde demais para perguntar: seu professor já estava tocando os primeiros compassos, de modo que ela simplesmente começou a cantar e soltou a voz.

Terminada a canção, olhou para *Herr* Bayer com um ar de expectativa, sem saber se havia cantado bem ou mais ou menos. Lembrara-se de partes do que ele tinha lhe dito, mas não de tudo, e tudo parecia se misturar em sua cabeça.

– O que acha, Johan? – indagou *Herr* Bayer, levantando-se da banqueta.

– Anna é exatamente como você a descreveu. Ou seja, perfeita. É claro que está meio crua, mas talvez seja assim que deva ser.

– Não estava esperando que isso acontecesse tão cedo. Como falei, faz menos de um mês que Anna chegou a Christiania, e acabei de começar a trabalhar a voz dela – respondeu *Herr* Bayer.

Ao ouvir os dois homens conversarem sobre ela e suas habilidades, Anna com certeza se sentiu "crua" como um pedaço de carne de porco prestes a ser jogado na panela de sua mãe.

– Ainda não recebi a partitura definitiva, mas assim que a receber trarei para você e em seguida levarei Anna ao teatro para cantar para *Herr* Josephson. Agora preciso ir. *Frøken* Landvik. – Johan Hennum lhe fez outra mesura. – Foi um prazer ouvir a senhorita cantar, e não tenho dúvida de que eu e muitos outros teremos novas oportunidades de ouvi-la num futuro bem próximo. Bom dia para os dois.

Herr Hennum saiu pela porta, sua capa esvoaçando atrás dele ao caminhar.

– Muito bem, Anna! – disse *Herr* Bayer, que veio em sua direção, segurou seu rosto com as duas mãos e a beijou em ambas as bochechas.

– Por favor, o senhor pode me dizer quem é esse homem?

– Isso agora não importa. Tudo que importa é que temos muito trabalho pela frente para prepará-la.

– Me preparar para quê?

Mas *Herr* Bayer não a estava escutando; olhava para o relógio.

– Tenho que dar uma palestra daqui a meia hora. Preciso sair agora. *Frøken* Olsdatter, traga minha capa imediatamente! – gritou ele. Ao passar por Anna em direção à porta, tornou a sorrir. – Descanse agora, Anna, e quando eu voltar recomeçamos a trabalhar.

❂ ❂ ❂

Embora nas duas semanas seguintes Anna tenha tentado descobrir quem era *Herr* Hennum e qual era seu objetivo, *Herr* Bayer não estava muito aberto a conversas, o que quase a enlouqueceu. O que ela não entendia era por que ele de repente quis que Anna cantasse todas as canções folclóricas que ela sabia, em vez de, como dissera aos seus pais, lhe ensinar a cantar ópera. *De que adianta esse tipo de música aqui na cidade?*, pensou ela, tristonha, andando até a janela um dia na hora do almoço, quando *Herr* Bayer havia saído para uma reunião. Acompanhou com o dedo o desenho das gotas de chuva do lado de fora da vidraça e de súbito sentiu vontade de estar lá fora. No último mês, raramente havia posto o pé na rua, a não ser para ir à igreja no domingo, e estava começando a se sentir como um animal enjaulado. Talvez *Herr* Bayer apenas tivesse esquecido que ela fora criada e passara a vida inteira ao ar livre. Ansiava por um pouco de ar puro, pelos pastos abertos da fazenda dos pais, por espaço para caminhar e correr em liberdade...

– Eu aqui não passo de um animal a ser treinado – declarou à sala vazia logo antes de *Frøken* Olsdatter entrar e avisar que o almoço estava servido. Anna a seguiu até a cozinha.

– O que houve, *Kjære*? Você parece um pequeno arenque que acaba de ser fisgado em um anzol – comentou a governanta enquanto as duas se sentavam e Anna começava a tomar seu caldo de peixe.

– Nada – respondeu a moça, sem querer que a outra questionasse o seu humor.

Ela apenas a acharia mimada e difícil. Afinal de contas, seu lugar naquela casa era muito superior em termos de status e conforto. Mesmo assim, continuou a sentir os olhos atentos e inteligentes de *Frøken* Olsdatter pousados nela.

– Amanhã preciso ir à feira na praça comprar carne e alguns legumes. Gostaria de ir comigo, Anna?

– Ah, sim! Nada me deixaria mais feliz – respondeu ela, tocada pelo fato de a outra mulher ter descoberto exatamente o que havia de errado.

– Então a levarei comigo, e quem sabe encontraremos tempo para dar um passeio no parque antes. *Herr* Bayer estará na universidade amanhã entre nove e meio-dia, depois vai almoçar fora, de modo que teremos tempo de sobra. Será um segredinho só nosso, está bem?

– Sim – assentiu Anna, aliviada. – Obrigada.

Depois disso, as idas à feira passaram a ocorrer duas vezes por semana. Tirando os domingos em que ela ia à missa, esses eram os dias pelos quais Anna mais ansiava.

No fim de novembro, Anna se deu conta de que já fazia mais de dois meses que estava em Christiania. No calendário improvisado que fizera, estava contando os dias até poder voltar a Heddal para passar o Natal em casa. Mas pelo menos havia nevado em Christiania, o que a tinha alegrado um pouco. As mulheres que passeavam pelo parque do outro lado da rua agora usavam casacos de pele e chapéus, e protegiam as mãos dentro de regalos também de pele, o que para Anna eram uma moda muito burra, pois se a pessoa quisesse coçar o nariz ficaria com os dedos congelados.

No apartamento, pouca coisa havia mudado em sua rotina diária, embora na semana anterior *Herr* Bayer tivesse lhe dado um exemplar de *Peer Gynt*, de *Herr* Ibsen, e lhe dito para ler.

– Ah, mas eu já li esse livro – respondera ela com prazer.

– Então melhor ainda. Isso vai ajudá-la na segunda leitura.

Na primeira noite, ela havia posto o livro de lado, pensando que era um desperdício de tempo fazer o que *Herr* Bayer lhe pedira quando já sabia o que acontecia no final. Na manhã seguinte, contudo, ele a arguiu sobre detalhes das primeiras cinco páginas do poema e, praticamente incapaz de se lembrar de qualquer coisa, ela mentiu sem convicção e disse que na noite anterior tivera uma forte dor de cabeça e fora dormir cedo. Então releu o livro e na verdade ficou contente consigo mesma ao constatar quanto suas habilidades de leitura haviam melhorado desde o verão. As palavras que não conseguia decifrar agora eram poucas, e se alguma delas constituísse um problema *Herr* Bayer tinha grande prazer em ajudá-la. Mas Anna não fazia a menor ideia do que aquele poema poderia ter a ver com seu futuro ali em Christiania.

❖ ❖ ❖

– Minha *kjære* Anna, ontem à noite finalmente recebi a partitura que estava aguardando *Herr* Hennum me mandar! Vamos começar a trabalhar nela agora mesmo.

Embora não fizesse ideia de qual era a música, Anna pôde constatar o grande entusiasmo de seu mentor ao sentar-se na banqueta do piano.

– E pensar que temos uma cópia disto nas mãos! Venha, Anna, fique em pé ao meu lado, vou tocar para você.

Anna fez o que ele mandava e espiou a música com interesse.

– "Canção de Solveig" – murmurou, lendo o título da música no alto da página.

– Isso mesmo, Anna. E você vai ser a primeira a cantá-la! O que me diz, hein?

Ela já havia aprendido que a essa pergunta, repetida muitas vezes por *Herr* Bayer, sempre deveria responder na afirmativa.

– Que estou muito feliz.

– Ótimo, ótimo. Esperava-se que *Herr* Grieg em pessoa viesse a Christiania ajudar a orquestra e os cantores com esta sua nova composição, mas infelizmente seus pais faleceram faz pouco tempo e ele ainda está de luto. Por isso não se sente capaz de fazer a viagem desde Bergen.

– Quem escreveu isto foi *Herr* Grieg? – indagou Anna com um arquejo.

– Sim, ele mesmo. *Herr* Ibsen lhe pediu que escrevesse a música de acompanhamento para sua montagem de *Peer Gynt* nos palcos, que vai estrear no Teatro de Christiania em fevereiro. Minha cara jovem, tanto *Herr* Hennum, aquele senhor que você conheceu algumas semanas atrás e que é o estimado maestro da nossa orquestra, quanto eu pensamos que quem deve cantar o papel de Solveig é você.

– *Eu?*

– Sim, Anna, *você*.

– Mas... eu nunca pisei num palco na vida! Quanto mais o palco mais famoso da Noruega!

– E é justamente isso o melhor de tudo, minha cara menina. *Herr* Josephson, o diretor do teatro e dessa montagem, já escalou uma atriz de renome para o papel de Solveig. O problema, como *Herr* Hennum mencionou recentemente, é que ela pode até ser uma grande atriz, mas quando abre a boca para cantar parece um gato escaldado. Então precisamos de uma voz pura, de alguém que fique na coxia cantando enquanto Madame Hansson dubla as palavras desta canção e de uma outra. Entendeu agora, minha cara?

Anna tinha entendido, *sim*, e não pôde deixar de sentir uma pontada de decepção ao pensar que não seria *vista* e que a atriz da voz de gato escaldado fingiria que o canto de Anna era seu. Apesar disso, o fato de o regente do famoso Teatro de Christiania ter sua voz em tão alta conta a ponto de emprestá-la a Madame Hansson era um enorme elogio. E ela não queria parecer ingrata.

– Essa oportunidade é mesmo maravilhosa – prosseguiu *Herr* Bayer. – Nada foi definido ainda, claro. Precisamos que você se apresente para *Herr* Josephson, o diretor da peça, para ver se ele acha que a sua voz transmite o verdadeiro espírito de Solveig. A sua interpretação das canções precisa ter tanta emoção, tanto sentimento, que ninguém na plateia ficará sem derramar uma lágrima. Na verdade, *Herr* Hennum me disse que a sua voz vai ser a última coisa que a plateia vai ouvir antes de o pano cair. *Herr* Josephson concordou em nos receber na tarde de 23 de dezembro, logo antes de viajar para o Natal. Nesse dia ele vai tomar sua decisão.

– Mas eu vou viajar para Heddal no dia 21! – protestou Anna, sem conseguir se conter. – E se tiver que esperar aqui até a tarde do dia 23, não poderei chegar a tempo do Natal. A viagem leva quase dois dias. Eu... *Herr* Josephson não pode nos encontrar outro dia?

– Anna, você precisa entender que *Herr* Josephson é um homem muito ocupado, e já é uma honra em si ele ter nos concedido sequer um minuto do seu tempo. Entendo perfeitamente que você não goste da ideia de passar as festas aqui comigo, mas essa também talvez seja a melhor oportunidade que terá de mudar o seu futuro para sempre. Haverá muitos outros Natais com sua família, mas só essa chance de garantir o papel de Solveig em uma peça na qual o dramaturgo e o compositor mais proeminentes da Noruega pela primeira vez juntaram suas habilidades! – Em um raro momento de frustração, *Herr* Bayer balançou a cabeça. – Anna, você precisa entender o que isso poderia significar para a sua vida. E, se não conseguir compreender, então sugiro que volte para casa agora mesmo e vá cantar para suas vacas, e não para o público na noite de estreia no Teatro de Christiania, em uma apresentação que sem dúvida vai entrar para a história. Então, vai tentar cantar a música ou não?

Sentindo-se tão pequena e ignorante quanto *Herr* Bayer queria, Anna assentiu devagar.

– Sim, *Herr* Bayer. Claro.

Nessa noite, porém, foi dormir chorando. Mesmo que estivesse "fazendo história", como *Herr* Bayer dissera, a ideia de não passar o Natal com a família era demais para ela suportar.

16

Christiania
16 de janeiro de 1876

— Jens! Você ainda está vivo?! – Jens Halvorsen foi acordado de forma abrupta pela voz da mãe que vinha do outro lado da porta. – Dora me disse que você talvez tivesse morrido durante o sono, porque passou a manhã inteira sem dar sinal de vida!

Com um suspiro, Jens se levantou da cama e observou no espelho seu reflexo desgrenhado e ainda vestido da cabeça aos pés.

– Desço para o café daqui a dez minutos – respondeu pela porta fechada.

– Nós vamos almoçar agora, Jens. Você já perdeu o café!

– Já estou indo.

Como fazia todas as manhãs, Jens examinou com atenção a cabeleira castanho-escura ondulada para ver se havia surgido algum cabelo branco. Aos 20 anos, sabia que isso não era algo com que devesse se preocupar. No entanto, como os cabelos de seu pai aparentemente haviam ficado brancos da noite para o dia aos 25 anos, decerto por causa do choque de ter se casado com sua mãe nesse mesmo ano, Jens acordava todas as manhãs com medo.

Dez minutos depois, vestido com roupas limpas, ele apareceu na sala de jantar conforme o prometido e beijou a mãe Margarete no rosto antes de ocupar seu lugar à mesa. Dora, a jovem serviçal, começou a servir o almoço.

– Mil perdões, *Mor*. Tive uma dor de cabeça terrível, e não consegui sair da cama hoje de manhã. Ainda estou meio enjoado.

Na mesma hora, a expressão irritada de sua mãe se desfez, sendo substituída por uma de preocupação. Ela estendeu a mão por sobre a mesa para tocar a testa do rapaz.

– Você está mesmo um pouco quente. Será que está com febre? Meu pobre menino, será que consegue almoçar ou prefere que Dora lhe sirva uma bandeja na cama?

– Tenho certeza de que consigo almoçar, mas peço que me perdoe se não comer muito.

Na verdade, Jens estava morrendo de fome. Na noite anterior, havia encontrado alguns amigos em um bar, e eles tinham terminado a noite em um bordel perto do porto, o que proporcionara à noitada um final altamente satisfatório. Ele havia exagerado no *aquavit* e tinha apenas uma vaga lembrança da carruagem que o trouxera para casa e de como havia passado mal na sarjeta ali perto. E depois disso, por causa da neve gelada acumulada em uma grossa camada nos galhos, das muitas tentativas fracassadas de subir a árvore que dava na janela do seu quarto, que Dora sempre deixava aberta para ele nas vezes em que ficava fora até tarde.

Portanto, raciocinou consigo mesmo, sua história não era exatamente mentira. Ele havia *mesmo* se sentido muito mal naquela manhã, e as tímidas tentativas de Dora para acordá-lo não tinham conseguido tirá-lo do sono. Sabia que a empregada era apaixonada por ele, e por isso era cúmplice em suas farsas sempre que ele lhe pedia.

– É uma pena você ter saído ontem à noite, Jens. Convidei para jantar meu bom amigo *Herr* Hennum, o maestro da orquestra de Christiania – falou Margarete, interrompendo seus pensamentos.

Sua mãe era uma grande patrocinadora das artes e usava o "dinheiro da cerveja" de seu pai, como os dois costumavam dizer quando estavam sozinhos, para financiar sua paixão.

– E a noite foi agradável?

– Foi, sim. Como tenho certeza de que já lhe contei, *Herr* Grieg escreveu uma linda trilha musical para acompanhar o maravilhoso poema *Peer Gynt* de *Herr* Ibsen.

– Sim, *Mor*. Você me contou.

– A estreia será em fevereiro, mas infelizmente *Herr* Hennum me disse que a orquestra atual não está à altura das expectativas de *Herr* Grieg, nem das dele, aliás. Parece que as composições musicais são complexas e precisam ser tocadas por uma orquestra segura e experiente. *Herr* Hennum está à procura de músicos de talento capazes de tocar mais de um instrumento. Falei com ele sobre seus dotes no piano, no violino e na flauta, e ele pediu que você fosse ao teatro tocar para ele.

Jens engoliu um pedaço do peixe-gato trazido especialmente do litoral oeste norueguês.

– *Mor*, no momento estou estudando química na universidade, de modo a me qualificar para assumir a cervejaria da família. Você sabe muito bem que *Far* não me deixaria largar tudo para tocar em uma orquestra. Na realidade, ficaria furioso.

– Talvez, se fosse um fato consumado, ele cedesse – falou ela baixinho.

– Está me pedindo para mentir? – Jens se sentiu subitamente enjoado como fingira estar mais cedo.

– Estou dizendo que, quando você completar 21 anos, será um homem e poderá fazer as próprias escolhas, independentemente do que os outros pensam. Na orquestra você receberia um salário, ainda que não alto, que lhe daria alguma independência financeira.

– Faltam sete meses para o meu aniversário, *Mor*. Por enquanto ainda sou dependente do meu pai e lhe devo obediência.

– Jens, por favor. *Herr* Hennum vai estar no teatro amanhã à uma e meia da tarde para ouvi-lo tocar. Eu lhe imploro, pelo menos encontre-se com ele. Nunca se sabe o que pode acontecer.

– Não estou me sentindo bem – disse o rapaz, levantando-se de forma abrupta. – Me perdoe, *Mor*, mas vou para o quarto me deitar.

Margarete observou o filho atravessar a sala, abrir a porta e batê-la atrás de si. Levou os dedos à cabeça e sentiu as têmporas latejarem. Entendia o que havia provocado a saída de Jens e deu um suspiro, culpada.

Desde que o filho era bem pequeno, ela o sentava em seu colo e lhe ensinava as notas do piano. Uma de suas mais agradáveis e duradouras lembranças da infância dele era ver seus dedos gordinhos voarem por cima das teclas de marfim. Seu maior desejo era que o filho único herdasse o talento musical que ela própria tinha, mas cujo potencial pleno jamais havia atingido devido ao casamento com o pai de Jens.

Jonas Halvorsen, seu marido, não era uma alma artística; tudo que lhe interessava era saber quantos *kroner* havia no livro-caixa da Cervejaria Halvorsen. Desde o início do casamento, ele desencorajava a paixão da esposa pela música, e o mesmo valia, com mais ênfase ainda, para o filho. Ainda assim, enquanto Jonas estava no trabalho, Margarete insistira em desenvolver o talento do menino, e aos 6 anos Jens já tocava sem esforço algumas sonatas desafiadoras para qualquer aluno com três vezes a sua idade.

Quando Jens tinha 10 anos, contrariando o marido, ela organizara um recital em casa e convidara a nata da cena musical de Christiania. Todos que haviam escutado o menino tocar ficaram encantados e fizeram grandes previsões para o seu futuro.

– Quando ele tiver idade, precisa ir para o Conservatório de Leipzig expandir seu conhecimento e suas habilidades, pois você sabe que as oportunidades aqui em Christiania são limitadas – comentara Johan Hennum, na época recém-empossado regente da orquestra da cidade. – Com a formação certa, ele tem um grande potencial.

Margarete havia repetido isso para o marido, que respondera com uma risadinha cruel.

– Minha cara esposa, entendo quanto você anseia para que seu filho se torne um músico famoso, mas, como você bem sabe, Jens vai entrar para a empresa da família quando completar 21 anos. Meus antepassados e eu não gastamos 150 anos construindo nosso negócio para ele ser vendido em meu leito de morte a algum dos meus concorrentes. Se Jens quiser brincar com seus instrumentos enquanto for jovem, é claro que não vejo problema algum. Mas a música não é carreira para um filho meu.

Margarete, porém, não se deu por vencida. Ao longo dos anos seguintes, continuou ensinando Jens a tocar, não só piano, mas também violino e flauta, sabendo que, para integrar uma orquestra, um músico precisava dominar mais de um instrumento. Ensinara-lhe também alemão e italiano, dois idiomas que, conforme acreditava, o ajudariam a lidar com obras para orquestra e óperas mais complexas.

O pai de Jens continuara a ignorar obstinadamente os lindos sons que saíam da sala de música e ecoavam pela casa. O único momento em que Margarete conseguia forçá-lo a escutar o filho era quando Jens tocava a rabeca *hardanger*. Às vezes ela incentivava o rapaz a tocar para o pai depois do jantar, e via o semblante de Jonas, depois de várias taças de bom vinho francês, relaxar com um sorriso sonhador enquanto ele cantarolava uma conhecida canção folclórica junto com o instrumento.

No entanto, apesar da indiferença do marido em relação ao talento de Jens e sua insistência de que essa jamais poderia ser a carreira do filho, Margarete continuava acreditando que seria possível encontrar uma saída quando Jens ficasse mais velho. Mas então o menininho que havia se dedicado com tanto afinco às aulas de música começou a crescer, e Jonas assumiu a sua criação. Em vez das duas horas diárias de música, Jens passou a acompanhar o pai na cervejaria para supervisionar a produção ou a contabilidade.

A situação havia se cristalizado três anos antes, quando Jonas insistira para o filho estudar química na universidade, o que, segundo ele, o qualificaria para trabalhar na cervejaria, muito embora Margarete houvesse implorado de joelhos ao marido que deixasse Jens ir estudar no Conservatório de Leipzig.

– Ele não tem paixão alguma pela química ou pelos negócios, e tem muito talento para a música! – insistira ela.

Jonas a havia encarado com frieza.

– Eu fiz sua vontade até agora, mas Jens não é mais criança e precisa entender quais são as suas responsabilidades. Ele vai ser a quinta geração dos Halvorsens a administrar nossa cervejaria. Se você achou que as suas aspirações musicais para nosso filho um dia dariam em alguma coisa, estava iludida. O semestre na universidade começa em outubro. Assunto encerrado.

❂ ❂ ❂

– Por favor, *Mor*, não chore – dissera Jens à mãe arrasada logo após escutar a notícia. – Eu nunca esperei algo diferente disso.

Justo como Margarete tinha previsto, ao ser forçado a substituir a música por um tema para o qual não tinha a menor aptidão ou interesse, Jens vinha se dedicando bem pouco à universidade. Mais perigoso ainda era que sua animação natural e seu temperamento destemido haviam começado a desviá-lo do bom caminho.

Como tinha o sono leve e acordava com o menor barulho, Margarete sabia que o filho muitas vezes só chegava em casa de madrugada. Jens tinha um grande círculo de amigos, todos atraídos por sua *joie de vivre* e por seu charme natural. Ela via que o filho era muito generoso, tanto que muitas vezes a procurava no meio do mês dizendo ter gastado a mesada inteira do pai em presentes ou empréstimos para este ou aquele amigo, perguntando-lhe se ela poderia dar um jeito de lhe arrumar algum dinheiro.

Margarete muitas vezes sentia em seu hálito um cheiro rançoso de álcool, e havia considerado a possibilidade de que o excesso de bebida também tivesse seu papel no esvaziamento de seus bolsos. Desconfiava, ainda, que aquelas aventuras noturnas do filho envolvessem mulheres. Na semana anterior mesmo, tinha visto uma mancha de batom em seu colarinho. Mas isso pelo menos ela podia entender: como bem sabia, todos os homens jovens, e até mesmo os mais velhos, tinham suas necessidades. Era apenas a natureza masculina.

Na sua cabeça, o problema era bem simples: diante da perspectiva de um futuro que não desejava e sem a música que tanto amava, Jens estava insatisfeito e recorria à bebida e às mulheres para afogar as mágoas. Margarete se levantou da mesa rezando para que o filho fosse encontrar *Herr* Hennum no dia seguinte. Em sua opinião, isso era a única coisa que poderia salvá-lo.

❀ ❀ ❀

Enquanto isso, deitado em sua cama no andar de cima, Jens pensava praticamente a mesma coisa que a mãe. Percebera fazia tempo que sua carreira na música jamais seria uma realidade. Dali a alguns meses, sairia da universidade e assumiria seu posto na cervejaria do pai.

Pensar isso o deixava apavorado.

Não sabia ao certo de qual dos dois sentia mais pena: se do pai, escravo de sua conta bancária e das intermináveis maquinações de sua bem-sucedida cervejaria, ou se da mãe, que havia proporcionado à união uma estirpe das mais bem-vindas, mas sofria de ansiedade e estava insatisfeita com a vida. Jens podia ver com clareza que aquele casamento não passava de um acordo firmado com o objetivo de um ganho mútuo. O problema era que ele, como único descendente, acabava sempre sendo usado como peão nesse jogo de xadrez emocional. Já tinha aprendido há muito tempo que não podia vencer. E ultimamente não ligava muito para isso.

Nesse dia, porém, sua mãe tinha razão. Ele era *quase* maior de idade. E se fosse *mesmo* possível reinventar o sonho pelo qual tanto havia se esforçado quando menino?

Quando ouviu a mãe sair depois do almoço, Jens desceu sem fazer barulho e, num impulso, entrou na sala de música onde ela até hoje dava aulas a alunos ocasionais.

Sentou-se na banqueta diante do lindo piano de cauda, seu corpo adotando automaticamente a postura correta. Ergueu o tampo de madeira lisa e deixou os dedos deslizarem pelas teclas. Ocorreu-lhe que devia fazer mais de dois anos que não tocava. Começou com a sonata *Pathétique*, de Beethoven, que sempre fora uma de suas preferidas, e se lembrou dos ensinamentos pacientes da mãe e da facilidade com que a havia aprendido.

– Você precisa tocar com o corpo inteiro – dissera-lhe ela certa vez. – O corpo, o coração e a alma: essas são as marcas de um músico de verdade.

Jens foi tocando e perdeu a noção do tempo. À medida que a música enchia a sala, esqueceu as dificuldades das aulas de química que tanto detestava e o futuro que temia, e se permitiu desaparecer na música gloriosa, como fazia antigamente.

Quando a última nota reverberou pela sala, percebeu que a simples alegria de tocar lhe trouxera lágrimas aos olhos. Então tomou a decisão de encontrar *Herr* Hennum no dia seguinte.

❊ ❊ ❊

À uma e meia da tarde do dia seguinte, Jens sentou-se em outra banqueta, no fosso de orquestra vazio do Teatro de Christiania.

– Então, *Herr* Halvorsen. A última vez em que o ouvi tocar faz dez anos. Sua mãe me disse que desde então o senhor se tornou um músico excepcional – disse Johan Hennum, o admirado maestro.

– Minha mãe é um pouco parcial, senhor.

– Ela também disse que o senhor nunca estudou em um conservatório de música.

– Infelizmente, não. Passei os últimos dois anos e meio estudando química na universidade. – Jens já podia sentir que o regente achava que estava perdendo tempo. Decerto aceitara recebê-lo como um favor a Margarete, em troca de suas generosas contribuições para as artes. – Mas devo acrescentar que minha mãe me deu aulas por muitos anos. Como o senhor sabe, ela é uma professora muito respeitada.

– De fato. Mas diga-me, dos quatro instrumentos que sua mãe me disse que o senhor sabe tocar, qual considera o seu principal?

– Com certeza meu preferido é o piano, mas sinto-me capaz de tocar de modo igualmente honrado violino, flauta e rabeca *hardanger*.

– Não há piano na composição de *Herr* Grieg para *Peer Gynt*, mas estamos procurando um segundo violinista e um outro flautista. Tome. – Hennum lhe entregou algumas partituras. – Veja se consegue entender a parte da flauta, e daqui a pouco eu volto para ouvi-lo tocar. – O maestro lhe acenou com a cabeça e desapareceu por uma porta debaixo do palco.

Jens passou os olhos pela partitura: "Prelúdio ao Ato IV: Amanhecer". Tirando a flauta de seu estojo, ele a montou. O frio no teatro era quase tão intenso quanto a temperatura abaixo de zero do lado de fora, então Jens esfregou os dedos dormentes com vigor para tentar fazer o sangue circular. Ele levou o instrumento aos lábios e ensaiou as primeiras seis notas...

– Muito bem, *Herr* Halvorsen. Vamos ver como se saiu? – disse Johan Hennum voltando de modo brusco cinco minutos depois, ao reaparecer no fosso da orquestra.

Jens sentiu que precisava impressionar aquele homem, se mostrar à altura da tarefa que tinha diante de si. Agradecendo a Deus por ser bom em leitura à primeira vista – o que sempre lhe permitira convencer a mãe de que havia ensaiado mais do que na realidade havia – começou a tocar. Em poucos segundos, ficou totalmente imerso naquela música envolvente, diferente de tudo que já tinha escutado. Ao terminar, baixou a flauta dos lábios e olhou para Hennum.

– Nada mau para uma primeira tentativa. Nada mau mesmo. Agora pegue isto aqui – disse ele, entregando-lhe outra partitura. – É a parte do primeiro violino. Veja o que consegue fazer com ela.

Jens tirou o violino do estojo e o afinou. Então passou alguns minutos estudando a música e ensaiando as notas baixinho antes de começar.

– Muito bem, *Herr* Halvorsen. Sua mãe não estava errada ao descrever o seu talento. E admito que estou surpreso. O senhor com certeza tem uma excelente leitura à primeira vista, o que será essencial nas próximas semanas, enquanto eu estiver reunindo os membros um tanto díspares da orquestra. Não terei tempo para cuidar de cada um individualmente. E vou logo avisando: tocar em uma orquestra é muito diferente de ser solista. O senhor levará tempo para se acostumar, e devo lhe avisar que não vou tolerar nenhum desleixo dos meus músicos. Em geral seria reticente em contratar um novato, mas a necessidade exige. Gostaria que o senhor começasse daqui a uma semana. O que me diz?

Jens só fez encará-lo, pasmo com o fato de aquele homem pelo visto estar lhe oferecendo uma posição. Tinha certeza absoluta de que a sua falta de experiência provocaria uma resposta negativa. Mas, pensando bem, todos sabiam que os membros da orquestra de Christiania constituíam uma mistura heterogênea, pois a cidade não tinha uma escola de música de verdade e eram poucos os talentos disponíveis. Segundo sua mãe, um menino de 10 anos já havia tocado na orquestra.

– Acho que seria uma honra fazer parte da sua orquestra em uma estreia tão importante – pegou-se respondendo.

– Nesse caso, estou feliz por tê-lo comigo, *Herr* Halvorsen. O senhor tem as características de um grande músico. Mas a remuneração é bem modesta, o que não creio que será um problema para o senhor. Os ensaios nas próximas semanas serão longos e difíceis. Além disso, como talvez já tenha percebido, as instalações aqui não são nada confortáveis. Sugiro que use roupas quentes.

– Sim, senhor. Usarei.

– O senhor mencionou que está atualmente cursando a universidade. Suponho que esteja disposto a colocar seu emprego na orquestra na frente das aulas.

– Estou – respondeu Jens, sabendo muito bem o que o pai diria em relação a isso, mas decidindo que, já que fora sua mãe quem o pusera naquela situação para começo de conversa, cabia a ela resolver qualquer objeção que surgisse em casa.

Aquele era o seu caminho rumo à liberdade, e ele o estava agarrando.

– Queira por favor dizer à sua mãe que estou grato por ela tê-lo mandado aqui.

– Sim, senhor. Direi.

– Os ensaios começam na semana que vem, então. Nos vemos na segunda de manhã bem cedo, às nove. E agora preciso sair à cata de um fagotista decente, que nem por um decreto estou conseguindo encontrar neste fim de mundo que é a nossa cidade. Tenha um bom dia, *Herr* Halvorsen. O senhor sabe onde fica a saída.

Jens observou o maestro deixar o fosso da orquestra; estava atordoado com a súbita reviravolta que sua vida acabara de dar. Virou-se e olhou para a melancólica plateia. Já fora àquela sala muitas vezes com a mãe, assistir a concertos e óperas, mas ali, sentado na banqueta do piano, sentiu de repente uma pressão imensa. Nos últimos tempos, sabia que estivera empurrando com a barriga, vivendo apenas um dia após o outro, com medo do dia da formatura e de seu futuro na cervejaria.

Pouco antes, porém, quando estava tocando a linda composição nova de

Herr Grieg, sentira uma centelha do antigo entusiasmo. Quando era mais jovem, costumava ficar deitado na cama pensando em melodias, para executá-las ao piano na manhã seguinte. Embora nunca as houvesse escrito, o que realmente o inspirava era compor as próprias músicas.

Agora, à pouca luz do fosso da orquestra, levou os dedos gelados às teclas do piano de cauda e tentou recordar as melodias que compusera quando menino. Uma delas, em especial, tinha estrutura semelhante à da mais recente composição de Grieg e lembrava as canções folclóricas do passado. Jens começou a tocá-la de cabeça para o teatro vazio.

17

Stalsberg Våningshuset
Tindevegen
Heddal

14 de fevereiro de 1876

Kjære Anna,
Obrigado pela sua última carta. Como sempre, além de informativas, suas descrições da vida em Christiania são muito divertidas. Elas sempre me fazem sorrir. Saiba que a sua caligrafia e ortografia estão cada vez melhores. Aqui em Heddal tudo segue igual, como sempre foi. O Natal foi o de sempre, só que pior por você não estar aqui para celebrá-lo conosco. Como sabe, esse é o período mais frio e mais escuro do ano, e não são só os animais que hibernam, nós humanos também. A neve durou mais e foi mais abundante do que o normal, e eu descobri uma goteira no telhado da sede de nossa fazenda que vai me obrigar a substituir a relva da cobertura antes de a neve derreter com a primavera, ou teremos um lago dentro de casa no qual poderemos até patinar. Segundo meu pai, o telhado não é trocado desde que ele nasceu, então pelo menos nos prestou um bom serviço. Knut prometeu me ajudar na primavera, e estou grato por isso.

Falando nisso, ele andou cortejando uma moça de um vilarejo perto de Skien. Ela se chama Sigrid e é doce e bonita, ainda que um pouco calada. A boa notícia é que os seus pais gostaram dela. Os sinos de um casamento vão soar na igreja de Heddal neste verão. Rezo para que você possa voltar para assistir à cerimônia.

É difícil acreditar que você vai participar da estreia nos palcos do meu poema preferido de Ibsen, com música composta especialmente por Herr Grieg em pessoa. Já viu Herr Ibsen no teatro? Com certeza ele vai aparecer *para verificar se a peça está a seu contento, embora eu ache que more na Itália atualmente. Você talvez não tenha tempo de escrever de novo antes da noite de estreia, já que faltam só dez dias, e imagino que esteja muito ocupada com os ensaios. Então desejo muito boa sorte a você e à sua linda voz.*

Com admiração, seu Lars

P.S. Mando também um de meus poemas, que já enviei junto com alguns outros para um editor chamado Scribner, em Nova York, nos Estados Unidos. Eu o traduzi de volta para o norueguês para você.

Anna leu o poema, intitulado "Ode a uma bétula prateada". Como não fazia ideia do que fosse uma "ode", correu os olhos pelas estrofes depressa, sem conseguir reconhecer muitas das palavras rebuscadas, em seguida pousou a carta junto ao prato para continuar o desjejum. Desejava ter uma vida empolgante como Lars imaginava. Até agora, só tinha ido ao Teatro de Christiania duas vezes: a primeira logo antes do Natal, para se apresentar a *Herr* Josephson, quando ficara combinado que ela de fato cantaria a parte de Solveig, e a segunda na semana anterior, quando os atores haviam feito o primeiro ensaio no palco para Anna poder assistir das coxias e entender a peça.

Sofrendo as consequências da avaliação equivocada de que um lugar importante como um teatro fosse ter calefação, Anna havia passado o dia sentada em um banquinho, fustigada pelo forte vento das coxias, e quase morrera de tanto frio. Os atores só conseguiram interpretar os primeiros três atos antes de uma crise irromper. Henrik Klausen, que fazia o papel de Peer, tropeçou no pedaço de tecido azul debaixo do qual dez menininhos ajoelhados se moviam para dar a impressão de que seu personagem atravessava um mar revolto. Sofreu uma grave torção no tornozelo e, como sem o protagonista não havia peça, os ensaios foram suspensos.

Depois disso, Anna pegou uma gripe feia e passou quatro dias na cama, enquanto *Herr* Bayer cacarejava feito uma velha galinha cuidando dos pintinhos, preocupado com sua voz rouca.

– E só uma semana antes da estreia! – grunhiu ele. – Realmente, essa gripe não poderia ter vindo em pior hora. Minha jovem, você precisa tomar o máximo de mel que conseguir. Vamos torcer para isso conseguir reparar as suas cordas vocais a tempo.

Mais cedo nesse dia, depois da dose obrigatória de mel – de tanto tomar mel, sua sensação era de que iria criar asas e seu corpo se cobrir de listras amarelas e pretas –, Anna havia se arriscado a cantar algumas escalas, e *Herr* Bayer parecera aliviado.

– Sua voz está voltando, graças a Deus. Madame Thora Hansson, a atriz que vai interpretar Solveig, chegará daqui a pouco para vocês duas poderem ensaiar juntas os momentos em que ela vai dublar a sua voz. É uma grande honra ela ter aceitado vir até aqui por você estar indisposta. Como sabe, ela é uma das atrizes mais famosas da Noruega e tem a reputação de ser a preferida de *Herr* Ibsen – acrescentou *Herr* Bayer.

Às dez e meia, Thora Hansson fez uma irrupção de efeito no apartamento com sua linda capa de veludo debruada de pele. Em meio a uma nuvem de forte perfume francês, entrou na sala onde Anna a esperava, nervosa.

– *Kjære*, perdão por não chegar perto, mas mesmo que *Herr* Bayer diga que não há perigo, não posso me dar ao luxo de pegar uma gripe.

– É claro, Madame Hansson – disse Anna, fazendo-lhe uma mesura.

– Pelo menos hoje de manhã não vou usar a voz – emendou ela sorrindo. – Pois quem vai produzir o som celestial é você. Vou apenas abrir e fechar a boca e representar visualmente as lindas canções de *Herr* Grieg.

– Sim, Madame.

Enquanto *Herr* Bayer entrava e começava a se agitar para acomodar Madame Hansson, Anna observou a atriz. No teatro, só a vira de longe e imaginara que ela fosse mais velha. No entanto, de perto, pôde ver que Madame Hansson na realidade era jovem, talvez apenas uns poucos anos mais velha do que ela própria. Era lindíssima, dona de traços delicados e de uma farta cabeleira castanho-escura. Anna precisou se esforçar para acreditar que, mesmo vestida com trajes típicos, aquela sofisticada jovem conseguiria convencer alguém de ser uma camponesa das montanhas.

Uma camponesa igual a ela...

– Certo, vamos começar? *Poco a poco*, Anna – recomendou *Herr* Bayer. – Não queremos forçar sua voz que ainda está se recuperando. Então, se estiver pronta, Madame Hansson, começaremos com a "Canção de Solveig", depois passaremos à "Canção do berço".

As duas passaram o resto da manhã ensaiando o que no fundo era um dueto, embora uma das cantoras ficasse muda. Em vários momentos, Anna pôde sentir a frustração da atriz quando ela abria a boca na hora errada e a voz de Anna entrava no tempo seguinte. Madame Hansson sugeriu que ela saísse da sala, para *Herr* Bayer poder avaliar melhor se a plateia realmente acreditaria que era ela cantando. Em pé na corrente de ar do corredor, com a cabeça latejando e a garganta agora outra vez irritada de tanto cantar, Anna começou a odiar aquelas canções. Precisava respeitar rigorosamente a mesma duração das notas e pausas para a outra saber o momento exato de abrir e fechar a boca. Parte do que lhe agradava no canto era interpretar uma canção de modo diferente a cada vez para a plateia, fosse esta composta de pessoas ou apenas de vacas. Algo que, pensando bem, parecia bem melhor do que cantar para uma porta, como estava fazendo agora.

Depois de algum tempo, *Herr* Bayer bateu uma palma.

– Acho que conseguimos. Muito bem, Madame Hansson. Anna, por favor, entre.

Anna entrou e Madame Hansson se virou para ela, sorrindo:

– Acho que vai funcionar muito bem. Só me prometa cantar de modo idêntico todas as noites, sim, querida?

– Claro, Madame Hansson.

– Anna, você está meio pálida. Acho que o esforço desta manhã a deixou cansada. Vou avisar a *Frøken* Olsdatter que você vai descansar um pouco, e ela lhe servirá o almoço no quarto e lhe dará mais mel para melhorar sua voz.

– Sim, *Herr* Bayer – disse Anna, obediente.

– Obrigada, Anna. Sem dúvida nos veremos no teatro nos próximos dias – disse Madame Hansson, lhe abrindo um sorriso encantador, e Anna fez outra mesura antes de se recolher ao quarto.

Apartamento 4
Portão de São Olavo, 10
Christiania

23 de fevereiro de 1876

Kjære *Lars,* Mor, Far e *Knut,*

Escrevo às pressas, pois hoje é o dia do ensaio geral e amanhã é a estreia de Peer Gynt. *Queria tanto que vocês pudessem estar aqui para essa ocasião... mas entendo que o custo torna essa visita impossível.*

Estou animada, mas também um pouco nervosa. Herr Bayer me mostrou que todos os jornais estão cheios de notícias sobre amanhã e que houve até boatos de que o rei e a rainha virão para assistir do camarote real.

(Pessoalmente, duvido: eles moram na Suécia, e até para a família real seria uma longa viagem só para assistir a uma peça, mas essa é a fofoca que anda correndo por aqui.) Dentro do teatro, a atmosfera está tensa. Herr Josephson, o diretor, acha que vai ser um desastre, pois ainda não conseguimos passar a peça inteira sem ter que parar durante horas para resolver algum problema técnico. E Herr Hennum, o maestro, de quem gosto muito e que antes sempre me pareceu calmo, não para de gritar com a orquestra porque os músicos não contam os tempos.

Vocês acreditam que até agora não cantei a "Canção do berço" no teatro porque ainda não conseguimos chegar ao final da peça? Herr Hennum me garantiu que isso vai acontecer hoje sem falta.

Enquanto isso, passo meu tempo com as crianças contratadas para representar pequenos papéis, como o de ogros e coisas assim. Na primeira vez em que me mandaram para o camarim deles, fiquei ofendida, pois as outras integrantes do coro estão em outro. Talvez eles não tenham percebido quantos anos eu tenho. Mas agora estou feliz, porque as crianças me fazem rir e ficamos jogando cartas para passar o tempo.

Vou ter que parar de escrever agora, pois preciso ir para o teatro. Mas devo lhe informar, e sei que você ficará muito triste com isso, Lars, que Herr Ibsen ainda não apareceu.

Envio meu amor de Christiania para todos vocês.
Anna

Ao sair do apartamento a caminho do teatro, ela depositou a carta na salva de prata do hall.

❖ ❖ ❖

O ensaio geral já durava quase quatro horas e, assim como o restante da orquestra, Jens estava cansado, com frio e irritado. A tensão no fosso vinha aumentando nos últimos dias. Em mais de uma ocasião, *Herr* Hennum havia levantado a voz com ele dizendo-lhe para prestar atenção, o que o rapaz considerava injusto, uma vez que Simen, o idoso *spalla* que ficava sentado ao seu lado, parecia cochilar o tempo todo. Ele calculava que devesse ser o único integrante da orquestra com menos de 50 anos. Apesar disso, os músicos eram simpáticos, e sua camaradagem bem-humorada o agradava.

Até então, ele conseguira chegar na hora todos os dias, ainda que às vezes com uma bela ressaca. Como esse também parecia ser o caso do resto dos músicos, sentia que se encaixava à perfeição. Havia também as adoráveis senhoras do coro para admirar no palco durante uma das intermináveis pausas que *Herr* Josephson fazia para posicionar os atores a seu contento.

Depois de lhe oferecerem aquele lugar na orquestra, o deleite desmesurado de sua mãe quase o fizera chorar.

– Mas o que vamos dizer para *Far*? – perguntara ele. – Você sabe que terei que faltar às aulas na universidade para ir aos ensaios.

– Acho que por enquanto é melhor ele não saber sobre essa sua repentina... mudança de rumo. Vamos deixá-lo acreditar que continua frequentando a universidade. Ele não vai reparar em nada a curto prazo, tenho certeza.

Em outras palavras, deduzira Jens, sua mãe estava com medo demais para contar ao seu pai.

Isso já quase não tinha importância, pensou, afinando o violino, pois se a sua determinação de não entrar para a cervejaria antes era firme, agora era implacável. Apesar das longas horas de trabalho, do frio e dos comentários muitas vezes ácidos de *Herr* Hennum, tinha certeza de ter reencontrado a alegria que a música lhe proporcionava na infância. As músicas de *Herr* Grieg tinham muitos trechos inspiradores, da animada "No salão do rei da montanha" à "Dança de Anitra", durante a qual bastava-lhe fechar os olhos enquanto tocava as notas no violino para invocar mentalmente o exotismo do Marrocos.

No entanto, seu trecho preferido continuava sendo o "Amanhecer" do início do Ato IV, que constitui o fundo musical do trecho da peça em que Peer acorda na África de manhã cedo, de ressaca, ciente de que perdeu tudo. Então começa a pensar na Noruega, seu país natal, e no sol a nascer por trás dos fiordes noruegueses. Jens nunca se cansava de tocar esse trecho.

Agora, ele e o outro flautista, que devia ter três vezes a sua idade, estavam se revezando para tocar as comoventes notas dos quatro primeiros compassos. Quando Hennum apareceu no fosso e bateu com a batuta para chamar sua atenção, Jens se deu conta de que *ele* queria tocá-los na noite de estreia mais do que qualquer outra coisa que jamais quisera na vida.

– Então vamos começar o Ato IV – anunciou o maestro; a pausa entre os atos já durava uma hora. – Bjarte Frafjord, o senhor hoje vai tocar a primeira flauta. Cinco minutos, por favor – acrescentou, afastando-se para confabular com o diretor *Herr* Josephson antes de começarem.

Jens foi tomado por uma onda de decepção. Se Bjarte tocaria a primeira flauta no ensaio geral, havia grandes chances de Hennum querer que ele também a tocasse na estreia do dia seguinte.

Alguns minutos depois, Henrik Klausen, que interpretava o papel-título de Peer Gynt, chegou para assumir sua posição, debruçado na borda do fosso da orquestra, onde fingiria vomitar em cima dos músicos enquanto seu personagem se recuperava da ressaca que supostamente o afligia.

– Como vocês estão hoje, rapazes? – perguntou ele aos músicos lá embaixo, simpático.

Murmúrios generalizados ecoaram quando Hennum reapareceu e pegou a batuta.

– *Herr* Josephson me prometeu que podemos passar o Ato IV com um mínimo de interrupção para podemos finalmente chegar ao ato V. Todos prontos?

Hennum ergueu a batuta e o som da flauta de Bjarte se ergueu do fosso. *Ele não é tão bom quanto eu, não mesmo*, pensou Jens, emburrado, enquanto prendia o violino com o queixo e se preparava para tocar.

Uma hora depois, apesar de um probleminha sem importância que parecia ter sido resolvido depressa, eles estavam quase no fim do Ato IV. Jens ergueu os olhos para Madame Hansson, que fazia o papel de Solveig. Mesmo com o figurino de camponesa, podia ver que ela era muito atraente, e torceu para ter uma oportunidade de conhecê-la na festa após o espetáculo, na noite seguinte.

Tornou a se concentrar às pressas quando *Herr* Hennum ergueu a batuta e os violinistas atacaram os primeiros compassos plangentes da "Canção de Solveig". Jens ouviu Madame Hansson começar a cantar. Sua voz era tão pura, tão perfeita e inspiradora, que ele se pegou transportado mentalmente para a cabana de montanha que abrigava Solveig e sua tristeza. Não fazia ideia de que ela soubesse cantar daquele jeito. Era uma das vozes mais gloriosas que já escutara. Parecia-lhe simbolizar o ar puro, a juventude, mas também a dor de esperanças e sonhos desfeitos...

De tão fascinado, recebeu um olhar duro de Hennum ao entrar um tempo atrasado. Quando eles finalmente chegaram ao final da peça e as tristíssimas notas da "Canção do berço" reverberaram pelo teatro – cantada por Solveig quando Peer, retornado e contrito, descansa a cabeça cansada sobre o seu colo –, Jens sentiu os cabelos da nuca se arrepiarem com a perfeição da execução de Madame Hansson. Minutos depois, quando a cortina baixou, ouviram-se aplausos espontâneos de vários funcionários do teatro que tinham parado para assistir e escutar.

– Você ouviu isso? – indagou Jens a Simen, que já estava guardando seu violino, pronto para sair depressa do fosso e atravessar a rua até o Café Engebret antes que a cozinha fechasse. – Não sabia que Madame Hansson tinha uma voz tão linda.

– Que Deus o abençoe, Jens! O que acabamos de escutar é de fato uma linda voz, como você diz, mas ela não pertence a Madame Hansson. Não reparou que ela estava dublando? Essa mulher não canta uma nota sequer, então eles tiveram que trazer a voz de outra para dar essa impressão. Estou certo de que *Herr* Josephson vai ficar feliz com o fato de sua ilusão ter dado certo.

Simen deu uma risadinha e alguns tapinhas no seu ombro, então se virou para ir embora.

– Quem é ela? – gritou Jens para as costas do colega que se afastava e desaparecia abaixo do palco.

– Acho que é justamente essa a ideia – respondeu Simen por cima do ombro. – Ela é uma voz fantasma. Ninguém faz ideia de quem seja.

❀ ❀ ❀

A dona da voz que tanto havia emocionado Jens Halvorsen agora estava em uma carruagem sendo conduzida de volta ao apartamento de *Herr* Bayer, onde morava. Sentindo que chamava atenção com o traje típico norueguês que ele lhe dissera para usar nas suas "apresentações" de modo a ficar parecida com as outras integrantes do coro, ficou aliviada por fazer o trajeto sozinha. Tivera outro dia longo e exaustivo, e ficou grata quando *Frøken* Olsdatter lhe abriu a porta e pegou sua capa.

– Você deve estar muito cansada, *Kjære* Anna. Mas diga-me, como acha que se saiu? – indagou a governanta enquanto conduzia a moça delicadamente em direção ao quarto.

– Não sei dizer, não mesmo. Quando o pano caiu, fiz como *Herr* Bayer me orientou: saí pela porta dos atores e entrei direto na carruagem. E aqui estou – arrematou ela, com um suspiro, enquanto deixava *Frøken* Olsdatter ajudá-la a se despir e a se deitar na cama.

– *Herr* Bayer disse que amanhã você pode dormir até mais tarde. Quer que você e sua voz estejam bem descansadas para a noite de estreia. Seu leite quente com mel está aqui na cabeceira.

– Obrigada – disse Anna, agradecida, pegando o copo.

– Boa noite, Anna.

– Boa noite, *Frøken* Olsdatter, e obrigada.

❋ ❋ ❋

Johan Hennum apareceu no fosso e chamou a atenção da orquestra batendo uma palma.

– Todos prontos?

O regente olhou para a orquestra com um ar carinhoso, e Jens refletiu sobre quão diferente a atmosfera do teatro estava em comparação com a mesma hora na véspera. Não apenas estavam todos em trajes de gala no lugar da habitual coleção heterogênea de roupas do dia a dia, mas a plateia da noite de estreia já havia entrado e ocupado seus lugares em meio a um zum-zum de expectativa. Ao despir suas peles, as mulheres revelaram uma profusão de vestidos esplendorosos enfeitados por joias suntuosas que cintilavam à luz suave do rebuscado lustre pendurado no meio do teto.

– Cavalheiros, hoje à noite nós temos a honra de ocupar nosso lugar na história – continuou Hennum. – Muito embora *Herr* Grieg não tenha podido comparecer, pretendemos enchê-lo de orgulho e dar à sua maravilhosa música a execução que ela merece. Tenho certeza de que um dia todos vocês hão de contar aos seus netos que participaram desse acontecimento. E *Herr* Halvorsen, hoje o senhor vai tocar a primeira flauta no "Amanhecer". Muito bem, se todos estiverem prontos...

O maestro subiu no plinto para indicar à plateia que o espetáculo estava prestes a começar. Fez-se um súbito silêncio, como se todos no teatro estivessem prendendo a respiração. Nesse instante, Jens enviou ao céus uma prece de gratidão porque seu mais fervoroso desejo tinha sido atendido.

❋ ❋ ❋

Ninguém nos bastidores durante o espetáculo sabia ao certo o que a plateia estava achando. Anna, acompanhada por Rude, um dos meninos que atuavam nas cenas de multidão, foi lentamente até as coxias cantar sua primeira música.

– Dava para ouvir um alfinete cair no chão lá fora, *Frøken* Anna. Eu estava escondido nas coxias olhando a plateia e acho que as pessoas estão gostando – disse Rude.

Anna assumiu seu lugar na lateral do palco, oculta pelos painéis do cenário, mas em um ponto no qual ainda pudesse ver Madame Hansson. Subitamente se pegou congelada de medo. Ainda que ninguém fosse capaz de vê-la e que o seu nome só constasse no programa em meio à longa lista de integrantes do "Coro", ela sabia que, em algum lugar lá fora, *Herr* Bayer estava escutando. Assim como todas as pessoas importantes de Christiania.

Sentiu a mãozinha de Rude apertar a sua.

– Não se preocupe, *Frøken* Anna. Todos nós achamos que a senhorita canta lindamente.

Ele então a deixou sozinha, e Anna ficou observando Madame Hansson com os ouvidos atentos para sua deixa. Quando a orquestra tocou os primeiros compassos da "Canção de Solveig", ela inspirou fundo. Então, pensando em Rosa e na sua família lá em Heddal, soltou a voz.

Quarenta minutos depois, quando o pano caiu pela última vez, Anna estava novamente em pé nas coxias; acabara de cantar a "Canção do berço". Enquanto o resto do elenco se reunia no palco para os agradecimentos, a plateia continuou em silêncio, pasma. Ninguém havia pedido a Anna para ir lá para agradecer, de modo que ela permaneceu onde estava. Então, quando a cortina tornou a subir e revelou o elenco reunido, quase ficou surda com os súbitos e estrondosos aplausos. As pessoas bateram com os pés no chão e gritaram pedindo bis.

– Cante de novo a "Canção de Solveig", Madame Hansson! – ela ouviu alguém gritar, pedido que a atriz graciosamente recusou com um aceno elegante da mão.

Por fim, depois de *Herr* Josephson subir ao palco e se desculpar em nome de Ibsen e Grieg pela ausência deles e dos últimos agradecimentos, o pano baixou de vez e o elenco foi saindo em fila indiana do palco. Todos ignoraram Anna ao passar, tomados de adrenalina, conversando animados sobre o que parecia ter sido um sucesso retumbante após tantas semanas de trabalho.

Anna voltou ao camarim para pegar sua capa e deu boa-noite às crianças, cujas mães orgulhosas ajudavam a despir os figurinos. *Herr* Bayer tinha dito que a carruagem a estaria esperando lá fora e que ela deveria sair assim que a peça terminasse. Quando estava descendo o corredor em direção à saída, esbarrou em *Herr* Josephson, que saía do camarim de Madame Hansson.

– Anna, você cantou lindamente. Duvido que alguém no teatro tenha ficado com os olhos secos. Meus parabéns.

– Obrigado, *Herr* Josephson.

– Volte direitinho para casa – acrescentou ele com um meneio de cabeça e uma leve mesura antes de lhe virar as costas para bater na porta do camarim de Henrik Klausen.

Anna caminhou até a porta dos atores e, relutante, saiu do teatro.

❂ ❂ ❂

– Mas então, quem é a moça que canta a "Canção de Solveig"? – indagou Jens, vasculhando a multidão reunida no saguão. – Ela está aqui?

– Não saberia dizer; eu nunca a vi – comentou o violoncelista Isaac, já bem alcoolizado. – Ela tem a voz de um anjo, mas pelo que sabemos pode muito bem ter o rosto de uma megera.

Decidido a descobrir, Jens encurralou o regente.

– Parabéns, meu rapaz – disse Hennum com um tapinha no ombro, obviamente eufórico após o sucesso da noite. – Fico feliz que a minha fé em você não tenha sido mal depositada. Com um pouco de treino e experiência, você pode ir longe.

– Obrigado, maestro. Mas diga-me, por favor, quem é a misteriosa moça que cantou tão lindamente as palavras de Solveig hoje? Ela está aqui?

– Anna? Ela é a nossa Solveig das montanhas em carne e osso. Mas duvido que tenha ficado para a festa. Ela é a pupila e a protegida de Franz Bayer; é muito jovem, e não está acostumada à cidade. Ele a mantém em rédea curta, então meu palpite é que a sua Cinderela tenha voltado correndo para casa antes de o relógio bater a meia-noite.

– Que pena. Queria lhe dizer quanto a voz dela me emocionou. Além disso, sou grande admirador de Madame Hansson – continuou Jens, aproveitando a oportunidade. – Será que o senhor poderia me apresentar a ela para eu poder elogiá-la pela atuação de hoje?

– Claro – respondeu *Herr* Hennum. – Tenho certeza de que ela ficará encantada em conhecê-lo. Venha comigo.

18

Na manhã seguinte, a "Cinderela" estava sentada diante de *Herr* Bayer na sala de estar. Os dois tomavam café enquanto ele lia a crítica do espetáculo da véspera no *Dagbladet*, recitando-lhe em voz alta os trechos que ela poderia apreciar.

– "Madame Hansson se mostrou um deleite como a sofrida e jovem camponesa Solveig, e sua voz pura e melodiosa soou extremamente agradável aos ouvidos."

– Pronto. – Ele ergueu os olhos para Anna. – O que acha disso, hein?

Se fosse o nome *dela* escrito no jornal naquela manhã, pensou Anna, e a *sua* voz cujas virtudes estivessem sendo louvadas, ela com certeza teria tido muito o que pensar a respeito. Não sendo esse o caso, porém, não pensava grande coisa.

– Fico feliz que tenham gostado da peça e da minha voz – conseguiu dizer.

– Naturalmente, o que os críticos consideraram inspirador em particular foi a trilha musical de *Herr* Grieg. A interpretação que ele fez do maravilhoso poema de *Herr* Ibsen foi simplesmente sublime. Assim sendo, Anna, como hoje não haverá espetáculo, você terá um merecido descanso. Deveria estar muito orgulhosa de si mesma, minha cara jovem. Seu canto não poderia ter sido mais lindo. Infelizmente, para mim hoje não é dia de descanso, e preciso sair para a universidade. – Ele se levantou e foi até a porta. – Hoje à noite, quando eu voltar, vamos comemorar o seu sucesso no jantar. Tenha um bom dia.

Depois que *Herr* Bayer saiu, Anna terminou seu café já morno. Sentia-se desanimada, tomada por uma estranha irritação. Era como se tudo o que havia acontecido nos últimos meses tivesse conduzido à noite anterior, e agora, passado o momento, nada houvesse mudado. Ela não sabia ao certo o que esperava que mudasse, mas não podia evitar a sensação de que algo *deveria* ter mudado.

Será que *Herr* Bayer sabia da necessidade de uma cantora "fantasma" quando fora encontrá-la nas montanhas no verão anterior? Seria esse o motivo que o fizera trazê-la para a cidade? Sabia muito bem que todos no teatro queriam que ela fosse invisível para que sua voz pudesse ser atribuída a Madame Hansson.

Pegou um dos jornais e cutucou com o dedo o trecho que mencionava a voz "pura" da atriz.

– Essa voz é *minha*! – exclamou. – *Minha*...

Talvez devido à pressão acumulada que fora liberada na noite anterior, como uma rolha sacada de uma garrafa do champanhe francês de *Herr* Bayer, ela se jogou no sofá e começou a chorar.

– O que houve, Anna *Kjære*?

Ela ergueu o rosto molhado de lágrimas e viu que *Frøken* Olsdatter havia entrado na sala sem se anunciar.

– Nada – murmurou, secando os olhos depressa.

– Talvez você esteja exausta, sobrecarregada por causa de ontem à noite. E ainda não ficou de todo boa do resfriado.

– Não, não... Estou muito bem, obrigada – disse Anna, firme.

– Com saudades da família, talvez?

– Sim, estou mesmo. E do ar puro do campo. Eu... eu acho que quero voltar para Heddal – sussurrou ela.

– Pronto, querida, pronto. Eu entendo. É sempre a mesma coisa com quem vem do campo para a cidade. E a vida que você leva é solitária.

– Você sente saudades da sua família? – perguntou-lhe Anna.

– Não mais, porque me acostumei, mas no começo era muito infeliz. Minha primeira patroa era uma mulher mesquinha, que tratava a mim e as outras empregadas pior do que seus cachorros. Fugi duas vezes, mas me encontraram e levaram de volta. Então conheci *Herr* Bayer quando ele foi jantar na casa dela. Talvez ele tenha percebido a minha infelicidade, ou talvez precisasse mesmo de uma governanta, mas seja qual for o motivo, ele me ofereceu um emprego nessa mesma noite. Minha patroa não criou caso. Acho que ficou feliz em se ver livre de mim. Então *Herr* Bayer me trouxe para cá. Apesar de toda sua excentricidade, Anna, esteja certa de que ele é um homem bom e generoso.

– Eu sei – falou Anna, sentindo culpa por estar com pena de si mesma sabendo que a vida de *Frøken* Olsdatter fora tão mais difícil do que a sua.

– Se isso a deixa mais tranquila, já vi diversas protegidas de *Herr* Bayer entrarem pela porta desta casa desde que vim trabalhar aqui. Mas nunca o vi tão animado quanto está com o seu talento. Ontem à noite, ele me disse que está todo mundo encantado com o seu canto.

– Mas quase ninguém sabe que sou *eu* – murmurou Anna.

– Ainda não, mas você precisa acreditar que um dia saberão. Você é muito jovem, *Kjære*, e tem sorte de ter feito parte de uma produção tão bem-sucedida. As pessoas mais importantes de Christiania ouviram você cantar. Tenha paciência e confie no Senhor para guiar seu destino. Agora estou atrasada para a feira. Quer vir comigo pegar um pouco de ar?

– Sim, adoraria – respondeu Anna, pondo-se de pé. – E obrigada por ser tão gentil.

❋ ❋ ❋

A pouco mais de três quilômetros dali, Jens Halvorsen, também muito contrariado, andava de um lado para o outro de seu quarto ao som das vozes acaloradas que vinham da sala íntima no andar de baixo. A farsa que ele e a mãe haviam encenado para o pai nas últimas semanas tivera um fim abrupto durante o café da manhã, quando o pai lera a elogiosa crítica à montagem de *Peer Gynt* publicada no jornal. O crítico tivera a gentileza de mencionar que "O 'Amanhecer', no início do Ato IV, é na minha opinião um dos melhores momentos da trilha musical de *Herr* Grieg, e os encantadores e memoráveis compassos de abertura foram tocados de modo sublime na flauta por Jens Halvorsen".

A expressão de seu pai ficara parecendo uma chaleira de cobre esquecida sobre o fogão.

– Por que só estou sabendo disso agora?! – explodira ele.

– Porque eu achei que não era importante você saber – respondera Margarete, e Jens sabia que ela estava se preparando para uma horrível discussão.

– Não era importante? Eu, um pai que acredita que o filho está estudando na universidade, descubro por um *jornal* que ele está fazendo um bico na orquestra de Christiania! É um ultraje, isso sim!

– Ele faltou a poucas aulas, Jonas, eu juro.

– Então por favor me explique por que o eminente crítico continua seu texto descrevendo como "*Herr* Johan Hennum, regente da orquestra de

Christiania, passou muitos meses reunindo e em seguida ensaiando seus músicos para fazer justiça ao complexo arranjo para orquestra de *Herr* Grieg." Quer mesmo que eu acredite que o nosso filho, que chega a ter seu nome citado nesse mesmo jornal, aprendeu a tocar a parte dele de repente, da noite para o dia? Pelo amor de Deus! – Jonas balançou a cabeça com veemência. – Vocês dois devem achar que eu sou um camponês imbecil. Seria melhor pararem de me tratar dessa maneira.

Margarete então se virou para Jens.

– Sei que você precisa estudar. Sugiro que vá fazer isso.

– Sim, *Mor*. – Com um misto de culpa por deixar a mãe sozinha diante da ira do pai e alívio por não ter que enfrentá-la, Jens meneou a cabeça para os dois e fez o que lhe mandavam.

Agora, andando de um lado para o outro do quarto, ainda podia ouvir o pai esbravejando com a mãe, e concluiu que talvez aquele incidente do jornal na realidade fosse oportuno: seu pai teria descoberto em algum momento suas atividades extracurriculares. Parte dele ficava triste pelo pai não conseguir comemorar o fato de ele ter sido objeto de tantos elogios, mas Jens compreendia. Os músicos em Christiania não tinham status social nenhum, e sua renda era limitada. Não havia nada que seu pai pudesse admirar na escolha de sua carreira. Muito menos na perspectiva de ele não ocupar o lugar que lhe era de direito no comando da Cervejaria Halvorsen.

Além do mais, Jens estava feliz demais para deixar o pai desanimá-lo. Havia encontrado seu futuro na orquestra e finalmente se sentia realizado. A camaradagem dos colegas, seu bom-humor e seu talento consumado para a bebedeira ao se reunirem no Café Engebret todas as noites após o espetáculo eram um mundo no qual Jens se sentia totalmente à vontade. Sem falar na atitude perceptivelmente descontraída das jovens do elenco...

Na noite anterior, *Herr* Hennum tinha feito o que ele pedira e lhe apresentado Madame Hansson. Quando as comemorações da estreia estavam no fim, ele reparou que ela estava de olho nele, e então se ofereceu para acompanhá-la no caminho até seu apartamento. Fora um interlúdio de fato agradável: Thora era ao mesmo tempo experiente e ávida, e Jens só saíra da cama dela depois de o dia gelado raiar. No dia seguinte teria que ser hábil para resolver a situação com Hilde Omvik, a bela moça do coro com quem andara saindo. Não seria nada bom Madame Hansson ouvir fofocas sobre seu comportamento no teatro. E, afinal de contas, Hilde estava de casamento marcado para dali a uma semana...

Alguém bateu à sua porta e ele foi abrir.

– Jens, eu fiz tudo que pude, mas seu pai quer falar com você. Agora. – Margarete estava pálida, os traços do rosto tensos.

– Obrigado, *Mor*.

– Conversaremos mais depois que ele sair para a cervejaria.

Ela lhe deu alguns tapinhas no ombro e Jens desceu até o térreo, onde Dora lhe disse que o pai o estava esperando na sala de estar.

O rapaz suspirou, pois sabia que qualquer coisa séria que acontecesse na casa dos Halvorsens sempre ocorria na sala de estar. O cômodo era frio e austero como seu pai. Ele abriu a porta e entrou. Como sempre, a lareira não estava acesa, e uma luz branca e forte refletida na neve acumulada lá fora entrava pelas grandes janelas.

Jonas estava de pé junto a uma das janelas e se virou quando Jens entrou.

– Sente-se – disse, apontando para uma cadeira.

Jens obedeceu, tentando moldar o próprio rosto para que exprimisse uma mistura adequada de arrependimento e desafio.

– Em primeiro lugar, quero lhe dizer que não o culpo – começou Jonas, sentando-se em frente ao filho em uma grande poltrona de couro de encosto com abas. – A culpa é toda da sua mãe por ter incentivado essa ideia ridícula. Mas, Jens, em julho você completa 21 anos e como adulto precisa tomar as próprias decisões. Precisa decidir não mais se submeter ao domínio da sua mãe.

– Sim, senhor.

– A situação continua como sempre foi – continuou Jonas. – Após concluir seus estudos nesse verão, você vai se juntar a mim na cervejaria. Trabalharemos juntos, e um dia a empresa será sua. Você será a quinta geração de Halvorsens a administrar o negócio iniciado por meu tataravô. Sua mãe insiste que os seus estudos não foram prejudicados pelas suas apresentações com a orquestra, mas pessoalmente eu duvido. O que tem a me dizer, rapaz?

– Minha mãe está certa. Faltei a muito poucas aulas – mentiu Jens sem qualquer dificuldade.

– Muito embora seja esse o meu desejo, sei que não seria nada bom para a reputação da nossa família eu tirá-lo agora da orquestra, depois de você ter se comprometido com *Herr* Hennum. Assim sendo, parece-me se tratar de um fato consumado. Sua mãe e eu concordamos que você tem permissão para seguir até o fim da temporada de *Peer Gynt*, no mês que vem. Enquanto isso, espero que aceite sem questionar qual será o seu futuro.

– Sim, senhor. – Jens observou Jonas fazer uma pausa e estalar os dedos, hábito que o irritava além da conta.

– Então estamos combinados. Depois que essa novidade passar, estou lhe avisando, será a última vez que vou tolerar um comportamento assim. A menos que você deseje seguir carreira como músico profissional... Nesse caso não terei outra escolha senão deixá-lo sem um øre e expulsá-lo desta casa de imediato. Os homens da família Halvorsen não trabalharam durante 150 anos para ver nosso único herdeiro jogar seu legado no lixo tocando rabeca.

Jens estava decidido a não dar ao pai a satisfação de ver o choque estampado em seu rosto.

– Sim, senhor. Entendo.

– Então vou indo para a cervejaria. Já estou mais de uma hora atrasado e preciso sempre dar o exemplo a meus funcionários, assim como você deverá fazer quando vier trabalhar comigo. Tenha um bom dia, Jens.

Com um meneio de cabeça para o filho, Jonas se retirou, deixando o rapaz sozinho para refletir sobre seu futuro. Sentindo-se incapaz de encarar a mãe – ou na verdade quem quer que fosse –, ele pegou seus sapatos de neve no hall de entrada, vestiu o casaco de peles, pôs o chapéu e as luvas e saiu para se acalmar um pouco.

❋ ❋ ❋

Apartamento 4
Portão de São Olavo, 10
Christiania

10 de março de 1876

Kjære *Lars,* Mor, Far *e* Knut,
Obrigada pela última carta e por dizer que minha ortografia melhorou. Não acho que seja o caso, mas estou me esforçando bastante. Agora faz duas semanas que Peer Gynt *estreou no Teatro de Christiania (embora eu*

não tenha posto os pés no palco). Herr Bayer *me disse que a cidade inteira está falando disso e que a "casa", como todo mundo se refere ao teatro, está com lotação esgotada para toda a temporada. Agora estão falando em fazer apresentações extras, tamanha a procura.*

A vida aqui segue como de hábito, a não ser pelo fato de Herr *Bayer estar me ensinando algumas árias italianas que tenho achado muito difíceis. Uma vez por semana, um cantor de ópera profissional chamado Günther vem me dar aulas. Ele é alemão, e por causa do sotaque é difícil entender uma palavra do que diz. Além do mais, ele fede a roupa não lavada e vive cheirando rapé, que muitas vezes lhe escorre do nariz e acaba formando uma poça em cima de seu lábio superior. Ele é muito velho e magro, e sinto muita pena dele.*

Quando a temporada de Peer Gynt *acabar, não sei muito bem o que farei de diferente do que faço aqui todos os dias, ou seja, aprender a cantar melhor, ficar em casa e comer peixe. A temporada de teatro começa depois da Páscoa, e há boatos de que* Peer Gynt *será encenado mais uma vez no futuro. Vocês gostarão de saber que, segundo dizem,* Herr *Ibsen virá da Itália para assistir ao espetáculo. Avisarei se isso acontecer.*

Por favor, agradeça a Mor *pelas novas camisas de baixo que ela tricotou para mim. Têm sido úteis neste longo inverno. Estou ansiosa para o tempo esquentar, e espero poder voltar logo para casa.*

Anna

Com um suspiro, Anna dobrou a carta e a lacrou. Imaginava que a família estivesse ansiosa por ouvir fofocas do teatro, mas não tinha nenhuma para contar. Como passava os dias enfurnada no apartamento e era levada embora às pressas do teatro à noite, seu estoque de novidades estava se esgotando.

Foi até a janela, ergueu os olhos para o céu e viu que, apesar de serem quatro da tarde, ainda estava claro. A primavera enfim estava chegando. Em seguida viria o verão... Anna encostou a testa na vidraça fria que a separava do ar puro. A perspectiva de passar os meses de calor trancafiada naquele apartamento, e não nas montanhas com Rosa, era quase insuportável.

❉ ❉ ❉

Rude chegou ao fosso da orquestra bem na hora marcada para sua missão de todas as noites.

– Olá, Rude. Como vai você? – perguntou-lhe Jens.

– Vou bem, senhor. Tem algum bilhete ou recado para eu entregar?

– Tenho, sim. Tome aqui. – Ele se abaixou para poder sussurrar no ouvido do menino. – Entregue isto a Madame Hansson. – Então depositou uma moeda e uma carta na mãozinha ansiosa.

– Obrigado, senhor. Vou entregar.

– Muito bem – disse Jens enquanto o menino começava a se afastar. – Ah, a propósito, quem era aquela jovem com quem vi você saindo pela porta dos atores ontem à noite? Você está namorando? – indagou ele, provocando o menino.

– Ela pode ser da mesma altura que eu, mas tem 18 anos, senhor. Como eu tenho 12, é velha demais para mim – respondeu Rude, sério. – Aquela era Anna Landvik. Ela está na peça.

– É mesmo? Não a reconheci, mas afinal estava escuro, e só pude ver de relance os seus longos cabelos ruivos.

– Quer dizer, ela trabalha na produção, mas o senhor não a viu no palco. – Dando uma olhada excessivamente dramática em volta, Rude gesticulou para Jens se aproximar de modo a poder sussurrar no seu ouvido. – Ela é a voz de Solveig.

– Ah, entendo. – Jens assentiu com seriedade fingida.

O fato de a voz de Madame Hansson na verdade não ser sua tinha se tornado o segredo menos bem guardado daquele teatro. Mas todos eles precisavam manter as aparências para o resto do mundo.

– Uma moça muito bonita, não é, senhor?

– Os cabelos com certeza são bonitos. Foi só o que consegui ver; ela estava de costas.

– Pessoalmente, sinto pena de *Frøken* Landvik. Ninguém pode saber que é ela quem canta tão bem. Chegaram a colocá-la conosco no camarim das crianças. Bem... – disse Rude na hora em que o sinal tocou indicando que faltavam cinco minutos para o espetáculo. – Vou entregar isto aqui direitinho para o senhor.

Jens depositou outra moeda na mão do menino.

– Atrase um pouco *Frøken* Landvik hoje à noite para mim junto à saída dos atores, para eu poder ver direito nossa misteriosa cantora.

– Acho que consigo fazer isso, senhor – concordou Rude, e então saiu correndo feito um rato de rua, muito satisfeito com o pagamento da noite.

– De novo à caça, Peer? – Simen, o primeiro violino, não era tão surdo quanto parecia e evidentemente havia escutado partes da conversa.

O fato de as estripulias de Jens com as integrantes femininas do elenco se parecerem muito com as do herói da peça tinha se tornado uma piada na orquestra.

– Nada disso – murmurou o rapaz ao mesmo tempo que Hennum aparecia no fosso. O apelido, no começo, era divertido, mas agora estava se tornando muito cansativo. – Você sabe que sou devotado a Madame Hansson.

– Então talvez eu tenha exagerado no vinho do Porto, mas tenho certeza de ter visto você sair do Engebret ontem à noite de braços dados com Jorid Skrovset.

– Com certeza foi o Porto.

Jens pegou a flauta, e Hennum indicou que já podiam começar.

Nessa noite, depois do espetáculo, Jens passou pela porta dos atores e ficou parado ali por perto, esperando Rude aparecer com a misteriosa moça. Em geral teria ido para o Engebret enquanto aguardava Thora entreter seus admiradores no camarim e se trocar. Ela embarcava em sua carruagem sozinha, em seguida o pegava alguns metros adiante na rua, pois não desejava que ninguém os visse juntos.

Jens sabia o que a levava a não deixar que ele a acompanhasse pela cidade: seu reles status de músico. Estava começando a se sentir uma prostituta ordinária, que satisfazia a uma necessidade física mas não era boa o bastante para ser vista em público. O que era um tanto ridículo, uma vez que ele pertencia a uma das famílias mais respeitadas de Christiania e era o atual herdeiro do império cervejeiro dos Halvorsens. Thora vivia lhe contando como havia jantado com todos os figurões da Europa, como Ibsen a adorava e a chamava de sua musa. Até agora, Jens tinha suportado esse comportamento porque, na intimidade do quarto, ela compensava bastante a humilhação que ele era obrigado a aguentar. Mas já havia atingido seu limite.

Por fim, viu duas silhuetas emergirem da porta dos atores. As duas se demoraram um instante no limiar e foram iluminadas pela lamparina a gás do corredor mais atrás por um breve instante. Rude apontava alguma coisa para a moça. Espiando discretamente por baixo da boina, Jens a encarou.

Era uma moça delicada, miúda. Tinha lindos olhos azuis, um nariz bem pequenino e lábios rosados como botões de rosa em um rosto pequeno em formato de coração. Gloriosos cabelos ruivos cascateavam em ondas ao redor dos ombros. Diante daquela visão, Jens, que não era dado a grandes elegias, sentiu-se subitamente à beira das lágrimas. Aquela moça era um sopro de ar puro da montanha e fazia as outras mulheres parecerem bonecas de madeira artificiais e pintadas.

Parado, como num transe, ouviu-a dizer um suave "boa noite" a Rude e logo em seguida passar flutuando por ele antes de subir direto na carruagem que a aguardava.

– Conseguiu vê-la, senhor?

Enquanto a carruagem de Anna se afastava, os olhos argutos de Rude haviam detectado na hora Jens à espreita nas sombras.

– Fiz o que pude, mas não consegui fazê-la se demorar mais tempo. Minha mãe está me esperando no camarim. Eu disse que tinha que dar um recado ao porteiro na entrada dos atores.

– Sim. Ela sempre vai embora logo depois do espetáculo?

– Todas as noites, senhor.

– Então preciso bolar um plano para me encontrar com ela.

– Desejo-lhe sorte com isso, mas agora preciso mesmo ir. – Rude continuou ali parado, e depois de algum tempo o rapaz levou a mão ao bolso e lhe deu mais uma moeda. – Obrigado. Boa noite, senhor.

Jens atravessou a rua até o Café Engebret, sentou-se em um dos bancos do bar e pediu um *aquavit* com os olhos perdidos no nada.

– Está se sentindo mal, meu rapaz? Parece-me um tanto pálido. Mais uma dose? – perguntou-lhe Einar, que tocava pratos na orquestra, acomodando-se ao seu lado no bar.

Jens admirava Einar por sua capacidade singular de sair do fosso no meio da apresentação, contando os tempos, e atravessar a rua até o Engebret. Lá tomava uma cerveja sem perder a contagem e voltava ao seu lugar na orquestra logo antes de ter que fazer soar seus pratos outra vez. A orquestra inteira vivia esperando o dia em que Einar perderia sua deixa, mas pelo visto, em dez anos, isso nunca tinha acontecido.

– Sim para as duas perguntas – disse Jens, inclinando o copo em direção aos lábios e tomando o líquido todo de um gole só.

Após lhe servirem um segundo *aquavit*, pensou se estaria mesmo sendo acometido por alguma doença, pois a visão de Anna Landvik havia lhe causado uma estranha perturbação. Resolveu que, pelo menos nessa noite, Madame Hansson podia voltar para o seu apartamento sozinha.

19

Frøken Anna, tenho uma carta para a senhorita.

Anna ergueu os olhos do baralho que estava jogando e olhou para Rude, que lhe deu um sorriso atrevido antes de lhe passar discretamente um bilhete dobrado. Estavam no camarim das crianças, rodeados pelo corre-corre dos preparativos para a apresentação daquela noite.

Estava prestes a abrir a carta quando Rude lhe sibilou:

– Aqui não. Disseram que a senhorita deveria ler quando estivesse sozinha.

– Quem lhe disse isso? – Anna não estava entendendo.

Rude fez uma cara apropriadamente misteriosa e balançou a cabeça.

– Não cabe a mim dizer. Eu sou só o mensageiro.

– Por que alguém me escreveria uma carta?

– Será preciso ler para descobrir.

Anna franziu o cenho para o menino com a maior severidade de que foi capaz.

– Diga-me – exigiu saber.

– Não vou dizer.

– Então não vou continuar a jogar com você.

– Não faz mal, tenho mesmo que vestir meu figurino – disse o menino dando de ombros, levantando-se e saindo da mesa.

Parte de Anna quis rir daquela encenação de Rude: ele era um macaquinho, sempre à espreita para levar algum recado ou dar uma ajudinha em troca de uma moeda ou de um chocolate. Na sua opinião, aquele menino, quando fosse mais velho, daria um farsante dos bons, ou quem sabe um espião, pois era ele a origem de todas as fofocas do teatro. Ela logo se deu conta de que ele sabia exatamente quem havia lhe enviado aquela misteriosa missiva e decerto, a julgar pelas digitais encardidas em torno do lacre partido, tinha lido o conteúdo. Guardou a carta no bolso da saia e decidiu ler em casa, quando estivesse sozinha na cama. Então se levantou e foi se preparar para o espetáculo daquela noite.

Teatro de Christiania
15 de março de 1876

> *Minha cara* Frøken *Landvik,*
> *Perdoe este recado impertinente e a maneira pela qual ele lhe foi entregue, uma vez que nunca nos encontramos pessoalmente. A verdade é que, desde a primeira vez em que a ouvi cantar na noite do ensaio geral, fiquei enfeitiçado por sua voz. E desde então a venho escutando todas as noites, arrebatado. Quem sabe podemos nos encontrar na entrada dos artistas amanhã, antes de o espetáculo começar – às sete e quinze, digamos – para sermos formalmente apresentados?*
> *Imploro-lhe que venha.*
> *Com toda a sinceridade,*
> *Um admirador*

Ela releu a carta, em seguida guardou-a na gaveta ao lado da cama. Pensou que devia ter sido escrita por um homem, pois seria muito esquisito uma mulher escrever algo assim. Ao apagar a lamparina e se preparar para dormir, concluiu que provavelmente seria algum senhor de idade parecido com *Herr* Bayer... e suspirou diante dessa perspectiva nada empolgante.

❈ ❈ ❈

– Vai encontrá-lo hoje à noite? – indagou Rude, com um semblante que era o retrato da inocência.

– Encontrar quem?

– A senhorita *sabe* quem.

– Não sei, não. Além do mais, como é que *você sabe* que eu fui convidada para encontrar alguém, hein? – Anna saboreou a consternação na expressão do menino ao perceber que havia se entregado sem querer. – Eu juro que nunca mais vou jogar uma só partida de cartas com você, seja por dinheiro ou por balas, se não me disser o nome de quem escreveu aquela carta.

– *Frøken* Anna, eu não posso dizer. Me perdoe. – Rude baixou a cabeça e a balançou. – É a minha vida que está em jogo. Jurei ao remetente não dizer nada.

– Bem, se você não pode dizer o nome dessa pessoa, talvez pelo menos possa responder a algumas perguntas com "sim" ou "não"?

– Isso eu posso fazer – concordou ele.

– Foi um cavalheiro quem escreveu a carta?

– Sim.

– E ele tem menos de 50 anos?

– Sim.

– Menos de 40?

– Sim.

– Menos de 30?

– *Frøken* Anna, não tenho como saber ao certo quantos anos ele tem, mas acho que sim.

Bem, já era alguma coisa, pensou ela.

– Ele é um frequentador assíduo da plateia?

– Não... bem, na realidade sim, de certo modo. – Rude coçou a cabeça. – Pelo menos ele a ouve cantar todas as noites.

– Quer dizer que ele faz parte da companhia?

– Sim, mas de um jeito diferente.

– Rude, ele é músico?

– *Frøken* Anna, estou me sentindo acuado. – Ele deu um suspiro exagerado de consternação. – Não posso dizer mais nada.

– Está bem. Eu entendo – disse Anna, satisfeita com o bem-sucedido interrogatório. Olhou de relance para um velho e nada confiável relógio pendurado na parede e perguntou a uma das mães, que bordava quietinha em um canto, que horas eram.

– Acho que são quase sete, *Frøken* Landvik. Agorinha mesmo eu estava no corredor, e *Herr* Josephson já chegou. Ele é sempre muito pontual – arrematou ela.

– Obrigada. – Anna tornou a olhar para o relógio na parede, aliviada que nessa noite estivesse mais ou menos certo. Será que deveria ir ao encontro? Afinal de contas, se o tal homem tinha mesmo menos de 30 anos, talvez quisesse encontrá-la por motivos pouco apropriados, e não porque admirava sua voz. Involuntariamente, Anna enrubesceu. A simples ideia de que aquilo pudesse ser impróprio – e de que *talvez* se tratasse de um homem relativamente jovem – a deixava mais empolgada do que deveria.

Conforme o relógio foi contando os segundos, ela não conseguiu se decidir. Às 19h13, resolveu ir. Às 19h14, mudou de ideia...

E às 19h15 em ponto se viu descendo o corredor em direção à entrada dos artistas, mas encontrou o lugar deserto.

Halbert, o porteiro, abriu a janelinha de sua guarita e perguntou se ela estava precisando de alguma coisa. Anna fez que não com a cabeça e se virou para voltar ao camarim. Uma lufada de ar frio a atingiu quando a porta dos artistas se abriu atrás dela, e segundos depois alguém pousou a mão com delicadeza no seu ombro.

– *Frøken* Landvik?

– Sim.

– Perdão. Me atrasei.

Ao se virar, Anna se pegou fitando os fundos olhos cor de mel do dono daquela voz. Sentiu um frio no estômago, como acontecia quando ela estava prestes a cantar. Enquanto Halbert, sentado em sua guarita, olhava para eles como se fossem um par de idiotas, os dois ficaram apenas se encarando.

O rapaz diante de Anna parecia ter mais ou menos a sua idade e seu rosto era realmente bonito, encimado por uma cabeleira castanha que se encaracolava acima da gola da roupa. Ele não era muito alto, mas os ombros largos lhe davam um porte imponente e másculo. Anna sentiu de repente que todo o seu ser – físico, mental e emocional – estava se esvaindo de dentro dela para dentro daquele outro ser humano desconhecido. Foi uma sensação muito estranha, que a fez titubear de leve.

– Está se sentindo bem, *Frøken* Landvik? Parece até que viu um fantasma.

– Sim, estou perfeitamente bem, obrigada. Fiquei meio tonta, só isso.

O sinal tocou, dando ao elenco e à orquestra o costumeiro aviso de dez minutos antes de a cortina se erguer.

– Por favor, não temos muito tempo – sussurrou ele entre os dentes ao ver Halbert, fascinado, espiá-los por cima dos óculos. – Vamos conversar reservadamente lá fora, onde pelo menos a senhorita poderá tomar um pouco de ar.

Jens a envolveu com um braço protetor, reparando em como a cabeça dela se encaixava com perfeição no vão de seu ombro, então abriu a porta dos artistas e a conduziu com delicadeza até o lado de fora. Ela era tão minúscula, tão perfeita, tão feminina, que ele foi tomado na mesma hora por um instinto protetor ao senti-la se apoiar nele por um curto instante, como se fosse a coisa mais natural do mundo.

Parada ao lado dele na calçada, com o braço ainda à sua volta, Anna inspirou algumas vezes o ar gelado da noite.

– Por que o senhor queria me ver? – indagou, ao mesmo tempo que recuperava a compostura e percebia quanto era impróprio estar fisicamente tão próxima de um homem. E de um desconhecido, ainda por cima. No entanto, para ser bem sincera, ele não parecia de forma alguma ser um desconhecido...

– Para ser franco, não sei muito bem. No início foi a sua voz que me fascinou, mas depois paguei Rude para que ele a fizesse se demorar junto à entrada dos artistas e eu pudesse vê-la sem ser visto... *Frøken* Landvik, preciso ir andando, senão corro o risco de *Herr* Hennum me arrancar as tripas, mas quando posso tornar a vê-la?

– Não sei.

– Hoje à noite, depois do espetáculo?

– Não. *Herr* Bayer manda uma carruagem ficar me esperando e vou embora do teatro assim que a peça termina.

– E durante o dia?

– Não. – Ela levou uma das mãos ao rosto e, apesar do frio da noite, sentiu as bochechas de repente muito quentes. – Não consigo pensar. Além do mais...

– O quê?

– Isso tudo é muito pouco apropriado. Se *Herr* Bayer souber do nosso encontro, ele...

O sinal de cinco minutos tocou.

– Encontre-me às seis horas aqui amanhã, eu lhe imploro – pediu Jens. – Diga a *Herr* Bayer que foi chamada mais cedo para um ensaio.

– Eu, eu... vou ter que me despedir. – Anna virou-lhe as costas e começou a andar novamente em direção à entrada dos artistas. Abriu a porta e fez que ia passar, mas quando a porta estava prestes a se fechar atrás dela ele viu seus dedos pequeninos a segurarem pela borda e tornarem a abri-la. – Posso pelo menos saber como o senhor se chama?

– Perdão. Meu nome é Jens. Jens Halvorsen.

Anna voltou para o camarim tomada por um transe e se sentou para se recompor. Uma vez recuperada, decidiu que precisava descobrir tudo que conseguisse a respeito de Jens Halvorsen antes de se comprometer com novos encontros.

Nessa noite, durante a peça, perguntou a todos em quem confiava – e mesmo àqueles em quem não confiava – o que cada um sabia sobre o rapaz.

Até agora, havia descoberto que ele tocava violino e flauta na orquestra e que, para sua grande decepção, tinha uma péssima reputação com as mulheres do teatro. Tanto que os integrantes da orquestra ao que parecia o haviam apelidado de "Peer", em uma referência à promiscuidade do personagem. Uma das moças do coro confirmou que ele fora visto com Hilde Omvik e Jorid Skrovset. E o pior de tudo: segundo os boatos, ele era o amante secreto de Madame Hansson.

Quando Anna chegou à coxia para cantar a "Canção do berço", estava tão distraída que se demorou mais do que de costume em uma das notas, o que fez Madame Hansson fechar a boca dois tempos antes da hora. Não se atreveu a olhar para o fosso da orquestra lá embaixo, com medo de dar com os olhos nele.

– Não vou pensar nele – disse a si mesma com determinação na hora de apagar a lamparina a óleo da cabeceira naquela noite. – Está claro que ele é um homem horrível e sem coração – emendou, desejando que as histórias sobre as peripécias do rapaz não a tivessem deixado tão empolgada. – Além do mais, estou prometida em casamento.

No dia seguinte, contudo, teve que reunir toda sua força de vontade para não chamar a carruagem antes da hora e mentir a *Herr* Bayer que tinha um ensaio extra. Quando chegou ao teatro em seu horário habitual, 18h45, viu que a calçada em frente à entrada dos artistas estava vazia. Repreendeu a si mesma com severidade pela onda de decepção que a tomou.

Ao entrar no camarim, foi recebida pela confusão habitual de mães ocupadas no canto com seus bordados e crianças que acorreram para ver se ela havia trazido algum brinquedo novo. Somente uma das crianças se manteve à distância, e enquanto ela abraçava as outras viu os olhos estranhamente tristonhos de Rude por cima das cabeças dos outros. Os primeiros a entrar no palco foram chamados, e depois de lhe lançar uma última olhadela de pesar, Rude deixou o camarim e foi ocupar seu lugar no palco para a abertura da peça. No intervalo, encurralou-a.

– Meu amigo me disse que a senhorita faltou ao encontro hoje. Ele ficou muito triste. Mandou-lhe outra carta. – O menino lhe estendeu um bilhete lacrado.

Anna o descartou com um aceno.

– Por favor, diga a ele que não estou interessada.

– Por quê?

– Não estou interessada e pronto, Rude.

– Mas, *Frøken* Anna, eu vi a tristeza nos olhos dele hoje à noite quando a senhorita não apareceu – insistiu o garoto.

– Rude, você é um menino de grande talento, tanto como ator quanto para extrair moedas dos adultos. Mas existem coisas que ainda não entende... – Anna abriu a porta e saiu do camarim, mas ele foi atrás, obstinado.

– Como, por exemplo?

– Coisas de adulto – respondeu ela, impaciente, continuando a andar na direção das coxias. Não precisava cantar ainda, mas queria fugir do interrogatório incansável do menino.

– Mas eu sei *sim* sobre coisas de adulto, *Frøken* Anna. Entendo as fofocas que a senhorita deve ter escutado desde que ficou sabendo quem era o seu admirador.

– Então, se você sabe tudo sobre ele, por que continua insistindo que eu o encontre? – Ela deu meia-volta, obrigando Rude a estacar. – Ele tem uma péssima reputação! Além do mais, eu já tenho alguém, e um dia... – Anna tornou a se virar e recomeçou a caminhar em direção às coxias. – Um dia vou me casar com ele.

– Nesse caso, fico muito feliz pela senhorita, mas as intenções do cavalheiro em questão em relação à sua pessoa são honradas, eu lhe juro.

– Ah, menino, me deixe em paz, pelo amor de Deus!

– Vou deixar, mas a senhorita deveria se encontrar com ele, *Frøken* Anna. Negócios são negócios, sei que a senhorita entende, mas o que acabei de lhe dizer foi de graça. Tome, pelo menos fique com a carta dele.

Antes de ela conseguir protestar mais, ele empurrou o pedaço de papel para a mão de Anna e se afastou apressado pelo corredor. Ela ficou em pé atrás de um dos painéis do cenário, bem escondida, e se pôs a escutar a orquestra afinando seus instrumentos para o segundo ato. Ao baixar os olhos para o fosso, viu Jens Halvorsen assumir seu lugar e tirar a flauta do estojo. Enquanto ela espiava com cautela, ele olhou para cima, e por um breve instante seus olhares se cruzaram. A emoção na expressão dele era de tamanho desapontamento que ela ficou abalada. Tornou a se esconder depressa atrás dos painéis e voltou para o camarim tomada por um transe. No caminho, cruzou com Madame Hansson. A conhecida nuvem de perfume francês invadiu o corredor quando a atriz passou, e esta mal registrou sua presença. Anna se lembrou das fofocas que havia escutado sobre o amante secreto da atriz e endureceu o coração. Jens Halvorsen não passava de um patife, um sedutor que sem dúvida a levaria à ruína. Ao entrar no camarim, prometeu jogar uma partida de cartas com as crianças no intervalo seguinte, pois sabia que precisava se manter ocupada.

Nessa noite, ao chegar no apartamento, foi direto para a sala de estar vazia. Com grande autocontrole, tirou a carta do bolso da saia e, sem abri-la, atirou-a nas chamas do fogareiro.

❈ ❈ ❈

Nas duas semanas seguintes, Rude continuou a lhe trazer uma nova carta de Jens Halvorsen todos os dias, mas Anna queimava todas elas assim que chegava em casa. Nessa noite, sua determinação estava ainda mais fortalecida depois que ela e todas as outras pessoas presentes no corredor dos camarins tinham ouvido ecoar um grito bem alto, acompanhado pelo barulho de vidro se quebrando. Todo o elenco sabia que os ruídos vinham do camarim de Madame Hansson.

– O que foi isso? – perguntou Anna a Rude.
– Não posso lhe contar – respondeu ele com teimosia, cruzando os braços.
– É claro que pode, você me conta tudo. Eu posso pagar – sugeriu ela.
– Nem por dinheiro eu lhe contaria. Isso só lhe daria a impressão errada.
– De quê?

Rude balançou a cabeça e se afastou. Mais tarde, quando as fofocas começaram a circular livremente durante o espetáculo, uma das meninas do coro lhe disse que Madame Hansson tinha descoberto que Jens Halvorsen fora visto quinze dias antes com Jorid, outra integrante do coro. Como Anna já tinha escutado essa história, não foi nenhuma surpresa, mas pelo visto Madame Hansson era a única pessoa no teatro que ainda não sabia.

Ao chegar para a primeira apresentação da semana seguinte, Anna avistou um enorme buquê de rosas vermelhas sobre a bancada da guarita junto à entrada dos artistas. Quando estava passando pelas flores a caminho do camarim, ouviu o porteiro Halbert chamar seu nome.

– *Frøken* Landvik?

– Pois não?

– Estas flores são para a senhorita.

– Para *mim*?

– Sim, para a senhorita. Leve-as, por favor, pois estão atravancando minha bancada.

Corando até ficar da cor das rosas, Anna se virou e andou até o homem.

– Bem, *Frøken* Landvik, pelo visto a senhorita tem um admirador. Quem poderia ser? – Com um ar de reprovação, Halbert arqueou uma das sobrancelhas enquanto Anna recolhia o imenso buquê, sem conseguir encará-lo.

– Ora! – falou para si mesma ao percorrer o corredor e se encaminhar direto para as latrinas geladas e malcheirosas usadas pelas mulheres do elenco. – Que atrevimento! Principalmente com Madame Hansson e Jorid Skrovset aqui no teatro também. Ele está brincando comigo – murmurou com raiva antes de bater à porta e se trancar lá dentro. – Agora que Madame Hansson descobriu como ele se comportou, ele acha que vai poder virar a cabeça da camponesa ingênua com umas poucas flores.

Então leu o pequeno cartão preso ao buquê.

Eu não sou como a senhorita imagina.
Imploro-lhe que me dê uma chance.

– Ah! – Anna picou o cartão em pedacinhos diminutos e os jogou na latrina. As flores provocariam um sem-fim de perguntas no camarim, e ela queria se livrar de qualquer indício da sua procedência.

– Minha nossa, Anna! – exclamou uma das mães quando ela entrou no camarim. – Que lindas, não?

– De quem são? – indagou outra.

O recinto inteiro se calou à espera da sua resposta.

– Ora... – Anna fez uma pausa e engoliu em seco. – De Lars, claro. Meu namorado lá de Heddal.

Um coro de exclamações ecoou pelo camarim.

– Hoje é um dia especial? Deve ser, para gastar tanto dinheiro com essas flores – comentou uma terceira mãe.

– Hoje... hoje é meu aniversário – mentiu Anna, em desespero.

A frase foi recebida por um coro de "Seu aniversário?" e "Por que você não falou nada?"

Anna passou o resto da noite fingindo aceitar os parabéns, sendo abraçada e recebendo presentes improvisados de todo mundo como prova de carinho, ao mesmo tempo que ignorava o sorrisinho malicioso de Rude.

❂ ❂ ❂

– Como você sabe, Anna, a temporada de *Peer Gynt* está prestes a acabar. Em junho, organizarei um recital de verão aqui no apartamento, ao qual convidarei todas as pessoas importantes de Christiania para virem ouvir você cantar. Finalmente vamos pôr mãos à obra e começar a promover sua carreira. E o melhor de tudo é que a "voz fantasma" enfim vai poder se revelar!

– Entendo. Obrigada, *Herr* Bayer.

– Anna. – Ele ficou em silêncio por alguns instantes enquanto observava sua expressão. – Você parece hesitante.

– Estou cansada, só isso. Mas fico muito grata pela sua atenção.

– Entendo que os últimos meses tenham sido um pouco difíceis para você, Anna, mas fique tranquila: muitos conhecidos meus do meio musical sabem, em sigilo, a quem de fato pertence a linda voz de Solveig. Agora vá descansar, você está mesmo bem pálida.

– Sim, *Herr* Bayer.

Ao observar a moça sair da sala, Franz Bayer entendeu sua frustração, mas o que mais ele poderia ter feito? O anonimato de Anna era parte do trato com Ludvig Josephson e Johan Hennum, mas agora estava quase no fim e já servira a seu propósito. O fascínio por conhecer a dona da misteriosa voz que havia cantado Solveig de modo tão estupendo bastaria para trazer ao recital todos os membros influentes da comunidade musical de Christiania. Ele tinha grandes planos para a jovem Anna Landvik.

20

Ao acordar em casa, uma semana depois de encerrada a temporada de *Peer Gynt*, Jens estava especialmente desanimado. Embora Hennum houvesse lhe prometido uma vaga permanente na orquestra para as companhias de ópera e balé visitantes que precisassem de músicos, não haveria trabalho durante um mês, até o início da nova temporada. Para piorar, uma vez que assistira no máximo a meia dúzia de aulas desde o início da peça, Jens estava totalmente despreparado para as provas finais da universidade. Não tinha dúvida de que seria reprovado.

Na semana anterior, antes da penúltima apresentação, havia tomado coragem para mostrar a *Herr* Hennum as músicas que passara horas compondo quando deveria estar estudando. Depois de ele as tocar, o maestro as havia tachado de "derivativas", mas boas para um principiante.

– Meu rapaz, permita-me fazer uma sugestão: vá estudar em uma escola de música. O senhor tem talento para a composição, mas precisa aprender a "ouvir" como a música que compôs será tocada por cada instrumento. Por exemplo, esta peça aqui... – Hennum apontou para a partitura. – Ela abre com a orquestra inteira? Ou quem sabe... – Ele tocou no piano os quatro primeiros compassos, que mesmo aos ouvidos parciais de Jens soaram como uma homenagem ao "Amanhecer" de *Herr* Grieg. – Talvez com uma flauta? – *Herr* Hennum lhe deu um sorriso de ironia, e Jens teve a elegância de enrubescer.

– Entendo, maestro.

– E depois, quando chegamos ao segundo trecho, ele seria tocado por violinos? Ou quem sabe por um violoncelo ou uma viola? – Hennum lhe devolveu as partituras e deu alguns tapinhas no ombro. – Meu conselho, se quiser mesmo seguir os passos de *Herr* Grieg e de seus eminentes amigos compositores, é que o senhor aprenda a fazer a coisa direito, tanto na sua cabeça quanto no papel.

— Mas não posso fazer isso aqui, pois não há ninguém em Christiania para me ensinar — disse o rapaz.

— Não, de fato. Assim sendo, terá que sair do país, como fizeram todos os nossos grandes músicos escandinavos. Talvez possa ir para Leipzig, como *Herr* Grieg.

Jens foi embora amaldiçoando a própria ingenuidade e sabendo que, caso seu pai cumprisse a ameaça de não lhe dar mais um tostão se ele decidisse seguir carreira na música, não teria como financiar os estudos em uma escola de música. Também começara a perceber que seu talento natural para a música o havia conduzido até ali, mas agora já não bastava. Se ele quisesse virar compositor, precisaria aprender as técnicas certas. E precisaria *trabalhar*.

Ao passar pela entrada dos artistas, repreendeu a si mesmo pela generosa mesada que havia esbanjado ao longo dos três últimos anos. Se não tivesse gastado tudo com mulheres e bebida, teria economias para o futuro. Agora, pensou, infeliz, quase com certeza já era tarde demais. Ele tinha arruinado suas chances e não podia culpar ninguém, a não ser ele mesmo.

❃ ❃ ❃

Apesar da determinação de não voltar aos antigos hábitos quando *Peer Gynt* chegasse ao fim, Jens estava com uma dor de cabeça lancinante. Na noite anterior, tomado pelo desespero, tinha ido afogar as mágoas no Café Engebret com qualquer músico conhecido seu que porventura estivesse lá.

O silêncio na casa lhe informou que a manhã estava avançada e que seu pai já saíra para a cervejaria, enquanto sua mãe sem dúvida tinha ido tomar um café com alguma amiga. Jens tocou a sineta para chamar Dora; precisava de um café com urgência. Ficou esperando a empregada chegar, o que ocorreu depois de um longo intervalo. Quando ela bateu, mandou-a entrar, e Dora entrou emburrada e pousou a bandeja sobre sua cama com um ruído desnecessário.

— Que horas são? — perguntou Jens.

— Onze e meia, senhor. Algo mais?

Ele a encarou; sabia que ela estava emburrada por ele não ter lhe dado muita atenção nos últimos tempos. Refletindo se deveria fazer o esforço de tranquilizá-la só para facilitar sua vida em casa, tomou um gole de café, pensou em Anna e decidiu que não podia fazer isso.

– Não, Dora. Obrigado.

Esquivando o olhar do rosto infeliz da moça, pegou o jornal na bandeja e fingiu ler até que ela saísse do quarto. Quando Dora se retirou, pousou o jornal e deu um profundo suspiro. Sentia muita vergonha por ter se embriagado na noite anterior, mas estava tão deprimido e sem rumo que quisera simplesmente esquecer. E Anna Landvik tampouco havia melhorado seu humor.

– Qual é o problema com você? – perguntara-lhe Simen na véspera. – Problemas com mulheres, na certa.

– É a moça que cantava Solveig. Não consigo parar de pensar nela. Simen, eu acho que estou apaixonado pela primeira vez. Sério.

Ao ouvir tal coisa, Simen jogou a cabeça para trás e riu.

– Jens, será que você não consegue ver a verdade?

– Não! Qual é a graça?

– Ela é a única moça que lhe disse não! É por isso que você acha que está "apaixonado" por ela! Sim, talvez esteja fascinado por seu idílico e puro comportamento de camponesa, mas será que não consegue ver que, na realidade, ela seria totalmente inadequada para um rapaz culto da cidade como você?

– Não, você está enganado! Não faria diferença se ela fosse aristocrata ou camponesa, eu a amaria do mesmo jeito. A voz dela é... o som mais lindo que eu já escutei na vida. E ela também tem o rosto de um anjo.

Simen baixou os olhos para o copo vazio do amigo.

– Isso é o *aquavit* que está dizendo. Confie em mim, amigo, você está só sofrendo por causa da sua primeira experiência de rejeição, não por amor.

Enquanto bebericava o café morno, Jens pensou se Simen teria razão. Mas a lembrança do rosto de Anna e de sua voz celestial ainda assombrava seus sonhos. E agora, com todos os outros desafios que estava obrigado a enfrentar, por Deus, melhor seria jamais ter posto os olhos em Anna Landvik. Quanto mais a ouvido cantar...

❂ ❂ ❂

– O recital será no dia 15 de junho, aniversário de *Herr* Grieg – informou *Herr* Bayer a Anna quando os dois se encontraram na sala de estar alguns dias mais tarde, depois da última apresentação de *Peer Gynt*. – Vou mandar a ele um convite para que venha conhecer sua primeira "Solveig", mas acho que ele está no exterior. Organizaremos um programa que inclua algumas das canções folclóricas que ele compôs, além, é claro, das de *Peer Gynt*. Haverá também a "Ária de Violetta", da *Traviata*, e depois um hino, quem sabe "Leid, Milde Ljos". Assim todos poderão ouvir a sua maravilhosa extensão vocal.

– Ainda vou poder ir a Heddal para o casamento do meu irmão? – indagou Anna, pensando que corria o risco de sufocar se não respirasse um pouco de ar puro do campo em breve.

– É claro, minha cara. Poderá partir para Heddal logo após o recital e passar todo o verão lá. Mas amanhã vamos começar a trabalhar duro. Temos um mês para tornar você e sua voz perfeitas.

Para prepará-la para essa tarefa, *Herr* Bayer havia reunido um grupo de professores que considerava adequado para proporcionar uma orientação experiente para as canções que ela iria cantar. Günther voltou para se concentrar nas árias operísticas, um chefe do coral da catedral apareceu com suas unhas roídas e seu crânio brilhante e quase calvo para dividir com ela sua experiência com hinos e o próprio *Herr* Bayer passava uma hora por dia aperfeiçoando sua técnica vocal. Uma costureira veio tirar medidas para lhe confeccionar um guarda-roupa inteiro de lindos trajes dignos de uma jovem estrela em ascensão. E o melhor de tudo: para deleite de Anna, *Herr* Bayer começou a tirá-la do apartamento para irem assistir a concertos e recitais.

Em uma dessas noites, antes de uma visita ao Teatro de Christiania para a noite de estreia de *O barbeiro de Sevilha*, de Rossini, encenada por uma companhia de ópera italiana em visita à cidade, Anna entrou na sala de estar trajando um de seus belíssimos vestidos de noite novos, feito de seda azul-escura.

– Minha cara jovem, você hoje está definitivamente radiosa – comentou *Herr* Bayer, levantando-se e batendo palma ao vê-la entrar. – Essa cor lhe cai muito bem. Agora permita-me realçar ainda mais sua aparência.

Ele lhe estendeu um escrínio de couro dentro do qual havia um colar de safira e dois brincos de pingente do mesmo feitio. As pedras reluzentes e multifacetadas estavam cravejadas em uma filigrana de ouro intrincada, obra de um ourives experiente. Anna ficou olhando para as joias quase sem saber o que dizer.

– *Herr* Bayer...

– Eram da minha esposa. Eu gostaria que as usasse hoje à noite. Posso ajudá-la a colocar o colar?

Anna não teve como recusar: ele já estava tirando o colar do escrínio. Pôde sentir o contato dos dedos de *Herr* Bayer no pescoço quando ele prendeu a peça.

– Caíram bem em você – declarou ele, satisfeito, chegando tão perto que ela sentiu seu hálito rançoso. – Agora vamos fazer nossa aparição no teatro de Christiania.

* * *

Ao longo do mês seguinte, Anna deu o melhor de si para se concentrar nos estudos de música e apreciar o tempo que passava em Christiania. Escrevia para Lars regularmente e à noite fazia suas preces com fervor. Apesar disso, os pensamentos sobre Jens Halvorsen, o Canalha – assim ela o havia batizado, na esperança de ensinar uma lição ao próprio coração traiçoeiro – continuavam a pipocar em sua mente com a pontualidade de um relógio. Seu maior desejo era poder conversar com algum amigo sobre o que a atormentava. Devia haver algum remédio para impedir aquilo, não é?

– Querido Deus – falou com um suspiro certa noite, ao se levantar depois da oração. – Acho que estou muito, muito adoentada.

À medida que o dia 15 de junho se aproximava, pôde ver que *Herr* Bayer estava tomado por uma grande animação.

– Minha cara, contratei um violinista e um violoncelista para acompanhá-la – anunciou ele no dia do recital. – Eu estarei ao piano, claro. Os dois virão ensaiar conosco hoje de manhã. E à tarde você vai descansar de modo a se preparar para sua grande noite.

Às onze da manhã, a campainha tocou, e Anna, que aguardava na sala de estar, ouviu *Frøken* Olsdatter abrir a porta e cumprimentar os músicos. Levantou-se quando eles entraram na sala acompanhados por *Herr* Bayer.

– Permita-me lhe apresentar *Herr* Isaksen, violoncelista, e *Herr* Halvorsen, violinista – anunciou ele. – Ambos foram muito bem recomendados por meu amigo *Herr* Hennum.

Quando Jens Halvorsen, o Canalha, atravessou a sala para cumprimentá-la, Anna sentiu uma nova onda de vertigem.

– *Frøken* Landvik, é uma verdadeira honra participar do seu recital hoje.

– Obrigada – conseguiu articular Anna.

Pôde ver a diversão brilhar nos olhos dele. Com o coração ainda a bater apressado dentro do peito, ela, por sua vez, não estava achando a menor graça na situação.

– Vamos começar por Verdi então – sugeriu *Herr* Bayer. Os dois músicos se posicionaram junto a ele no piano. – Anna, está prestando atenção?

– Sim, *Herr* Bayer.

– Então comecemos.

Anna soube que não estava dando o melhor de si durante o ensaio, e pôde sentir a irritação de *Herr* Bayer quando esqueceu tudo o que havia aprendido e chegou a ficar ofegante depois das notas em *vibrato*. *Tudo culpa de Jens Halvorsen, o Canalha*, pensou, enfurecida.

– Por ora isso vai ter que bastar, cavalheiros. Vamos torcer para estarmos todos mais em harmonia hoje à noite. Cheguem pontualmente às seis e meia para o início do recital, às sete.

Jens e o colega menearam a cabeça com educação, em seguida fizeram uma breve mesura para Anna. Quando estava de saída, Jens relanceou os olhos cor de mel na sua direção para um último e significativo olhar.

– Anna, o que houve com você? – quis saber *Herr* Bayer. – Com certeza não pode ser o acompanhamento que a está atrapalhando. Você se acostumou a cantar com uma orquestra completa durante a temporada de *Peer Gynt*.

– Perdão, *Herr* Bayer. Estou com uma leve dor de cabeça.

– E acho que está tendo também um acesso de nervosismo dos mais compreensíveis, minha cara jovem. – O semblante dele se suavizou, e ele lhe deu uns tapinhas no ombro. – Faça uma refeição leve na hora do almoço e depois descanse. Antes da apresentação de hoje, tomaremos uma pequena taça de vinho juntos para acalmar os nervos. Não tenho dúvidas de que esta noite será um imenso sucesso e que a partir de amanhã você será a artista mais celebrada de Christiania.

Às cinco horas daquela tarde, *Frøken* Olsdatter apareceu no quarto de Anna com um copo de água e o onipresente mel.

– Enchi a banheira para você tomar um banho, querida. Enquanto isso, vou separar suas roupas para esta noite. *Herr* Bayer gostaria que usasse o vestido azul-escuro e as safiras da esposa dele. Também sugeriu que você prendesse os cabelos. Quando voltar do banho eu a ajudo a se vestir.

– Obrigada.

Deitada na banheira, com o rosto coberto por uma flanela, Anna tentou acalmar o coração, ainda disparado desde que ela pousara os olhos em Jens Halvorsen mais cedo. A simples visão do rapaz havia causado uma reação física extrema nos seus joelhos, na sua garganta e no seu coração.

– Meu Deus, por favor, me dê força e coragem hoje à noite – rezou enquanto se secava. – E me perdoe por desejar que ele tenha um ataque do estômago mais ou menos agora e passe tão mal que não possa vir tocar.

Após ser vestida e penteada por *Frøken* Olsdatter, Anna desceu o corredor até a sala. Trinta cadeiras douradas estofadas com veludo vermelho haviam sido dispostas em fileiras semicirculares viradas para o piano, em frente à janela curva do cômodo. Jens Halvorsen e o violoncelista já conversavam com *Herr* Bayer, cujo rosto se iluminou ao ver a pupila.

– Minha cara jovem, você está perfeita – disse ele em tom de aprovação, entregando-lhe uma taça de vinho. – Agora brindemos todos a esta noite antes de o burburinho começar.

Anna tomou um gole da bebida e sentiu os olhos de Jens pousarem por um breve instante em seu decote; não soube se ele estava olhando as reluzentes safiras ou o pedaço de pele branca nua abaixo delas, mas sentiu-se enrubescer.

– A você, Anna – brindou *Herr* Bayer.

– Sim, a *Frøken* Landvik – emendou Jens, erguendo a taça em direção à dela.

– Agora vá se sentar na cozinha com *Frøken* Olsdatter até eu ir buscá-la.

– Sim, *Herr* Bayer.

– Boa sorte, meu amor – sussurrou Jens entre os dentes quando Anna passou por ele em direção à porta para sair da sala.

Talvez tenha sido o vinho ou então a empatia com a qual Jens Halvorsen, o Canalha, a acompanhou no violino nessa noite, mas, quando a última nota ecoou no silêncio da sala, até mesmo Anna soube que tinha dado o melhor de si.

Após uma rodada de aplausos entusiasmados, os convidados, entre eles Johan Hennum, rodearam-na para lhe dar os parabéns e sugerir apresentações públicas no Salão dos Franco-Maçons e nos Salões Comunitários. Em pé ao seu lado, *Herr* Bayer, radiante, olhava para ela com um ar de proprietário, enquanto Jens se mantinha um pouco distante. Quando o professor enfim se afastou, o rapaz aproveitou a chance para falar com ela.

– *Frøken* Landvik, permita-me parabenizá-la também pela apresentação de hoje.

– Obrigada, *Herr* Halvorsen.

– E por favor, Anna, eu lhe imploro – acrescentou ele, em voz mais baixa. – Desde a última vez que a vi, sou um homem atormentado. Não consigo parar de pensar em você, de sonhar com você... não está vendo que o destino conspirou para nos unir outra vez?

Ouvir seu nome de batismo pronunciado por ele foi algo tão íntimo que Anna cravou os olhos no vazio acima de seu ombro, sabendo que, se o encarasse, estaria perdida. Pois as suas palavras eram um reflexo exato do que ela própria sentia.

– Por favor, podemos nos encontrar? Em qualquer lugar, a qualquer hora... Eu...

Anna conseguiu sussurrar.

– *Herr* Halvorsen, vou voltar muito em breve a Heddal para o casamento do meu irmão.

– Então permita que eu a veja quando retornar a Christiania. Anna, eu... – Nesse instante, ao ver *Herr* Bayer se aproximar, Jens lhe fez uma mesura formal. – Esta noite foi um prazer, *Frøken* Landvik. – Ele ergueu os olhos para os dela, e Anna viu ali uma breve centelha de desespero.

– Ela foi maravilhosa, não? – disse *Herr* Bayer, dando um tapinha no ombro do rapaz. – As subidas suaves até as regiões média e alta, o magnífico *vibrato*... Foi a melhor apresentação dela que já ouvi!

– *Frøken* Landvik hoje cantou lindamente, de fato. Agora preciso ir andando. – Jens olhou para *Herr* Bayer com um ar de expectativa.

– Claro, claro. Com licença, minha cara Anna. Preciso acertar as contas com nosso jovem tocador de rabeca.

Uma hora mais tarde, quando enfim se recolheu ao quarto, Anna estava tonta e um pouco fraca. Não sabia se era por causa da euforia da apresentação ou da segunda taça de vinho que cometera a insensatez de aceitar, mas quando *Frøken* Olsdatter a ajudou a se despir, Anna entendeu, bem lá no fundo, que era tudo por causa de Jens Halvorsen. Embriagava-a pensar que ele continuava apaixonado por ela. Assim como, admitiu, relutante, ela estava por ele...

❋ ❋ ❋

Stalsberg Våningshuset
Tindevegen
Heddal

30 de junho de 1876

Kjære Anna,
Escrevo para lhe dar uma notícia triste. Meu pai faleceu na terça-feira passada. Felizmente, foi uma morte tranquila. E talvez tenha sido melhor assim, pois, como você sabe, ele vinha sofrendo muito com as dores. O funeral já terá acontecido quando você receber esta carta, mas senti que precisava lhe contar.
Seu pai me pediu para lhe dizer que a safra de cevada parece promissora, e que seus piores temores se mostraram infundados. Anna, quando você vier para o casamento do seu irmão, teremos muito o que conversar sobre o futuro. Apesar da notícia triste, estou feliz porque em breve irei vê-la.
Até lá,
Kjærlig hilsen,
Lars

Depois de ler a carta, Anna se recostou nos travesseiros com a sensação de que era uma pessoa tão ruim quanto Jens Halvorsen, o Canalha. Desde que tornara a vê-lo no recital, praticamente não tinha pensado em mais nada por um segundo que fosse. Nem quando *Herr* Bayer lhe contara animado sobre os outros recitais que havia marcado para ela, Anna conseguiu se forçar a exibir a animação esperada.

Na noite anterior, ele tinha requisitado sua presença na sala de estar às onze da manhã. Devidamente vestida, ela desceu o corredor desconsolada. Ao entrar na sala, viu que seu mentor já estava tomado por grande animação.

– Anna! Entre para ouvir esta maravilhosa notícia. Hoje de manhã estive com Johan Hennum e Ludvig Josephson. Talvez você lembre que *Herr* Hennum assistiu ao seu recital, e ele me disse que, devido ao sucesso de *Peer Gynt*, eles querem incluir a peça na temporada de outono. Sugeriram que você repita o papel de Solveig.

Anna o encarou com um misto de surpresa e consternação.

– O senhor quer dizer ficar na coxia de novo, cantando as músicas enquanto Madame Hansson finge que a minha voz é dela?

– Anna, por favor! Você acha mesmo que eu seria capaz de sugerir tal coisa? Não, minha cara jovem, eles querem que você interprete o papel completo. Madame Hansson não está disponível no momento, e já que você acaba de ser revelada à comunidade musical de Christiania como a talentosa dona da voz fantasma, eles querem muito que interprete o papel. Para melhorar ainda mais a situação, *Herr* Grieg anunciou que finalmente virá a Christiania assistir ao espetáculo. Tanto Johan quanto Ludvig acham que sua interpretação das canções não tem como melhorar. Assim sendo, querem que você faça um teste na terça-feira que vem para decidirem se tem talento suficiente como atriz. Você se lembra de alguma das falas de Solveig na peça?

– Sim, *Herr* Bayer. Em muitas ocasiões eu as articulei sem emitir som nenhum junto com Madame Hansson – respondeu Anna.

Sentiu um leve formigamento de animação lhe subir pela espinha. Será mesmo que eles iriam querê-la como estrela da peça? E será que Jens Halvorsen Agora Não Tão Canalha Assim iria tocar na orquestra...?

– Excelente! Então hoje vamos esquecer suas escalas e a ária nova que eu havia planejado lhe ensinar, e eu lerei todos os outros personagens de *Peer Gynt* enquanto você passa as falas de Solveig. – Ele pegou uma cópia da peça em cima da mesa e abriu. – Por favor, sente-se, se quiser. Como você sabe, a peça é longa, mas vamos fazer o melhor que pudermos. Está pronta? – indagou.

– Estou, sim, *Herr* Bayer – respondeu Anna, tentando se lembrar o máximo possível das falas.

❋ ❋ ❋

– Muito bem, muito bem! – disse *Herr* Bayer uma hora depois, olhando para ela com um ar de admiração. – Parece-me que temos aqui não só uma voz, mas também um talento para representar um personagem. – Ele segurou sua mão e a beijou. – Minha cara jovem, devo dizer que você não para de me impressionar.

– Obrigada.

– Anna, não tenha medo da audição. Atue exatamente como fez hoje, e o papel será seu. Agora vamos almoçar.

❋ ❋ ❋

Na quinta-feira à tarde, às duas em ponto, Anna encontrou *Herr* Josephson no palco do teatro, e os dois se sentaram juntos para ler a peça. Nas primeiras falas, ela detectou um leve tremor na própria voz, mas, à medida que foi lendo, ganhou confiança. Leu de cabo a rabo tanto a cena da primeira vez em que Solveig conhece Peer, em um casamento, quanto a última, quando ele retorna depois de viajar pelo mundo e ela o perdoa.

– Excelente, *Frøken* Landvik! – aprovou *Herr* Josephson quando ela lhe ergueu os olhos. – Realmente não sinto que preciso ouvir mais nada. Devo admitir que, quando *Herr* Hennum me sugeriu essa ideia, não fui a favor, mas a senhorita se saiu muitíssimo bem para uma primeira leitura. Precisaremos trabalhar para melhorar a projeção e a expressividade da sua voz, mas acho que já posso concordar que a senhorita assuma o papel de Solveig na próxima temporada.

– Anna! Que notícia maravilhosa, não? – exclamou *Herr* Bayer, subindo ao palco; ele havia assistido e escutado atentamente a tudo da plateia.

– Os ensaios começam em agosto para a estreia em setembro. A senhorita não tem planos de ir para o campo nessa época, tem? – perguntou *Herr* Josephson a Anna.

– Fique descansado, Anna estará aqui – respondeu *Herr* Bayer por ela. – Agora chegamos à questão do dinheiro. Temos que combinar o cachê de *Frøken* Landvik para representar um papel tão proeminente.

Dez minutos mais tarde, os dois já estavam de novo a bordo da carruagem, e *Herr* Bayer sugeriu que fossem ao Grand Hotel tomar o chá das cinco e comemorar mais aquele triunfo de Anna.

– Além de todas as outras vantagens, há também grandes chances de *Herr* Grieg aparecer no outono para vê-la atuar. Pense só numa coisa dessas, minha cara jovem! Se ele gostar de você, talvez haja chance de viajar para o exterior e se apresentar em outros teatros ou salas de concerto...

Anna deixou o pensamento vagar, e imaginou Jens Halvorsen no fosso da orquestra, com os olhos erguidos na sua direção, enquanto ela pronunciava as palavras de amor de Solveig.

– Vou então escrever para os seus pais contando a maravilhosa notícia, e pedindo a permissão deles para Christiania e eu podermos gozar o prazer da sua companhia por mais alguns meses enquanto estiver atuando em *Peer Gynt*. Você irá para casa em julho assistir ao casamento do seu irmão e voltará para cá em agosto – disse *Herr* Bayer nessa noite durante o jantar. – Também me ausentarei de Christiania, como costumo fazer, e ficarei na casa de veraneio da minha família em Drøbak com minha irmã e minha pobre mãe adoentada.

– Quer dizer que não terei tempo de ir às montanhas? – Anna detectou o tom petulante na voz, mas queria ver com os próprios olhos se Rosa ainda estava viva.

– Anna, haverá muitos outros verões para cantar para as vacas na sua região natal, mas nunca mais haverá um verão de preparativos para interpretar a protagonista em uma montagem de *Peer Gynt* no Teatro de Christiania. Eu também voltarei quando você começar os ensaios, claro.

– Tenho certeza de que *Frøken* Olsdatter pode cuidar de mim se o senhor não conseguir voltar. Não gostaria de lhe impor minhas necessidades – disse Anna com educação.

– Nem pense numa coisa dessas, minha cara jovem. Nos últimos tempos, pelo visto, as suas necessidades *são* as minhas.

Nessa noite, foi com alívio que Anna se recolheu ao quarto. Sabia que a efervescência natural de *Herr* Bayer era uma qualidade positiva e encantadora, mas conviver com ela dia após dia dava um certo cansaço. Pelo menos Lars era calado, pensou, ao se ajoelhar para fazer suas orações, ciente de que em breve o veria e forçando-se a recordar seus pontos fortes. Mas nem mesmo quando estava falando com Jesus sobre Lars conseguia parar de pensar em Jens Halvorsen.

– Meu Deus, por favor perdoe este meu coração, pois acredito que me apaixonei pelo homem errado. Ajude-me a amar quem devo. E também... – acrescentou ela antes de se levantar, tentando pensar em algo que não fosse egoísta. – Será que Rosa poderia ficar viva por mais um verão?

21

Na semana seguinte, ao mesmo tempo que Anna partia com destino a Heddal, Jens carregava uma trouxa contendo seus bens mais preciosos para o centro de Christiania. Sentia-se vazio, exaurido pelo pesadelo das últimas horas.

Naquela manhã, durante o café na sala de jantar, mantivera a postura o mais ereta e orgulhosa possível, sem tocar nos pães e geleias dispostos à sua frente. Após inspirar fundo, disse em voz alta o que precisava.

– *Far*, eu dei o melhor de mim para corresponder às suas expectativas, mas meu futuro de fato não está no ramo da fabricação de cerveja. Desejo me tornar músico em tempo integral e, um dia, espero virar compositor. Sinto muito, mas não posso mudar quem sou.

Jonas continuou a salgar os ovos e comeu um bocado antes de responder.

– Que assim, seja, então. Você tomou sua decisão. Como lhe disse na primeira vez em que falamos sobre isso, não lhe darei mais dinheiro nem lhe deixarei nada no meu testamento. A partir deste momento, você não é mais meu filho. Simplesmente não suporto ver o que está jogando fora e como está me traindo. Conforme o combinado, portanto, espero que hoje à noite, quando eu voltar do escritório, você já tenha saído de casa.

Embora Jens já estivesse se preparando para a reação do pai, ainda assim teve um choque. Encarou o semblante horrorizado da mãe, sentada do outro lado da mesa.

– Mas Jonas, *Kjære*, faltam poucos dias para o aniversário de 21 anos do seu filho, e como você sabe nós organizamos um jantar para ele. Com certeza pode lhe dar um desconto de alguns dias para comemorar com os pais e amigos?

– Tendo em vista as circunstâncias, não imagino que nenhum de nós vá conseguir comemorar. E, se você acha que o tempo vai abrandar minha determinação, está redondamente enganada. – Jonas dobrou o jornal duas vezes, como sempre fazia. – Agora tenho que sair para a cervejaria. Tenham vocês dois um bom dia.

A pior parte da coisa toda fora ver a mãe cair em prantos no mesmo instante em que a porta da frente se fechou atrás do pai. Jens a reconfortou da melhor maneira que pôde.

– Eu decepcionei *Far*. Talvez devesse mudar de ideia e...

– Não, não... Você *precisa* seguir sua paixão. Meu maior desejo era ter feito isso quando tinha a sua idade. Me perdoe, *Kjære* Jens, mas talvez eu estivesse acalentando um sonho tolo. Sempre acreditei que, quando chegasse a hora, seu pai mudaria de ideia.

– Bem, eu não pensava assim, de modo que estava preparado. Então agora preciso acatar o desejo dele e sair de casa. Com licença, *Mor*, tenho que arrumar minhas coisas.

– Talvez eu tenha errado ao incentivar você. – Margarete torceu as mãos. – Ao contrariar os planos dele para sua vida quando deveria ter aceitado que ele iria vencer.

– Mas, *Mor*, ele não venceu. Estou agindo por livre e espontânea vontade. E tudo que posso lhe dizer é o quão grato lhe sou por ter me dado o presente da música. Sem ela, meu futuro seria ainda mais infeliz.

Uma hora depois, Jens desceu até o hall de entrada do térreo em posse de duas malas abarrotadas com todos os pertences que conseguia transportar.

Sua mãe o encarou da porta da sala de estar com o rosto inchado de lágrimas.

– Ah, meu filho – disse ela, pondo-se a chorar no seu ombro. – Quem sabe com o tempo seu pai se arrependa do que fez hoje e permita que você volte para casa?

– Acho que nós dois sabemos que ele não fará isso.

– Para onde você vai?

– Tenho amigos na orquestra e tenho certeza de que algum deles me dará um teto temporário. Estou mais preocupado com você, *Mor*. Sinto que não deveria deixá-la sozinha com ele.

– Não se preocupe comigo, *Kjære*. Prometa-me apenas que vai escrever me dizendo onde está.

– Claro – assegurou-lhe ele.

A mãe então pôs um pequeno embrulho em suas mãos.

– Eu vendi o colar e os brincos de diamante que seu pai me deu quando fiz 40 anos, só para o caso de ele cumprir o que ameaçou. O dinheiro está aí dentro. Também pus a aliança de ouro da minha mãe, que você poderá vender caso precise.

– *Mor*...

– Shh. As joias eram minhas, e se ele perguntar onde foram parar eu direi a verdade. O dinheiro é suficiente para pagar um ano de estudos e de hospedagem em Leipzig. Jens, jure-me que não vai desperdiçar esse dinheiro como fez tantas vezes no passado.

– *Mor*. – O rapaz se pegou engasgado de emoção. – Juro que não vou fazer isso. – Então, antes de desmoronar por completo, tomou a mãe nos braços e lhe deu um carinhoso beijo de despedida.

– Espero um dia me sentar no Teatro de Christiania e ver você regendo a música que compôs – disse ela, com um sorriso triste.

– Prometo que assim será, *Mor*, e farei o que for preciso para cumprir essa promessa.

Ele então saiu de casa pela última vez, atordoado, mas também animado com a decisão tomada; percebeu que, apesar de ter tranquilizado a mãe, na verdade não havia planejado para onde iria se o pior *de fato* acontecesse. Bem, o pior *tinha* acontecido, e Jens foi direto para o Café Engebret, na esperança de encontrar algum músico conhecido seu capaz de lhe oferecer uma cama para dormir naquela noite. Simen fez essa gentileza, anotou seu endereço e disse que o encontraria em casa mais tarde.

Após algumas cervejas para aliviar a enormidade do ato que acabara de cometer, Jens se pegou andando em direção a uma parte da cidade na qual jamais havia posto os pés. Com suas roupas boas de alfaiataria, sentia que destoava dos outros. Os braços estavam doloridos de carregar as duas pesadas malas, e ele foi andando o mais depressa que conseguiu, evitando cruzar olhares com qualquer passante.

Nunca havia se afastado tanto assim dos limites da cidade. Ao contrário do centro de Christiania, ali as casas de madeira pelo visto ainda não tinham sido banidas por conta do risco de incêndio. Quanto mais ele andava, mais dilapidadas se tornavam as construções. Por fim, ele parou em frente a uma velha casa de estrutura de madeira e verificou mais uma vez o endereço que Simen tinha lhe dado no Engebret. Bateu à porta e ouviu lá dentro um grunhido e o barulho de alguém cuspindo. A porta se abriu e Simen apareceu, meio embriagado como de hábito, sorrindo para ele.

– Entre, meu rapaz, entre, e seja bem-vindo à minha humilde moradia. Não é grande coisa, mas é um lar. – Dentro da casa, o cômodo da frente, abafado e pequeno, recendia à comida podre e ao tabaco que Simen fumava no cachimbo. Jens observou que cada centímetro de espaço disponível estava tomado por instrumentos musicais. Havia dois violoncelos, uma viola, um piano, várias rabecas...

– Obrigado, Simen. Sou muito grato a você por me receber.

Simen descartou o agradecimento com um aceno.

– Ora, não é nada. Qualquer rapaz que desiste de tudo por amor à música merece toda a ajuda do mundo. Estou orgulhoso de você, Jens, estou mesmo. Agora suba comigo, vamos acomodá-lo.

– É uma coleção e tanto que você tem aqui – comentou Jens, abrindo caminho com cuidado pela profusão de instrumentos e subindo um lance de estreitos degraus de madeira.

– Simplesmente não consigo resistir a comprá-los. Um desses violoncelos tem quase cem anos – explicou o músico. A escada rangia enquanto Jens subia com as malas.

Os dois chegaram a um quarto que continha algumas cadeiras surradas e uma mesa empoeirada, coberta pelos detritos da comida e bebida de alguns dias antes.

– Há um estrado em algum lugar que posso lhe oferecer para dormir. Não é aquilo com que você está acostumado, tenho certeza, mas é melhor do que nada. E agora, meu amigo, que tal um pouco de *aquavit* para comemorar sua independência? – Simen pegou uma garrafa da mesa e um copo encardido, que cheirou e virou para despejar no chão algumas gotas remanescentes.

– Obrigado.

Jens aceitou o copo sujo. Se aquela seria sua nova vida, precisava abraçá-la de corpo e alma. Embriagou-se para valer nessa noite e acordou com uma ressaca terrível, os ossos doloridos por ter dormido sobre o estrado duro. Deu-se conta, além disso, de que não havia Dora nenhuma para aparecer com um café para ajudá-lo a se recuperar. Lembrando-se em pânico do embrulho com dinheiro que a mãe havia lhe dado, estendeu a mão para o casaco e tateou o bolso no qual o guardara ao sair de casa. Ao constatar que continuava ali, abriu-o, viu o anel, e observou que a quantia de fato bastava para lhe pagar um ano de estudos em Leipzig. Ou então uma cama confortável em um hotel nas próximas noites...

Não. Jens se controlou. Havia prometido à mãe não decepcioná-la desperdiçando aquele dinheiro.

❊ ❊ ❊

Anna embarcou no trem que a transportaria no primeiro trecho da viagem até em casa. Já estava escuro quando chegou à estação de Drammen. Ao descer do vagão, viu o pai à sua espera na plataforma.

– *Far*! Ah, *Far*! Como estou feliz em vê-lo. – E para grande surpresa de Anders a filha lhe deu um abraço, demonstração pública de afeto que não lhe era característica.

– Pronto, Anna, pronto. Tenho certeza de que você deve estar cansada depois da viagem. Venha, vamos para nossa hospedaria. Hoje pode dormir o quanto quiser e amanhã iremos para Heddal.

Na manhã seguinte, revigorada pela noite de sono, Anna subiu na carroça e Anders deu um tapa no cavalo para fazê-lo andar.

– Agora, à luz do dia, você por algum motivo parece diferente. Acho que virou mulher, filha. Está linda.

– Por favor, *Far*, tenho certeza de que linda eu não sou.

– Está todo mundo ansioso para vê-la chegar. Sua mãe está preparando um jantar especial para você hoje à noite, e Lars vai se juntar a nós. Recebemos a carta de *Herr* Bayer nos contando sobre o seu sucesso no Teatro de Christiania. Segundo ele, Solveig ainda por cima é a protagonista.

– É, sim. Mas o senhor não se importa se eu ficar mais um pouco em Christiania, *Far*?

– Nem seria justo reclamar, depois de tudo que *Herr* Bayer fez por você – respondeu Anders, calmo. – Ele disse que você vai ficar famosa, que na cidade já não se fala em outra coisa que não a sua voz. Estamos orgulhosos.

– Acho que ele está exagerando, *Far* – falou Anna, corando.

– Duvido. Mas, Anna, você precisa falar com Lars, é claro. Ele está infeliz com esse novo adiamento do noivado e do casamento, mas esperamos que goste o suficiente de você para entender.

Ao ouvir o nome de Lars, Anna sentiu o estômago embrulhar. Decidida a não deixar aquilo estragar seu primeiro dia em casa, fez o possível para empurrar aqueles pensamentos para o fundo da mente.

Quando eles saíram de Drammen para o campo aberto, o dia estava muito ensolarado, e ela fechou os olhos e percebeu que tudo que conseguia escutar eram os estalos dos cascos do pônei e os pássaros a cantar nas árvores. Inspirou o ar fresco e puro como um animal enjaulado de repente solto na natureza e decidiu que talvez nunca mais voltasse para Christiania.

Anders lhe contou que a vaca Rosa havia sobrevivido a mais um inverno, o que renovou a fé de Anna de que suas preces tinham sido atendidas. Seu pai então pôs-se a falar sobre os preparativos para o casamento de Knut e o frenesi de bolos e comida pelo qual sua mãe se encontrava atualmente tomada.

– Sigrid é uma moça encantadora, e acho que dará uma boa esposa para Knut – comentou Anders. – O mais importante é que sua mãe também gosta dela, já que o feliz casal vai morar debaixo do nosso teto. Quando você e Lars se casarem, vão se mudar para a fazenda dele, e estamos pensando em construir outra sede no ano que vem.

No fim da tarde, quando eles chegaram à fazenda, todos vieram recebê-la. Até mesmo Gerdy, a velha gata, saiu correndo o mais rápido que pôde sobre as três patas, e a cadela Viva veio animadíssima atrás dela e pulou em cima de Anna de tanta alegria.

Sua mãe lhe deu um abraço demorado.

– Passei o dia inteiro esperando para vê-la. Como foi de viagem? Meu Deus, como você está magra! Seus cabelos estão compridos demais, eu diria que precisam de um bom corte...

As duas entraram em casa e Anna ficou escutando a mãe tagarelar sem parar. O cheiro reconfortante de fumaça do fogão a lenha, do talco que Berit usava e de cachorro molhado invadiu as narinas de Anna quando ela entrou na cozinha.

– Ponha a mala de Anna no quarto dela – pediu Berit ao filho enquanto punha a chaleira sobre o fogão para fazer um café. – Espero que não se incomode, Anna, mas nós a transferimos para o quarto de Knut. Lá não havia espaço para a cama de casal que ele e Sigrid vão dividir depois de casados. Seu pai levou embora os beliches, e acho que ficou aconchegante só com uma cama de solteira. Você vai conhecer sua nova irmã amanhã, quando ela vier jantar. Ah, Anna, tenho certeza de que vai adorá-la. Ela é muito gentil e costura como ninguém. Sabe também cozinhar, o que vai ser uma grande ajuda para mim, pois meu reumatismo me atormentou durante todo o inverno.

Anna passou a hora seguinte escutando a mãe tecer elogios a Sigrid. Um pouco irritada por ter sido enxotada de seu quarto sem a menor cerimônia e sequer um pedido de licença, deu o melhor de si para não se sentir excluída daquele aparente símbolo de perfeição doméstica. Depois de beber seu café, pediu permissão para ir desfazer as malas antes do jantar.

Ao entrar em seu novo quarto, viu que todas as suas coisas tinham sido empilhadas dentro das cestas que a mãe normalmente usava para levar as galinhas ao mercado. Sentou-se no colchão duro do irmão e se perguntou o que teria acontecido com sua antiga cama de menina. Concluiu que, do jeito que as coisas pareciam estar naquela casa, o pai devia ter cortado a cama em pedaços e usado como lenha para o fogareiro. Totalmente contrariada, começou a desfazer a mala.

Desdobrou a capa de almofada que havia passado horas bordando como presente de casamento para Knut e Sigrid desde que ficara sabendo do noivado. Noite após noite, ao espetar os dedos na agulha ou puxar os fios de algum ponto errado, ela havia se desesperado com sua falta de jeito. Estendeu a capa de almofada sobre a cama e observou os buracos no tecido que formava a base do bordado, nos lugares em que tivera que mudar de ponto. Mesmo que aquela almofada fosse condenada ao cesto do cachorro por sua nova cunhada exemplar, Anna pelo menos sabia que cada ponto tinha sido bordado com amor.

Com a cabeça erguida, saiu do quarto para se juntar à família em seu jantar de "boas-vindas".

Lars chegou bem na hora em que ela estava ajudando a mãe a servir a comida. Com uma sopeira cheia de batatas na mão, Anna olhou de relance para ele ao vê-lo entrar na cozinha e cumprimentar Knut e seus pais. Na mesma hora, para sua irritação, não pôde evitar compará-lo a Jens Halvorsen, o Canalha. Fisicamente, os dois não poderiam ser mais diferentes, e enquanto Jens era sempre o centro das atenções, tudo que Lars queria era manter a discrição.

– Anna, pelo amor de Deus, largue essas batatas e venha cumprimentar Lars – repreendeu-a Berit.

Anna pousou as batatas sobre a mesa, limpou as mãos no avental e andou na direção do rapaz.

– Olá, Anna – disse Lars baixinho. – Como vai?
– Bem, obrigada.

– A viagem foi boa?

– Muito, obrigada. – Ela pôde sentir o constrangimento dele aumentar à medida que a encarava, esforçando-se para encontrar o que dizer em seguida.

– Você está com um aspecto... saudável – ele conseguiu dizer.

– É mesmo? – intrometeu-se Berit. – Pois eu acho que está magra demais. É todo aquele peixe que eles comem na cidade. Não tem quase gordura.

– Anna sempre foi magrinha... Deus a quis assim. – Lars lhe abriu um pequeno sorriso de apoio.

– Eu sinto muito pelo seu pai.

– Fico grato pela sua sensibilidade.

– Vamos nos sentar, Berit? A viagem de ida e volta foi longa, e seu marido está com fome – falou Anders.

Enquanto a família comia, Anna respondeu às intermináveis perguntas sobre sua vida em Christiania. A conversa então passou para o casamento de Knut e as providências relacionadas ao evento.

– Anna, você deve estar exausta da viagem – comentou Lars.

– Estou cansada, sim – reconheceu ela.

– Então vá já para a cama – falou Berit. – Nos próximos dias haverá muito a fazer e tempo nenhum para dormir.

Anna se levantou.

– Boa noite, então.

Os olhos de Lars não desgrudaram dela quando ela atravessou a cozinha em direção ao quarto. Depois de já ter tirado metade das roupas, Anna de repente se lembrou de que na casa dos seus pais não havia banheiro. Tornou a se vestir e saiu para usar a latrina. Enfim deitada, esforçou-se para encontrar algum conforto. O travesseiro de crina parecia uma pedra em comparação com a macia pluma de ganso na qual costumava dormir no apartamento de *Herr* Bayer, a cama era estreita e o colchão cheio de calombos. Ela refletiu sobre quantas coisas passara a considerar naturais sem perceber. Em Christiania, não precisava realizar nenhuma tarefa doméstica e tinha uma criada para fazer tudo o que pedia.

Anna, ralhou consigo mesma, *acho mesmo que você está ficando mimada*. E, com esse pensamento, pegou no sono.

❊ ❊ ❊

A semana anterior ao casamento passou feito um borrão: foi preciso preparar comida, limpar, buscar e transportar coisas; todos ficaram ocupados com os preparativos de última hora.

Apesar de querer antipatizar com a noiva do irmão por todas as tarefas domésticas que ela sabia realizar tão bem, Anna constatou que Sigrid era exatamente como a mãe dissera. Com certeza não era nenhuma beldade, mas tinha um temperamento calmo que contrabalançava a histeria de Berit à medida que o grande dia se aproximava. Sigrid, por sua vez, admirava Anna por levar uma vida tão luxuosa em Christiania, tratava-a com muito respeito e acatava suas opiniões sem dar um pio.

O irmão mais velho de Anna, Nils, chegou na véspera do casamento com a mulher e os dois filhos. Fazia mais de um ano que ela não os via, e ficou encantada em conhecer melhor os sobrinhos pequenos.

Em meio à alegria de ter a família inteira reunida, uma coisa porém não lhe saía da cabeça: todos pareciam partir do princípio de que, quando ela voltasse de Christiania após a temporada de *Peer Gynt*, iria se mudar para a casa de fazenda em ruínas dos Trulssens como esposa de Lars. E dividiria com ele não apenas o quarto, mas também a *cama*.

Essa simples ideia fazia Anna se sentir mal e piorava sua insônia à noite.

Na manhã do casamento, Anna ajudou Sigrid a pôr o vestido. Este consistia em uma volumosa saia vermelha e uma blusa de algodão branco coberta por um bolero preto decorado com pesadas peças de metal dourado. Ela examinou o lindo bordado no avental de cor creme preso à frente da saia.

– Como são delicados os pontos das rosas. Eu jamais conseguiria fazer uma coisa dessas, Sigrid. Como você é prendada.

– Anna, você não tem tempo para essas coisas, com a vida movimentada que leva na cidade. Eu gastei muitas noites de inverno costurando meu enxoval – retrucou Sigrid. – Além do mais, não sei cantar. Você vai cantar no banquete de casamento hoje à noite, não vai?

– Se você quiser, sim. E talvez seja melhor dizermos que esse é meu presente de casamento para você e Knut. Eu bordei uma coisa para você, mas ficou bem malfeita – confessou ela.

– Não faz mal, irmã. Sei que foi feito com amor, e isso é tudo que importa. Agora pode me passar a coroa e me ajudar a prendê-la?

Anna tirou da caixa a pesada coroa matrimonial folheada a ouro. Fazia oitenta anos que a igreja a mantinha, e todas as noivas do vilarejo haviam se casado com ela. Anna a pousou sobre os cabelos louros de Sigrid.

– Pronto. Agora você é uma noiva de verdade – falou, enquanto a outra se olhava no espelho.

Berit espichou a cabeça pela porta.

– Está na hora, *Kjære*. E permita-me dizer que você está muito linda.

Sigrid pousou a mão sobre a de Anna.

– Obrigada pela ajuda, irmã. A próxima vai ser você, quando se casar com Lars.

Enquanto seguia Sigrid até a carroça que a aguardava cheia de flores frescas do campo, Anna teve um calafrio involuntário ao pensar em tal coisa.

Na igreja, ficou olhando o irmão em pé diante do altar com Sigrid e o pastor Erslev. Estranho pensar que Knut era agora um chefe de família e que em breve teria seus próprios filhos ruivos. Ela olhou de relance para Lars, que escutava com atenção e, para variar, não estava olhando na sua direção.

Depois da cerimônia, mais de cem pessoas seguiram a carroça dos noivos até a residência dos Landviks. Berit havia passado semanas rezando a Deus para fazer tempo bom, já que não havia espaço para todo mundo dentro de casa. Suas preces tinham sido atendidas, e as mesas de madeira, dispostas na campina ao lado da casa logo foram cobertas de comida, grande parte trazida pelos próprios convidados. Pratos de carne de porco salgada e apimentada, de tenra carne bovina grelhada no espeto, além, é claro, de arenque, garantiram que as barrigas ficassem cheias e ajudaram a forrar o estômago para a cerveja e o *aquavit* caseiros servidos à larga durante os festejos.

Bem mais tarde, quando a tarde começou a cair, lamparinas foram acesas e penduradas em postes de madeira para formar uma praça improvisada e as danças começaram. Os músicos se puseram a tocar a animada melodia do *hallingkast* e todos deram vivas e abriram uma roda no meio. Uma jovem entrou na roda, segurou um chapéu no alto de uma vara à sua frente, e começou a desafiar os homens a tentarem chutá-lo. Os irmãos de Anna se cutucaram e foram os primeiros da roda a dançar e saltar em volta da moça, incentivados pelos gritos dos convidados.

Ofegante de tanto rir, Anna se virou e viu Lars sentado sozinho diante de uma das mesas, com um ar taciturno.

– Anna, vai fazer o que prometeu e cantar para nós? – indagou Sigrid, surgindo ao seu lado.

– Sim – emendou Knut, aos arquejos. – Você precisa cantar.

– Cante a "Canção de Solveig"! – gritou alguém na multidão.

Um coro de aprovação se seguiu a essa sugestão. Anna foi até o centro da roda de dança, se recompôs e começou a cantar. Ao fazê-lo, acabou sem querer pensando em Christiania e no jovem músico que, de tão fascinado com sua voz, não havia parado de cortejá-la...

E voltaremos a nos encontrar, amor, e nunca vamos nos separar. E nunca vamos nos separar...

Havia lágrimas em seus olhos quando a última nota se extinguiu. O público se manteve em silêncio, até que alguém começou a aplaudir e o restante dos convidados fez o mesmo. Em pouco tempo, a campina inteira era só aplausos.

– Cante outra, Anna!

– Sim! Uma das *nossas* canções!

Durante a meia hora seguinte, acompanhada pelo pai na rabeca, Anna não teve mais tempo para se dedicar aos próprios sentimentos e percorreu todo o repertório de canções folclóricas que aquelas pessoas conheciam de cor. Então chegou a hora de os noivos se retirarem para a noite. Ao som de muitas brincadeiras e assobios bem-humorados, Knut e Sigrid desapareceram dentro de casa e os convidados começaram a se dispersar.

Enquanto ajudava a tirar a mesa, Anna se sentiu exausta e inquieta. Movia-se como um autômato, carregando pratos e travessas até o barril cheio d'água tirada do poço mais cedo justamente para esse fim.

– Anna, você parece cansada.

Ela sentiu a mão de alguém pousar de leve em seu ombro. Quando se virou, Lars estava de pé atrás dela.

– Estou perfeitamente bem – falou, conseguindo dar um sorriso amarelo.

– Gostou do casamento?

– Sim, foi tudo lindo. Sigrid e Knut vão ser muito felizes juntos.

Quando ela se virou para se concentrar de novo em sua tarefa, sentiu a mão dele escorregar de seu ombro. Com o canto do olho, pôde vê-lo com a cabeça baixa e as mãos nos bolsos.

– Anna, senti saudade de você – disse Lars, com uma voz tão fraca que ela mal escutou. – Você... sentiu saudade de mim?

Ela gelou e o prato ensaboado escorregou por entre seus dedos.

– Claro. Senti saudades de todos aqui, mas ando muito ocupada em Christiania.

– Com todos os seus novos amigos, imagino eu – disse ele, friamente.

– Sim, como *Frøken* Olsdatter e as crianças do teatro – respondeu ela depressa sem parar de lavar o prato, mas desejando em seu íntimo que ele fosse embora.

Lars permaneceu ali por mais alguns segundos, sem saber o que fazer, e ela sentiu o olhar dele pousado nela.

– Foi um longo dia para todo mundo – disse ele por fim. – Preciso ir andando... Mas, primeiro, Anna, preciso lhe perguntar uma coisa, pois sei que você tem que voltar para Christiania amanhã. E desejo que me responda com toda a sinceridade. Para o bem de nós dois.

Anna pôde ouvir o tom de seriedade nas palavras dele. Sentiu o estômago embrulhar.

– Claro, Lars.

– Você... você ainda quer se casar comigo? Considerando tudo que já mudou e ainda vai mudar na sua vida, eu juro que entenderei se não quiser.

– Eu... – Ela abaixou a cabeça por cima dos pratos, fechou os olhos com força e desejou que aquele momento passasse logo. – Acho que sim.

– Mas eu acho que você não quer. Anna, por favor, é melhor para nós dois saber onde estamos pisando. Só posso continuar aguardando você se houver esperança. Não posso evitar a sensação de que, desde o começo, você teve reservas em relação à nossa futura união.

– Mas e *Mor* e *Far* e as terras que você vendeu para eles?

Lars deu um suspiro profundo.

– Anna, você acabou de me dizer tudo o que eu precisava saber. Agora vou embora, mas escreverei para lhe dizer como devemos organizar as coisas. Não precisa dizer nada aos seus pais. Deixe que eu cuido de tudo. – Ele retirou uma das mãos de Anna de dentro do barril com água. Levou-a aos lábios e a beijou. – Adeus, Anna. Que Deus a abençoe.

Ela o observou se afastar para dentro da escuridão e entendeu que seu noivado com Lars Trulssen parecia ter acabado antes mesmo de começar.

Ally

Agosto de 2007

22

Já passava da hora do almoço quando ergui a cabeça da tela do laptop e o papel de parede listrado se moveu feito um borrão antes de entrar em foco outra vez. Apesar de eu não fazer a menor ideia de como me encaixava em uma história que se passara mais de 130 anos antes, o que tinha lido até então me deixara fascinada. No Conservatório de Genebra, havia aprendido sobre a vida de muitos compositores e estudado suas obras-primas, mas aquele livro recriava sua época de modo bastante vívido. Além do mais, fiquei fascinada com o fato de Jens Halvorsen ter sido o flautista a tocar aqueles primeiros compassos tão simbólicos na estreia de uma das minhas peças musicais preferidas.

Pensei então na carta que Pa havia me deixado e perguntei-me se ele só queria que eu lesse a história da gênese de *Peer Gynt* para incentivar um renascimento do meu amor pela música. Como se soubesse que eu talvez fosse precisar disso...

E, sim, tocar no funeral de Theo tinha *mesmo* me reconfortado. Até o tempo que eu levara para ensaiar a música tinha constituído algumas bem-vindas horas de trégua, sem pensar nele. Desde então, havia ocasiões em que eu pegava a minha flauta e tocava por prazer. Ou, para ser mais exata, para aliviar a dor.

A questão era saber se essa conexão era mais profunda e se algum laço de sangue unia Anna, Jens e eu. Um laço esticado como um frágil fio de seda ao longo de 130 anos...

Será que Pa Salt teria conhecido Jens ou Anna quando era bem mais jovem?, pensei. Como Pa tinha morrido com mais de 80, pensei que havia uma possibilidade, dependendo de quantos anos Jens e Anna tivessem vivido. Mas esses dados, para minha irritação, não estavam atualmente disponíveis.

Minhas ponderações foram interrompidas pelo toque estridente do telefone. Como eu sabia que a secretária eletrônica de Celia era antiga e estava quebrada – e que, portanto, o telefone ficaria tocando sem parar –, saí do quarto e desci correndo até o hall para atender.

– Alô?

– Ahn, oi. A Celia está?

– No momento não – respondi, reconhecendo a voz de homem com sotaque americano. – Aqui é Ally. Quer deixar recado?

– Ah, oi, Ally. Aqui é Peter, pai do Theo. Como vai?

– Tudo bem – respondi no automático. – Celia deve voltar hoje à noite lá pela hora do jantar.

– Infelizmente vai ser tarde para mim. Estava só ligando para avisar que vou voltar para os EUA hoje à noite. Senti que deveria falar com ela antes de ir.

– Bom, Peter, vou dizer que você ligou.

– Obrigado. – Fez-se um silêncio na linha. – Ally, você está ocupada agora?

– Não, na verdade não.

– Então podemos nos encontrar antes de eu ir para o aeroporto? Estou hospedado no hotel Dorchester; e gostaria de convidá-la para um chá da tarde. São só quinze minutos de táxi da casa de Celia.

– Eu...

– Por favor?

– Está bem – concordei, com relutância.

– Às três no Promenade? Tenho que ir para Heathrow às quatro.

– Até lá então, Peter – falei.

Ao colocar o fone no gancho, perguntei-me que diabo de roupa havia trazido que pudesse usar para tomar chá no Dorchester.

Uma hora depois, ao entrar no hotel, senti-me estranhamente culpada, como se estivesse traindo Celia. Mas Pa Salt havia me ensinado a nunca julgar ninguém com base em disse me disse. Além do mais, Peter era pai de Theo; eu precisava lhe dar uma chance.

– Olá, senhorita – chamou ele, acenando para mim de uma das mesas do opulento salão cheio de colunas de mármore situado logo depois do lobby. Levantou-se para me cumprimentar quando me aproximei e apertou minha mão de modo caloroso e firme. – Sente-se, por favor. Não tinha certeza do que você iria querer, então, como temos pouco tempo, tomei a liberdade de pedir o chá completo.

Com um gesto, ele indicou a mesa baixa sobre a qual estavam dispostas travessas de porcelana cheias de sanduíches de pão de miga cortados com precisão e um porta-bolos de vários andares repleto de delicados doces franceses e *scones*, além de pequenos potinhos de geleia e creme.

– Há também litros de chá, claro. Nossa, os ingleses amam mesmo esse negócio!

– Obrigada – falei, sem fome alguma, enquanto me acomodava no assento à sua frente. Um garçom de luvas brancas imaculadas apareceu na mesma hora para me servir uma xícara de chá; enquanto isso, observei o pai de Theo com mais atenção. Peter tinha olhos escuros, uma pele clara quase sem marcas da idade para um homem que devia passar dos 60 e um corpo musculoso por baixo do blazer azul-marinho casual, apesar da alfaiataria cara. Pelo marrom opaco de seus cabelos, percebi que ele os pintava, e na hora decidi que Theo não tinha nada a ver com o pai quando este sorriu para mim. O formato enviesado de sua boca, porém, era tão parecido com o do filho que cheguei a dar um arquejo.

– Então, Ally. Como estão as coisas? – indagou Peter depois que o garçom se afastou. – Está segurando as pontas?

– Tem momentos bons e momentos ruins, eu acho. E você?

– Se quer mesmo saber a verdade, Ally, não estou lidando nada bem com a situação. Para mim foi um baque imenso. Não paro de me lembrar de Theo bebê e de como ele era bonitinho quando criança. Não é a ordem certa das coisas um filho morrer antes do pai, sabe?

– Sei – concordei, com pena dele e curiosa em relação àquele homem descrito de modo tão negativo por Celia e pelo próprio Theo.

Dava para ver que ele estava tentando se controlar, mas eu podia sentir sua dor, que irradiava dele como uma presença palpável.

– E como Celia está lidando com isso? – ele quis saber.

– Do mesmo jeito que nós dois... com muita dificuldade. Ela tem sido incrivelmente generosa comigo.

– Talvez seja terapêutico ter alguém de quem cuidar. Eu gostaria de ter.

– Preciso lhe dizer uma coisa – afirmei, pegando um sanduíche de salmão defumado e mordendo um pedacinho. – Celia me disse que teria convidado você para ir se sentar com ela na frente da igreja se soubesse que você estava lá.

– É mesmo? – A expressão dele se animou um pouco. – Que coisa boa de saber, Ally. Talvez eu devesse ter avisado a ela que viria, mas imaginei quanto ela devia estar arrasada e não queria deixá-la ainda mais abalada. Você já deve ter entendido que eu não sou exatamente uma prioridade na lista de cartões de Natal de Celia.

– Talvez ela ache difícil perdoar você por... você sabe... pelo que fez com ela.

– Bem, Ally, como eu lhe disse naquele dia depois da cerimônia, toda história tem sempre um outro lado, mas não vamos falar disso agora. E, sim, é verdade que grande parte da culpa é minha. Cá entre nós, eu ainda amo Celia. – Peter deu um suspiro. – Amo tanto que chego a sentir uma dor física. Sei que a decepcionei e fiz coisas ruins, mas nos casamos cedo, e em retrospecto eu acho que deveria ter feito as minhas estripulias antes, não durante o casamento. Celia... – Peter deu de ombros. – Bem, ela era uma verdadeira "dama" nesse departamento, se é que você me entende. Nós éramos completamente opostos. Enfim, eu com certeza aprendi minha lição.

– Sim – falei, sem querer me alongar nessa explicação. – Na verdade, eu acho que ela também ainda ama você.

– É mesmo? – Desconfiado, Peter arqueou uma das sobrancelhas. – Com certeza não era isso que eu esperava escutar de você.

– É, provavelmente não, mas dá para ver nos olhos dela quando ela fala em você, mesmo quando está dizendo algo negativo. Seu filho uma vez me disse que a linha entre o amor e o ódio era muito tênue.

– É a cara dele dizer isso... ele era um rapaz bem desse tipo, perceptivo e dono de uma grande inteligência emocional. Queria ter a mesma percepção da natureza humana que ele tinha. – Peter deu um suspiro. – Com certeza não foi de mim que ele puxou isso.

Percebi que eu decerto havia falado mais do que deveria, mas como já estava mergulhada até o pescoço decidi que não custava nada ir até o fim.

– Sabe do que mais? Eu acho que Theo teria adorado a ideia de os pais se encontrarem e quem sabe resolverem as mágoas do passado. Se essa for a única consequência boa dessa tragédia toda, pelo menos terá sido alguma coisa.

Peter me encarou enquanto eu tomava um golinho do meu chá.

– Acho que eu entendo totalmente por que meu filho a amava tanto. Você é especial, Ally. No entanto, por mais que suas intenções sejam boas, eu não acredito mais em milagres.

— Mas eu acredito. Acredito, sim – repeti. – Mesmo que Theo e eu só tenhamos tido poucas semanas juntos, ele mudou a minha vida. O fato de nós termos nos encontrado e nos encaixado tão bem é *mesmo* um milagre, e eu sei que, mesmo com toda a dor, ele fez de mim uma pessoa melhor. – Foi a minha vez de ficar com os olhos marejados, e Peter estendeu a mão por cima da mesa e afagou a minha.

— Bom, Ally, eu com certeza a admiro por tentar ver o lado positivo em uma situação negativa. Muito tempo atrás, eu também era assim.

— Com certeza pode voltar a ser como antes, não?

— Eu acho que perdi essa capacidade durante o divórcio. Mas, enfim, me fale sobre os seus planos para o futuro. Meu filho deixou alguma coisa para você?

— Deixou, sim. Na verdade, ele mudou o testamento logo antes da regata. Eu fiquei com o Sunseeker e com um celeiro velho em Anafi, perto daquela linda casa de vocês. Para ser sincera, apesar de ter amado muito Theo, não sei se consigo me ver indo para "Algum Lugar", que é como chamávamos Anafi, brigar com as autoridades gregas para construir a casa dos sonhos dele.

— Ele deixou para você aquela maluquice daquele estábulo de cabras? – Peter jogou a cabeça para trás e riu. – Só para ficar registrado, eu me ofereci várias vezes para comprar uma casa para o Theo, mas ele sempre recusou terminantemente.

— Orgulho – falei, dando de ombros.

— Ou burrice – rebateu Peter. – Meu filho era um esportista que corria atrás da sua paixão. Eu sabia que ele precisava de ajuda financeira, mas nunca aceitava. Aposto que você também não comprou sua própria casa, Ally. Como qualquer jovem hoje em dia conseguiria fazer isso, mesmo ganhando um salário razoável?

— Não comprei, não, mas agora tenho o estábulo – falei, com um sorriso.

— Bom, em primeiro lugar quero lhe dizer que você é mais do que bem-vinda na minha casa em Anafi sempre que quiser. Celia sabe que também pode usá-la a qualquer momento, mas se recusa a ir lá. Parece que tem a ver com algo que eu disse a ela quando estivemos lá juntos, tempos atrás. Não me pergunte o que foi, porque não me lembro. E lhe digo mais, Ally: se algum dia você precisar de ajuda com as autoridades gregas para construir, eu sou a pessoa certa para intervir. Investi tanto dinheiro naquela ilha que deveria ser eleito prefeito! Você já tem a escritura?

– Ainda não, mas parece que assim que o testamento for validado eles vão me mandar.

– Bem, senhorita, qualquer coisa que precisar, saiba que estou às ordens. É o mínimo que posso fazer: cuidar da garota que meu filho amava.

– Obrigada. – Passamos algum tempo sentados em silêncio, sentindo saudades de Theo.

– Mas, então, você ainda não me disse quais são seus planos para o futuro – insistiu Peter depois de algum tempo.

– É porque eu não tenho certeza.

– Theo me contou que você era ótima velejadora e que estava prestes a começar a treinar com a equipe olímpica da Suíça.

– Eu desisti. Não me peça para explicar, Peter, por favor, mas eu simplesmente não consigo.

– Não precisa explicar nada. E, perdoe-me a frase feita, mas parece que você tem outro coelho na cartola. Ally, você tem talento para a música. Fiquei muito comovido quando tocou flauta na cerimônia.

– É muita gentileza sua dizer isso, Peter. Mas eu estava muito enferrujada, muito mesmo. Faz anos que não toco direito.

– Bom, com certeza não foi assim que soou aos meus ouvidos. Se eu tivesse um dom como o seu, seria como um tesouro. É de família?

– Não tenho certeza. Pode ser. Meu pai morreu faz poucas semanas...

– Ally! – Peter fez uma cara horrorizada. – Meu Deus! Como você suportou perder os dois homens da sua vida?

– Para ser sincera, não sei. – Engoli em seco e me senti invadir por uma onda de emoção. Sentia-me bem, contanto que ninguém se mostrasse compreensivo. – Enfim, o fato é que eu fui adotada, eu e minhas cinco irmãs. E o último presente que meu pai deixou foram algumas dicas sobre o meu passado. Pelo pouco que sei até agora, pode ser que a música esteja *mesmo* nos meus genes.

– Entendi. – Ele me encarou com os olhos escuros cheios de entendimento. – E você pretende procurar saber mais?

– Ainda não tenho certeza. Com certeza não era a minha intenção quando Theo ainda estava vivo. Eu estava animada com o futuro.

– É claro. Tem algo planejado para as próximas semanas?

– Não, nada.

– Bem, então esta é a sua resposta: vá atrás das pistas que recebeu. Com certeza é o que eu faria. E acho que Theo iria querer isso. – Ele olhou para o relógio. – Agora infelizmente terei que deixá-la, porque senão perco meu voo. A conta está paga; por favor, fique e termine de comer se quiser. E vou repetir: se algum dia precisar de alguma coisa, Ally, é só avisar.

Ele se levantou e eu fiz o mesmo. Então, espontaneamente, ele me tomou nos braços e me deu um abraço apertado.

– Queria que tivéssemos mais tempo para conversar, mas mesmo assim estou feliz por ter conhecido você. O dia de hoje foi a única coisa positiva de tudo o que aconteceu, e agradeço a você por isso. E lembre-se: um dia alguém me disse que a vida só nos dá aquilo que somos capazes de aguentar. E você é uma moça incrível, de verdade. – Ele me entregou um cartão. – Dê notícias.

– Darei – prometi.

Com um aceno triste, ele se afastou depressa da mesa.

Tornei a me sentar. Olhei para a farta mesa posta à minha frente e, sem muita vontade, peguei um *scone*; não conseguia suportar a ideia de aquela comida ser desperdiçada. Também desejava que tivéssemos tido mais tempo para conversar. Independentemente do que Celia havia me contado sobre o ex-marido e do que ele pudesse ter feito, eu gostava de Peter. Apesar de toda a fortuna que lhe atribuíam e de todo o seu mau comportamento, havia algo de intrinsecamente vulnerável naquele homem.

Quando cheguei em casa, encontrei Celia no quarto fazendo a mala.

– Teve uma tarde agradável? – perguntou ela.

– Tive sim, obrigada. Fui tomar chá da tarde com Peter. Ele ligou hoje de manhã para falar com você, mas você já tinha saído e ele acabou falando comigo.

– Bom, fico surpresa que ele tenha ligado. Em geral ele não dá notícias quando vem ao Reino Unido.

– Em geral ele não perdeu um filho. Enfim, ele mandou um beijo.

– Ótimo. Mas, Ally, como você sabe, amanhã vou sair bem cedinho – disse ela, com uma animação exagerada. – Você pode ficar aqui quanto quiser; basta ligar o alarme e jogar as chaves no buraco de correspondência da porta da frente quando resolver ir embora. Tem certeza absoluta de que não quer vir comigo? A Toscana é linda nesta época do ano. E Cora não é apenas minha amiga mais antiga, é também madrinha do Theo.

– Muito obrigada mesmo por me convidar, mas acho que está na hora de eu arrumar a minha vida.

– Bom, não se esqueça de que ainda está muito recente. Faz vinte anos que me divorciei de Peter e ainda não pareço ter arrumado a minha. – Ela deu de ombros com tristeza. – Enfim, fique quanto quiser.

– Obrigada. Falando nisso, fiz umas compras na volta para casa, e hoje à noite queria cozinhar para agradecer. Não é nada de mais, só uma massa, mas com sorte já vai preparando você para a Itália.

– Quanta gentileza, Ally querida. Vai ser ótimo.

Em nosso último jantar juntas, fomos nos sentar na varanda. Eu estava sem fome, e fiz o possível para comer algumas garfadas; reparei que as rosas de Celia, inclinadas na ponta dos caules, estavam perdendo a cor e que as pétalas tinham as bordas marrons e secas. Até mesmo o ar estava com um perfume diferente: mais pesado, com um quê do cheiro de terra do outono que iria chegar. Enquanto comíamos, deixamo-nos levar cada qual pelos próprios pensamentos; nós duas entendíamos que estávamos prestes a perder nossa bolha de conforto mútuo e seríamos obrigadas a enfrentar o mundo real outra vez.

– Eu só queria agradecer a você por ter ficado aqui, Ally. Não sei mesmo o que teria feito sem você – falou Celia quando estávamos levando os pratos vazios até a cozinha.

– Nem eu sem você – retruquei.

Ela começou a lavar a louça, e eu peguei um pano de prato para secá-la.

– Também queria que você soubesse que, sempre que vier a Londres, pode considerar esta casa sua.

– Obrigada.

– E detesto falar nesse assunto, mas quando eu voltar da Itália vou pegar as cinzas do Theo. Temos que combinar uma data para ir a Lymington jogá-las juntas.

– Sim, claro – assenti, engolindo em seco.

– Vou sentir saudade, Ally. Sinto mesmo que você é a filha que eu não tive. Mas agora é melhor eu ir me deitar – disse ela, abrupta. – Meu táxi vai chegar às quatro e meia, e com certeza não espero que você esteja acordada para dizer tchau. Então vou me despedir agora. Mas dê notícias, sim?

– É claro que vou dar.

Dormi mal nessa noite e tive os sonhos assombrados pelas páginas em branco do meu futuro iminente. Até então, eu sempre soubera exatamente para onde estava indo e o que estava fazendo. Aquela sensação de vazio e letargia que me dominava agora era novidade para mim.

– Talvez a depressão seja assim – murmurei na manhã seguinte ao me arrastar para fora da cama e, um pouco enjoada, me forçar a tomar uma ducha.

Enquanto secava os cabelos com uma toalha, digitei "Jens Halvorsen" em um mecanismo de busca. Com irritação, constatei que todas as ocorrências nas quais esse nome aparecia estavam em norueguês, então entrei no site de uma livraria on-line e comecei a procurar livros em inglês ou francês que pudessem mencioná-lo.

Até que encontrei.

O aprendiz de Grieg
Autor: Thom Halvorsen
Data de lançamento da edição americana: 30 de agosto de 2007

Rolei a página até encontrar a curta sinopse.

Thom Halvorsen, renomado violinista da Orquestra Filarmônica de Bergen, assina a biografia de seu tataravô Jens Halvorsen. O livro acompanha a vida de um talentoso compositor e intérprete que trabalhou em estreita colaboração com Edvard Grieg. Graças à ajuda de fascinantes memórias de família, temos uma nova visão de Grieg pelos olhos de alguém que o conheceu intimamente.

Apesar de ver que o prazo mínimo de entrega dos Estados Unidos era de duas semanas, encomendei o livro na mesma hora. Então tive uma ideia. Peguei o cartão de Peter na carteira e lhe escrevi um e-mail agradecendo pelo chá. Em seguida expliquei que estava precisando de um livro que só era vendido nos Estados Unidos e perguntei se ele por acaso poderia comprá-lo para mim. Não me senti culpada ao pedir isso; tinha certeza de que ele dispunha de vários subalternos à sua disposição para encontrar o livro.

Então digitei *Peer Gynt*. Ao passar pelas diversas referências, topei com o Museu de Ibsen em Oslo – ou Christiania, como Anna e Jens a conheciam – e seu curador, Erik Edvardsen. Pelo visto, o homem era um especialista em Ibsen de renome mundial, e quem sabe se dispusesse a me ajudar caso eu lhe escrevesse.

Louca para continuar minha pesquisa e ler o que restava da tradução do livro, fechei o laptop com relutância ao me dar conta de que precisava estar em Battersea para almoçar com Estrela dali a meia hora.

Chamei um táxi em frente à casa. Quando estávamos atravessando o Tâmisa por uma ponte ornamentada e cor-de-rosa, percebi que estava me apaixonando um pouquinho por Londres. O lugar tinha uma elegância natural, quase esnobe, sem nenhum pingo da energia frenética de Nova York ou da apatia de Genebra. Como tudo na Inglaterra, a cidade parecia confiar plenamente em sua própria história e singularidade.

O táxi parou diante de um prédio que obviamente já tinha sido um armazém. Bem na margem do rio, ele e os vizinhos deviam ter proporcionado acesso fácil para as barcaças de antigamente trazerem seus carregamentos de chá, sedas e especiarias. Paguei o taxista e toquei a campainha ao lado do número que Estrela tinha me dado. A porta se abriu com um zumbido eletrônico, e a voz dela me disse para pegar o elevador até o terceiro andar. Assim fiz, e encontrei minha irmã me esperando na porta.

– Oi, querida. Como vai? – perguntou ela quando nos abraçamos.

– Ah, vou indo – menti. Ela me conduziu para dentro de um espaço imenso e todo branco, com janelas que iam do chão ao teto e tinham vista para o rio. – Uau! – exclamei, indo admirar a vista. – Que lugar fantástico!

– Foi a Ceci quem escolheu – disse Estrela, dando de ombros. – Tem espaço para ela trabalhar e a luminosidade é boa.

Olhei em volta e reparei no espaço único e sem divisórias, nos móveis minimalistas espalhados pelo chão claro de tábuas corridas e na esguia escada em caracol que devia subir para os quartos. Eu mesma não teria escolhido aquele apartamento, que não era nada aconchegante, mas o lugar com certeza causava impacto.

– Quer tomar alguma coisa? – perguntou Estrela. – Temos vários tipos de vinho, e cerveja, claro.

– O que você estiver tomando – respondi, e a segui até a área da cozinha, toda feita de aço inox ultramoderno e vidro fosco. Ela abriu a imensa geladeira de porta dupla e pareceu hesitar. – Vinho branco? – sugeri.

– É, boa ideia.

Fiquei observando minha irmã mais nova enquanto ela pegava duas taças no armário e abria o vinho, e pensei outra vez como Estrela nunca parecia expressar uma opinião própria ou tomar uma decisão. Maia e eu já tínhamos debatido à exaustão se ceder à vontade alheia era um traço natural da personalidade de Estrela ou consequência do papel dominante de Ceci no relacionamento das duas.

– Que cheiro! – falei, apontando para uma panela que borbulhava sobre o cooktop de tamanho industrial.

Pude ver também algo assando atrás da porta de vidro do forno.

– Ally, você vai ser minha cobaia. Estou testando uma nova receita e está quase pronto.

– Ótimo. *Cheers*, como dizem aqui na Inglaterra.

– É, *cheers*.

Demos cada uma um gole na taça de vinho, mas eu pousei a minha sobre a bancada, pois por algum motivo senti uma acidez assim que a bebida bateu no meu estômago. Enquanto observava minha irmã mexer a panela, pensei em como ela parecia jovem, com aquela nuvem de cabelos louro-platinados na altura dos ombros e a franja comprida que muitas vezes lhe caía sobre os imensos olhos azuis, escondendo suas expressões como uma cortina protetora. Era difícil lembrar que Estrela era uma mulher feita de 27 anos.

– Mas, conte, como está se adaptando a Londres? – perguntei a ela.

– Bem, eu acho. Gosto daqui.

– E como anda o curso de culinária?

– Já terminei. Foi legal.

– E você acha que poderia seguir carreira na área de gastronomia? – insisti, na esperança de conseguir uma resposta mais elaborada.

– Acho que não é a minha.

– Sei. Tem alguma ideia do que vai fazer agora?

– Não muito.

Então ficamos em silêncio, como sempre acontecia nas conversas com Estrela. Depois de algum tempo, ela acabou continuando:

– Mas e você, Ally? Como está, de verdade? Que horror isso que aconteceu, e logo depois da morte de Pa.

– Para ser sincera, não sei muito bem como estou. O que aconteceu mudou tudo. Meu futuro estava todo mapeado e agora, de uma hora para outra, desapareceu. Já disse ao técnico da equipe de vela suíça que não vou participar das eliminatórias para a Olimpíada. Não conseguiria enfrentar isso agora, de jeito nenhum. Várias pessoas me disseram que estou errada, e me sinto culpada por não ter forças para continuar, mas é que não me parece correto. O que você acha?

Estrela afastou a franja dos olhos e me encarou com um ar cauteloso.

– Eu acho que você precisa agir exatamente como pensa. Só que às vezes isso é bem difícil, né?

– É, sim. Não quero decepcionar ninguém.

– Exatamente. – Estrela deu um leve suspiro, olhou na direção das janelas que iam do chão ao teto, depois tornou a olhar para o fogão e começou a servir o conteúdo da panela em dois pratos. – Vamos comer lá fora?

– Por que não?

Prestei atenção no rio e na varanda que margeava as janelas e me perguntei, de forma um tanto mesquinha, quanto devia custar o aluguel daquele apartamento. Não era nem de longe a moradia típica de uma estudante de arte sem dinheiro e sua irmã aparentemente meio perdida na vida. Obviamente Ceci conseguira convencer Georg Hoffman a liberar algum dinheiro na manhã em que ela e Estrela tinham ido visitá-lo em Genebra.

Levamos a comida para a mesa lá fora, posicionada em frente a várias plantas perfumadas que transbordavam de vasos gigantes junto ao parapeito.

– Que lindas. Que planta é essa? – apontei para um dos vasos, do qual despontava uma profusão de flores alaranjadas, brancas e rosas.

– *Sparaxis tricolor*. Mais conhecida como "flor-arlequim", mas não acho que ela esteja gostando muito da brisa do rio. Na verdade, seu lugar é o canto abrigado de um jardim rural inglês.

– Foi você quem plantou? – perguntei, levando à boca uma garfada do macarrão aos frutos do mar que Estrela havia servido como prato principal.

– Foi. Eu gosto de plantas. Sempre gostei. Costumava ajudar Pa Salt no jardim dele lá em Atlantis.

– É mesmo? Não sabia. Nossa, que delícia, Estrela – elogiei, apesar de não estar com fome. – Eu hoje estou descobrindo vários talentos ocultos seus. Na cozinha, sei fazer no máximo o básico, e não sou capaz de plantar nem agrião, quanto mais tudo isso aí. – Gesticulei para a abundância na varanda à nossa volta.

Fez-se um novo silêncio carregado, mas evitei preenchê-lo.

– Andei pensando ultimamente no verdadeiro significado de talento. Quero dizer, será que as coisas que fazemos com facilidade são dons? – indagou Estrela, hesitante. – Por exemplo, você teve mesmo que se esforçar para tocar flauta desse jeito tão lindo?

– Não, acho que não. Pelo menos não no início. Mas depois, para melhorar, tive que praticar durante horas intermináveis. Não acho que o simples fato de ter talento para alguma coisa compense o trabalho árduo. Veja os grandes compositores: não basta ouvir as melodias na cabeça; é preciso aprender a escrevê-las no papel e a orquestrar uma música. Isso exige anos de prática e aperfeiçoamento do ofício. Tenho certeza de que milhões de nós têm habilidade natural para alguma coisa, mas só quem domina essa habilidade e se dedica consegue alcançar seu potencial pleno.

Estrela assentiu devagar.

– Já acabou? – indagou ela, olhando para o prato que eu mal havia tocado.

– Já. Desculpe, Estrela. Estava ótimo, sério, mas eu não ando com muito apetite.

Depois disso, conversamos sobre nossas irmãs e o que elas andavam fazendo. Estrela me falou sobre Ceci e sobre como as suas instalações a vinham mantendo ocupada. Comentei sobre a mudança repentina de Maia para o Rio, e como era maravilhoso ela ter encontrado enfim a felicidade.

– Isso tudo me alegrou de verdade. E foi ótimo encontrar você – afirmei, sorrindo.

– E você? Para onde acha que vai agora?

– Na verdade, talvez eu vá à Noruega investigar meu lugar de nascimento indicado pelas coordenadas de Pa Salt.

Tenho certeza de que fiquei bem mais surpresa com o que falei do que a própria Estrela, já que foi nessa hora que o pensamento adentrou meu cérebro pela primeira vez e começou a fincar raízes.

– Que ótimo – disse ela. – Dou a maior força.

– Dá mesmo?

– Por que não? As pistas de Pa talvez mudem sua vida. Mudaram a de Maia. E... – Ela fez uma pausa. – A minha também.

– Sério?

– É.

Fez-se um novo silêncio, e eu soube que não adiantava pressionar Estrela por mais detalhes sobre aquela revelação.

– Agora acho melhor eu ir andando. Muito obrigada pelo almoço. – Levantei-me, subitamente cansada e precisando voltar para o meu santuário.

– É fácil pegar um táxi daqui? – perguntei enquanto ela me acompanhava até a porta da frente.

– É, sim. É só virar à esquerda e você vai chegar na rua principal. Tchau, Ally – disse ela, esticando-se para me dar dois beijinhos no rosto. – Avise se for mesmo para a Noruega.

✹ ✹ ✹

De volta à casa silenciosa de Celia, subi até meu quarto e abri o estojo da flauta. Fiquei olhando fixamente para o instrumento, como se ele pudesse responder a todas as perguntas que não me saíam da cabeça. A mais insistente era para onde eu iria agora. Sabia que quase com certeza poderia ir me enterrar em "Algum Lugar". Bastaria um telefonema para Peter, e sua linda casa em Anafi seria minha pelo tempo que eu precisasse. Eu poderia passar o ano seguinte me dedicando à reforma do precioso estábulo de Theo; pensei subitamente no musical *Mamma Mia*, do Abba, e balancei a cabeça com uma risadinha. Por mais atraente que pudesse parecer o casulo de "Algum Lugar", sabia que aquilo lá não me faria seguir em frente. Apenas me faria viver no mundo de Theo e eu, um mundo que tinha existido, mas não existia mais.

E será que Atlantis também me faria bem? Será que ainda havia algo para mim lá? Mas tudo que eu viesse a descobrir na Noruega também pertencia firmemente ao meu passado, e eu era uma pessoa que olhava para o futuro. Mas talvez, já que o "agora" estava em suspenso, precisasse reverter a ordem para seguir adiante. Decidi que tinha uma difícil escolha: voltar para Atlantis ou pegar um avião para a Noruega. Quem sabe alguns dias de contemplação pessoal em um país novo, longe de tudo e de todos, fossem me fazer bem. Ninguém lá conheceria a minha história, e investigar o passado pelo menos me proporcionaria algo em que me concentrar. Mesmo que não desse em nada.

Comecei a pesquisar voos para Oslo e encontrei um que saía à noite e no qual havia vaga. Dei-me conta de que precisava sair de casa quase naquela mesma hora para chegar a Heathrow a tempo. Enquanto tentava tomar uma decisão, deixei meu olhar se perder no vazio.

– Vamos lá, Ally – falei para mim mesma, áspera, como dedo suspenso acima do clique que confirmaria a reserva. – O que você tem a perder?

Nada.

Além do mais, eu estava pronta para saber.

23

*N*esse início de noite de agosto, enquanto o avião voava rumo ao norte, repassei as informações que tinha sobre o Museu Ibsen e o Teatro Nacional de Oslo. Resolvi que na manhã seguinte visitaria os dois lugares para ver se alguém conseguia esclarecer melhor as informações que havia obtido no livro de Jens Halvorsen.

Ao desembarcar do avião no aeroporto de Oslo, senti uma leveza inesperada e algo quase parecido com animação. Após passar pela alfândega, fui direto até o guichê de informações e perguntei à moça atrás do balcão se ela poderia me sugerir um hotel próximo ao Museu Ibsen. Ela mencionou o Grand Hotel, ligou para lá e me disse que eles só tinham disponibilidade para os quartos mais caros.

– Tudo bem – falei. – Eu aceito o que tiverem. – A mulher me entregou um pedaço de papel que confirmava a reserva depois chamou um táxi para mim e deu instruções para que eu saísse e o aguardasse.

No caminho até o centro de Oslo, a escuridão tornou difícil eu me localizar ou ter qualquer impressão da cidade. Quando chegamos à imponente entrada de pedra toda iluminada do Grand Hotel, fui imediatamente conduzida para dentro e, uma vez concluídas as formalidades, levada até meu quarto, que descobri se chamar "Suíte Ibsen".

– Está bom para a senhora? – perguntou-me o carregador, em inglês, entregando-me a chave.

Olhei em volta, e a coincidência me fez sorrir ao ver a linda saleta, de cujo teto pendia um lustre elegante, e cujas paredes de seda listrada estavam enfeitadas por várias fotografias de Ibsen.

– Está maravilhoso, muito obrigada.

Dei gorjeta ao carregador e, depois que ele saiu, percorri o quarto maravilhada, pensando que poderia muito bem me mudar definitivamente para lá. Tomei uma ducha, saí do banheiro ao som dos sinos da igreja que batiam a meia-noite e me senti grata por estar ali. Enfiei-me entre os lençóis de linho engomados e dormi um sono profundo.

Na manhã seguinte, acordei cedo e fui até a diminuta sacada admirar a cidade à luz de um novo dia. Logo abaixo havia uma praça margeada de árvores e cercada por uma mistura de lindas construções de pedra antigas e outras mais modernas. Ergui o olhar para mais longe e avistei um castelo cor-de-rosa no alto de uma colina.

Entrei novamente no quarto e me dei conta de que não tinha comido nada desde a hora do almoço da véspera. Pedi um café da manhã e me sentei na cama de roupão, sentindo-me uma princesa que acaba de encontrar seu palácio. Estudei o mapa que a recepcionista havia me dado na noite anterior e vi que o Museu Ibsen ficava a uma curta distância a pé do hotel.

Depois de comer, me vesti e desci no elevador provida do meu mapa. Ao atravessar a praça em frente ao hotel, senti de repente o cheiro muito conhecido de mar e me lembrei de que Oslo havia sido construída em um fiorde. Reparei também na grande quantidade de ruivas de pele clara que passou por mim. Na Suíça, quando eu era pequena, tinha sofrido *bullying* na escola por causa da cor da minha pele, das sardas e dos cachos ruivos dourados. Na época isso tinha me magoado, como sempre acontece, e eu me lembrava de ter perguntado a Ma se podia tingir os cabelos.

– Não, *chérie*. Seus cabelos são a sua maior glória. Um dia todas essas meninas malvadas vão ficar loucas de inveja deles – fora a resposta dela.

Bem, pensei, continuando a andar, *aqui eu com certeza não vou chamar atenção.*

Parei em frente a um imponente edifício de tijolos claros, com várias colunas de pedra cinza na entrada.

TEATRO NACIONAL

Li a inscrição gravada acima da elegante fachada e reparei, logo abaixo, nos nomes de Ibsen e de dois outros homens dos quais eu jamais tinha ouvido falar gravados em placas de pedra. Seria aquele o teatro onde havia sido a estreia de *Peer Gynt*?, pensei. Para minha decepção, a casa estava fechada, então segui andando pela rua movimentada até chegar à porta da frente do Museu Ibsen. Entrei e me vi numa pequena livraria. Na parede à esquerda havia um quadro de avisos com as datas dos principais acontecimentos da estelar carreira de Ibsen. Meu coração bateu um pouco mais depressa quando li a data: *24 de fevereiro de 1876 – Estreia de* Peer Gynt *no Teatro de Christiania.*

– *God morgen! Kan eg hjelpe deg?* – indagou a moça atrás do balcão.

– A senhora fala inglês? – foi minha primeira pergunta.

– Claro – respondeu ela com um sorriso. – Posso ajudar?

– Bem, pode, ou pelo menos eu espero que sim. – Tirei a xerox da capa do livro de dentro da bolsa e a coloquei no balcão à sua frente. – Meu nome é Ally D'Aplièse e estou fazendo uma pesquisa sobre um compositor chamado Jens Halvorsen e uma cantora chamada Anna Landvik. Os dois participaram da estreia de *Peer Gynt* no Teatro de Christiania. Gostaria de saber se alguém aqui poderia me falar um pouco mais sobre eles.

– Eu não, sou só uma estudante universitária que trabalha aqui no caixa – confessou ela. – Mas vou lá em cima ver se o diretor do museu está. O nome dele é Erik.

– Obrigada.

Quando ela desapareceu por uma porta atrás do balcão, dei uma passeada pela loja e peguei uma tradução em inglês de *Peer Gynt*. Eu deveria, no mínimo, ler a peça, pensei.

– Sim, Erik está, e vai descer daqui a pouco para falar com a senhora – confirmou a moça ao voltar. Agradeci-lhe e paguei pelo livro.

Alguns minutos depois, um senhor elegante de cabelos brancos apareceu.

– Olá, senhorita D'Aplièse. Meu nome é Erik Edvardsen – disse ele, estendendo a mão para me cumprimentar. – Ingrid falou que a senhorita está interessada em Jens Halvorsen e Anna Landvik.

– Sim – confirmei, retribuindo o aperto de mão e em seguida lhe mostrando a xerox da capa do livro.

Ele pegou o papel e o examinou com um meneio de cabeça.

– Acho que tenho um exemplar lá em cima na biblioteca. Se quiser me acompanhar...

Ele me conduziu por uma porta que se abria para um hall de entrada austero. Comparado à decoração moderna da livraria, foi como dar um passo em direção ao passado. O diretor abriu a porta antiquada do elevador, fechou-a após entrarmos e apertou um botão. Enquanto subíamos aos sacolejos, apontou para um andar específico pelo qual passamos.

– Esse foi o apartamento em que Ibsen passou os últimos onze anos de sua vida. Nós nos consideramos privilegiados por sermos seus administradores. Mas me diga... – continuou ele enquanto saíamos do elevador para um recinto arejado, com as paredes cobertas de livros do chão ao teto. – A senhorita é historiadora?

– Meu Deus, não – respondi. – Foi meu pai quem me deixou esse livro. Ele morreu faz algumas semanas. Na verdade, eu deveria dizer que o livro é mais uma pista, porque ainda não sei muito bem o que tem a ver comigo. Mandei traduzir o texto para o inglês, e até agora só li a primeira parte. Só o que sei por enquanto é que Jens Halvorsen era músico e tocou os primeiros compassos do "Amanhecer" na estreia de *Peer Gynt*. E que Anna era a "cantora fantasma" das canções de Solveig.

– Para ser sincero, não sei muito bem quanto posso ajudá-la, porque o meu tema obviamente é Ibsen, não Grieg. O que a senhorita precisa mesmo é de um especialista em Grieg, e a pessoa ideal para ajudá-la é o curador do Museu Grieg em Bergen. – Ele correu os olhos pelas prateleiras. – Mas tem algo que posso lhe mostrar. Ah, aqui está. – Ele tirou da estante um volume grande. – Isto aqui foi escrito por Rudolf Rasmussen, conhecido como "Rude", uma das crianças que atuaram na montagem original de *Peer Gynt*.

– Sim! Eu li sobre ele no livro. Ele servia de mensageiro e entregava recados para Jens e Anna quando eles se apaixonaram no teatro.

– É mesmo? – indagou Erik, folheando o livro. – Veja, fotos da noite da estreia, com o elenco inteiro em seus trajes.

Ele me entregou o livro e encarei, incrédula, o rosto das pessoas sobre as quais acabara de ler. Ali estavam Henrik Klausen como Peer Gynt e Thora Hansson como Solveig. Tentei imaginá-la como uma estrela glamorosa, sem os trajes de camponesa da personagem. Outras fotos mostravam o elenco reunido, mas eu sabia que Anna não estaria em nenhuma delas.

– Posso fazer cópias das fotos se a senhorita quiser – sugeriu Erik. – Assim poderá estudá-las com calma.

– Seria maravilhoso, obrigada.

Enquanto ele andava até a copiadora situada em um canto da biblioteca, meu olhar topou com a planta de um antigo teatro.

– Eu hoje passei pelo Teatro Nacional e fiquei imaginando como ele devia ser quando *Peer Gynt* estreou – comentei, para quebrar o silêncio.

– Na verdade, *Peer Gynt* não estreou no Teatro Nacional. A estreia foi no Teatro de Christiania.

– Ah. Pensei que fosse o mesmo teatro que só tivesse mudado de nome.

– Infelizmente, o antigo Teatro de Christiania já não existe há muito tempo. Ficava em Bankplassen, a uns quinze minutos daqui. Hoje é um museu.

Fiquei encarando as costas dele, meu queixo caído de assombro.

– Por acaso está se referindo ao Museu de Arte Contemporânea?

– Sim. O Teatro de Christiania foi fechado em 1899, e todos os espetáculos musicais, transferidos para o recém-construído Teatro Nacional. Aqui – disse ele, entregando-me as cópias.

– Bem, com certeza já tomei seu tempo o suficiente, mas obrigada mesmo assim por me receber.

– Antes de a senhorita ir embora, deixe-me lhe dar o e-mail do curador do Museu Grieg. Diga a ele que fui eu quem a mandei. Com certeza ele vai poder ajudá-la bem mais do que eu.

– Garanto que o senhor me ajudou muito, *Herr* Edvardsen – assegurei-lhe enquanto ele anotava o endereço e me passava.

– Até eu, claro, admito que a fama da música composta por Grieg para *Peer Gynt* ultrapassou em muito a do poema em si – disse ele com um sorriso ao me acompanhar até o elevador. – A música hoje é cultuada mundo afora. Até logo, senhorita D'Aplièse. Adoraria saber se conseguiu solucionar o mistério. E estarei sempre aqui, se precisar de mais alguma ajuda.

– Obrigada.

Saí do museu e voltei quase saltitando para o Grand Hotel. As coordenadas da esfera armilar finalmente faziam sentido. Quando entrei no Grand Café, que ocupava um dos cantos da frente do hotel, espiei o mural de Ibsen na parede e tive certeza de que, de alguma forma, Jens e Anna faziam parte da minha história.

Durante o almoço, segui a sugestão de Erik e mandei um e-mail para o curador do Museu Grieg. Então, por curiosidade, peguei um táxi até o local do antigo Teatro de Christiania. O Museu de Arte Contemporânea ficava diante de uma praça com um chafariz no centro. Embora eu soubesse que Ceci adoraria aquele lugar, arte moderna não era o meu forte, e decidi não entrar. Então avistei o Café Engebret do outro lado da praça, fui até lá e empurrei a porta.

Olhei em volta e vi mesas e cadeiras de madeira rústica, iguaizinhas às que eu havia imaginado após ler a descrição de Jens no livro. Um cheiro característico pairava no ar: álcool rançoso, poeira e um toque muito leve de umidade. Fechei os olhos e imaginei Jens e seus colegas da orquestra ali dentro, bem mais de um século antes, afogando as mágoas no *aquavit* durante horas. Pedi um café no balcão e tomei a bebida quente e amarga, frustrada por não poder ler a continuação da história porque a tradutora ainda não tinha me enviado o resto.

Saí do Engebret, peguei meu mapa e resolvi flanar lentamente de volta ao hotel imaginando Anna e Jens caminhando por aquelas mesmas ruas. Era óbvio que a cidade havia crescido desde a época deles, mas enquanto algumas partes eram ultramodernas, muitas construções antigas lindas continuavam de pé. Ao pisar de volta no Grand Hotel, havia chegado a uma conclusão: Oslo tinha um charme especial. Havia algo de reconfortante no caráter compacto da cidade, e eu me sentia em casa ali.

No quarto, chequei meus e-mails e vi que o curador do Museu Grieg já tinha respondido:

Cara senhorita D'Aplièse,
Sim, já ouvi falar em Jens e Anna Halvorsen. Como talvez a senhorita já saiba, Edvard Grieg foi uma espécie de mentor para os dois. Estou aqui em Troldhaugen, bem pertinho de Bergen, das nove às quatro diariamente, e teria prazer em encontrá-la e ajudá-la em sua pesquisa.
Atenciosamente,
Erling Dahl Jr.

Sem ter a menor ideia de onde ficava Bergen, procurei um mapa da Noruega no Google e vi que era uma cidade na costa noroeste; estava claro que eu precisava ir de avião. Ainda não tinha percebido quanto aquele país era grande. Ao norte de Bergen ainda havia mais um bom pedaço, que continuava até o Ártico. Decidi reservar um voo para a manhã seguinte e mandei um e-mail para o Sr. Dahl dizendo que chegaria à cidade ao meio-dia.

Acabara de passar das seis, e ainda estava claro lá fora. Imaginei os longos invernos em que o sol se punha logo depois do almoço e a neve caía forte, cobrindo tudo que tocava. Refleti sobre como minhas irmãs volta e meia comentavam que eu parecia imune ao frio e vivia abrindo janelas para deixar o ar fresco entrar. Eu sempre pensara estar acostumada com as baixas temperaturas por causa da vela. Lembrei-me, no entanto, de como Maia tinha o dom de pegar uma quantidade mínima de sol e ficar com a pele bronzeada em questão de minutos, enquanto eu tinha tendência a ficar da cor de uma beterraba: talvez o inverno fizesse parte da minha herança, assim como os climas ensolarados faziam parte da dela.

Involuntariamente, comecei a pensar em Theo, como sempre fazia ao cair da noite. Sabia que ele teria adorado me acompanhar naquela viagem, e decerto analisaria minha reação ao que acontecia a cada passo do caminho. Fui para a cama, que nessa noite me pareceu grande demais para uma pessoa só, e me perguntei se haveria alguém no meu futuro capaz de um dia ocupar o lugar dele. Duvidava que houvesse. Antes de me deixar levar pelas emoções, programei o despertador para as sete, fechei os olhos e tentei dormir.

24

Do avião, a Noruega vista de cima era simplesmente deslumbrante. Lá embaixo, florestas verde-escuras margeavam profundos fiordes azuis e uma neve branquinha reluzente coroava o topo das montanhas sempre congeladas, mesmo no início de setembro. Depois de aterrissar no aeroporto de Bergen, pulei dentro de um táxi e disse ao motorista para me levar direto a Troldhaugen, outrora casa de Grieg e atualmente um museu. Vista da rodovia de duas pistas, a zona rural era um borrão de árvores sem fim, mas depois de algum tempo saímos da estrada principal e subimos uma estradinha de terra.

O táxi parou diante de uma encantadora casa de madeira amarelo-clara; paguei o motorista, saltei e pus a mochila no ombro. Fiquei alguns instantes parada observando o exterior da casa: as grandes janelas retangulares com moldura pintada de verde, a sacada de treliça no primeiro andar. Em um dos cantos havia uma torre e a bandeira da Noruega tremulava ao vento pendurada em um mastro alto.

Vi que a casa ficava no alto de uma colina com vista para um lago e era cercada por encostas cobertas de grama e coníferas altas e majestosas. Maravilhada com a beleza tranquila daquele lugar, entrei em um edifício moderno identificado como a entrada do museu e me apresentei à moça sentada atrás do balcão da lojinha de presentes. Pedi-lhe para avisar ao curador que eu havia chegado e baixei os olhos para a vitrine embutida no balcão. Senti o ar me escapar.

– *Mon Dieu!* – murmurei, o choque do que via à minha frente me fazendo voltar à minha língua materna.

Ali, dentro da vitrine, estava uma fileira de sapinhos marrons idênticos ao que Pa Salt havia me deixado no envelope.

– O curador Erling já vai descer – disse a moça, pondo o telefone no gancho.

– Obrigada. Posso lhe perguntar uma coisa? Por que vocês vendem estes sapinhos aqui na loja?

– São réplicas do sapinho que Grieg carregava consigo o tempo todo, como amuleto de boa sorte – explicou a moça. – O sapinho vivia no bolso dele, aonde quer que ele fosse, e ele sempre lhe dava um beijo de boa-noite antes de dormir.

– Oi, senhorita D'Aplièse. Sou Erling Dahl. Fez uma boa viagem? – Um atraente senhor de cabelos grisalhos havia aparecido ao meu lado.

– Ah, sim, obrigada – falei, tentando me recompor depois da revelação do sapo. – E, por favor, pode me chamar de Ally.

– Está bem, Ally. Por acaso está com fome? Em vez de irmos nos sentar na minha sala apertada, poderíamos ir ao café aqui do lado, comprar um sanduíche e conversar lá. Pode deixar sua mochila com Else. – Ele indicou a moça atrás do balcão.

– Perfeito – falei, entregando-lhe a mochila com um meneio de cabeça agradecido antes de seguir o curador por uma porta.

O cômodo que adentramos tinha as paredes feitas quase inteiramente de vidro, o que proporcionava uma vista de tirar o fôlego do lago por entre as árvores. Olhei para aquele espelho d'água reluzente, salpicado de ilhas repletas de pinheiros, que se afastava rumo à margem oposta no horizonte enevoado.

– O Lago Nordås. Magnífico, não? – comentou Erling. – Às vezes nos esquecemos da sorte que temos por trabalhar em um lugar como este.

– Incrível – falei baixinho, emocionada. – Vocês têm sorte mesmo.

Depois de pedir dois cafés e dois sanduíches abertos, Erling me perguntou em que podia ajudar. Mais uma vez, peguei as cópias que tinha feito do livro de Pa Salt e expliquei o que desejava saber.

Ele examinou os papéis.

– Nunca li esse livro, mas conheço a história por alto. Recentemente ajudei Thom Halvorsen, tataraneto de Jens e Anna, com as pesquisas para uma nova biografia.

– Pois é. Encomendei o livro nos Estados Unidos. Quer dizer que o senhor conhece Thom Halvorsen pessoalmente?

– Claro. Ele mora a poucos minutos a pé daqui, e a comunidade musical de Bergen é muito pequena. Ele toca violino na Filarmônica e foi recentemente promovido a maestro-assistente.

– Então seria possível encontrá-lo? – perguntei. Nossos sanduíches chegaram.

– Com certeza, mas ele agora está em turnê com a orquestra nos EUA. Eles voltam daqui a alguns dias. Mas, então, em que pé da pesquisa você está?

– Não terminei de ler a biografia original, pois ainda estou esperando o resto da tradução. Cheguei ao ponto em que Jens foi expulso da casa dos pais e Anna Landvik recebeu a proposta de representar o papel de Solveig.

– Entendi. – Erling sorriu para mim e olhou para o relógio. – Infelizmente agora não estou com tempo de lhe contar mais nada porque falta meia hora para o nosso concerto da hora do almoço. Mas, de toda forma, talvez seja melhor você ler o resto do livro original de Jens, e depois disso podemos conversar.

– Onde é o concerto?

– Na nossa sala construída especialmente para isso, que chamamos de Troldsalen. Nos meses de verão, recebemos pianistas convidados para tocar músicas de Grieg. O espetáculo de hoje é o Concerto para Piano em Lá Menor.

– Sério? E o senhor se importaria se eu assistisse?

– De forma alguma – respondeu ele, levantando-se. – Por que não termina seu sanduíche e vai para a sala de concerto? Enquanto isso, vou me certificar de que está tudo bem com nosso pianista.

– Ótimo. Obrigada, Erling.

Forcei-me a terminar o sanduíche, então subi a encosta densamente arborizada da colina e fui seguindo as placas até o prédio bem aninhado entre os pinheiros. Lá dentro, desci os degraus do auditório muito íngreme e vi que dois terços dos lugares já estavam ocupados. O palco pequeno, no centro do qual se destacava um magnífico piano Steinway de cauda, era cercado por outras imensas janelas de vidro, criando um impressionante fundo de pinheiros com o lago mais atrás.

Pouco depois de eu me acomodar em uma das cadeiras, Erling apareceu no palco acompanhado por um rapaz franzino, de cabelos escuros, cuja aparência fora do comum impressionava, mesmo de longe. O curador se dirigiu à plateia primeiro em norueguês, depois em inglês, por causa dos muitos turistas presentes.

– Tenho a honra de lhes apresentar o pianista Willem Caspari, um jovem que já deixou sua marca em apresentações mundo afora, a mais recente delas no Proms do Royal Albert Hall londrino. Ficamos felizes por ele ter aceitado honrar este nosso cantinho com a sua presença.

A plateia aplaudiu. Willem deu um meneio de cabeça impassível, sentou-se ao piano e aguardou o auditório silenciar. Quando ele começou a tocar os primeiros compassos, fechei os olhos e deixei a música me transportar de volta ao Conservatório de Genebra, onde assistia a concertos toda semana e muitas vezes eu mesma tocava neles. Antigamente, a música clássica era uma verdadeira paixão para mim, mas percebi, para minha vergonha, que devia fazer pelo menos dez anos que eu não assistia sequer ao mais modesto dos concertos. À medida que ia escutando Willem tocar e via suas mãos habilidosas dançarem com leveza sobre as teclas, senti minha tensão se dissipar e prometi a mim mesma que, dali em diante, iria remediar aquela situação.

Terminada a apresentação, Erling veio me procurar e me levou até o palco para me apresentar a Willem Caspari. O rosto do pianista tinha uma estrutura óssea angulosa e dramática, e a pele branca muito esticada sobre os malares saltados emoldurava um par de olhos azul-turquesa e uma boca de lábios carnudos e muito vermelhos. Tudo nele era impecável, dos cabelos escuros bem penteados aos sapatos pretos encerados; ele me lembrava um vampiro atraente.

– Muito obrigada por essa apresentação – disse-lhe eu. – Foi linda de morrer.

– O prazer foi meu – retrucou ele, enxugando as mãos discretamente com um lenço branco feito neve antes de apertar a minha. Ao fazê-lo, estudou meu rosto com atenção. – Tenho quase certeza de que já nos conhecemos, sabia?

– É? – falei, constrangida por não o ter reconhecido.

– Sim. Eu estudei no Conservatório de Genebra. Acho que você tinha acabado de entrar quando eu estava no último ano. Além de ser excelente fisionomista, lembro-me do seu sobrenome, que na época me pareceu pouco usual. Você é flautista, não é?

– Sou – respondi, surpresa. – Ou pelo menos era.

– É mesmo, Ally? Você não me disse isso mais cedo – comentou Erling.

– Bom, já faz muito tempo.

– Não toca mais? – indagou Willem. Ele ajeitou as lapelas de forma meticulosa, no que obviamente era um ritual subconsciente, mais do que uma tentativa de impressionar.

– Na verdade, não.

– Se bem me lembro, fui a um recital seu uma vez. Você tocou "Sonata para Flauta e Piano"?

– Toquei, sim. Sua memória é mesmo incrível.

– Para as coisas das quais quero me lembrar, sim. Isso tem um lado bom e um lado ruim, eu lhe garanto.

– Que interessante, porque o músico sobre o qual Ally está pesquisando também era flautista – interveio Erling.

– E sobre quem você está pesquisando, se é que posso perguntar? – quis saber Willem, com os olhos luminosos fixos em mim.

– Um compositor norueguês chamado Jens Halvorsen e a mulher dele, Anna, que era cantora.

– Acho que nunca ouvi falar.

– Os dois eram muito conhecidos aqui na Noruega, principalmente Anna – disse Erling. – E agora, dependendo dos seus planos, talvez você queira dar uma olhada na casa de Grieg e quem sabe visitar a cabana na montanha onde ele compunha?

– Sim, obrigada. Vou fazer isso.

– Você se importa se eu acompanhá-la? – perguntou Willem, ainda a me observar com a cabeça inclinada para o lado. – Cheguei a Bergen ontem à noite e também ainda não tive oportunidade de passear por aí.

– De forma alguma, venha – falei; concluí que seria melhor caminhar ao lado dele do que ficar ali parada sob aquele olhar aparentemente desinteressado, mas muito focado.

– Então vou deixá-los à vontade – falou Erling depressa. – Passe na minha sala para se despedir quando for embora. E obrigado pela apresentação memorável de hoje, Willem.

Willem e eu saímos da sala de concerto com Erling e, em seguida, subimos os degraus entre as árvores na direção da casa. Entramos e fomos até a sala de estar com piso de tábua corrida, que tinha um velho Steinway de cauda junto a uma das paredes. O restante do cômodo estava decorado com uma eclética mistura de móveis rurais rústicos e peças mais elegantes de nogueira e mogno. Retratos e quadros de paisagens competiam por atenção nas paredes revestidas de pinho.

– Ainda tem um clima de casa de verdade – comentei com Willem.
– Tem mesmo – concordou ele.

Espalhadas em porta-retratos por toda a sala havia fotos de Grieg e da mulher, Nina, e uma delas em especial, que mostrava os dois em pé junto ao piano, chamou minha atenção. Nina exibia um sorriso suave e Grieg uma expressão inescrutável por baixo das grossas sobrancelhas e do bigode farto.

– Como os dois são pequenos em comparação com o piano – comentei. – Parecem dois bonequinhos!

– Parece que eles mal passavam de um metro e meio. E sabia que Grieg sofria de pneumotórax? Ele usava uma almofadinha dentro do paletó para disfarçar o pulmão colapsado quando era fotografado, e é por isso que está sempre com a mão no peito, segurando a almofada no lugar.

– Que fascinante – murmurei. Seguimos passeando pela sala e examinando as diversas vitrines.

– Mas me diga, por que você desistiu da música? – perguntou Willem de repente, repetindo um padrão de conversa que eu estava começando a conseguir identificar: era como se ele tivesse feito um X num quadradinho que dizia "item processado" antes de passar ao tópico seguinte da lista.

– Virei velejadora profissional.

– E trocou a flauta pela gaita de foles? – Ele riu baixinho da própria piada. – Sente falta de tocar?

– Para ser sincera, nos últimos anos nem tive tempo para isso. Dediquei toda a vida à vela.

– Já eu não consigo imaginar viver sem música – falou Willem, apontando para o piano de Grieg. – Esse instrumento é minha paixão e minha dor, a força que move a minha vida. Chego a ter pesadelos em que fico com artrite nos dedos. Sem minha música eu não tenho nada, entende?

– Então talvez você tenha mais fé do que eu na própria habilidade. Quando eu estava no Conservatório, tinha a sensação de ter chegado a um patamar. Por mais que praticasse, não sentia que estava progredindo.

– Eu me senti assim todos os dias durante anos, Ally. Acho que é da natureza da profissão. Preciso acreditar que estou progredindo, *sim*, do contrário me mataria. E agora? Vamos dar uma olhada na cabana onde o grande homem compôs algumas de suas obras-primas?

A cabana ficava a uma curta distância a pé da casa. Olhei pelas vidraças da porta da frente e vi um modesto piano de armário encostado em uma das paredes, com uma cadeira de balanço ao lado e uma escrivaninha bem em frente à grande janela com vista para o lago. E ali, em cima da escrivaninha, havia outro sapinho idêntico ao meu. Decidi não compartilhar com Willem o que estava pensando.

– Que vista! – comentou ele com um suspiro. – Basta para servir de inspiração a qualquer um.

– Mas aqui é muito isolado, você não acha?

– Eu não me importaria. Ficaria bastante feliz sozinho. Sou muito autossuficiente – disse ele, dando de ombros.

– Eu também, mas mesmo assim acho que acabaria enlouquecendo. – Abri um sorriso. – Vamos voltar?

– Vamos. – Ele olhou para o relógio. – Uma jornalista vai me entrevistar no hotel às quatro da tarde. A recepcionista daqui falou que chamaria um táxi para mim. Onde você está hospedada? Quem sabe posso lhe dar uma carona de volta até a cidade.

– Na verdade, ainda não reservei nenhum hotel – falei enquanto tornávamos a subir a encosta. – Tenho certeza de que consigo achar um lugar pelo centro de informações turísticas.

– Você poderia ver se há vaga no meu hotel. É muito limpo e fica de frente para o porto antigo, com uma vista linda para o fiorde. – Tornamos a entrar na área da recepção principal. – Estou muito impressionado com sua atitude despreocupada em relação à hospedagem – acrescentou ele. – Quando estou viajando, preciso reservar com dias de antecedência e saber exatamente onde vou ficar, do contrário enlouqueço.

– Talvez sejam todos esses anos velejando que me deram uma atitude mais descontraída. Sou capaz de dormir em qualquer lugar.

– Eu não, talvez por ser mais obsessivo do que a maioria das pessoas. Minha mania de organização enlouquece todo mundo que me conhece.

Peguei minha mochila com Else, a moça do caixa, e fui aguardar junto à entrada enquanto Willem providenciava o táxi. Enquanto o observava discretamente, notei que a sua tensão interna se revelava fisicamente na postura: ele parecia um soldado, com todos os tendões retesados, abrindo e fechando as mãos enquanto Else falava com a empresa de táxi.

Determinado, foi o adjetivo que me veio à mente.

O táxi chegou e embarcamos.

– Mas onde você mora quando não está velejando nem procurando músicos e suas esposas mortos há séculos? – perguntou ele.

– Em Genebra, na casa da minha família.

– Quer dizer que não tem uma casa permanente só sua?

– Não. Na verdade nunca precisei. Eu vivo viajando.

– Essa é outra diferença entre nós dois. Meu apartamento em Zurique é o meu refúgio. Chego a ter que me forçar para não pedir às pessoas que me visitam que tirem os sapatos ou obrigá-las a limpar as mãos com lenços umedecidos antibacterianos.

Pensei no modo como ele havia limpado discretamente as mãos após tocar piano mais cedo.

– Sei que sou esquisito, então não precisa ficar constrangida por achar isso – arrematou ele, bem-humorado.

– A maioria dos músicos que eu conheci é excêntrica. Minha tendência é pensar que isso faz parte do temperamento de um artista.

– Ou talvez de um "autista", como diz meu terapeuta. Pode ser que a diferença entre os dois seja muito pequena. Minha mãe diz que eu preciso estar em um relacionamento para dar um jeito em mim, mas não consigo imaginar pessoa nenhuma capaz de suportar minhas excentricidades. Você tem alguém?

– Eu... tinha, mas ele morreu algumas semanas atrás – revelei, olhando pela janela do carro.

– Eu sinto muito, Ally. Meus sentimentos.

– Obrigada.

– Não sei o que dizer.

– Não se preocupe, ninguém sabe – reconfortei-o.

– Foi por isso que você veio para a Noruega?

– É, acho que foi.

O táxi começou a percorrer lentamente um dos lados do belo porto, margeado por construções de madeira pintadas em tons alternados de branco, amarelo-claro, ocre e amarelo vivo, com os típicos telhados de tijolos vermelhos em formato de V. Todas essas cores de repente ficaram borradas diante dos meus olhos quando senti as lágrimas brotando.

– Bem... – Após uma longa pausa, Willem limpou a garganta. – Eu em geral não falo sobre isso, mas tenho uma experiência em primeira mão do que você está passando. Perdi a pessoa com quem era casado faz cinco anos, logo depois do Natal. Não é uma recordação boa.

– Então eu também sinto muito. – Afaguei seu punho cerrado, e dessa vez foi ele quem desviou o olhar.

– No meu caso, foi uma bênção e um alívio. No final, Jack já estava muito, muito doente. E no seu caso, o que houve?

– Um acidente no mar. Em um minuto Theo estava lá, no minuto seguinte não estava mais.

– Para ser sincero, não sei qual das duas coisas é pior. Eu tive tempo para aceitar o que aconteceu, mas mesmo assim fui obrigado a ver alguém que eu amava sofrer. Acho que ainda não superei. Enfim, desculpe, não quero deixar você mais triste do que já deve estar.

– Não precisa se desculpar. De um jeito esquisito, é reconfortante saber que outros já passaram pelo que estou passando – respondi. O táxi encostou em frente a um prédio alto de tijolos.

– Este é o meu hotel. Por que não entra e pergunta se tem algum quarto vago? Duvido que vá conseguir coisa muito melhor.

– Certamente com uma vista melhor seria impossível – concordei. Ao descer do táxi, vi que o hotel Havnekontoret ficava a poucos metros do final do cais no qual estava ancorada uma linda escuna antiga de mastro duplo. – Theo teria gostado – murmurei, feliz por poder dizer isso sabendo que Willem entenderia na hora.

– Sim. Me dê aqui, deixe que eu carrego a mochila para você.

Pedi ao taxista para esperar alguns minutos e entrei no hotel atrás dele para perguntar na recepção se havia alguma acomodação disponível. Depois de reservar um quarto, tornei a sair e liberei o motorista.

– Bem, fico feliz que essa parte esteja resolvida. – Willem estava parado na recepção, tenso. – Parece que a minha jornalista já chegou. Odeio jornalistas, mas vamos lá. Nos vemos mais tarde.

– Claro – falei, e ele se afastou em direção a uma mulher que o aguardava no lobby.

Depois de entregar o cartão de crédito à recepcionista e pegar a senha da internet sem fio, entrei no elevador e subi até o quarto, que ficava debaixo do telhado e tinha uma vista esplendorosa para o porto. Como a noite já estava caindo, troquei os jeans por calça de moletom e suéter de capuz e liguei o laptop. Enquanto aguardava a conexão, pensei em Willem e em como, apesar de toda a sua estranheza, havia gostado dele. Verifiquei meus e-mails e vi que havia outra mensagem da tradutora Magdalena Jensen.

De: magdalenajensen1@trans.no
Para: allygeneva@gmail.com
Assunto: Grieg, Solveig og jeg / Grieg, Solveig e eu
1º de setembro de 2007

Cara Ally,
Segue em anexo o resto da tradução. Mandarei o original do livro para seu endereço em Genebra. Espero que goste da leitura. É uma história interessante.
Um abraço,
Magdalena

Cliquei em "abrir anexo" e fiquei esperando impaciente que as páginas carregassem. Então retomei a leitura...

Anna

Christiania, Noruega

Agosto de 1876

25

— Anna, *Kjære*, que alegria tê-la de volta aqui conosco – disse *Frøken* Olsdatter ao recebê-la no apartamento e pegar sua capa. – Com *Herr* Bayer em Drøbak, a vida aqui anda silenciosa demais. Como foi sua estadia no campo?

– Foi ótima, obrigada, apesar de curta demais – respondeu Anna, seguindo a governanta até a sala.

– Aceita um chá?

– Adoraria.

– Então vou trazer.

Quando *Frøken* Olsdatter saiu da sala, Anna pensou em como estava contente por estar de volta a Christiania e poder aproveitar a gentil solicitude da mulher mais velha. *Mesmo que eu tenha ficado mimada, não ligo*, pensou, suspirando de alívio ao pensar que iria dormir em um colchão confortável e acordar na manhã seguinte com uma bandeja de café da manhã. Sem falar na possibilidade de um banho quente...

Frøken Olsdatter interrompeu seus pensamentos ao retornar trazendo uma bandeja de chá.

– Bem, tenho uma notícia para você – disse ela, servindo a bebida em duas xícaras de porcelana e entregando uma delas a Anna. – *Herr* Bayer não vai poder voltar para Christiania tão cedo. Sua pobre mãe está muito doente, e ele não pode sair de perto dela. Acha que o fim está próximo e naturalmente deseja estar ao seu lado. Sendo assim, você ficará sob os meus cuidados até ele voltar.

– Lamento que a querida mãe dele esteja tão doente – disse Anna, embora não lamentasse nem um pouco que a volta de *Herr* Bayer houvesse sido adiada.

– Como os ensaios são durante o dia, eu a acompanharei de bonde até o teatro na ida e na volta. Depois de terminar o seu chá, você tem que dar uma olhada em seu novo guarda-roupa. Os trajes de inverno que *Herr* Bayer encomendou na modista chegaram. Ficaram esplêndidos, esplêndidos mesmo. Chegou também uma carta para você, que deixei no seu quarto.

Dez minutos depois, Anna abriu a porta do armário e o encontrou repleto de vários lindos trajes feitos à mão. Havia blusas de seda e musselina bem macias, saias de lã da melhor qualidade e dois esplendorosos vestidos de noite: um cor de topázio, o segundo rosa-chá escuro. Havia também dois espartilhos novos, várias calçolas e meias finas como teias de aranha.

Pensar que *Herr* Bayer havia encomendado para ela peças tão íntimas lhe provocou um calafrio, mas ela relegou esse pensamento ao fundo da mente, imaginando que decerto fora *Frøken* Olsdatter quem tinha providenciado a fabricação daquelas peças. Sobre uma prateleira alta havia dois pares de sapatos de salto, um forrado com a mesma seda rosa escura do vestido e uma pequena fivela de prata em cima, e o outro cor de marfim com bordados brancos. Ela calçou os cor-de-rosa e viu uma caixa de chapéu, que pegou com todo o cuidado. Ao levantar a tampa, deu um arquejo. O chapéu combinava com o vestido cor-de-rosa e tinha o arranjo mais complexo de plumas e fitas que já vira. Anna recordou o dia em que desembarcara pela primeira vez na estação de trem de Christiania e quanto ficara maravilhada com os chapéus das senhoras. Aquele ali era mais lindo do que qualquer outro, concluiu ao pousá-lo com cuidado sobre a cabeça. Enquanto experimentava caminhar pelo quarto com os sapatos e o chapéu novos, sentiu-se mais alta e de certa maneira mais velha, e pensou, sem acreditar, no quanto havia mudado desde que chegara à cidade.

Então sentou-se, com o chapéu ainda na cabeça, e pegou a carta que *Frøken* Olsdatter havia lhe deixado. Antes de abri-la com grande hesitação, viu que era de Lars e deu um suspiro, apreensiva com o conteúdo.

Stalsberg Våningshuset
Tindevegen
Heddal

22 de julho de 1876

Minha caríssima Anna,
Prometi lhe escrever para explicar em detalhes a breve conversa que tivemos na noite do casamento do seu irmão.

Nos últimos meses, tem ficado óbvio para mim que a vida em Christiania alterou suas expectativas e visões do futuro. Por favor, cara Anna, não se sinta culpada por isso. É muito natural que essas coisas tenham mudado. Você tem um grande talento que está sendo moldado por pessoas importantes, capazes de incentivá-la e de revelá-la ao mundo.

Mesmo que seus pais acreditem que pouco mudou, sei que muita coisa está diferente. Estrelar como Solveig no Teatro de Christiania neste outono é uma oportunidade fadada a modificar a sua vida ainda mais. Por mais que seja difícil, preciso aceitar que casar-se comigo talvez não lhe agrade como antes. Se é que algum dia agradou, o que duvido muito.

Entendo que sua retidão moral e seu bom coração jamais lhe teriam permitido expor seus verdadeiros sentimentos. Além de me magoar, você não teria querido correr o risco de decepcionar seus pais. Portanto, como conversamos, direi a eles que decidi que não posso mais esperar por você. Seu pai já comprou minhas terras, e esse arranjo financeiro me convém. Assim como você não é dada aos afazeres domésticos, eu não sou agricultor, e agora que meu pai morreu pouca coisa me prende aqui.

E pelo visto existe uma alternativa.

Anna, preciso lhe contar que tive notícias de Scribner, o editor de Nova York para quem lhe contei que havia mandado meus poemas. Eles querem publicá-los e me ofereceram um pequeno adiantamento. Como você sabe, meu sonho sempre foi ir para os Estados Unidos. Com o dinheiro que seu pai me pagou pelas terras, tenho o suficiente para comprar a passagem. Você pode imaginar quanto essa perspectiva me deixa animado. Ter meus poemas publicados naquele país é uma honra imensa. Meu maior desejo teria sido fazer de você minha esposa e levá-la comigo, para juntos podermos construir uma nova vida por lá. Mas esta não é uma boa hora para você. E Anna, para ser sincero, mesmo que fosse, entendo que você não tenha conseguido me amar como eu a amei.

Não guardo mágoa de você e lhe desejo tudo de bom. De um jeito estranho, o Senhor deu a nós dois liberdade para seguir nossos caminhos, ainda que eles não possam se encontrar. Apesar do fato de que não vamos mais ser marido e mulher, espero poder continuar seu amigo.

Zarparei para os Estados Unidos daqui a seis semanas.

Lars

Anna pousou a carta na cama a seu lado e ficou sentada, muito ocupada com seus pensamentos, sentindo-se ao mesmo tempo comovida e perturbada.

Estados Unidos... Repreendeu-se por ter acreditado que esse fosse um sonho inalcançável de Lars e por não ter levado o rapaz a sério. Agora ali estava ele, com os poemas prestes a serem publicados em solo americano e a possibilidade de, um dia, seguir os passos do próprio *Herr* Ibsen.

Pela primeira vez, parou de ver Lars como uma vítima, como um triste cão a ser afagado. A venda de suas terras a Anders, como ele mesmo havia escrito em suas cartas, fora sua chance de também fugir de Heddal e ir atrás de seu sonho, assim como ela.

Essa parte, pelo menos, era reconfortante.

Será que ela teria ido para os Estados Unidos com Lars caso ele a houvesse convidado?

– Não.

A resposta saiu de sua boca sem querer. Ela se deitou de costas na cama, e o chapéu de seda novo escorregou para a frente e lhe cobriu os olhos.

Apartamento 4
Portão de São Olavo, 10
Christiania

4 de agosto de 1876

Caro Lars,
Obrigada pela sua carta. Estou muito feliz com a sua sorte. Espero que me escreva dos Estados Unidos. E, por favor, aceite minha gratidão por tudo que fez por mim. Sua ajuda para me ensinar a ler e escrever tornou possível minha vida aqui em Christiania.

Mande todo meu amor para Mor e Far. Espero que eles não gritem com você quando lhes disser que não haverá casamento, e é muita generosidade sua assumir a culpa.

Espero que você encontre uma esposa bem melhor do que eu nos Estados Unidos. Também desejo continuar sua amiga.

Espero que não enjoe no mar.
Anna

Quando ela pôs o lacre na carta, o impacto do que Lars havia lhe contado a atingiu. Agora que ele seria apenas seu amigo e estava de partida para os Estados Unidos, percebeu que sentiria sua falta.

Será que eu deveria ter me casado com ele?, pensou. Levantou-se e foi até a janela espiar a rua lá embaixo. *Ele era tão bom, tão gentil. E provavelmente vai fazer fortuna lá, enquanto eu posso muito bem morrer solteirona...*

Mais tarde, ao subir o corredor e pôr a carta sobre a salva de prata para que fosse postada, sentiu o último e tênue fio que a prendia à sua velha vida finalmente se romper.

❋ ❋ ❋

Os ensaios de *Peer Gynt* começaram três dias depois. Os outros integrantes do elenco, muitos dos quais haviam participado da montagem original, se mostraram gentis e solícitos com Anna, mas, se aprender uma canção e cantá-la não lhe causava dificuldade alguma, ser atriz se revelou bem mais complicado do que ela pensava. Às vezes ela ia até o lugar certo no palco, mas esquecia de dizer sua fala no caminho; outras vezes se lembrava de andar e de falar, mas se esquecia de expressar a emoção adequada com o rosto. *Herr* Josephson, o diretor, demonstrou grande paciência, mas Anna teve a sensação de que aquilo era meio como ter que esfregar a barriga e dar tapinhas na própria cabeça ao mesmo tempo que dançava polca.

Depois do quarto dia de ensaios, perguntou-se, desanimada, se algum dia acertaria. Na saída do teatro, deu um gritinho de espanto ao sentir a mão de alguém segurá-la pelo braço enquanto andava em direção à entrada dos artistas.

– Ouvi dizer que estava de volta a Christiania, *Frøken* Landvik. Como foi sua estadia no campo?

Era Jens Halvorsen, o Canalha. A proximidade fez o coração de Anna bater mais forte e, embora ele tenha soltado seu braço, não retirou a mão. Ela pôde sentir o calor daquele toque através da manga da roupa e engoliu em seco. Virou-se para ele e ficou chocada ao constatar o quanto o rapaz havia mudado. Seus cabelos encaracolados antes brilhantes pendiam sem vida em volta do rosto, e as roupas de boa qualidade estavam amarrotadas e sujas. Ele parecia não tomar um bom banho havia semanas, algo que seu olfato confirmou.

– Eu... minha acompanhante está lá fora – sussurrou ela. – Por favor, deixe-me em paz.

– Vou deixar, mas não antes de lhe dizer que fiquei desesperado de saudade da senhorita. Com certeza a esta altura já lhe provei meu amor e minha lealdade, não? Por favor, eu lhe imploro, diga que aceita se encontrar comigo.

– Não, não aceito – respondeu Anna.

– Bem, nada me impede de vir encontrá-la aqui no teatro, não é mesmo, *Frøken* Landvik? – falou ele bem alto enquanto ela saía apressada pela porta dos artistas e esta se fechava com um baque alto.

Nas semanas seguintes, Jens esperou Anna sair do teatro todos os dias após os ensaios.

– *Herr* Halvorsen, isso está ficando mesmo muito irritante – sussurrava-lhe ela entre os dentes enquanto Halbert, o porteiro, assumia seu lugar na primeira fila assistindo àquela corte.

– Excelente! Nesse caso, talvez a senhorita ceda e pelo menos permita que eu a leve para tomar um chá.

– Minha acompanhante ficará encantada em ir conosco. Por favor, queira informá-la sobre o seu pedido – dizia-lhe ela ao passar, tentando reprimir um sorriso.

Na realidade, aqueles encontros eram a parte do dia que Anna mais esperava, e ela havia começado a relaxar um pouco, pois sabia que os dois estavam envolvidos em um emocionante jogo de gato e rato. Como Lars não estava mais "à sua espera" – sem falar no fato de ela ter passado o longo verão sonhando com Jens –, apesar dos seus esforços, sua determinação começou a fraquejar.

Na segunda-feira seguinte, após um fim de semana interminável trancada no apartamento, *Frøken* Olsdatter anunciou que precisava ir até o outro lado da cidade resolver um assunto de *Herr* Bayer. Considerou Anna responsável o suficiente para voltar de bonde sozinha. Ao sair do palco, a moça entendeu que havia chegado a hora de se render.

Como sempre, Jens a aguardava no corredor perto da entrada dos artistas.

– Quando vai me dizer sim, *Frøken* Landvik? – indagou ele, cabisbaixo, quando ela passou. – Devo admitir que, apesar de eu ser resistente, sua rejeição aos poucos está minando minha determinação.

– Hoje? – disse ela, virando-se para ele com um movimento abrupto.

– Eu... ora... está bem.

Anna saboreou com satisfação a surpresa do rapaz.

– Vamos ao Café Engebret, do outro lado da praça – disse ele. – Fica a um minuto a pé daqui.

Anna já tinha ouvido falar no Engebret, e na sua opinião aquele parecia um lugar de fato muito empolgante.

– Mas e se alguém nos vir? As pessoas vão achar inadequado eu estar sem acompanhante.

– Improvável – falou Jens com uma risadinha. – O Engebret é frequentado em grande parte por boêmios e músicos bêbados, que sequer piscariam o olho se você tirasse a roupa toda e dançasse em cima da mesa! Ninguém vai nem reparar em nós, prometo. Venha, *Frøken* Landvik, estamos perdendo tempo.

– Está bem, então. – Anna foi dominada por um arrepio de animação.

Os dois saíram do teatro em silêncio e atravessaram a praça até o café, onde Anna apontou para uma mesa no canto mais escuro e tranquilo do estabelecimento. Jens pediu chá.

– Conte-me: como foi seu verão?

– Pelo visto, bem melhor do que o seu. O senhor... não está com um aspecto nada bom.

– Ora, obrigado por formular a questão de modo tão cortês. – A franqueza de Anna o fez rir baixinho. – Não estou doente, só ando pobre ultimamente e muito necessitado de um bom banho e de uma troca de roupa. Segundo Simen, que também toca na orquestra, agora virei um músico de verdade. Ele tem sido muito bondoso comigo e me deu um teto quando fui forçado a sair de casa.

– Meu Deus! Por quê?

– Meu pai não aprovou minhas aspirações musicais. Desejava que eu seguisse os seus passos e administrasse a sua cervejaria, como fizeram meus antepassados.

Anna o encarou com uma admiração renovada. Com certeza, pensou, devia ter sido necessário grande força de caráter para abrir mão da família e dos confortos de um lar em nome da arte.

– Enfim, agora que a temporada no teatro está começando e que estou finalmente ganhando algum dinheiro, vou me mudar para acomodações mais adequadas. Otto, o oboísta, me disse ontem que pode me alugar um quarto no apartamento dele. Sua mulher morreu faz pouco, e como ela era bastante rica, espero poder viver em um ambiente mais sadio. A casa dele fica a cinco minutos a pé da sua, Anna. Seremos quase vizinhos. A senhorita poderá ir tomar chá comigo lá.

– Fico feliz em saber que o senhor vai estar mais confortável – afirmou ela, tímida.

– E, enquanto eu me encontro na sarjeta, a sua estrela vai subindo veloz! Talvez a senhorita se torne a rica benfeitora de que todo músico precisa – brincou ele. O chá chegou. – Veja só essas roupas finas e esse chapéu elegante de Paris. A senhorita ultimamente é mesmo o retrato de uma jovem rica.

– Pode ser que a minha estrela caia com a mesma rapidez com a qual parece ter subido. Considero-me uma péssima atriz e provavelmente perderei o emprego muito em breve – confessou Anna de repente, grata por poder dizer isso a alguém.

– E eu estou igualmente certo de que isso não é verdade. Quando a orquestra se reuniu ontem pela primeira vez, ouvi *Herr* Josephson dizer a Hennum que a senhorita estava "evoluindo bastante bem".

– *Herr* Halvorsen, o senhor não está entendendo. Ficar diante de uma plateia e cantar nunca foi uma preocupação para mim, mas dizer falas e interpretar um personagem é outra coisa. Acho que eu talvez esteja até com medo do palco – disse Anna, mexendo distraidamente na asa da xícara. – Não consigo nem imaginar como terei coragem de aparecer em frente ao público na noite da estreia.

– Anna, você... posso chamá-la de você? Sinto que já nos conhecemos bem o suficiente para tanto.

– Acho que pode, sim. Pelo menos quando estivermos a sós.

– Obrigado. Bem, continuando o que eu estava dizendo, Anna, tenho certeza de que você estará tão linda e que o seu canto será tão encantador que ninguém vai reparar no que você disser.

– É muita gentileza sua... Jens, mas não estou nem conseguindo dormir à noite. Não quero decepcionar ninguém.

– E tenho certeza de que isso não vai acontecer. Agora me diga, como vai aquele pretendente lá na sua cidade?

– Está indo para os Estados Unidos. Sem mim – respondeu ela com cautela, evitando encará-lo. – Não estamos mais comprometidos.

– Que pena, mas confesso que saber isso faz de mim um homem feliz. Você não me sai da cabeça desde o nosso último encontro. Foi a única coisa que me permitiu atravessar esse verão tão difícil. Percebi que estou completamente apaixonado por você.

Anna o encarou por alguns instantes antes de responder.

– Como é possível uma coisa dessas? Você mal me conhece. Nunca conversamos por mais de poucos minutos. Sem dúvida aquilo que nos faz nos apaixonar por alguém é o caráter, não? E para isso é preciso conhecer bem a pessoa.

– Eu sei muito mais a seu respeito do que você pensa. Por exemplo, vejo que é modesta pelo modo como enrubesceu quando a plateia se levantou para aplaudi-la após seu triunfo no recital. Sei que não tem pretensões quanto à sua aparência pelo modo como não se pinta. Entendo também que é virtuosa, leal e dona de um forte senso moral, o que dificultou bastante minha tarefa de conquistá-la. O que também me leva a acreditar que seja teimosa feito uma mula quando decide alguma coisa. Pois na minha experiência é coisa rara uma mulher nem sequer dar uma lida rápida nas cartas de um pretendente antes de jogá-las ao fogo... ainda que *realmente* considere inadequada a sua corte insistente.

Anna deu o melhor de si para não demonstrar assombro com o poder de percepção dele.

– Bem – falou, engolindo em seco. – Há muitas coisas que você *não* sabe. Como por exemplo que minha mãe fica desesperada com minha falta de talento para as atividades domésticas. Sou péssima cozinheira e também não sei costurar. Meu pai diz que só sei cuidar de animais, não de gente.

– Nesse caso, viveremos de amor e compraremos um gato – respondeu Jens com um sorriso.

– Me perdoe, mas preciso mesmo pegar meu bonde e voltar para casa – disse Anna. Levantou-se, tirou algumas moedas da bolsa e as colocou sobre a mesa. – Por favor, deixe-me pagar o chá. Até logo... Jens.

– Anna. – Na hora em que ela se virou para partir, ele segurou sua mão. – Quando tornarei a vê-la?

– Como você bem sabe, estou no teatro todos os dias, das dez às quatro.

– Então estarei lá amanhã às quatro – disse ele às suas costas, observando-a seguir apressada na direção da porta.

Depois que ela saiu, Jens baixou os olhos para as moedas na mesa e viu que eram suficientes para pagar o chá e lhe comprar uma tigela de sopa e um copo de *aquavit*.

Uma vez na segurança do bonde, Anna fechou os olhos e abriu um sorriso sonhador. Estar sozinha com Jens Halvorsen tinha sido maravilhoso. Quer fosse a nova situação dele ou apenas sua perseverança ao cortejá-la, ele não lhe parecia mais o homem orgulhoso e cheio de si que ela achava antes.

– Ah, Deus – rezou ela nessa noite. – Por favor me perdoe se eu disser que Jens Halvorsen, o Canalha, não é mais tão canalha assim. Que ele foi testado e modificou seu comportamento. Como o Senhor sabe, eu fiz o que pude para não ceder à tentação, mas agora... – Anna mordeu o lábio. – Agora eu acho que talvez ceda. Amém.

❋ ❋ ❋

Nos dias que antecederam a estreia, Anna e Jens se encontraram diariamente após os ensaios. Preocupada com o que pudessem falar no teatro, ela sugeriu que ele a aguardasse dentro do Engebret. O fim da tarde era o horário mais tranquilo no café, e aos poucos Anna começou a relaxar e a se preocupar menos em manter as aparências. Um dia, quando Jens buscou sua mão debaixo da mesa, ela deixou que ele a segurasse. Isso abriu um precedente, e os dois agora se sentavam quase todos os dias com os dedos discretamente entrelaçados. Assim, ficava um pouco difícil servir o chá e o leite com apenas uma das mãos, mas cada segundo valia a pena.

Jens estava bem mais parecido com o que era antes. Havia se mudado para o apartamento de Otto e, como tinha lhe descrito com precisão de detalhes, passado por um tratamento completo para se livrar dos piolhos. No apartamento havia uma empregada que também lavara todas as suas roupas, e Anna estava aliviada com o fato de ele agora ter um cheiro bem melhor.

Mais do que tudo, porém, era a lembrança do contato da pele dele com a sua – um toque inocente se visto de fora, mas que prometia muito mais – que ocupava os pensamentos de Anna dia e noite. Ela finalmente entendia como Solveig se sentia e por que havia sacrificado tanta coisa por seu Peer.

Muitas vezes os dois ficavam sentados juntos sem dizer nada, com o chá esquecido em cima da mesa, saboreando apenas a visão um do outro. Embora Anna dissesse a si mesma para tomar cuidado, sabia que enfim tinha se rendido a ele... e que estava cada vez mais enredada em seu feitiço.

26

Três dias antes da estreia da nova temporada de *Peer Gynt* no Teatro de Christiania, o árduo processo de reunir orquestra e elenco começou novamente. Dessa vez, Anna não dividia mais o camarim com Rude e as outras crianças. Ocupava agora o antigo camarim de Madame Hansson, onde havia uma parede inteira de espelhos e uma espreguiçadeira forrada de veludo para ela repousar caso ficasse cansada.

– Muito bom isso, não, Anna? – comentara Rude, passeando os olhos pelo camarim. – Eu diria que alguns de nós subiram na vida nos últimos meses. Você se importa se eu vier aqui de vez em quando lhe fazer companhia? Ou agora é importante demais para mim?

Anna segurou com as duas mãos as bochechas gorduchas do menino e deu uma risadinha.

– Eu posso não ter mais tempo para nossas partidas de cartas, mas você é bem-vindo para me visitar sempre que quiser.

Na noite da estreia, ao entrar no camarim, ela encontrou o recinto abarrotado de flores e bilhetes de boa sorte. Havia até uma carta assinada por seus pais e Knut, que certamente faria referência ao fim de seu noivado com Lars. Ela a separou para ler mais tarde. Enquanto a maquiadora Ingeborg pintava seu rosto, Anna leu os outros cartões e as palavras generosas que as pessoas tinham escrito lhe agradaram. Mas um recado em especial, acompanhado por uma rosa vermelha, fez seu corpo estremecer de emoção.

Estarei lá hoje para vê-la subir à estratosfera. E sentirei cada batida do seu coração.

Cante, meu lindo passarinho. Cante!

J.

Ao ouvir o chamado para os atores que iriam aparecer primeiro se posicionarem no palco, Anna fez uma prece.

– Por favor, meu Deus, não permita que eu desgrace a mim mesma nem o nome da minha família hoje. Amém. – E se levantou para ir até as coxias.

❋ ❋ ❋

Anna sabia que alguns momentos dessa noite ficariam gravados para sempre em sua memória. Como o branco, terrível, que teve quando pisou no palco no segundo ato. Desesperada, baixou os olhos para o fosso da orquestra e viu Jens articulando as falas para ela com a boca sem emitir som nenhum. Torcia para ter se recuperado a tempo de a plateia não perceber, mas aquilo a deixara nervosa durante o resto do espetáculo. Foi só na hora da "Canção do berço", bem no final, com a cabeça de Peer pousada em seus joelhos e os dois sozinhos no palco, que ela voltou a ganhar confiança e soltou a voz e a emoção.

Depois de a última nota se dissipar, a cortina ainda subiu muitas vezes para os agradecimentos, e buquês de flores foram entregues a ela e Marie, a atriz que fazia o papel de Åse, mãe de Peer. Quando o pano enfim caiu de vez, Anna saiu do palco e desatou a soluçar bem alto no ombro de *Herr* Josephson.

– Por favor, minha cara, não chore – tranquilizou ele.

– Mas eu fui terrível hoje! Eu sei que fui!

– De forma alguma, Anna. Não entende que sua hesitação natural na verdade aumentou a vulnerabilidade de Solveig? E no final... bem, a plateia estava enfeitiçada. Esse papel poderia ter sido escrito para você, e tenho certeza de que, se a tivessem assistido, *Herr* Ibsen e *Herr* Grieg teriam ficado satisfeitos. Você também cantou lindamente, como sempre. Agora vá... – Ele levou um dos dedos à bochecha dela para enxugar uma lágrima. – Vá comemorar sua realização.

Quando Anna chegou ao camarim, encontrou-o abarrotado de admiradores, todos querendo estar presentes na coroação de uma nova princesa, prata da casa, e deu o melhor de si para dizer a coisa certa a cada um. Então *Herr* Hennum apareceu e enxotou todo mundo.

– Anna, foi uma alegria reger a orquestra hoje e ver sua estreia nos palcos. E não, sua atuação não foi perfeita, mas isso é algo que você vai poder aprender à medida que for ganhando confiança, o que vai acontecer, prometo. Por favor, procure aproveitar a adulação de toda Christiania, pois você a mereceu de verdade. *Herr* Josephson virá daqui a quinze minutos acompanhá-la até a festa da estreia, no foyer do teatro. – Ele então fez uma mesura e a deixou em paz.

Quando ela estava se trocando, uma batida curta anunciou a chegada de Rude.

– Com licença, *Frøken* Anna, mas me pediram para lhe entregar um recado. – Com um sorriso atrevido, ele lhe passou o papel. – Se me permite dizer, você está muito linda hoje. E será que poderia pedir à minha mãe para me deixar ir à festa? Ela talvez deixe se você pedir.

– Você sabe que eu não posso fazer isso, Rude, mas, já que está aqui, pode ajudar a fechar meu vestido?

Quando Anna entrou no foyer com *Herr* Josephson, foi recebida por uma salva de palmas. Jens a observou de longe pensando que nunca a havia amado mais do que nessa noite, o que tinha lhe dito no bilhete que mandara Rude lhe entregar depois da peça. Viu-a sorrir e conversar banalidades, e pensou em como seu passarinho tinha voado longe desde a primeira vez em que ele a ouvira cantar.

Então seu coração murchou quando ele viu uma figura conhecida se aproximar dela, com o imenso bigode curvo quase eriçado de tanta alegria, enquanto as pessoas abriam caminho para deixá-lo passar.

– Anna! Minha cara jovem, nem mesmo a doença de minha mãe pôde me impedir de estar presente para assisti-la nesta noite de glória! Você foi soberba, *Kjære*, realmente soberba.

Jens reparou que o semblante de Anna murchou um pouco, e ela em seguida se recuperou e cumprimentou *Herr* Bayer calorosamente. Nessa hora, foi embora, deprimido com o fato de, por causa da aparição do mentor, não poder dizer pessoalmente a ela o quanto estava orgulhoso.

É claro que ele podia ver que direção as coisas estavam tomando, ainda que Anna não visse, pensou, enquanto afogava a infelicidade com um *aquavit* no Engebret. Ela podia ter se livrado de seu pretendente do vilarejo, mas era óbvio para todos que havia despertado a paixão de *Herr* Bayer. E seu mentor era capaz de lhe dar tudo que ela pudesse querer. Alguns meses antes, pensou Jens, ele poderia fazer o mesmo.

Pela primeira vez, cogitou se teria cometido um erro grave.

✪ ✪ ✪

"*Frøken* Landvik pode não trazer para o papel de Solveig a segurança experiente de Madame Hansson, mas compensa isso com inocência, juventude e uma interpretação magnífica das canções da personagem."

– E na edição matutina do *Dagbladet* o crítico comenta outra vez sobre sua beleza, juventude e...

Anna não estava mais escutando *Herr* Bayer. Sentia-se feliz por ter conseguido passar pela noite de estreia, mas repetir tudo outra vez na noite seguinte era algo que sequer conseguia imaginar.

– Infelizmente, Anna, só poderei ficar em Christiania até amanhã de manhã, pois preciso pegar a balsa e voltar para junto da minha mãe o quanto antes – disse *Herr* Bayer, fechando o jornal.

– Como ela está?

– Nem melhor, nem pior – respondeu ele com um suspiro. – Minha mãe sempre teve uma energia inabalável, e é só isso que a mantém viva agora. Não há nada que eu possa fazer a não ser ficar do seu lado à medida que o fim se aproxima. Mas chega desse assunto. Hoje à noite, Anna, eu quero que tenhamos um jantar especial, para você poder me contar tudo que aconteceu desde a última vez em que a vi.

– Claro, seria um prazer, mas estou me sentindo um tanto cansada. Se vamos jantar juntos à noite, posso descansar agora?

– Mas é claro, minha cara jovem. E parabéns novamente.

Franz Bayer ficou olhando Anna sair da sala, maravilhado com o quanto ela havia mudado em um ano e, na realidade, desde a última vez em que a vira. A moça sempre fora um botão de flor prestes a se abrir, mas agora havia desabrochado por completo – estava linda e, graças aos seus ensinamentos, tinha adquirido elegância e sofisticação.

Apesar de Anna ter acabado de alegar que estava exausta, parecia haver nela um novo brilho que ele não conseguia definir. Torceu para que não tivesse nada a ver com aquele violinista com quem ela obviamente estava tão envolvida no recital do mês de junho. Na noite anterior, *Herr* Josephson havia comentado em tom bastante malicioso, por provocação, como era bom ele, Franz, estar de volta à cidade. O diretor mencionara que sua protegida fora vista mais de uma vez tomando chá com o tal sujeito no Engebret.

Até então, *Herr* Bayer vinha aguardando o momento certo, pois não queria assustá-la. Depois das palavras de *Herr* Josephson, porém, achava que era melhor deixar claras as suas intenções.

❋ ❋ ❋

– Como você está encantadora hoje, minha cara jovem!
Herr Bayer a elogiou ao vê-la entrar na sala de estar usando o vestido de noite cor de topázio. Por mais que as pessoas lhe dissessem que ela era linda, sobretudo os homens, pensou Anna com amargura, se porventura viessem a vê-la sem o pó facial mágico, suas sardas ficariam outra vez em evidência, e decerto considerariam seu aspecto bem pouco atraente.
Para retribuir o elogio galante de *Herr* Bayer, tudo em que conseguiu pensar foi admirar sua nova e alegre gravata de estampa *paisley*, torcendo para que ele não detectasse a falta de sinceridade em sua voz.
– Como estava sua família quando a viu no verão? – indagou ele.
– Minha família vai bem, obrigada. E o casamento foi lindo.
– *Frøken* Olsdatter me disse que infelizmente você e o seu rapaz romperam o noivado.
– Sim. Lars sentiu que não podia mais esperar por mim.
– Isso a deixa infeliz, Anna?
– Acho que será melhor assim, para nós dois – respondeu ela, diplomática, levando à boca uma garfada de peixe. Tudo que realmente queria fazer era ir dormir cedo e sonhar com Jens.
Depois do café na sala de estar, *Frøken* Olsdatter trouxe um decantador de conhaque para o patrão e, para consternação de Anna, um balde de gelo contendo uma garrafa de champanhe. Era tarde demais para ela sequer cogitar beber álcool, e seu primeiro pensamento foi se *Herr* Bayer estaria esperando outros convidados.
– Feche a porta quando sair – pediu ele a *Frøken* Olsdatter, e a governanta obedeceu.
– Anna, minha cara jovem, agora tenho algo para lhe dizer. – *Herr* Bayer pigarreou. – Você deve ter percebido que meu afeto por você aumentou desde que veio morar aqui comigo. E espero que valorize o esforço que fiz para guiar sua carreira.
– É claro que valorizo, *Herr* Bayer. Não tenho como lhe agradecer à altura.

– Vamos dispensar as formalidades. Anna, por favor, me chame de Franz. Você agora já me conhece bem o bastante...

Anna observou *Herr* Bayer se calar. Pela primeira vez desde que o conhecia, ele pareceu não saber o que dizer. Depois de algum tempo, acabou se recompondo e prosseguiu.

– Anna, se fiz tudo isso não foi só para incentivar o seu talento, mas também porque... porque descobri que estou apaixonado por você. Sendo um cavalheiro, naturalmente não podia dizer nada enquanto você estivesse prometida a outro homem, mas agora que está desimpedida, bem... Percebi a profundidade do que sinto por você com mais clareza durante o verão, quando ficamos separados. E sei também que preciso deixá-la aqui sozinha outra vez e voltar para a cabeceira de minha mãe sem saber por quanto tempo ficarei ausente. Então achei melhor expressar logo minhas intenções. – Ele fez uma pausa e inspirou fundo. – Anna, você me daria a honra de se casar comigo?

Ela o encarou, muda, em choque, sem conseguir impedir que o horror se estampasse no próprio rosto.

Ele percebeu a expressão na mesma hora e pigarreou outra vez.

– Entendo que esse pedido seja uma surpresa para você. Mas, Anna, será que não vê o que poderíamos ser juntos? Eu lhe fui muito útil na sua carreira até agora, e aqui em Christiania você já chegou ao topo. Mas a Noruega é um país muito pequeno para comportar o seu talento. Já escrevi para diversos diretores musicais e comitês de programação na Dinamarca, na Alemanha e em Paris falando sobre o seu talento. E, sem dúvida, depois de ontem à noite, eles ouvirão falar de você por outros meios. Se nos casássemos, eu poderia acompanhá-la pela Europa quando você se apresentasse nas grandes salas de concerto. Poderia protegê-la, cuidar de você... esperei muitos anos para encontrar um talento como o seu. Além, é claro, de você ter roubado meu coração – ele se apressou em acrescentar.

– Entendo. – Anna engoliu em seco; sabia que precisava responder.

– Você sente afeto por mim, não sente?

– Sinto, e também... gratidão.

– Acho que formamos uma boa parceria, tanto no palco quanto fora dele. Afinal de contas, você mora há quase um ano debaixo do meu teto e conhece todos os meus maus hábitos – disse ele, rindo baixinho. – E, espero, alguns dos bons também. Assim sendo, nosso casamento não seria uma mudança tão grande quanto pode parecer... muita coisa na nossa vida permaneceria igual ao que é hoje.

Anna sentiu um calafrio; ocorreram-lhe *vários* aspectos nos quais *Herr* Bayer esperaria que sua vida fosse diferente.

– Como está calada, minha cara Anna. Vejo que a surpreendi. Enquanto eu via isso como uma progressão natural para nós dois, você talvez não tenha se atrevido a pensar assim.

Nisso o senhor tem absoluta razão, pensou ela.

– Não – falou em voz alta.

– Talvez o champanhe tenha sido uma certa presunção da minha parte. Vejo agora que preciso lhe dar um pouco de tempo para pensar na minha proposta. Você vai pensar, Anna?

– Claro, *Herr* Bayer... Franz. Seu pedido me deixa honrada – ela conseguiu balbuciar.

– Ficarei fora por pelo menos duas semanas, provavelmente mais, e talvez isso lhe dê oportunidade para pensar no assunto. Só posso torcer e rezar para que sua resposta seja afirmativa. Tê-la morando aqui comigo me fez perceber como estou solitário desde a morte da minha esposa.

Nessa hora, ele pareceu tão, mas tão triste, que Anna quis reconfortá-lo, da mesma forma que teria feito com o próprio pai. Mas afastou esse pensamento e se levantou. Sentia que não restava mais nada a dizer.

– Pensarei com cuidado no que me propôs. Você terá a resposta quando voltar. Boa noite... Franz.

Teve que se segurar para não sair correndo da sala, mas apressou o passo assim que pisou no corredor. Chegando ao quarto, fechou a porta e passou a chave. Deixou-se cair na cama e segurou a cabeça entre as mãos, ainda sem conseguir processar as palavras que acabara de ouvir. Revirou a mente tentando recordar algum comportamento que pudesse ter dado a entender a *Herr* Bayer, sem querer, que ela um dia poderia se casar com ele. Estava certa de ter se comportado de forma adequada em todas as ocasiões. Não se lembrava de ter flertado com ele nem sequer uma vez ou de ter "lhe espichado o olho", como diziam as coristas de *Peer Gynt*.

No entanto, reconheceu, seus pais haviam concordado que ela morasse debaixo do seu teto e deixado que ele a alimentasse, vestisse e lhe desse oportunidades com as quais ela jamais poderia ter sonhado. Sem falar no dinheiro que ele dera ao seu pai. Por que motivo ele não deveria supor, depois de tudo o que havia feito por ela, que a recompensa por seus esforços seria a união permanente dos dois?

– Ai, meu Deus, mal posso suportar pensar isso... – gemeu ela.

As ramificações potenciais do pedido de *Herr* Bayer eram imensas. Caso dissesse não, Anna sabia que seria impossível continuar vivendo sob o seu teto. E, nesse caso, para onde ela iria?

Deu-se conta do quanto dependia dele. E de quantas moças, ou mesmo mulheres mais velhas, como *Frøken* Olsdatter talvez, agarrariam a oportunidade de ser sua esposa. *Herr* Bayer era um homem rico, culto e aceito nos mais altos escalões da sociedade de Christiania, além de ser generoso e respeitoso – mas devia ter quase três vezes a sua idade.

E além do mais... Anna se lembrou da promessa que tinha feito a si mesma. Ela não amava *Herr* Bayer. Amava Jens Halvorsen.

27

Na noite seguinte, após um espetáculo que lhe pareceu sem graça e pouco inspirado em comparação com a estreia, ela encontrou Jens à sua espera do lado de fora da entrada dos artistas.

– O que está fazendo aqui? – sibilou. Vendo a carruagem que a aguardava, começou a andar depressa naquela direção. – Alguém pode nos ver.

– Não tenha medo, Anna, não pretendo comprometer sua reputação. Só queria lhe dizer pessoalmente como você foi maravilhosa na estreia. E também perguntar se está se sentindo bem hoje.

Ao ouvir isso, ela estacou e se virou para ele.

– Como assim?

– Fiquei observando você hoje e me pareceu que não estava no seu estado normal. Ninguém mais deve ter percebido, juro. Sua atuação foi excelente.

– Como você pôde saber o que eu estava sentindo? – perguntou Anna, sentindo lágrimas lhe subirem aos olhos de alívio pelo fato de ele, de alguma forma, saber.

Os dois chegaram à carruagem e o condutor abriu a porta para ela subir.

– Então eu tinha razão – disse Jens. – Posso ajudar?

– Eu... eu não sei... Tenho que ir para casa.

– Entendo, mas por favor, precisamos conversar... a sós – completou ele, baixando a voz para o condutor não escutar. – Pelo menos fique com meu endereço. – Ele pôs um pedaço de papel na pequenina mão de Anna. – Otto, meu senhorio, vai à casa de um de seus alunos particulares amanhã. Estarei sozinho no apartamento entre quatro e cinco da tarde.

– Eu... terei que ver – murmurou ela.

Virando-lhe as costas, galgou os degraus da carruagem. O condutor fechou a porta, e Anna afundou no assento lá dentro. Viu Jens acenar para ela e esticou o pescoço para observá-lo pela janela enquanto ele atravessava a rua na direção do Engebret. A carruagem partiu e ela se recostou no assento; o coração aos pulos. Sabia muito bem quanto era inadequado visitar um homem sozinho em seu apartamento, mas sabia também que precisava falar com alguém sobre o que havia acontecido com *Herr* Bayer na noite anterior.

❂ ❂ ❂

– Irei ao teatro hoje às quatro da tarde – disse Anna a *Frøken* Olsdatter durante o café na manhã seguinte. – *Herr* Josephson convocou um ensaio, pois está descontente com uma cena no segundo ato.
– Vai voltar para jantar?
– Sim, espero que sim. Não posso imaginar que vá levar mais de duas horas.
Talvez tenha sido sua imaginação, mas *Frøken* Olsdatter lhe lançou o tipo de olhar que sua própria mãe teria lhe lançado, sabendo que a filha estava mentindo.
– Muito bem. Quer uma carruagem para buscá-la depois?
– Não. Ainda haverá bondes, então poderei voltar sem problema. – Ela se levantou e, com a maior calma de que foi capaz, afastou-se da mesa do café.
Mais tarde, ao sair do apartamento, não estava tão calma assim. Embarcou no bonde com o coração batendo tão forte que se espantou que o senhor ao seu lado não conseguisse escutá-lo. Saltou no ponto seguinte e caminhou depressa em direção ao endereço que Jens havia lhe dado. Tentou justificar aquele ato iminente dizendo a si mesma que ele era seu único amigo em Christiania e a única pessoa em quem ela podia confiar.
– Você veio – disse Jens, sorrindo, ao lhe abrir a porta do apartamento. – Por favor, entre.
– Obrigada. – Anna entrou e o seguiu por um corredor até chegar a uma sala espaçosa, mobiliada com elegância e não muito diferente da de *Herr* Bayer.
– Gostaria de um chá? Mas vou logo avisando, terei que prepará-lo eu mesmo, pois a empregada foi embora às três.
– Não, obrigada. Tomei chá antes de vir e a viagem até aqui foi curta.
– Sente-se, por favor – disse ele, apontando na direção de uma cadeira.
– Obrigada. – Ela se sentou, grata pelo fato de a cadeira ficar perto do fogareiro, pois estava tremendo de frio e de ansiedade. Jens se sentou na sua frente. – Este apartamento parece bem confortável.

– Se você tivesse visto onde eu morava antes... – Jens balançou a cabeça e deu uma risadinha. – Bem, digamos que estou feliz por ter encontrado outras acomodações. Mas não vamos perder tempo com conversa fiada. O que houve, Anna? Você acha que consegue me contar?

– Ai, meu Deus! – Ela levou uma das mãos à testa. – É... é complicado.

– Problemas em geral são complicados.

– O problema é que *Herr* Bayer pediu minha mão em casamento.

– Entendo. – Jens meneou a cabeça; por fora parecia calmo, mas estava com os punhos cerrados. – E qual foi sua resposta?

– Ele partiu para Drøbak ontem de manhã; sua mãe está à beira da morte e ele está com ela. Tenho que lhe dar uma resposta quando ele voltar.

– E quando ele volta?

– Quando a mãe morrer, imagino.

– Responda com sinceridade: como se sentiu quando ele fez o pedido?

– Fiquei horrorizada. E culpada também. Você precisa entender o quanto *Herr* Bayer foi bom para mim. Ele me deu tanta coisa...

– Anna, foi o seu talento que lhe deu tudo o que tem agora.

– Sim, mas ele me deu aulas e oportunidades que eu jamais teria se ainda estivesse morando em Heddal.

– Então vocês estão quites.

– Não é assim que parece – insistiu Anna. – E quando eu disser não, para onde irei?

– Então você quer dizer não?

– Claro! Seria como me casar com meu próprio avô! Ele deve ter bem mais de cinquenta anos. Mas terei que sair do apartamento e com certeza vou ganhar um inimigo.

– Anna, eu tenho muitos inimigos – disse Jens com um suspiro. – Muitos deles eu mesmo fiz, reconheço. Mas *Herr* Bayer tem menos poder em Christiania do que você e ele acreditam.

– Pode ser. Mas, Jens, para onde eu iria?

Fez-se então um silêncio, e os dois ficaram pensando no que acabara de ser dito – e no que não fora dito. O primeiro a falar foi Jens.

– Anna, é muito difícil para mim dizer qualquer coisa sobre o seu futuro. Antes do verão, eu poderia ter lhe oferecido tudo que *Herr* Bayer é capaz de oferecer, e concordo que você é mulher e a sua vida tem muito mais limitações. Mas você precisa lembrar que alcançou o sucesso por seus próprios méritos... Hoje você é a maior estrela do céu de Christiania. Precisa menos de *Herr* Bayer do que imagina.

– Bem, só vou saber quanto preciso dele depois que tomar minha decisão, não é?

– Não. – O pragmatismo dela o fez sorrir. – Anna, você sabe o que eu sinto por você, mas mesmo que meu coração deseje lhe oferecer tudo, não faço ideia de qual será minha situação financeira no futuro. Mas você precisa acreditar que eu seria o homem mais infeliz de Christiania se você aceitasse se casar com *Herr* Bayer. E não só por causa dos meus motivos egoístas, mas por sua causa também, pois sei que você não o ama.

Anna entendeu quanto aquilo devia ser terrível para Jens, que havia lhe confessado seu amor livremente, enquanto ela ainda não fizera o mesmo por ele. Aflita, levantou-se e começou a se arrumar para ir embora.

– Perdão, Jens, eu não deveria ter vindo. Isto é totalmente... – Ela buscou a palavra que *Herr* Bayer teria usado. – ... inadequado.

– Admito que é difícil para mim ouvir que outro homem lhe disse que a amava. Embora a maior parte de Christiania fosse aplaudir se você aceitasse o pedido de casamento dele.

– Sim, estou certa que sim. – Ela lhe virou as costas e caminhou em direção à porta. – Sinto muito mesmo, mas preciso ir.

Ela abriu a porta, mas sentiu a mão dele agarrar a sua e puxá-la de volta para a sala.

– Por favor, sejam quais forem as circunstâncias, não vamos perder estes nossos primeiros e preciosos instantes sozinhos. – Ele deu um passo mais para perto dela e segurou delicadamente seu rosto com as duas mãos. – Anna, eu amo você. Nunca me canso de repetir isso. Eu amo você.

Pela primeira vez, ela de fato acreditou. Os dois agora estavam tão próximos que ela podia sentir o calor que o corpo dele irradiava.

– Talvez também seja importante para a sua decisão admitir para você mesma, e para mim, *por que* você veio até aqui – continuou Jens. – Admita, Anna: você me ama... me ama...

Antes de ela conseguir detê-lo, ele a beijou. E em uma fração de segundo Anna notou os próprios lábios reagindo, inteiramente sem a sua permissão. Sabia o quanto aquilo estava errado, mas já era tarde demais, pois a sensação foi tão magnífica e tão esperada que não havia um só motivo para fazê-la acabar.

– Então, vai dizer? – implorou ele enquanto ela se preparava para sair. Anna se virou para ele.

– Sim, Jens Halvorsen. Eu amo você.

❂ ❂ ❂

Uma hora depois, Anna usou a própria chave para abrir a porta do apartamento de *Herr* Bayer. Como a atriz que vinha aprendendo a ser, estava preparada quando *Frøken* Olsdatter a interceptou a caminho do quarto.

– Como foi o ensaio, Anna?

– Correu bem, obrigada.

– A que horas vai querer jantar?

– Será que eu posso jantar no quarto, se não for muito incômodo? A apresentação de ontem e o ensaio de hoje me deixaram exausta.

– Claro. Quer que eu lhe prepare um banho?

– Seria maravilhoso, obrigada – respondeu ela antes de entrar no quarto e fechar a porta, aliviada. Jogou-se na cama e abraçou o próprio corpo, em êxtase com a lembrança dos lábios de Jens sobre os seus; então ela entendeu que, fosse qual fosse o resultado, teria que recusar o pedido de *Herr* Bayer.

❂ ❂ ❂

Na noite seguinte, um boato começou a circular pelo teatro.

– Ouvi dizer que ele vem.

– Não, ele perdeu o trem de Bergen.

– Bem, ouviram *Herr* Josephson conversando com *Herr* Hennum, e a orquestra foi chamada mais cedo hoje à tarde...

Anna sabia que só havia uma pessoa que poderia confirmar os boatos que circulavam. Mandou chamá-la. Alguns minutos depois, Rude entrou no camarim.

– Queria falar comigo, *Frøken* Anna?

– Sim. É verdade? O boato que está correndo pelo teatro hoje...

– Sobre *Herr* Grieg vir assistir ao espetáculo?

– Sim.

– Bem. – Rude cruzou os braços em volta do corpo magro. – Depende de quem você escutar.

Com um suspiro, Anna depositou uma moeda na mão dele, e o menino lhe abriu um largo sorriso.

– Posso confirmar que *Herr* Grieg está sentado com *Herr* Hennum e *Herr* Josephson no escritório do andar de cima. Quanto a ele assistir ao espetáculo, não sei dizer. Mas, como está aqui no teatro, é provável que sim.

– Obrigada pela informação, Rude – disse Anna enquanto ele caminhava até a porta.

– De nada, *Frøken* Anna. Boa sorte hoje à noite.

Quando o elenco que apareceria primeiro no palco foi chamado e os outros atores se posicionaram nas coxias, os estrondosos aplausos do outro lado da cortina confirmaram que, de fato, alguém muito importante acabara de chegar. Por sorte, Anna teve pouco tempo para pensar nas consequências, pois a orquestra atacou o Prelúdio e o espetáculo começou.

Logo antes de ela fazer sua primeira entrada, sentiu a mão de alguém puxar seu braço. Virou-se e viu Rude ao seu lado. Abaixou-se, e ele pôs as mãos ao redor da boca e lhe sussurrou:

– Lembre-se, *Frøken* Anna, como minha mãe sempre diz: até o Rei às vezes precisa mijar.

A frase provocou em Anna um acesso de riso, cujos vestígios ainda estavam visíveis no seu rosto quando ela pisou no palco. Com a amorosa presença de Jens lá embaixo no fosso da orquestra, ela relaxou e deu o melhor de si. Três horas depois, quando caiu o pano, o teatro inteiro irrompeu em uma semi-histeria quando o próprio Grieg fez uma mesura em seu camarote. Em pé no palco, recebendo vários buquês de flores, Anna olhou para baixo e sorriu para Jens.

– Eu amo você – articulou ele, sem som.

Quando a cortina baixou, o elenco foi instruído a aguardar no palco, e a orquestra subiu para se juntar a ele. Anna cruzou olhares com Jens e ele lhe jogou um beijo.

Por fim, um homem magro e pouco mais alto do que ela foi levado até o palco por *Herr* Josephson. O elenco o aplaudiu, extático, e ao observá-lo Anna percebeu que Edvard Grieg era bem mais jovem do que ela havia imaginado. Tinha cabelos louros ondulados penteados para trás e um bigode que competia com o de *Herr* Bayer. Para sua completa surpresa, ele veio direto na sua direção, fez-lhe uma mesura, segurou sua mão e depositou nela um beijo.

– *Frøken* Landvik, sua voz é tudo que eu poderia ter esperado quando estava compondo os lamentos de Solveig.

Ele então se virou para falar com *Herr* Klausen, o ator que mais uma vez interpretava Peer, e também com os outros integrantes do elenco.

– Sinto que devo pedir desculpas a todos vocês, atores e músicos, por não ter vindo antes a este teatro. Houve algumas... – Ele fez uma pausa, e pareceu precisar tirar forças de algum lugar antes de começar. – Circunstâncias que me mantiveram afastado. Tudo que posso dizer é meu sincero obrigado tanto a *Herr* Josephson quanto a *Herr* Hennum por terem produzido uma montagem da qual sinto orgulho de fazer parte. Permitam-me parabenizar a orquestra por ter transformado minhas humildes composições em algo mágico, e os atores e cantores por terem dado vida aos personagens. Obrigado a todos.

Enquanto elenco e músicos começavam a deixar o palco, o olhar de Grieg recaiu sobre Anna outra vez. Ele foi até ela, pegou sua mão de novo, e então acenou para chamar Ludvig Josephson e Johan Hennum.

– Cavalheiros, agora que vi o espetáculo, conversaremos amanhã sobre pequenas alterações, mas agradeço-lhes por essa montagem de tão boa qualidade em circunstâncias que, bem sei, foram limitadoras. *Herr* Hennum, a orquestra estava bem melhor do que eu poderia ter sonhado. O senhor realizou um milagre. Quanto a esta jovem... – Ele encarou Anna com os expressivos olhos azuis. – Quem a pôs no papel de Solveig é um gênio.

– Obrigado, *Herr* Grieg – falou Hennum. – Anna é de fato um grande jovem talento.

Herr Grieg se inclinou mais para perto e sussurrou no ouvido dela.

– Precisamos conversar melhor, minha cara, pois posso ajudar a sua estrela a brilhar.

Então, com um sorriso, ele soltou sua mão e se virou para falar com *Herr* Josephson. Ao descer do palco, Anna mais uma vez ficou assombrada ao pensar no novo rumo que sua vida tinha tomado. Nessa noite, o compositor mais famoso da Noruega havia elogiado seu talento em público no teatro. Enquanto ela tirava o figurino e a maquiagem, achou difícil acreditar que fosse a mesma moça do campo que, pouco mais de um ano antes, cantava para as vacas em sua cidade natal.

Mas é claro que ela não era a mesma.

– O que quer que eu seja agora, sou e pronto – murmurou consigo mesma enquanto o suave tlec-tlec dos cascos do cavalo que puxava a carruagem a embalava no caminho até o apartamento de *Herr* Bayer.

❦ ❦ ❦

Em uma rara ocasião, Hennum havia se juntado ao resto da orquestra no Engebret após o espetáculo da noite.

– *Herr* Grieg pede desculpas por não ter vindo ao bar, mas como vocês sabem ele ainda está de luto pela morte dos pais. Apesar disso, me deu dinheiro suficiente para manter todos vocês animados por no mínimo um mês – declarou o maestro, e foi recebido por vivas entusiasmados.

Todos os músicos estavam animadíssimos, em parte por causa das intermináveis rodadas de Porto e *aquavit*, mas também por saber que a vida dura que todos levavam com o baixo salário, com pouco ou nenhum reconhecimento por seu esforço, nessa noite fora alçada a outro patamar pelo agradecimento sincero e pelos elogios do próprio compositor.

– *Herr* Halvorsen – chamou Hennum com um aceno. – Venha conversar comigo um instante.

Jens fez o que o regente pedia.

– Achei que talvez gostasse de saber que eu disse a *Herr* Grieg que o senhor era um compositor iniciante e que eu escutara algumas das suas composições. Simen já me disse que o senhor passou o verão trabalhando em outras.

– Acha que *Herr* Grieg poderia dar uma olhada no que compus até agora?

– Não posso garantir, mas sei que ele é um forte defensor dos talentos nativos noruegueses, de modo que é possível. Peço que me dê as músicas que tiver e apresentarei suas composições a ele amanhã, quando ele vier me ver.

– Farei isso, maestro. Não tenho como lhe agradecer.

– Também fiquei sabendo por Simen que o senhor tomou uma difícil decisão nesse verão. Um músico disposto a sacrificar tudo pela arte merece qualquer auxílio que eu possa oferecer. Agora preciso ir andando. Boa noite, *Herr* Halvorsen.

Johan Hennum meneou a cabeça e saiu do bar. Jens foi procurar Simen e envolveu o amigo num abraço.

– O que houve? Esgotou as mulheres e agora está recorrendo aos homens? – indagou o amigo, assustado.

– Talvez – brincou Jens. – Mas obrigado, Simen. Obrigado mesmo.

❋ ❋ ❋

No dia seguinte, pela manhã, um portador foi ao apartamento entregar uma carta em mãos a Anna.

– De quem você acha que é? – indagou *Frøken* Olsdatter enquanto a jovem examinava a caligrafia.

– Não faço ideia – respondeu ela.

Então abriu e começou a ler. Segundos depois, ergueu o rosto, assombrada.

– É do compositor *Herr* Grieg. Ele quer me visitar aqui no apartamento hoje à tarde.

– Meu bom Deus! – *Frøken* Olsdatter olhou nervosa para a prataria que não havia sido polida, em seguida para o relógio na parede. – A que horas ele chega?

– Às quatro.

– Que honra! Quem dera *Herr* Bayer estivesse em casa para encontrá-lo. Você sabe como ele apoia a música de *Herr* Grieg. Com licença, Anna, mas, se vamos ter um convidado tão ilustre em casa, preciso ir me preparar.

– Claro – falou Anna, enquanto a governanta se retirava quase às carreiras.

Anna terminou de almoçar; um início de nervosismo começava a lhe contrair o ventre. Quando foi se trocar para vestir uma roupa mais apropriada para tomar chá com um compositor famoso, encarou sua vasta coleção de figurinos. Descartou várias blusas por serem mal-ajambradas demais, reveladoras demais, elegantes demais ou simples demais, e acabou escolhendo o vestido rosa-chá.

A campainha tocou na hora marcada, e *Frøken* Olsdatter conduziu o convidado até a sala. Desde a hora do almoço, flores haviam sido providenciadas e bolos assados às pressas; *Frøken* Olsdatter receara de que ele viesse acompanhado, mas não: quando Anna se levantou para cumprimentá-lo, Edvard Grieg estava sozinho.

– *Frøken* Landvik, minha cara, obrigado por arrumar tempo para me encontrar tão em cima da hora. – Ele estendeu a mão para pegar a dela e beijá-la.

– Queira se sentar. Posso lhe oferecer um chá ou um café? – gaguejou ela, desacostumada a receber convidados sozinha.

– Um copo d'água, talvez?

Frøken Olsdatter assentiu de leve com a cabeça e saiu da sala.

– Infelizmente tenho pouco tempo, pois preciso voltar para Bergen amanhã, e como a senhorita pode imaginar ainda preciso fazer muitas visitas aqui em Christiania. Mas queria vê-la. *Frøken* Landvik, a senhorita tem uma voz esplêndida, embora eu não tenha a pretensão de ser a primeira pessoa a lhe dizer isso. Na verdade, soube que *Herr* Bayer a tem guiado na sua carreira.

– Sim – confirmou ela.

– E pelo que ouvi ontem à noite ele fez um trabalho excelente. Mas as possibilidades dele são... limitadas no que diz respeito a dar ao seu potencial todas as oportunidades que merece. Eu tenho a sorte de poder apresentá-la pessoalmente a diretores musicais de toda a Europa. Muito em breve viajarei para Copenhague e para a Alemanha, e posso mencionar seu talento para as pessoas que conheço por lá. *Frøken* Landvik, a senhorita precisa entender que, por mais que não desejemos isso, a Noruega hoje é apenas um pontinho no panorama cultural europeu. – Ele fez uma pausa e sorriu ao ver o ar de incompreensão no rosto dela. – O que estou tentando dizer, minha cara, é que desejo ajudá-la a ampliar sua carreira para além do seu país de origem.

– É muita gentileza sua, senhor, além de uma grande honra.

– Mas primeiro preciso lhe perguntar: a senhorita tem disponibilidade para viajar? – perguntou ele ao mesmo tempo que *Frøken* Olsdatter entrava com uma jarra d'água e dois copos.

– Quando a temporada de *Peer Gynt* terminar, sim. Não terei mais compromissos na Noruega.

– Ótimo, ótimo – disse ele. A governanta saiu. – E não está noiva nem comprometida com nenhum rapaz no momento?

– Não, senhor.

– Posso imaginar que deva ter muitos admiradores, pois, além de muito talentosa, a senhorita é linda. Sob muitos aspectos, lembra-me Nina, minha querida esposa. Ela também tem a voz melodiosa como a de um pássaro. Então lhe escreverei de Copenhague e verei o que pode ser feito para apresentar sua voz excepcional ao resto do mundo. Agora preciso ir andando.

Ele se levantou.

– Obrigada por ter vindo – agradeceu Anna.

– Permita-me parabenizá-la mais uma vez por sua atuação. A senhorita me deixou inspirado. Voltaremos a nos encontrar, *Frøken* Landvik, tenho certeza. Até logo.

Ele beijou sua mão e então ergueu o rosto e a fitou com um olhar que ela já havia aprendido a reconhecer como indicativo de um interesse nela como mulher.

– Até logo – respondeu ela, abaixando-se para uma mesura enquanto ele se retirava.

❖ ❖ ❖

– Como assim, foi embora de Christiania?
– Foi o que eu disse: ele teve que voltar para Bergen.
– Então tudo está perdido! Só Deus sabe quando ele vai retornar. – Jens se recostou em sua desconfortável cadeira no fosso da orquestra e ergueu os olhos para *Herr* Hennum com um ar pesaroso.
– A boa notícia é que consegui fazê-lo ouvir suas composições antes de ir. E ele me entregou isto aqui para lhe transmitir. – *Herr* Hennum entregou a Jens um envelope endereçado "A quem interessar possa".

O rapaz ficou olhando para o papel.
– O que é?
– Uma carta de apresentação para o Conservatório de Leipzig.

De tanta alegria, Jens deu um soco no ar. Aquela carta era o seu passaporte para o futuro.

28

— Vou embora para Leipzig quando terminar a temporada de *Peer Gynt*. Por favor, Anna, venha comigo – implorou Jens quando estavam os dois sentados na sala do apartamento de Otto, com os braços dele em volta de seu corpo delicado. – Recuso-me a deixá-la em Christiania à mercê de *Herr* Bayer. Depois que você recusar o pedido dele, tenho dúvida de que ele vai continuar se comportando como um cavalheiro. – Ele a beijou de leve na testa. – Vamos fazer como os jovens amantes das histórias e fugir juntos. Você disse que ele está guardando seus proventos.

– Sim, mas tenho certeza de que *me* dará o dinheiro se eu pedir. – Anna mordeu o lábio e hesitou. – Jens, isso seria uma grave traição a *Herr* Bayer, depois de tudo que ele fez por mim. E o que eu iria fazer em Leipzig?

– Ora, Leipzig é o centro do mundo musical da Europa! Poderia ser uma oportunidade maravilhosa para você. *Herr* Grieg mesmo já lhe disse o quanto Christiania é limitada e que o seu talento merece um público maior – disse Jens, tentando convencê-la. – O editor das músicas dele mora lá, e ele próprio passa muito tempo na cidade. Nada impediria que vocês dois voltassem a se encontrar. Anna, por favor, pense no assunto. Acho que é a única solução para nós. No momento não consigo pensar em nenhuma outra.

Ela o encarou, aflita. Tinha levado um ano para se acostumar à vida ali em Christiania. E se não conseguisse fazer o mesmo em outro lugar? Além do mais, agora que estava mais confiante, começara a adorar fazer o papel de Solveig e teria saudades de *Frøken* Olsdatter e de Rude... Quando tentava imaginar uma vida em Christiania sem Jens, no entanto, sentia o coração se apertar dolorosamente.

– Sei que é pedir muito – disse ele, parecendo ler seus pensamentos. – E sim, você poderia ficar aqui e se tornar a soprano mais famosa da Noruega. Ou então decidir mirar mais alto e viver uma vida de amor comigo e ter sucesso em uma escala muito maior. Mas é claro que não será fácil, pois você não tem dinheiro e eu tenho muito pouco além do que minha mãe me deu para pagar pela hospedagem e pelos estudos em Leipzig. Nós viveríamos puramente de música, amor e confiança em nosso próprio talento – concluiu ele com um floreio.

– Jens, mas o que eu diria aos meus pais? *Herr* Bayer sem dúvida vai contar a eles o que fiz. Eu vou desgraçar o nome da nossa família. Não poderia suportar que eles pensassem... – Ela não completou a frase e levou os dedos à testa. – Deixe-me pensar, preciso de tempo para pensar...

– É claro que precisa – concordou Jens. – Temos um mês até o fim da temporada de *Peer Gynt*.

– E eu não poderia... não poderia ficar com você se não nos casássemos – disse Anna, corando intensamente pelo simples fato de precisar dizer tal coisa. – Apodreceria no inferno por toda a eternidade e minha mãe preferiria morrer fervida na própria panela do que encarar uma vergonha dessas.

A fértil imaginação de Anna fez Jens reprimir um sorriso.

– *Frøken* Anna, por acaso está tentando conseguir um *terceiro* pedido para somar à sua lista de pretendentes? – perguntou ele, segurando sua mão.

– É claro que não! Estou só dizendo que...

– Anna. – Ele beijou sua mão diminuta. – Eu sei o que você está dizendo e compreendo. E lhe garanto, quer nós fôssemos fugir para Leipzig ou não, eu já pretendia pedi-la em casamento.

– É mesmo?

– Sim. Se formos para Leipzig, vamos nos casar em segredo antes de ir, prometo. Eu não iria querer comprometer sua moral.

– Obrigada. – Anna sentiu um tremendo alívio; pelo menos a proposta de Jens era séria. Se eles fossem mesmo "fugir", e essa ideia a fez conter um calafrio, pelo menos seriam marido e mulher aos olhos de Deus.

– Diga-me, quando *Herr* Bayer vai voltar, ávido por uma resposta? – indagou ele.

– Não faço a menor ideia... – Ela olhou para o relógio na parede. Ao ver que horas eram, levou a mão à boca depressa. – Mas sei que preciso sair agora para o teatro. Tenho que estar lá uma hora e meia antes de a cortina subir para me maquiarem.

– Claro. Mas, Anna, por favor, você precisa entender que, mesmo que eu não estivesse indo para Leipzig, se você recusar o pedido de *Herr* Bayer, tenho a sensação de que ele não vai facilitar nossa vida aqui em Christiania.

Venha cá me dar um beijo antes de ir. Nos vemos mais tarde, no palco, mas prometa-me que vai me dar sua resposta em breve.

❂ ❂ ❂

Anna chegou ao apartamento após o espetáculo sentindo-se completamente exausta. Seu único desejo era ir direto para a cama.

Frøken Olsdatter entrou para lhe trazer seu leite quente e ajudá-la a tirar o vestido. Encarou-a com um olhar inquisitivo.

– Como foi sua noite, Anna?

– Boa, obrigada.

– Bem, fico feliz por você, *Kjære*. Preciso lhe dizer que no começo da noite recebi um telegrama de *Herr* Bayer. A mãe dele faleceu hoje mais cedo. Ele e a irmã têm que ficar para o enterro, ele vai voltar para Christiania na sexta.

Só três dias, pensou Anna.

– Sinto muito por essa notícia.

– Sim, mas talvez seja um alívio que *Fru* Bayer esteja enfim livre da dor.

– Estou ansiosa para ver *Herr* Bayer quando ele voltar – mentiu Anna enquanto a governanta se retirava.

Na cama, sentiu a barriga se contrair de nervosismo ao pensar na volta de seu mentor. Na manhã seguinte, ainda aflita, foi tomar café.

– Anna, *Kjære*, como você está pálida... Não dormiu bem? – indagou *Frøken* Olsdatter.

– Estou... preocupada com algumas coisas.

– Talvez queira compartilhar essas coisas comigo. Talvez eu possa ajudá-la.

– Não há nada que ninguém possa fazer – disse ela, suspirando.

– Entendo. – *Frøken* Olsdatter a observou com atenção, mas não insistiu mais. – Vai querer almoçar?

– Não, eu preciso... preciso ir cedo para o teatro hoje.

– Muito bem então, Anna. Nos vemos no jantar.

Ao longo dos três dias seguintes, *Frøken* Olsdatter e a diarista foram tomadas por um frenesi de faxina. Anna gastou seu tempo treinando como explicaria a *Herr* Bayer que não podia aceitar seu pedido de casamento.

A hora exata da chegada dele era incerta, mas às três e meia, sem conseguir suportar mais a tensão no apartamento, Anna vestiu seu gorro e disse à governanta que iria dar uma volta no parque. A mulher mais velha lhe lançou um daqueles seus olhares, misto de incredulidade e fria aceitação, que recentemente haviam se tornado uma expressão frequente.

Como sempre acontecia, o ar limpo e gelado estava revigorante. Sentada em seu banco favorito, ela ficou olhando para o fiorde e para a água prateada cintilando à luz do dia que já se esvaía.

Estou onde estou, disse a si mesma, *e pouco posso fazer exceto agir com gratidão e elegância, como fui ensinada a fazer.*

Pensou nos pais, e uma lágrima brotou em seu olho. Eles haviam lhe escrito uma carta breve, porém compreensiva, consolando-a por Lars ter rompido o noivado e partido de forma abrupta para os Estados Unidos. Nesse momento, Anna desejou com todo seu coração que *Herr* Bayer nunca a tivesse encontrado. Queria estar segura em Heddal e casada com Lars.

– *Herr* Bayer vai chegar a tempo para jantar com você – disse *Frøken* Olsdatter, que foi encontrá-la na porta quando ela chegou em casa. – Enchi a banheira e separei seu vestido.

– Obrigada. – Anna passou por ela e foi se preparar para o confronto.

❋ ❋ ❋

– Anna, *min elskede*! – cumprimentou ele, com intimidade quando ela entrou na sala de jantar. Segurando a mão dela com sua mãozorra, depositou ali um beijo; Anna sentiu as suíças lhe fazerem cócegas. – Venha, sente-se.

Enquanto jantavam, ele narrou o triste falecimento da mãe e os detalhes do velório e do enterro. Anna acalentou a vaga esperança de que o pesar talvez o tivesse feito esquecer o pedido. Quando os dois passaram à sala de estar para tomar café e conhaque, porém, sentiu a atmosfera mudar.

– Então, minha cara jovem, você pensou na importante pergunta que lhe fiz logo antes de viajar?

Anna tomou um golinho de café e aproveitou esses instantes para organizar os pensamentos antes de falar – ainda que houvesse ensaiado as palavras uma centena de vezes.

– *Herr* Bayer, seu pedido me deixa honrada e grata...

– Nesse caso, fico feliz! – anunciou ele com um largo sorriso.

– Sim, mas eu pensei a respeito e sinto que devo recusar.

Ela viu a expressão no rosto dele se alterar e seus olhos se estreitarem.

– Posso perguntar por quê?

– Porque sinto que eu não seria aquilo que o senhor necessita em uma esposa.
– Que diabos isso quer dizer?
– Que não tenho dotes domésticos para administrar uma casa nem instrução suficiente para receber seus convidados, nem...
– Anna. – A expressão de *Herr* Bayer se suavizou ao ouvir os argumentos dela e Anna entendeu que, por estupidez, havia escolhido a abordagem errada. – Essas coisas que você está me dizendo são típicas do seu temperamento doce e modesto, mas você precisa entender que nada disso tem importância. O seu talento mais do que compensa as qualidades que lhe faltam, e sua juventude e inocência são dois dos motivos que despertam meu carinho por você. Por favor, minha cara jovem, não há por que ser humilde ou sentir que você não tem valor. Afeiçoei-me muito a você, muito mesmo. Quanto a cozinhar... bem, é para isso que tenho *Frøken* Olsdatter!
Um silêncio se fez e Anna penou para pensar em outros motivos.
– *Herr* Bayer...
– Eu já lhe disse, Anna, por favor me chame de Franz.
– Franz, você pode dizer o que for, mas ainda que o seu pedido me deixe lisonjeada, entristece-me dizer que não posso aceitá-lo. E ponto final.
– Existe alguma outra pessoa?
O tom subitamente incisivo da pergunta provocou nela um calafrio.
– Não, eu...
– Anna, antes de você continuar, precisa saber que, embora eu tenha me ausentado de Christiania nas últimas semanas, tenho meus espiões. Se você estiver recusando meu pedido por causa daquele cafajeste bonito que toca violino na orquestra, eu lhe aconselharia a não fazê-lo. Não só como um homem que a ama e deseja lhe dar tudo com que você jamais sonhou, mas como seu conselheiro e guia em um mundo que você ainda é ingênua demais para entender.
Ela não disse nada, mas sabia que o choque era visível em sua expressão.
– Ah! – *Herr* Bayer deu um tapa nas coxas sólidas. – Então é isso. Parece que estou competindo pelo seu afeto com um patife da orquestra que não tem um tostão e não vale nada. Eu sabia – disse ele, jogando a cabeça para trás e rindo. – Perdão, Anna, mas você hoje está me mostrando a verdadeira extensão da sua inocência.
– Me perdoe, mas, sim, nós *estamos* apaixonados! – O fato de *Herr* Bayer estar rindo dela, diminuindo os sentimentos que ela e Jens compartilha-

vam, deixou Anna zangada. – E quer o senhor aprove ou não, é a verdade – disse ela, levantando-se. – Nas atuais circunstâncias, acho que é melhor eu ir embora. Gostaria de lhe agradecer por tudo que o senhor fez por mim e por tudo que me deu. E sinto muito se a minha recusa não lhe agradou.

Quando ela começou a andar depressa em direção à porta, ele a alcançou com dois passos largos e a puxou de volta.

– Espere, Anna, não vamos nos separar assim. Por favor, eu lhe imploro, sente-se para conversarmos. Você sempre confiou em mim, e eu gostaria de lhe mostrar o quanto sua escolha está equivocada. Eu conheço esse homem; sei quem é ele e o feitiço que lançou sobre você. Não a culpo, de forma alguma. Você é muito inocente e, sim, acredita estar apaixonada. O fato de aceitar ou não o meu pedido é indiferente. Esse homem vai partir seu coração e destruí-la, como já fez com muitas outras mulheres.

– Não, o senhor não o conhece... – Desesperada, Anna torceu as mãos, e lágrimas de frustração começaram a escorrer por sua face.

– Ora, ora, tente manter a calma. Você está ficando histérica. Por favor, vamos nos sentar e conversar.

Anna sentiu toda sua energia se esvair e permitiu que ele a conduzisse de volta até uma cadeira.

– Minha cara, você deve estar ciente dos relacionamentos anteriores que *Herr* Halvorsen teve com outras mulheres – começou *Herr* Bayer, brando.

– Estou, sim.

– A corista Jorid Skrovset teve uma desilusão amorosa tão grande que se recusou a voltar ao teatro. E a própria Madame Hansson ficou tão abalada depois de ser usada por *Herr* Halvorsen que viajou para o exterior para se recuperar. É esse o motivo pelo qual você agora está fazendo o papel dela no Teatro de Christiania.

– *Herr* Bayer, pelo que Jens me disse, tenho certeza de que...

– Perdão, Anna, mas você não sabe nada sobre esse homem – interrompeu ele. – Entendo que não sou seu pai e tampouco, infelizmente, seu noivo, e portanto tenho pouca influência nas suas decisões. No entanto, como tenho profundo carinho por você, vou lhe dizer agora que Jens Halvorsen é problema na certa. Ele vai arrasá-la, Anna, assim como arrasou todas as mulheres que tiveram o azar de cair em sua armadilha. É um homem fraco, e a fraqueza dele são as mulheres e os excessos. Eu temo por você, temo de verdade, e isso desde a primeira vez em que soube dessa... relação.

– Quando o senhor soube? – sussurrou Anna, sem conseguir encará-lo.

– Semanas atrás. E devo lhe avisar que o teatro inteiro está sabendo. E, sim, foi essa descoberta que instigou meu pedido, simplesmente porque eu quero salvá-la e salvar seu talento de você mesma. Saiba que, se fugir com ele, em breve ele vai abandoná-la por outra. E eu simplesmente não posso suportar a ideia de você jogar tudo fora por causa de um Casanova egoísta, depois de todo o trabalho que fizemos juntos.

Anna permaneceu calada enquanto *Herr* Bayer se servia outra vez.

– Como você não me responde, vou lhe dizer o que acho que deveríamos fazer. Se estiver decidida a ficar com esse homem, como eu não poderia suportar assistir ao desfecho dramático inevitável, concordo que o melhor seria você sair do apartamento agora mesmo e depois ir para Leipzig com ele uma vez encerrada a temporada de *Peer Gynt*. – Ele viu a expressão de espanto no rosto de Anna e prosseguiu. – Se decidir que é isso mesmo que você deseja fazer, eu lhe darei o dinheiro que ganhou no teatro e nossos caminhos irão em direções opostas. Se, no entanto, a sinceridade do que eu lhe disse surtir algum efeito e você estiver disposta a desistir de *Herr* Halvorsen para se casar comigo depois de eu observar um período adequado de luto por minha mãe, nesse caso, por favor, fique. Não é necessário ter pressa... tudo de que preciso é uma intenção. Por favor, Anna, eu lhe imploro, pense com muito cuidado na sua decisão. Pois ela vai mudar sua vida, para melhor ou para pior.

– Se o senhor sabia disso, por que não falou nada antes? – indagou ela com uma voz miúda. – Com certeza devia saber que eu lhe diria não.

– Porque eu me culpo pelo que aconteceu, só isso. Eu não estava em Christiania para proteger você dele. Agora que estou de volta, posso lhe dizer que vou protegê-la, *sim*. Mas só com uma condição: que você tire Jens Halvorsen da sua vida agora mesmo. Se estivesse me rejeitando por causa de outro pretendente, talvez eu pudesse aceitar o fato com alguma elegância. Mas nesse caso não posso, pois sei que ele vai destruí-la.

– Eu o amo – disse ela outra vez; era uma frase inútil.

– Sei que você acha isso e entendo como vai ser difícil para você aceitar minha exigência. Mas um dia espero que veja que estou agindo para o seu bem. Agora acho que está na hora de nós dois nos recolhermos. As últimas semanas foram muito árduas para mim, e estou extremamente cansado. – Ele segurou a mão dela e a beijou. – Boa noite, Anna. Durma bem.

29

Na noite seguinte, Anna sentiu alívio ao chegar no teatro, reconfortada pelo fato de tudo estar como sempre estivera. Dividida entre a razão e o coração, não pregara o olho na noite anterior. Muito do que *Herr* Bayer tinha dito era verdade, sobretudo para quem visse de fora. Ela havia pensado as mesmas coisas em relação a Jens, de modo que não podia culpar ninguém por isso. E é claro que todos lhe diriam para se casar com *Herr* Bayer, não com um músico pé-rapado. Era a decisão mais sensata.

No entanto, nem mesmo todos esses pensamentos racionais bastavam para solucionar seu dilema, pois para onde quer que ela se voltasse a ideia de perder Jens Halvorsen para sempre era simplesmente insuportável.

Pelo menos iria vê-lo dali a poucos minutos, fitando-a com uma expressão de amor e apoio lá do fosso da orquestra, pensou ela ao deixar o camarim e caminhar até o palco. Já tinha lhe escrito um bilhete dizendo que os dois precisavam se encontrar depois do espetáculo e chamado Rude para entregá-lo após o primeiro intervalo. Quando a peça começou, Anna tentou tranquilizar o coração disparado e se acalmar. Ao pisar no palco e dizer as primeiras falas, olhou discretamente para baixo e buscou o olhar dele.

Foi tomada pelo pânico ao perceber que Jens não estava lá. Um senhor idoso do tamanho de um elfo estava sentado na sua cadeira.

No fim do primeiro ato, zonza de medo, ela saiu do palco e, na mesma hora, chamou Rude até seu camarim.

– Olá, *Frøken* Anna. Como vai?

– Vou bem – mentiu ela. – Você sabe onde está *Herr* Halvorsen? Vi que ele não está tocando hoje.

– É mesmo? Bem, pela primeira vez você me disse algo que eu não sabia. Quer que eu descubra?

– Se puder.

– Certo. Talvez leve algum tempo, então nos vemos no próximo intervalo.

Anna interpretou o segundo ato em desespero, tomada por uma verdadeira agonia e, quando Rude apareceu no camarim conforme combinado, pensou que fosse desmaiar de tensão com o que ele talvez fosse lhe dizer.

– A resposta é que ninguém sabe. Talvez ele esteja doente, *Frøken* Anna. Mas o fato é que não está no teatro.

Ela fez o restante do espetáculo inteiramente aturdida. Assim que o elenco terminou de agradecer, vestiu-se às pressas, saiu do teatro, embarcou na carruagem e disse ao condutor que a levasse até o apartamento de Jens. Quando chegaram na frente do prédio, saltou, pediu ao condutor por cima do ombro que a esperasse, entrou e subiu a escada correndo. Ofegante, bateu com força na porta até escutar o ruído de passos se aproximando.

A porta se abriu e ela viu Jens. Aliviada, desmoronou nos braços dele.

– Graças a Deus, graças a Deus. Eu...

– Anna. – Ele a puxou para dentro e a conduziu até a sala com um dos braços em volta de seus ombros trêmulos.

– Onde você estava? Pensei que tivesse ido embora... eu...

– Anna, por favor, tente se acalmar. Deixe-me explicar. – Ele a guiou até o divã e se sentou ao seu lado. – Cheguei ao teatro como sempre, mas Johan Hennum me disse que meus serviços na orquestra não eram mais necessários. Eles tinham encontrado outro flautista e violinista para me substituir a partir de hoje. Perguntei-lhe se isso era temporário, e ele me respondeu que não. Pagou meu salário integral e me dispensou. Anna, eu juro, não faço a menor ideia de por que fui demitido.

– Eu faço. Ai, meu bom Deus... – Anna segurou a cabeça entre as mãos. – Dessa vez, Jens, o que aconteceu teve pouco a ver com seu comportamento e tudo a ver com o meu. Ontem à noite eu disse a *Herr* Bayer que não podia me casar com ele. Ele então me revelou que sabia tudo sobre nós dois! Disse que eu só era bem-vinda a permanecer na sua casa se rejeitasse você imediatamente. E que, caso não estivesse disposta a fazer isso, precisava sair do apartamento.

– Ah, Deus – arquejou Jens; tinha entendido tudo. – E logo em seguida me despedem da orquestra de Christiania. Ele deve ter dito a Hennum e Josephson que eu era má influência e que estava distraindo sua nova estrela.

– Perdão, Jens. Não acreditava que *Herr* Bayer fosse capaz de uma coisa dessas.

– Eu sim, e disse isso a você – resmungou Jens. – Bom, pelo menos agora eu sei o motivo da minha saída repentina.

– E o que você vai fazer?

– Na verdade, estava fazendo as malas.

– Para ir para onde? – perguntou Anna, horrorizada.

– Para Leipzig, claro. De uma forma ou de outra, é óbvio que aqui não existe futuro para mim. Decidi que era melhor partir o quanto antes.

– Entendo. – Anna baixou os olhos e se concentrou para não chorar com essa notícia.

– Ia lhe escrever hoje à noite e deixar a carta na entrada dos artistas.

– Ia mesmo? Ou só está dizendo isso porque vim aqui e ia simplesmente sumir sem avisar?

– Anna, *min Kjære*, venha cá. – Jens a tomou nos braços e lhe afagou as costas. – Sei que os últimos dias têm sido muito difíceis para você, mas eu mesmo só tive algumas horas desde que Hennum me mandou embora. É claro que eu ia lhe dizer onde estava. Por que cargas-d'água não diria? Fui eu quem lhe pedi que viesse comigo, lembra?

– Lembro, lembro... Tem razão. – Ela enxugou as lágrimas. – Estou muito nervosa. E muito zangada por você ter sido punido por causa do que eu fiz.

– Bom, não fique. Você sabe que eu já tinha planejado ir embora; só aconteceu um pouco antes do previsto. *Herr* Bayer ficou muito zangado com você, meu amor?

– Não, de forma alguma. Ele disse que não queria que eu estragasse minha vida ficando com você e que, para o meu próprio bem, não desejava que eu tornasse a vê-lo.

– E por isso eu fui expulso do fosso sem a menor cerimônia, para impedi-la de me ver. O que vai fazer?

– *Herr* Bayer me deu um dia para pensar. Como ele *se atreve* a interferir dessa forma na minha vida e na sua?!

– Estamos os dois muito alterados – constatou Jens, e deu um suspiro. – Bom, eu vou embora amanhã... Faz só quinze dias que o semestre no Conservatório começou, de modo que não terei perdido grande coisa. E se você quiser pode me encontrar em Leipzig assim que a temporada de *Peer Gynt* terminar.

– Jens, depois do que eles fizeram com você, eu jamais poderia colocar os pés naquele teatro outra vez! – Ela estremeceu. – Vou com você agora mesmo.

Ele a encarou com surpresa.

– Tem certeza de que é a coisa mais sensata a fazer, Anna? Se for embora antes de a peça terminar, você nunca mais poderá trabalhar no Teatro de Christiania. Seu nome ficará tão sujo quanto o meu.

– Nem eu iria querer trabalhar lá outra vez – retrucou ela, com os olhos acesos de indignação. – Recuso-me a deixar alguém se comportar como se mandasse em mim, qualquer um, por mais importante ou rico que seja.

Sua expressão feroz fez Jens rir.

– Por baixo desse seu exterior doce existe um fogo e tanto, não é?

– Fui criada para saber distinguir o certo do errado, e sei que o que fizeram com você é muito, muito errado.

– É, sim, meu amor, mas infelizmente há pouco que possamos fazer em relação a isso. Sério, Anna, estou lhe fazendo um alerta: por mais zangada que esteja, pense bem sobre partir comigo amanhã. Eu detestaria ser o motivo da ruína de sua carreira. E saiba de uma coisa... – Ele a fez calar quando ela abriu a boca para dizer alguma coisa. – Não estou dizendo isso por não querer que você vá. Estou só preocupado, pois sei que vamos embarcar amanhã na balsa para Hamburgo e depois tomar o trem noturno até Leipzig sem nem ao menos saber onde deitaremos a cabeça ao chegar. Ou mesmo se eu serei aceito no Conservatório...

– É claro que eles vão aceitar você, Jens. Você tem a carta de *Herr* Grieg.

– Tenho, e sim, provavelmente eles vão me aceitar, mas, enquanto eu sou homem e posso suportar privações físicas, você é uma jovem dama com determinadas... necessidades.

– Que nasceu em uma fazenda e nunca tinha visto um banheiro dentro de casa antes de chegar a Christiania – contrapôs ela. – Eu sinto realmente que você está fazendo tudo que pode para me convencer a não acompanhá-lo.

– Bem, quando chegarmos lá, não diga que eu não lhe avisei. Então... – Ele sorriu de repente. – Fiz o melhor que pude para convencê-la e você se recusou a aceitar minhas ressalvas. Minha consciência está limpa. Vamos partir amanhã bem cedo. Venha cá, Anna. Vamos nos abraçar e nos fortalecer para a aventura na qual estamos prestes a embarcar.

Ele então lhe deu um beijo, e todas as preocupações que ela tivera quanto à reticência dele ou à própria decisão desapareceram. Seus lábios por fim se separaram, e quando Anna descansou a cabeça no seu peito, ele lhe afagou os cabelos.

– Há mais uma coisa sobre a qual precisamos conversar, é claro. Temos que nos apresentar como casados para todas as pessoas com quem cruzarmos na viagem e em Leipzig também, naturalmente. Da noite para o dia, você terá de se tornar *Fru* Halvorsen aos olhos do mundo, pois nenhum senhorio nos alugaria um quarto se soubesse que ainda não somos casados. Como se sente em relação a isso?

– Sinto que devemos nos casar assim que chegarmos em Leipzig. Eu não poderia aceitar nenhuma... – Anna não completou a frase.

– É claro que nos casaremos. E não se preocupe, Anna: mesmo que tenhamos de dividir a mesma cama, por favor acredite que eu sempre vou me comportar como um cavalheiro. Assim sendo, por enquanto... – Ele então saiu da sala e voltou dali a um minuto com uma pequena caixinha de veludo. – Você precisa usar isto aqui. É a aliança de casamento da minha avó. Minha mãe me deu quando saí de casa e me disse para vender se precisasse de dinheiro. Quer que eu a ponha no seu dedo?

Anna encarou a fina aliança de ouro. Aquilo não era de modo algum o "casamento" que havia imaginado, mas ela entendeu que, por ora, precisava bastar.

– Eu a amo, *Fru* Halvorsen – disse ele, pondo a aliança no dedo dela com delicadeza. – E prometo que em Leipzig faremos isso de verdade. Agora você precisa ir embora e se preparar para amanhã. Consegue chegar aqui às seis?

– Sim, estarei aqui – respondeu ela e foi até a porta da frente. – De todo modo, duvido que eu vá dormir muito esta noite.

– Anna, você tem algum dinheiro?

– Não. – Ela mordeu o lábio. – Agora não tenho como pedir meu salário a *Herr* Bayer. Não seria certo. Decepcionei-o terrivelmente, a ele e a muitas outras pessoas.

– Então seremos pobres como mendigos até conseguirmos nos reerguer – disse ele, dando de ombros.

– Sim. Boa noite, Jens – disse ela baixinho.

– Boa noite, meu amor.

❊ ❊ ❊

O apartamento estava silencioso quando Anna chegou em casa. Quando estava subindo o corredor pé ante pé, viu o rosto ansioso de *Frøken* Olsdatter se espichar pela porta do seu quarto.

– Fiquei preocupada, Anna – murmurou a governanta, vindo em sua direção. – Graças ao Senhor, *Herr* Bayer se recolheu cedo, reclamando de febre. Por onde você andou?

– Estava fora – respondeu Anna, girando a maçaneta para entrar no quarto, sem a menor vontade de dar explicações a quem quer que fosse.

– Vamos até a cozinha? Posso lhe preparar um leite quente.

– Eu... – Anna caiu em si. Aquela mulher tinha sido bondosa com ela, e seria errado ir embora sem lhe contar. – Obrigada – disse, enquanto se deixava conduzir pelo corredor até a cozinha.

Diante do copo de leite, Anna contou a história toda a *Frøken* Olsdatter. Ao terminar, sentiu-se aliviada por ter feito isso.

– Bom, *Kjære* – comentou a outra. – Você é mesmo uma destruidora de corações. Os cavalheiros parecem se acotovelar para cortejá-la. Quer dizer que decidiu partir sem demora e acompanhar seu violinista até Leipzig?

– Não tenho outra escolha. *Herr* Bayer disse que, se eu não estivesse disposta a desistir de Jens agora mesmo, precisava sair daqui. Depois do que ele pediu para *Herr* Hennum fazer com Jens, não desejo ficar nem mais um minuto em Christiania.

– Anna, você não acha que *Herr* Bayer só está tentando protegê-la? Que no fundo ele quer o melhor para você?

– Isso não é verdade! Só importa o que *ele* quer, não o que *eu* quero!

– E a sua carreira? Anna, por favor, você tem tanto talento. É um sacrifício muito grande, mesmo por amor.

– Mas é preciso que seja assim... não posso ficar aqui em Christiania sem Jens – insistiu Anna. – E posso cantar em qualquer lugar do mundo. *Herr* Grieg mesmo disse que me ajudaria se eu pedisse.

– E ele é um benfeitor influente – concordou *Frøken* Olsdatter. – Mas como você vai fazer em relação a dinheiro?

– *Herr* Bayer falou que me daria os salários que ganhei no teatro. Mas eu decidi não lhe pedir nada.

– É muito honrado da sua parte. Mas até mesmo as pessoas apaixonadas precisam comer e ter um teto. – *Frøken* Olsdatter se levantou, foi até uma gaveta da cômoda e pegou uma lata. Tirou uma chave da corrente que trazia na cintura e a abriu. Lá dentro havia uma bolsa de moedas que ela entregou a Anna. – Tome. São as minhas economias. Não tenho em que gastá-las no momento, e a sua necessidade é maior do que a minha. Não posso vê-la sair desta casa rumo a um futuro incerto sem nada.

– Ah, mas eu não posso aceitar... – objetou Anna.

– Pode e vai – retrucou ela. – E um dia, quando você estiver cantando na Ópera de Leipzig, pode me pagar com um convite para ir assisti-la.

– Obrigada. É muita, muita bondade sua. – O gesto deixou Anna muito comovida. Ela estendeu a mão e segurou a da governanta. – A senhora deve pensar que o que estou fazendo é errado.

– Quem sou eu para julgar? Quer a sua decisão seja a melhor ou não, você é uma moça corajosa, de fortes princípios. E eu a admiro por isso. Talvez, quando estiver mais calma, possa escrever para *Herr* Bayer.

– Temo que ele fique muito bravo.

– Não, Anna, ele não vai ficar bravo, só imensamente triste. Você talvez o veja como um homem velho, mas lembre-se: quando envelhecemos, nossos corações continuam a funcionar como sempre funcionaram. Não o culpe por ter se apaixonado por você e querer mantê-la ao seu lado para sempre. Agora, como você precisa acordar muito cedo amanhã, sugiro que vá para a cama e durma o máximo que conseguir.

– Farei isso.

– Por favor, Anna, escreva-me de Leipzig dizendo se chegou bem. *Herr* Bayer não é o único nesta casa que sentirá sua falta. Lembre-se de que você tem juventude, talento e beleza. Não desperdice isso, sim?

– Farei o que puder para não desperdiçar. Obrigada por tudo.

– O que vai dizer aos seus pais? – indagou *Frøken* Olsdatter de repente.

– Não sei. – Anna suspirou. – Não sei mesmo. Adeus.

❋ ❋ ❋

Enquanto a balsa saía do fiorde resfolegando na direção de Hamburgo, cuspindo fumaça e vapor ruidosamente pelas chaminés, Anna, em pé sozinha no convés, viu sua terra natal desaparecer na bruma de outono e pensou se algum dia tornaria a vê-la.

30

Vinte e quatro horas mais tarde, Anna e Jens por fim desceram do trem na estação de Leipzig. O sol acabara de nascer. Como Anna estava tão cansada que mal conseguia ficar em pé, ele carregou tanto a própria mala quanto a dela. O trem que eles haviam tomado de Hamburgo para Leipzig era noturno, mas nenhum dos dois sentiu que deveria gastar dinheiro com o conforto de um leito. Passaram a noite inteira sentados nos bancos duros de madeira, e Jens pegou no sono quase imediatamente; sua cabeça caindo sobre o ombro dela. Conforme as horas iam passando, Anna tinha cada vez mais dificuldade de acreditar no que acabara de fazer.

Pelo menos a manhã estava ensolarada quando eles saíram da estação movimentada e caminharam até o centro da cidade. Enquanto seus olhos absorviam a beleza do lugar, Anna sentiu o coração se animar um pouco, por mais cansada que estivesse. As ruas calçadas e largas eram margeadas por prédios de pedra altos e impressionantes, muitos decorados com rebuscados beirais e relevos, com várias fileiras de elegantes janelas que se abriam por dobradiças. Os passantes falavam um idioma entrecortado que, depois de ouvi-lo durante a longa viagem de trem desde Hamburgo, Anna sabia ser o alemão. Jens lhe garantira que falava a língua com uma competência razoável, mas ela só conseguia entender uma ou outra palavra que fosse parecida com o norueguês.

Por fim, chegaram à praça central do mercado. Ao lado dela, ficava a imponente prefeitura, que era de tijolos vermelhos e tinha a fachada em arcos e colunas, encimada por uma torre de relógio alta com uma cúpula. Já abarrotada de barracas, a praça era um zum-zum de atividade. Jens parou diante de uma das barracas, sobre a qual um padeiro estava dispondo pães variados recém-saídos do forno. Ao sentir aquele cheiro delicioso, Anna se deu conta do quanto estava com fome.

Mas Jens não havia parado para comer.

– *Entschuldigen Sie, bitte. Wissen Sie wo die Pension in der Elsterstraße ist?*

Anna não teve a menor ideia do que significou a resposta rouca do padeiro.

– Ótimo. Não estamos longe da hospedaria que *Herr* Grieg sugeriu – falou Jens.

Esta se revelou um prédio modesto, com estrutura de madeira preenchida por alvenaria, situado em uma rua estreita próxima à rua que Anna viu se chamar Elsterstraße. A atmosfera ali sem dúvida era bem diferente da dos muitos edifícios grandiosos pelos quais eles haviam passado, pensou ela, cansada. O bairro tinha um aspecto meio decadente, mas ela se forçou a recordar que aquilo era tudo que eles podiam pagar, e seguiu Jens quando ele subiu até a porta e bateu com força. Vários minutos depois, uma mulher apareceu, amarrando às pressas o cinto do roupão para esconder a camisola, e Anna se deu conta de que não devia passar das sete da manhã.

– *Um Himmels willen, was wollen Sie denn?* – resmungou a mulher.

Jens respondeu em alemão, e tudo que Anna conseguiu entender foi "*Herr* Grieg". À menção desse nome, o semblante da mulher relaxou e ela os convidou para entrar.

– Ela diz que está lotada, mas como foi *Herr* Grieg quem nos mandou, tem um quarto de empregada no sótão que podemos usar temporariamente – traduziu Jens para Anna.

Os dois foram subindo por estreitos degraus de madeira que rangiam sob seus pés. Por fim, chegaram ao último andar, e a mulher abriu a porta de um quartinho minúsculo situado sob o telhado da casa. Os únicos móveis eram uma cama baixa de latão e uma cômoda com uma bacia e uma jarra em cima. Pelo menos o lugar parecia limpo.

Seguiu-se um novo diálogo em alemão entre Jens e a mulher, com ele gesticulando em direção à cama, e ela assentiu e logo em seguida se retirou.

– Eu disse que por enquanto vamos aceitar, até conseguirmos encontrar outras acomodações. Disse que a cama é estreita demais para nós dois, então ela vai me arrumar um estrado de madeira. Dormirei no chão.

Ficaram os dois em pé olhando para o quarto, calados e exaustos, até a mulher voltar com o estrado. Jens lhe deu algumas moedas que tinha no bolso.

– *Nur Goldmark, keine Kronen* – disse ela, balançando a cabeça.

– Aceite os *Kronen* por enquanto, e hoje mais tarde trocarei dinheiro – sugeriu Jens.

Com relutância, a alemã concordou e embolsou as moedas enquanto dava mais instruções e apontava para debaixo da cama; então se retirou.

Anna sentou-se com cuidado na cama. Estava tonta de tanto cansaço, mas o mais urgente era que precisava ir ao banheiro. Enrubescendo, perguntou a Jens se a mulher tinha lhe dito onde ficava o reservado.

– Aí, infelizmente. – Ele apontou para debaixo da cama. – Vou esperar lá fora enquanto você...

Anna sentiu o rosto ficar quente e assentiu; depois que ele saiu, fez o que estava desesperada para fazer havia muitas horas. Estremeceu ao cobrir o conteúdo do penico com o pano fino previsto para esse fim e deixou Jens entrar outra vez.

– Melhor agora? – indagou ele, sorrindo.

– Sim, obrigada – respondeu ela, tensa.

– Ótimo. Agora sugiro que nós dois descansemos um pouco.

Anna corou e olhou para o outro lado enquanto Jens tirava as roupas até ficar apenas de ceroula e camisa de baixo de algodão. Usando o sobretudo para se cobrir, ele deitou no estrado.

– Não se preocupe, prometo não espiar – falou, com uma risadinha. – Durma bem, Anna. Nós dois vamos nos sentir melhor depois de dormir. – Ele então lhe soprou um beijo e se virou para o outro lado.

Anna desamarrou as fitas da capa, tirou a pesada saia e a blusa, e ficou de camisa de baixo e calçola. Quando se enfiou debaixo do áspero cobertor de lã e pousou a cabeça no travesseiro, já podia escutar os roncos suaves de Jens vindos do estrado.

O que foi que eu fiz?, pensou. *Herr* Bayer tinha razão desde o início. Ela era ingênua e teimosa, e não tinha parado para considerar as consequências de seus atos. Agora não havia volta possível, e ela fora acabar ali, naquele quarto horrível e claustrofóbico, dormindo a poucos centímetros de um homem com quem sequer era casada, tendo que realizar necessidades íntimas sem qualquer privacidade.

– Ah, Senhor, perdoe-me pela dor que causei aos outros – sussurrou ela para o céu de onde supunha que Ele a estivesse olhando naquele exato momento, preparando sua ida para o inferno. Por fim, mergulhou em um sono inquieto.

❖ ❖ ❖

Quando Jens se mexeu, Anna já estava acordada e vestida, desesperada por um copo d'água e morta de fome.

– Cama confortável? – indagou ele, espreguiçando-se e bocejando.

– Vou me acostumar.

– Agora precisamos trocar algumas moedas em marcos alemães e encontrar algo para comer – disse ele enquanto se vestia e Anna olhava para o outro lado. – Mas primeiro será que você poderia se retirar, e eu a encontro lá fora depois de ter feito o que preciso?

Horrorizada ao pensar que ele veria o que já havia no penico, Anna obedeceu. Então, para seu horror ainda maior, Jens saiu lá de dentro com o penico na mão.

– Temos que perguntar à dona da hospedaria o que fazer com os dejetos – disse ele, passando por ela e começando a descer a escada de madeira.

Anna foi atrás; estava com as bochechas em chamas. Podia até ter sido uma simples moça da roça antes de ir para Christiania, mas nunca havia deparado com nada tão anti-higiênico e nojento quanto aquilo. Em Heddal, o reservado ficava do lado de fora da casa e era bem básico, mas muito melhor. Percebeu que, depois de se acostumar ao moderno banheiro do apartamento de *Herr* Bayer, nunca tinha pensado em como os habitantes normais da cidade se livravam da própria sujeira.

Eles toparam com a dona da pensão no corredor, e Jens lhe entregou o penico como se fosse uma terrina de ensopado. Ela assentiu e apontou para os fundos da casa, mas mesmo assim pegou o penico.

– Pronto. Agora vamos comer – disse Jens, abrindo a porta.

Os dois caminharam um pouco pelas ruas cheias de gente até encontrarem um *Bierkeller* em uma das laterais de uma pequena praça. Sentaram-se diante de uma das mesas. Jens pediu cervejas, e ambos ergueram os olhos para o quadro no qual estava anotado a giz o sucinto cardápio. Anna não conseguiu ler nem uma palavra sequer.

Jens traduziu as opções para ela.

– Bem, tem *Bratwurst*... salsicha. Ouvi dizer que é muito boa, embora um pouco mais grossa do que em nosso país – explicou. – Tem *Knödel*... não me pergunte o que é... E *Speck*, que imagino ser toucinho...

– Acho que vou comer a mesma coisa que você for comer – disse Anna, cansada, enquanto a cerveja lhe era servida junto com um cesto de pão preto. Embora ela preferisse água, pegou a caneca e bebeu, sedenta.

Espiou pelas janelas encardidas e viu a praça movimentada lá fora. A maioria das mulheres usava vestidos pretos de feitio simples, com aventais brancos ou cinza que acentuavam a palidez de sua pele e seus traços germânicos afilados. Esperava ver mais roupas luxuosas em Leipzig, pois tinham lhe dito que a cidade era uma das mais importantes da Europa. De vez em quando, uma ou outra carruagem passava, e os cascos dos cavalos estalavam no calçamento; ocasionalmente era possível ver de relance um estiloso chapéu de penas, daqueles usados pelas mulheres mais ricas.

O almoço chegou, e Anna logo devorou as batatas e as salsichas. A cerveja lhe subiu à cabeça, e ela sorriu para Jens com um ar amoroso.

– Como faço para pedir água?

– É só dizer: *Ein Wasser, bitte* – respondeu ele. Sua atenção foi então atraída pela pequena orquestra de rua que tocava rabeca no meio da praça, com uma boina pousada no chão à sua frente para recolher dinheiro. Anna o observou se espreguiçar de prazer ao escutar a música.

– Que maravilha, não? Nosso destino está aqui, tenho certeza. – Ele estendeu a mão por cima da mesa e segurou a dela. – Então, o que está achando de nossa aventura até agora?

– Estou me sentindo suja, Jens. Quando voltarmos, você acha que é possível perguntar à dona da pensão se tem algum lugar onde possamos tomar banho e lavar nossas roupas?

Jens a encarou com um olhar duro.

– Ora vamos, Anna. Você me disse que era uma moça do campo, acostumada às dificuldades físicas. É só isso que tem a dizer sobre estar aqui em Leipzig?

Ela pensou com saudade em Heddal e na neve limpa derretida que eles recolhiam do lado de fora no inverno e derretiam sobre o fogo para se lavarem. E em como, no verão, podia-se tomar banho nos riachos de água pura e fresca.

– Perdão. Eu vou aguentar, tenho certeza.

Jens pegou a segunda caneca de cerveja e tomou um gole.

– Eu deveria é agradecer a *Herr* Bayer, pois ele me forçou a finalmente avançar em direção ao meu futuro.

– Que bom que você está tão feliz por estar aqui, Jens.

– Estou, mesmo. Respire só esse ar, Anna. Até o cheiro é diferente. E a cidade é cheia de criatividade e música. Veja a multidão reunida em volta desses músicos! Por acaso já viu algo assim em Christiania? Aqui a música é celebrada, não desprezada como ocupação de pobre. E agora *eu* poderei fazer parte dessa celebração. – Ele esvaziou a caneca de cerveja e, jogando algumas moedas sobre a mesa, levantou-se. – Agora vou pegar a carta de *Herr* Grieg e ir direto para o Conservatório. Isso é o começo de tudo com que sonhei.

De volta ao quarto na pensão, Jens vasculhou a mala até encontrar a preciosa carta. Deu um beijo em Anna e foi até a porta.

– Descanse, Anna. Mais tarde a acordarei com vinho e boas notícias.

– E pode perguntar se alguém de lá talvez queira me ouvir cantar...

Mas a porta já havia se fechado atrás dele.

Anna afundou na cama. Entendia agora que aquela "aventura" tinha um significado inteiramente diferente para cada um deles: Jens havia corrido *na direção* de alguma coisa, enquanto ela havia fugido. E agora, pensou, desanimada, mesmo que tivesse sido a escolha errada, não havia nada que pudesse fazer a respeito.

Jens voltou do Conservatório algumas horas mais tarde, mais eufórico ainda.

– Quando cheguei lá e pedi para falar com o diretor, Dr. Schleinitz, o porteiro olhou para mim como se eu fosse um idiota de aldeia. Então lhe entreguei a carta, e depois de ler ele foi direto buscar o diretor em sua sala! O Dr. Schleinitz me pediu para tocar violino, depois uma das minhas composições ao piano. E você não vai acreditar... – Nessa hora, Jens desferiu um soco no ar. – Ele fez uma mesura! Isso mesmo, Anna, ele fez uma mesura para mim! Falamos de *Herr* Grieg, e ele me disse que seria um prazer dar aulas para qualquer um de seus protegidos. De modo que amanhã começo meus estudos no Conservatório de Leipzig.

– Ah, Jens! Que maravilha! – Anna deu o melhor de si para parecer feliz.

– Também passei no alfaiate na volta e tive que lhe pagar o dobro para me fazer umas roupas mais adequadas até amanhã de manhã. Não quero que ninguém pense que eu sou um bobalhão dos fiordes. Não é maravilhoso? – Aos risos, ele enlaçou Anna pela cintura, suspendeu-a e começou a girá-la. – E agora, antes de sairmos para comemorar, temos que nos mudar para nossos novos aposentos.

– Você já encontrou um lugar para morarmos?

– Sim. Não é nenhum palácio, mas com certeza tem algumas vantagens em relação a isto aqui. Enquanto você arruma tudo, vou pagar a dona da pensão em marcos de ouro como ela pediu. Nos vemos lá embaixo.

– Eu... – Anna estava prestes a dizer que duvidava ser capaz de carregar as duas malas sozinha, mas Jens já tinha saído. Alguns minutos mais tarde, ofegante por causa do esforço, ela o encontrou com a bagagem no hall de entrada do térreo.

– Certo, vamos para nossa nova casa – declarou Jens.

Anna o seguiu até a rua, e com surpresa o viu simplesmente atravessá-la e entrar na casa em frente.

– Vi a placa de "aluga-se" na janela quando voltei e resolvi entrar para perguntar – acrescentou ele.

A casa era parecida com aquela da qual eles tinham acabado de sair, mas o quarto ficava no primeiro andar, e pelo menos era mais espaçoso e arejado do que o sótão abafado. Uma grande cama de latão ocupava a maior parte do espaço, e o coração de Anna se sobressaltou quando ela percebeu que não havia espaço para um estrado no chão.

– Há também um reservado do outro lado do corredor, o que torna o quarto mais caro, mas pelo menos você deve ficar contente. Está feliz, Anna?

– Estou. – Ela meneou a cabeça, estoica.

– Ótimo. – Jens entregou algumas moedas a *Frau* Schneider, a dona da casa; Anna pelo menos a achou mais amistosa do que a outra. – Aqui há o bastante para pagar a primeira semana – disse ele, encarando-a com uma expressão radiante e magnânima.

– *Kochen in der Zimmern ist untersagt. Abendbrot um punkt sieben Uhr. Essen Sie hier heute Abend?*

– Ela está dizendo que não se pode cozinhar no quarto, mas que podemos jantar todos os dias às sete no térreo – traduziu Jens em voz baixa para Anna. Virou-se para *Frau* Schneider. – Parece uma excelente ideia. Quanto isso sairia a mais?

Mais uma vez o dinheiro foi da mão de Jens à da senhora, e por fim a porta se fechou atrás deles.

– Então, *Frau* Halvorsen... – Jens sorriu. – Que tal nosso novo quarto de casal?

– Eu...

Jens viu o temor na expressão dela ao olhar para a cama.

– Anna, venha cá.

Ela se aproximou, e ele a abraçou com força.

– Pronto, pronto. Já lhe prometi que só vou tocá-la quando você me autorizar. Mas pelo menos assim poderemos nos aquecer nas noites frias aqui de Leipzig.

– Jens, precisamos mesmo nos casar o quanto antes – instou Anna. – Temos que achar uma igreja luterana que nos case...

– E acharemos, mas não vamos nos preocupar com isso agora – disse ele, puxando-a mais para perto e tentando beijar seu pescoço.

– Jens, o que estamos fazendo é um pecado contra Deus! – exclamou ela, repelindo as carícias.

– Claro, tem razão. – Ele suspirou junto à sua pele antes de soltá-la. – Agora eu acho que nós dois estamos precisando de um banho, e depois vamos sair para comer e beber. Combinado? – indagou, levantando seu queixo para poder encará-la.

– Sim – disse Anna, abrindo-lhe um sorriso.

31

Nas duas semanas que se seguiram, Anna começou a se adaptar à nova rotina. Ou pelo menos a encontrar com que se ocupar durante as longas e solitárias horas que Jens passava no Conservatório.

O inverno avançava. Pela manhã, o quarto ficava gelado, de modo que ela muitas vezes voltava para a cama depois de Jens sair e se aninhava nos cobertores de lã quentinhos enquanto esperava o fogo de carvão que havia acendido na pequena lareira gerar um pouco de calor. Então fazia a toalete, vestia-se e saía pelas ruas de Leipzig para ir à feira comprar pão e frios fatiados para o almoço.

Sua única refeição quente era o jantar que *Frau* Schneider lhes servia à noite. Na maioria das vezes, consistia em algum tipo de embutido com batatas ou bolinhos de massa encharcados de um molho insosso. Anna se pegou ansiando pelos legumes e verduras frescos e pela comida saudável da sua infância.

Passava muitas horas tentando escrever as cartas que sabia dever mandar para *Herr* Bayer e para os pais. Com a caneta de Lars entre os dedos, pensava se o rapaz já teria zarpado para os Estados Unidos, conforme havia planejado. E, nos momentos de maior desânimo, ponderava se, no fim das contas, deveria ter ido com ele.

Leipzig
1º de outubro de 1876

Caro Herr *Bayer,*
O senhor já deve saber, uma vez que não estou aí, que vim para Leipzig. Herr Halvorsen e eu estamos casados. E felizes. Quero lhe agradecer por tudo que o senhor me deu. Por favor, fique com meu salário do Teatro de

Christiania para reembolsar parte do que gastou, e espero que consiga vender os vestidos que deixei, pois eram de muito boa qualidade.
Herr Bayer, sinto muito não ter sido capaz de amá-lo.
Um abraço,
Anna Landvik

Então pegou outro papel e começou uma segunda carta.

Kjære Mor e Far,
Estou casada com Jens Halvorsen e me mudei para Leipzig. Meu marido está estudando no Conservatório de Música e eu cuido da casa para nós. Estou feliz. Tenho saudades de vocês. E da Noruega.
Anna

Não deu nenhum endereço, assustada e culpada demais para receber suas recriminações. À tarde, ia passear no parque ou zanzar pelas ruas da cidade, muito embora sua capa não fosse quente o bastante para o vento gelado. Fazia isso apenas para sentir que era parte da humanidade. Os vestígios da herança musical de Leipzig pareciam estar por toda parte, das várias ruas batizadas com o nome de compositores famosos às estátuas em sua homenagem, e até mesmo as casas onde um dia tinham morado os próprios Mendelssohn e Schumann.

Seu local preferido para visitar era o espetacular Neues Theater, sede da Ópera de Leipzig, com sua imponente fachada de colunas e imensas janelas em arco. Muitas vezes ela se punha a admirá-lo pensando se poderia ter esperanças de algum dia se apresentar em um lugar assim. Certa vez, chegou a tomar coragem para bater na porta dos artistas e tentar se comunicar com o porteiro. No entanto nem mesmo todos os seus gestos conseguiram transmitir ao homem a informação de que ela estava procurando emprego como cantora.

Desanimada, e cada vez com uma sensação mais forte de que ali não era o seu lugar, ela havia encontrado abrigo na Thomaskirche, construção gótica muito grandiosa da qual despontava uma linda torre branca de campanário. Embora o templo fosse muito maior do que a igrejinha de Heddal, o cheiro e a atmosfera a faziam pensar em sua cidade natal. No dia em que ela finalmente tinha posto no correio as cartas para *Herr* Bayer e os pais, fora se refugiar ali. Sentada em um dos bancos, abaixou a cabeça e rezou pedindo perdão, força e orientação.

– Ó Senhor, perdoe as terríveis mentiras que as cartas contêm. Acho que a pior delas é... – Anna engoliu em seco. – Que estou feliz. Não estou. Nem um pouco. Mas sei que não mereço compreensão nem perdão por nada do que fiz.

Foi então que Anna sentiu um toque delicado no ombro.

– *Warum so traurig, mein Kind?*

Ela ergueu os olhos, espantada, e viu um pastor idoso a lhe sorrir.

– *Kein Deutsch, nur Norwegisch* – conseguiu responder, como Jens havia lhe ensinado.

– Ah! – fez o pastor. – Conheço um pouco o idioma norueguês.

Embora ela tenha se esforçado ao máximo para conversar com o pastor, o norueguês dele era tão limitado quanto o seu alemão, e ela entendeu que era Jens quem teria que lhe falar sobre o casamento e convencê-lo da fé dos dois.

O ponto alto de seu dia era o jantar, quando ela escutava Jens falar sobre o Conservatório: os outros alunos de toda a Europa, as fileiras de pianos Blüthner para os exercícios e os maravilhosos professores, muitos deles também músicos da Orquestra Gewandhaus de Leipzig. Nessa noite, o tema de suas loas era o violino Stradivarius que tivera permissão para tocar.

– A diferença na qualidade do som é como a de uma garçonete cantarolando em comparação com uma soprano cantando uma ária – derramou-se ele. – Que maravilha isso tudo! Não só posso tocar todos os dias, tanto o piano quanto meu violino, como as aulas de composição musical, harmonia e análise musical têm me ensinado muito. Em história da música, já estudei obras de Chopin e Liszt das quais sequer tinha ouvido falar! Em breve estarei tocando o Scherzo nº 2 de Chopin em um concerto de alunos no auditório da Gewandhaus.

– Que bom que você está feliz – comentou Anna, tentando parecer entusiasmada. – Haveria alguém a quem pudesse perguntar sobre alguma oportunidade para eu cantar?

– Anna, sei que você vive me perguntando isso – respondeu Jens entre uma garfada e outra de comida. – Mas eu já lhe disse que, se não aprender alemão, será difícil fazer qualquer coisa nesta cidade.

– Mas com certeza deve haver alguém que possa ao menos me escutar?

Eu conheço a letra em italiano da "Ária de Violetta", e depois posso aprender a letra em alemão.

– Shh, meu amor. – Jens estendeu a mão e segurou a sua. – Vou tentar de novo perguntar por aí.

Depois do jantar, havia sempre a constrangedora rotina da hora de dormir. Ela vestia a camisola no reservado, em seguida se enfiava depressa debaixo das cobertas, onde Jens já estava deitado. Ele a tomava nos braços e ela relaxava contra o seu peito, sorvendo seu aroma almiscarado. Ele então a beijava, e ela sentia o corpo reagir a ele assim como o dele reagia ao seu; ambos queriam mais... Mas ela então se afastava, e ele dava um fundo suspiro.

– Não posso – sussurrou ela certa noite, no escuro. – Você sabe que temos que nos casar primeiro.

– Eu sei, querida. É claro que vamos nos casar um dia, mas antes disso nós certamente podemos...

– Não, Jens! Eu... eu não consigo e pronto. Você sabe que achei uma igreja onde podemos nos casar em breve, mas você precisa falar com o pastor para providenciar tudo.

– Anna, eu não tenho tempo livre nenhum. Preciso dedicar minha atenção integralmente aos estudos. Além do mais, muitos alunos do Conservatório têm ideias novas. Para alguns mais radicais, a Igreja só existe para controlar o povo. Eles preferem uma visão mais esclarecida, como a de Goethe na peça *Fausto*. A história aborda todos os aspectos do mundo espiritual e metafísico. Um amigo me emprestou um exemplar para ler, e neste fim de semana eu a levarei ao Auerbachs Keller, o bar que o próprio Goethe frequentava e onde um mural o inspirou a escrever seu clássico.

Anna nunca tinha ouvido falar em Goethe nem na sua obra pelo visto esclarecedora. Tudo que sabia era que precisava estar casada aos olhos de Deus antes de poder se unir fisicamente a Jens.

❖ ❖ ❖

O Natal chegou e Anna se deu conta de que ela e Jens já estavam em Leipzig havia três meses. Queria assistir à *Christmette*, a missa da meia-noite na igreja, e o pastor Meyer chegara até a lhe dar um folheto com hinos tradicionais alemães. Ela passara a cantarolar *"Stille Nacht"* sozinha, animada com a perspectiva de tornar a cantar diante de um público. Mas

Jens insistira para que passassem a véspera de Natal na casa de Frederick, um de seus colegas no Conservatório.

Com uma caneca de *Glühwein* quente na mão, Anna ficou sentada em silêncio à mesa ao lado de Jens, ouvindo o alemão gutural ser falado sem entender quase nada. Jens, já embriagado, não fez qualquer tentativa de traduzir a conversa para ela. Outros convivas tocaram instrumentos depois do jantar, mas Jens não sugeriu sequer uma vez que ela cantasse.

Quando estavam voltando para casa na noite gelada, Anna ouviu os sinos baterem a meia-noite para anunciar o início do dia de Natal. O som das canções natalinas lhes chegou aos ouvidos quando eles passaram pela igreja, e ela ergueu os olhos para Jens, que tinha o rosto vermelho por causa do álcool e da alegria da noite. Enviando aos céus uma prece muda pela família que comemorava sem ela em Heddal, Anna desejou com todo o coração poder estar lá também.

Em janeiro e fevereiro, Anna pensou que fosse enlouquecer de tanto tédio. Sua rotina diária, que no início aparentara ser tolerável por ser uma novidade, agora lhe parecia insuportavelmente enfadonha. A neve havia chegado, e às vezes fazia tanto frio que seus dedos das mãos e dos pés ficavam dormentes. Ela passava o dia inteiro indo buscar baldes de carvão para o fogo, lavando roupas na lavanderia gélida ou fazendo pífias tentativas para decifrar as palavras do *Fausto*, que Jens lhe dissera para estudar de modo a melhorar seu alemão.

– Como sou burra! – repreendeu a si mesma certa tarde, fechando o livro com um estalo e irrompendo em um choro frustrado, coisa que agora fazia com regularidade alarmante.

Cada vez mais envolvido no Conservatório e com os colegas, Jens chegava em casa com frequência cheirando a cerveja e a tabaco após algum concerto. Anna fingia dormir quando os braços dele se esticavam na sua direção e, hesitantes, acariciavam seu corpo por cima da camisola. Ela o ouvia praguejar entre os dentes com a sua falta de reação, e enquanto sentia o coração martelar dentro do peito ele rolava para o outro lado com um grunhido e começava a roncar. Somente então ela conseguia suspirar de alívio e adormecer também.

Ultimamente, jantava quase sempre sozinha, observando por baixo dos cílios os outros residentes da pensão. Muitos mudavam toda semana, e Anna calculava que fossem mascates de algum tipo. Havia, porém, um senhor de idade que lhe parecia ser um residente permanente, como ela, e jantava sozinho todas as noites. Vivia com o nariz enterrado em algum livro e se vestia de modo elegante e antiquado.

Esse cavalheiro se tornou para ela um objeto de fascínio durante as refeições; Anna passava horas se perguntando qual seria sua história e por que ele havia escolhido passar ali seus últimos anos. Às vezes, quando estavam só os dois jantando, ele meneava a cabeça e dizia "*Guten Abend*" ao entrar e "*Gute Nacht*" ao sair. Anna decidiu que aquele senhor lhe lembrava *Herr* Bayer, com sua basta cabeleira branca, seu bigode farto e seu ar cortês.

– Se estou com saudades até de *Herr* Bayer, devo estar muito infeliz mesmo – murmurou ela consigo mesma certa noite ao sair da sala de jantar.

Algumas noites depois disso, o cavalheiro se levantou e atravessou a sala com o livro que sempre trazia na mão.

– *Gute Nacht* – falou, meneando a cabeça para ela ao se aproximar da porta para sair da sala. Então, parecendo mudar de ideia, virou-se outra vez na sua direção. – *Sprechen Sie Deutsch?*

– *Nein, Norwegisch.*

– A senhora é norueguesa? – indagou ele, surpreso.

– Sou – respondeu Anna, encantada com o fato de ele ter lhe respondido com fluência no seu idioma natal.

– Eu sou dinamarquês, mas minha mãe era de Christiania. Ela me ensinou norueguês quando eu era menino.

Após as longas semanas sem conseguir se comunicar com ninguém exceto Jens desde que chegara a Leipzig, Anna quis lhe dar um abraço.

– Nesse caso, senhor, prazer em conhecê-lo.

Observou o cavalheiro parado junto à porta, pensativo, sem deixar de observá-la.

– A senhora disse que não fala alemão?

– Só umas poucas palavras.

– Então como consegue se virar nesta cidade?

– Para ser bem franca, senhor, eu não consigo.

– Seu marido está trabalhando aqui em Leipzig?

– Não, ele estuda no Conservatório.

– Ah, um músico! Não é de espantar que ele nunca jante com a senhora. Posso saber seu nome?

– Chamo-me Anna Halvorsen.

– E eu, Stefan Hougaard. – Ele lhe fez uma curta mesura. – É um prazer conhecê-la. Quer dizer então que a senhora não trabalha, *Fru* Halvorsen?

– Não, senhor. Mas espero logo conseguir trabalho como cantora.

– Bem, até lá quem sabe eu possa lhe ajudar na tarefa de estudar alemão? Ou pelo menos lhe ensinar melhor o básico – sugeriu ele. – Podemos nos encontrar aqui depois do café da manhã, se a senhora quiser, onde a dona da pensão pode nos ver o tempo todo. Assim seu marido não acharia que nada inadequado está acontecendo.

– É muita gentileza sua, e, sim, eu ficaria muito grata pela sua ajuda. Mas vou logo avisando: sou uma aluna vagarosa e não tenho muito talento com as palavras, nem mesmo no meu próprio idioma.

– Bem, nesse caso nós só precisaremos trabalhar com mais afinco, não é? Amanhã de manhã às dez, então?

– Sim, estarei aqui.

Nessa noite, Anna foi dormir bem mais contente, muito embora Jens estivesse novamente ausente, tendo lhe dito que estaria ensaiando para um concerto. O simples fato de poder conversar com outra pessoa tinha sido uma alegria, e qualquer coisa que ela pudesse fazer para trazer mais novidade ao seu cotidiano era necessariamente boa. Além do mais, se conseguisse aprender nem que fosse um pouquinho de alemão, talvez tivesse uma chance de voltar a cantar em público...

❦ ❦ ❦

Quando os primeiros botões de flor começaram a despontar nas árvores, Anna passava as manhãs no térreo da pensão, tentando ensinar seu teimoso cérebro a decorar e repetir as palavras que *Herr* Hougaard lhe ensinava. Após os primeiros dias, ele insistiu em acompanhá-la na rua em seu trajeto diário até a feira. Ficava um pouco afastado, escutando com atenção enquanto ela seguia suas instruções e dava bom-dia ao vendedor, pedia as mercadorias, pagava e se despedia. No início, essas missões a deixavam nervosa, e ela muitas vezes confundia as frases que havia aprendido. Aos poucos, porém, foi ficando mais confiante.

As incursões de Anna à cidade com *Herr* Hougaard começaram a ficar mais longas nas semanas seguintes, à medida que seu alemão melhorava, e culminaram com ela em um restaurante pedindo o almoço para os dois – e insistindo em pagar como prova de agradecimento.

Ainda pouco sabia sobre o cavalheiro, a não ser que sua esposa tinha morrido alguns anos antes, deixando-o viúvo. Ele havia trocado o campo pela cidade para poder aproveitar todos os benefícios da vida cultural de Leipzig sem ter que cuidar da própria casa.

– Do que mais preciso além de barriga cheia, lençóis limpos, roupas sempre lavadas e de um estupendo concerto a poucos minutos a pé para instigar meus sentidos? – indagara ele com um largo sorriso.

Herr Hougaard havia ficado surpreso como fato de Jens não convidá-la para assistir aos muitos concertos nos quais dizia tocar. Segundo o rapaz, não tinham dinheiro para tanto, mas pelo que *Herr* Hougaard sabia, esses concertos muitas vezes eram gratuitos. Na realidade, Anna via cada vez menos o "marido", e recentemente houvera ocasiões em que ele nem sequer voltara para casa. Certa manhã, ao abrir a janela para deixar entrar o ar da primavera antes de descer para sua aula diária, ela pensou que, não fosse por *Herr* Hougaard, poderia muito bem ter se jogado debaixo de um bonde meses antes.

Foi durante uma de suas idas ao centro na hora do almoço que Anna ficou perplexa ao ver Jens sentado à janela do Thüringer Hof, um dos melhores restaurantes da cidade. Era lá que a aristocracia de Leipzig se reunia, com suas roupas elegantes e as carruagens enfileiradas do lado de fora, cujos cavalos aguardavam pacientes para levá-los até em casa após um suntuoso almoço. Igualzinho à sua vida de antigamente em Christiania, pensou Anna, infeliz.

Esforçou-se para tentar ver por entre as carruagens com quem Jens estava almoçando. Pelo vistoso chapéu escarlate cuja pena se agitava quando a pessoa falava, tratava-se obviamente de uma mulher. Inclinando-se mais para perto, para grande diversão de *Herr* Hougaard, ela viu que a mulher tinha cabelos escuros e o que sua mãe chamaria de perfil romano, ou seja, basicamente um nariz grande.

– Mas o que você tanto olha, Anna? – *Herr* Hougaard chegou por trás dela. – Parece a vendedora de fósforos do meu próprio conto de Hans Christian Andersen. Quer ir encostar o nariz no vidro como ela fez? – perguntou ele, rindo.

– Não. – Anna desgrudou os olhos de Jens e da mulher quando estes se aproximaram para conversar. – Pensei que fosse um conhecido.

Nessa noite, ela se esforçou para ficar acordada até Jens chegar, bem depois da meia-noite. Ultimamente, ele vinha tirando a roupa no reservado e entrando na cama no escuro, para não incomodá-la. Mas é claro que incomodava – todas as noites.

– O que está fazendo ainda acordada? – perguntou-lhe ele, evidentemente espantado ao ver a lamparina a óleo ainda acesa quando entrou no quarto.

– Quis esperar você acordada. Quase não nos vemos mais.

– Eu sei – disse Jens com um suspiro, desabando na cama ao seu lado; Anna notou que ele havia bebido outra vez. – Infelizmente, assim é a vida de um estudante de música do famoso Conservatório de Leipzig. Mal tenho tempo para comer durante o dia!

– Nem no almoço? – As palavras saíram de sua boca antes de ela as conseguir conter.

Jens virou-se para ela.

– Como assim?

– Vi você almoçando na cidade hoje.

– É mesmo? Então por que não entrou para me cumprimentar?

– Porque eu não estava vestida à altura. E você estava muito entretido conversando com uma mulher.

– Ah, sim, a baronesa von Gottfried. Ela é uma grande benfeitora do Conservatório e dos alunos. Na semana passada, assistiu a um concerto no qual quatro jovens compositores tiveram a oportunidade de executar uma de nossas peças curtas. É aquela composição na qual venho trabalhando, lembra?

Não, ela não se lembrava, afinal Jens nunca estava em casa para lhe contar mais nada.

– Entendo. – Ela engoliu em seco, e sentiu uma onda de indignação crescer dentro de si ao se perguntar por que não a convidara se havia estreado uma nova peça.

– A baronesa me convidou para almoçar para conversar sobre possíveis planos de fazer minhas composições chegarem aos ouvidos de mais gente. Ela tem muitos contatos em todas as grandes cidades da Europa. Paris, Florença, Copenhague... – Jens abriu um sorriso sonhador e levou as mãos atrás da cabeça. – Dá para imaginar uma coisa dessas, Anna? Minha música nas grandes salas de concerto do mundo? Isso ensinaria uma lição a *Herr* Hennum, não?

– Sim, e sem dúvida causaria em você grande prazer.

– O que foi, Anna? – perguntou ele, reagindo à frieza de sua voz. – Vamos, pode falar. Você tem algo a me dizer?

– Tenho, sim! – Ela não conseguiu mais conter a raiva. – Durante semanas e semanas eu mal o vejo, e agora você vem me dizer que tem feito concertos aos quais eu, sua noiva, e aos olhos do mundo inteiro sua esposa, nem sequer fui convidada. Volta para casa depois da meia-noite quase todas as noites e às vezes nem volta! E eu aqui sentada, esperando você como um cachorro fiel, sem amigos, sem nada para fazer a não ser trabalhos domésticos e sem perspectiva de dar continuidade à minha própria carreira de cantora! Então, para coroar tudo isso, eu o vejo em um dos melhores restaurantes da cidade, almoçando com outra mulher. Pronto! É isso que eu tenho para dizer.

Depois que ficou claro que Anna havia concluído seu rompante, Jens se levantou da cama.

– E agora, Anna, quem vai lhe falar o que tenho para dizer sou eu: você consegue imaginar o que é para mim me deitar todas as noites na cama ao lado da mulher que amo, estar tão perto do seu lindo corpo, mas não ter sequer a permissão de tocá-lo, a não ser para uma carícia ou um beijo? Sob certos aspectos, meu Deus, qualquer pequena concessão que você se digne a me fazer só faz aumentar minha frustração! Eu fico aqui deitado, noite após noite, sonhando tanto em fazer amor com você que não consigo descansar. É melhor para mim e para minha sanidade eu não me deitar com você, não desejá-la, mas ao contrário, chegar em casa o mais tarde e o mais embriagado possível para poder sucumbir ao esquecimento. Sim! – Jens cruzou os braços em atitude desafiadora. – Esta.... esta *vida* que estamos levando juntos não é nem uma coisa, nem outra. Você é minha mulher, mas não é. Vive retraída, emburrada... e dá a impressão de que o seu maior desejo seria voltar para casa. Anna, por favor, lembre que a decisão de vir para cá foi *sua*. Por que não vai embora? É óbvio para todo mundo que você não está feliz. Que *eu* a faço infeliz!

– Jens, você está sendo injusto, muito injusto mesmo! Sabe tão bem quanto eu como estou desesperada para me casar de modo a podermos ter uma vida direita, juntos, como marido e mulher. Mas toda vez que eu lhe peço para falar com o pastor você diz que está cansado ou ocupado demais! Como se atreve a me culpar por esta situação quando eu não tenho a menor responsabilidade?

– Não, quanto a essa parte não tem mesmo, você está certa. – A expressão de Jens se suavizou. – Mas por que você acha que eu não quero falar com o pastor ainda?

– Porque não quer se casar comigo.

– Anna... – Ele deu uma risadinha exasperada. – Você bem sabe como estou desesperado para ser seu marido de verdade. Mas não acho que se dê conta de quanto custa um evento desses. Você precisaria de um vestido, de ajudantes, de um banquete de casamento... é isso que qualquer noiva merece. E é isso que eu quero que você tenha. Mas simplesmente não há dinheiro para uma festa assim. O que temos mal dá para viver.

Toda a raiva de Anna se esvaiu quando ela enfim compreendeu.

– Ah... Mas Jens, eu não preciso de nenhuma dessas coisas. Só quero me casar com você.

– Bem, se o que você diz é verdade, vamos nos casar agora mesmo. Infelizmente, não vai ser nada como o casamento que você deve ter imaginado quando criança.

– Eu sei. – Anna engoliu em seco ao pensar que nenhum de seus familiares estaria presente. Nem *Mor*, nem *Far*, nem Knut, nem Sigrid. O pastor Erslev não celebraria a cerimônia nem ela usaria a coroa matrimonial do povoado. – Mas não me importo.

Jens se recostou na cama e a beijou com carinho.

– Vamos falar com o pastor e marcar uma data.

32

A cerimônia de casamento em Thomaskirche foi breve, simples e reservada; Anna usou um vestido branco singelo que havia comprado para a ocasião com o dinheiro de *Frøken* Olsdatter e flores brancas nos cabelos. O pastor Meyer sorriu, afável, ao pronunciar os votos que os ligariam um ao outro pelo resto de suas vidas.

"*Ja, ich will*", disseram eles um de cada vez, e Jens pôs no dedo de Anna a aliança de ouro sem ornamentos da avó; seu toque foi cálido e seguro. Anna fechou os olhos quando ele lhe deu um casto beijo na boca e, aliviada, sentiu o perdão de Deus no coração.

O pequeno grupo que havia assistido à cerimônia foi até um *Bierkeller* onde os amigos músicos de Jens tocaram uma marcha nupcial improvisada quando o casal entrou, e os outros clientes ergueram as canecas de cerveja para lhes dar os parabéns. Durante uma refeição modesta, composta de uma sopa típica alemã servida em casamentos, Anna sentiu o toque reconfortante da mão do marido em seu joelho. Graças a *Herr* Hougaard, pôde participar das piadas e brindar com os amigos de Jens, e não se sentia mais uma forasteira em um mundo estranho.

Mais tarde nessa noite, quando eles subiram a escada até o quarto, Jens pousou as pontas dos dedos na base de suas costas, fazendo seu corpo ser percorrido por calafrios de expectativa.

– Olhe só para você – murmurou ele com os olhos escuros de desejo ao fechar a porta atrás de si. – Tão pequenina, tão inocente, tão perfeita... – Ele então estendeu os braços para ela e a puxou para si, passando as mãos atrevidamente por seu corpo. – Preciso possuir minha esposa – sussurrou em seu ouvido, erguendo seu rosto para beijá-la. – Não é de espantar que eu tenha buscado conforto em outro lugar...

Ao ouvir isso, Anna se afastou.

– Como assim?

– Nada, não foi nada... Eu só quis dizer que desejo *você*.

Antes que ela conseguisse responder, ele já a estava beijando e acariciando suas costas, suas coxas, seus seios... E mesmo contra a sua vontade, aquilo de repente lhe pareceu maravilhoso e natural, o fato de as roupas e todas as outras barreiras que os separavam serem enfim removidas para que pudessem se tornar um só. Jens a carregou até a cama, tirou as roupas e se deitou por cima dela. As mãos hesitantes de Anna exploraram a musculatura rija de suas costas. Quando ele a penetrou, ela estava pronta e sabia que o seu corpo vinha ensaiando inconscientemente aquele momento desde a primeira vez em que pusera os olhos nele.

A coisa toda foi estranha para ela, mas quando ele suspirou e logo depois desabou no travesseiro ao seu lado, aninhando a cabeça dela no seu ombro, todas as histórias de horror que ela ouvira sobre aquele momento especial caíram no esquecimento. Pois agora ele era verdadeiramente seu, e ela, sua.

❂ ❂ ❂

Nas semanas seguintes, Jens chegou em casa sempre a tempo de jantar com Anna, ambos impacientes para terminar de comer e se recolher ao quarto no primeiro andar. Ficou óbvio para ela que o marido era experiente nas artes do amor, e à medida que ele foi se tornando menos hesitante e ela também relaxou, cada noite se transformou em uma maravilhosa aventura. A solidão dos últimos meses ficou para trás e Anna compreendeu totalmente a diferença entre amigos e amantes. Parecia-lhe que seus papéis anteriores haviam se invertido, pois agora ela ansiava constantemente por sentir o toque dele sobre si.

– Por Deus, mulher – comentou ele certa noite deitado ao seu lado, ofegante. – Estou começando a desejar nunca ter apresentado você a esta brincadeira. Você é mesmo insaciável!

E era verdade. Pois aqueles instantes eram a única parte de Jens que lhe pertencia integralmente. Pela manhã, quando ele saía dos seus braços e se vestia antes de ir para o Conservatório, Anna via sua expressão mudar e sentia seus pensamentos irem para longe dela. Havia adquirido o hábito de acompanhá-lo a pé até o Conservatório, onde ele lhe dava um abraço, dizia que a amava e então desaparecia pelas portas daquele outro mundo que o consumia.

Meu inimigo, pensava Anna às vezes ao virar as costas para refazer o caminho até em casa.

Herr Hougaard havia reparado na energia renovada de seu passo e em seu sorriso espontâneo ao cumprimentá-lo antes da lição matinal.

– A senhora parece mais feliz agora, *Frau* Halvorsen, e isso me alegra – comentou ele.

Impulsionado por aquele otimismo recém-encontrado, o alemão de Anna melhorou a olhos vistos. Ela agora falava com uma segurança que lhe valia os aplausos do mestre. E ela tinha a impressão de que cada palavra nova conduzia a uma profusão de outras.

Decidiu que não ficaria mais apenas sentada esperando Jens lhe encontrar um papel de cantora. Então escreveu uma carta para *Herr* Grieg contando sobre a mudança para Leipzig e pedindo que ele lhe indicasse para um teste de canto com qualquer conhecido seu na cidade. Jens havia perguntado no Conservatório o endereço de C.F. Peters, a editora das músicas de Grieg em Leipzig. Ela havia encontrado o número 10 da Talstraße e entregado a carta em mãos a um rapaz que trabalhava na lojinha do térreo vendendo partituras. Depois disso, passou a rezar todas as noites para *Herr* Grieg receber sua missiva e responder.

❂ ❂ ❂

Em um dia de junho, depois de ela conseguir manter uma conversa de quinze minutos em alemão sem cometer um único erro, *Herr* Hourgaard lhe fez uma mesura.

– Impecável, *Frau* Halvorsen. Meus parabéns.

– *Danke* – respondeu Anna com uma risadinha.

– E também devo lhe dizer que em breve irei fazer um tratamento de águas medicinais em Baden-Baden, como sempre faço no verão. A cidade fica quente demais para mim, e ultimamente ando me sentindo particularmente cansado. A senhora e *Herr* Halvorsen irão para a Noruega quando o semestre acabar?

– Se é esse o plano, ele com certeza não me disse nada.

– Parto amanhã de manhã, de modo que tornarei a vê-la no outono, se a sorte permitir.

– Sim, assim espero. – Anna se levantou ao mesmo tempo que ele, e desejou poder manifestar seu afeto e gratidão de modo menos formal do que o exigido pela boa educação. – Sou-lhe verdadeiramente devedora, senhor.

– Fique descansada, *Frau* Halvorsen. Foi um prazer – disse ele, retirando-se.

Depois de *Herr* Hougaard viajar para Baden-Baden, Anna também notou uma mudança em Jens. Ele passou a não chegar mais em casa para jantar, e quando chegava se mostrava inquieto, como que pisando em ovos. Quando ele fazia amor com ela, Anna sentia uma distância que antes não existia.

– O que houve? – perguntou certa noite. – Sei que tem alguma coisa errada.

– Nada – respondeu ele, ríspido, afastando-se do seu abraço e rolando para o outro lado. – Estou cansado, só isso.

– Jens, *min eskelde*, eu conheço você. Por favor, diga-me qual é o problema.

Ele passou algum tempo sem se mexer, então rolou novamente de frente para ela.

– Está bem. Estou diante de um dilema e não sei o que fazer.

– Então, pelo amor dos céus, diga-me o que é. Talvez eu possa ajudar.

– O problema é que você não vai gostar nem um pouco.

– Entendo. Nesse caso, é melhor mesmo me contar.

– Bem, lembra-se da mulher com quem me viu almoçando?

– A baronesa. Como poderia esquecer? – respondeu Anna, incomodada com a menção àquela pessoa.

– Ela me convidou para ir passar o verão em Paris, onde ela e o marido têm um *château* perto do palácio de Versalhes. Ela promove *soirées* musicais para a nata do mundo artístico e quer lançar minhas novas composições lá. É uma oportunidade maravilhosa para o meu trabalho ser ouvido, claro. A baronesa von Gottfried conhece todo mundo e, como eu lhe disse, é uma grande benfeitora de jovens compositores. Ela me disse que até *Herr* Grieg já tocou em um dos seus eventos.

– Ora, nesse caso é claro que devemos ir. Não entendo por que isso deveria ser um dilema para você.

Ao ouvir essas palavras, Jens soltou um grunhido.

– Anna, foi por isso que eu não lhe contei. O problema é que eu não posso levá-la comigo.

– Ah. E posso saber por que não?

– Porque... – Jens suspirou. – A baronesa von Gottfried não sabe sobre você.

Eu nunca mencionei que sou casado. Para falar a verdade, pensei que dizer isso pudesse prejudicar sua boa vontade em relação a mim. Na época em que a conheci, as coisas entre você e eu estavam... difíceis, e nós vivíamos quase como irmãos ou amigos. Então é isso. Ela não sabe sobre a sua existência.

– Então por que você não conta a ela que eu *existo*? – A voz de Anna saiu baixa, fria; ela estava digerindo o significado oculto do que o marido lhe dizia.

– Porque... porque tenho medo. Sim, Anna, o seu Jens teme que, se a baronesa souber, não queira mais que eu vá com ela a Paris.

– Você quer que a baronesa acredite que está disponível para que possa ajudá-lo na sua carreira?

– Sim, Anna. Ah, Deus, que idiota eu sou...

– É mesmo. – Ela ficou olhando, impassível, enquanto ele punha o travesseiro sobre a cabeça e se enterrava lá embaixo como um menino travesso repreendido pela mãe.

– Perdão, Anna. Eu me odeio, de verdade. Mas pelo menos lhe contei todos os fatos.

– Por quanto tempo ela quer que você vá?

– Só durante o verão – respondeu ele, saindo de baixo do travesseiro. – Você precisa entender que estou fazendo tudo isso por nós, para impulsionar minha carreira e ganhar dinheiro de modo que você possa se mudar deste quarto e um dia ter uma casa de verdade, como de fato merece.

E para você poder provar a fama que julga merecer, pensou ela, dura.

– Então você tem que ir.

– Sério? – Jens fez uma cara desconfiada. – Por que cargas-d'água você me deixaria ir?

– Porque você me colocou em uma posição insustentável, só por isso. Se eu o proibir, vai passar o verão inteiro aqui de cara amarrada me culpando por seu infortúnio. E, apesar de os outros pensarem o contrário... – Anna inspirou fundo. – Eu confio em você.

– Confia mesmo? – Ele estava pasmo. – Então você é mesmo uma deusa entre as mulheres!

– Jens, você é meu marido. De que adianta este casamento se eu não puder confiar em você? – retrucou ela, desanimada.

– Obrigado. Obrigado, minha querida esposa.

❁ ❁ ❁

Jens partiu alguns dias mais tarde deixando com Anna dinheiro suficiente para viver confortavelmente durante as semanas seguintes, até ele voltar. A gratidão avassaladora que ele demonstrou por sua generosidade bastou para convencê-la de que havia tomado a decisão certa. Todas as noites antes da partida, ela ficara deitada na cama junto com ele vendo-o encará-la, maravilhado.

– Eu amo você, Anna, eu a adoro... – ele dizia e repetia. E então, na manhã da viagem, dera-lhe um abraço apertado, como se não conseguisse suportar a separação.

– Prometa-me que vai me esperar, esposa querida, aconteça o que acontecer?

– É claro, Jens. Você é meu marido.

❈ ❈ ❈

Anna atravessou o sufocante verão de Leipzig com determinação. Com as janelas escancaradas para deixar entrar qualquer sopro de vento que conseguisse chegar à rua estreita entre as casas, ela ficava deitada à noite nua na cama, suando por causa do calor. Terminou o *Fausto* de Goethe e com esforço leu todos os outros livros que conseguiu pegar emprestado na biblioteca da cidade para melhorar seu vocabulário em alemão. Também comprou tecidos na feira e levou sua costura para o parque, onde, sentada à sombra de uma árvore, confeccionou laboriosamente um vestido de fustão e uma capa mais quente para o inverno seguinte. Ao tirar as próprias medidas para as roupas novas, ficou incomodada com o fato de, apesar de ainda não ter 20 anos, sua cintura já estar aumentando, como parecia acontecer com todas as mulheres depois do casamento. Ia à Thomaskirche dia sim, dia não, tanto em busca de socorro espiritual quanto físico, pois o interior fresco da igreja era o único lugar no qual podia fugir do calor.

Escrevia com regularidade para Jens no endereço que ele lhe deixara antes de ir para Paris, mas só recebeu de volta dois bilhetes curtos, dizendo que ele estava bem e ocupado, conhecendo muitos contatos importantes da baronesa von Gottfried. Ele contou que sua composição fora bem recebida no recital e que estava trabalhando em algo novo durante o tempo livre.

O château está inspirando o melhor trabalho que já fiz! Como não se sentir criativo em um lugar tão lindo quanto este?

❉ ❉ ❉

À medida que o verão se arrastava, interminável, Anna se recusou a sucumbir às minhocas que iam se instalando em sua mente em relação à rica e poderosa benfeitora de Jens. Ele logo voltaria para casa, dizia ela a si mesma, firme, e os dois poderiam seguir juntos sua vida de casados.

Jens não chegara a lhe dizer a data exata em que voltaria, mas, quando ela estava tomando café da manhã certo dia, no início de setembro, sua senhoria, *Frau* Schneider, perguntou-lhe diretamente se o marido voltaria a Leipzig naquele dia, a tempo de iniciar o novo semestre no Conservatório, no dia seguinte.

– Tenho certeza de que sim – respondeu Anna, impávida, decidida a não deixar transparecer a surpresa.

Subiu na mesma hora até o primeiro andar, onde penteou os cabelos e pôs o vestido novo. Encarou o próprio reflexo no pequeno espelho em cima da cômoda e pensou que estava com bom aspecto. Não restava dúvida de que seu rosto estava mais rechonchudo desde que Jens se fora, e ela torceu para que o marido aprovasse; assim como sua família, ele havia brincado com ela muitas vezes dizendo-lhe que estava magra demais.

Passou o resto o dia sem sair do quarto abafado, nervosa e animada com a perspectiva de o marido voltar.

À medida que a tarde começou a cair, porém, sua animação foi sumindo. *Jens não iria perder o primeiro dia do semestre em seu amado Conservatório*, pensou. Mas, quando a meia-noite soou e os sinos das igrejas anunciaram um novo dia, Anna tirou o vestido e se deitou na cama de combinação. Sabia que não chegariam mais trens naquela noite na estação de Leipzig.

Três dias se passaram, e ela ficou louca de preocupação. Foi ao Conservatório e esperou os alunos saírem pelas portas, fumando e conversando. Reconheceu Frederick, o rapaz com quem eles haviam passado a última véspera de Natal, e timidamente o abordou.

– Sinto muito incomodá-lo, *Herr* Frederick – falou, pois não se lembrava do sobrenome dele. – Viu Jens nas aulas esta semana?

Frederick a encarou e levou alguns instantes para reconhecê-la. Então olhou para os amigos, e um diálogo mudo se deu entre eles.

– Não, *Frau* Halvorsen, infelizmente não vi. Alguém mais o viu? – indagou ele ao grupo em volta. Os outros fizeram que não com a cabeça e desviaram o olhar, constrangidos.

– Estou preocupada que tenha acontecido alguma coisa com ele em Paris, pois já faz um mês que não tenho notícias e ele deveria ter voltado para o início do semestre. – De tão aflita, Anna fazia girar a aliança de casada no dedo. – Alguém mais aqui no Conservatório poderia saber onde ele está?

– Posso perguntar ao professor de *Herr* Halvorsen se ele sabe de alguma coisa. Mas devo ser sincero com a senhora, *Frau* Halvorsen: a impressão que tive foi que o plano dele era se mudar para Paris. Ele me disse que só tinha dinheiro para pagar um ano de estudos aqui. Mas é claro que a escola pode ter lhe oferecido uma bolsa para ficar... Isso aconteceu? – indagou ele.

– Eu... – Anna sentiu tudo girar e cambaleou de leve. Frederick a segurou pelo braço para ampará-la.

– *Frau* Halvorsen, é óbvio que a senhora não está bem.

– Não, não, estou ótima – disse ela, afastando o braço da mão dele e empinando o queixo, orgulhosa. – *Danke, Herr* Frederick. – Ela deu um meneio de agradecimento e se afastou com a cabeça o mais erguida possível.

– Ah, meu Deusinho querido, ah, meu Deus – foi murmurando enquanto voltava para casa pelas ruas movimentadas, ainda ofegante e tonta.

Desabou na cama, pegou o copo d'água na cabeceira e bebeu para aliviar a tontura e a sede.

– Não pode ser verdade. *Não pode* ser verdade. Se a intenção dele é ficar em Paris, por que não mandou me buscar? – As paredes nuas do quarto eram incapazes de lhe dar a resposta de que ela necessitava. – Ele não iria me abandonar, não, não faria isso – convenceu-se. – Ele me ama, eu sou sua esposa...

Após uma noite insone durante a qual pensou que fosse enlouquecer com os pensamentos que se agitavam em sua mente, Anna desceu a escada trôpega e encontrou *Frau* Schneider em pé no hall, lendo uma carta.

– Bom dia, *Frau* Halvorsen. Acabei de receber uma notícia muito triste. Parece que o seu amigo *Herr* Hougaard morreu duas semanas atrás de um ataque do coração. Os parentes dele querem que eu arrume seus pertences, e mandarão uma carroça vir buscá-los.

Anna levou a mão à boca.

– Ah, não. Por favor, não. – E nesse instante tudo ficou preto.

❊ ❊ ❊

Quando ela acordou, viu que estava na saleta particular de *Frau* Schneider, deitada no sofá, com um pano molhado na testa.

– Pronto, pronto – disse a mulher mais velha. – Sei como a senhora gostava dele. Deve ser mesmo um choque muito grande, com o seu marido ainda ausente. E no seu estado.

Anna acompanhou o olhar de *Frau* Schneider até o próprio ventre.

– Eu... Como assim, meu "estado"?

– Ora, sua gravidez, claro. A senhora sabe para quando é o bebê? É muito pequena, *Frau* Halvorsen, precisa tomar muito cuidado.

Anna sentiu tudo girar outra vez e pensou que fosse vomitar sobre o sofá forrado de veludo da alemã.

– Por que não tenta beber um pouco d'água? – sugeriu a senhoria, dando um passo na sua direção com um copo estendido.

Anna bebeu enquanto ela seguia falando.

– Eu ia conversar com a senhora sobre o futuro quando o seu marido voltasse. Uma das minhas regras aqui é: nada de crianças. O choro incomoda os outros hóspedes.

Se Anna pensava que as coisas não poderiam piorar, isso parecia ter acabado de acontecer.

– Até ele voltar, porém, sinto que não é justo colocá-la na rua. Então ficarei feliz em deixá-la permanecer aqui até o nascimento – falou ela, magnânima.

– *Danke* – sussurrou Anna, sabendo que aquela breve demonstração de empatia estava encerrada e que a alemã desejava seguir com seus afazeres matinais. Levantou-se. – Já estou bem. Obrigada pela gentileza, e sinto muito pelo incômodo que lhe causei. – Com um meneio de cabeça cortês para *Frau* Schneider, ela se retirou e voltou para o quarto.

Passou o resto do dia deitada na cama, sem se mexer. Se ficasse parada, de olhos fechados, quem sabe as coisas terríveis que haviam acontecido – e tudo que *ainda estava* acontecendo – desaparecessem. No entanto, se movesse um músculo sequer, isso significaria que ainda estava viva e respirando e que teria que enfrentar a realidade.

– Ó, Deus, por favor me ajude – implorou ela.

Mais tarde, obrigada a se levantar para ir ao reservado, Anna despiu o vestido e ficou em pé de calçola e camisa de baixo. Ergueu a peça de roupa que lhe cobria o tronco, obrigou-se a olhar para baixo e reconheceu que sua barriga estava levemente inchada. Por que cargas-d'água nunca havia relacionado a cintura mais grossa a uma gestação?

– Sua idiota cabeça de vento! – lamentou-se. – Como não percebeu? Você não passa de uma camponesa ingênua e burra da roça, exatamente como *Herr* Bayer falou! – Foi até uma gaveta, pegou a caneta-tinteiro, sentou-se na cama e começou a escrever para o marido em Paris.

❋ ❋ ❋

– Chegou uma carta para a senhora hoje de manhã – disse *Frau* Schneider, entregando a carta para Anna. A menina, pois era assim que a mulher via aquela hóspede diminuta, ergueu para ela uns olhos vazios e encovados, e pela primeira vez *Frau* Schneider viu surgir neles um lampejo de esperança. – O carimbo é francês. Tenho certeza de que será do seu marido.

– *Danke*.

A dona da pensão aquiesceu e se retirou da sala de jantar de modo a dar à menina um pouco de privacidade para ler. Nas últimas duas semanas, fora apenas o fantasma de Anna que saíra do quarto para encarar com desinteresse qualquer comida que ela pusesse na sua frente, e ela levava o prato embora intocado. Enquanto se dirigia à lavanderia para lavar a louça do café no barril de madeira, *Frau* Schneider deu um suspiro. Já tinha visto aquilo tudo antes. Embora sentisse alguma empatia por Anna, torcia para que o problema fosse resolvido por aquela carta. Havia muito já aprendera que a situação dos residentes, por mais desesperada que fosse, não podia ser de sua responsabilidade.

Lá em cima, no quarto, Anna abriu a carta com dedos trêmulos. Tinha escrito para Jens semanas antes e mandado a carta para o *château* contando sobre o bebê. Talvez aquilo finalmente fosse a resposta.

Paris
13 de setembro de 1877

Minha querida Anna,
Perdoe-me ter demorado tanto para escrever, mas eu queria estar instalado antes de fazê-lo. Estou morando em um apartamento em Paris e tendo aulas de composição com o renomado professor de música Augustus

Theron. Ele está me ajudando muito a melhorar. A baronesa von Gottfried tem sido muito generosa como minha benfeitora e tem me apresentado a qualquer um que possa ajudar. Chegou a organizar uma soirée, em novembro, para que eu mostre meu trabalho à sociedade parisiense.

Como eu já lhe disse, não senti que fosse apropriado contar a ela sobre nós, mas a verdade, Anna, é que eu não queria deixá-la preocupada quando viajei. O fato é que meu dinheiro acabou e, se não fosse a generosidade da baronesa, nós dois agora estaríamos na sarjeta. Eu lhe deixei tudo que tinha em Leipzig, e sei que você tem as moedas que Frøken Olsdatter lhe deu, de modo que rezo para que não esteja passando necessidade.

Anna, entendo que você deve considerar minha partida e o meu não retorno como uma traição terrível do nosso amor. Mas por favor, acredite, eu AMO você. E o que fiz foi por nós e pelo nosso futuro. Quando minha música começar a ser conhecida, poderei nos sustentar de forma independente, e irei buscá-la, meu amor. Juro isso pela Bíblia que você tanto preza. E pela nossa união.

Por favor, Anna, eu lhe imploro, espere por mim como prometeu. E tente entender que estou fazendo isso por nós dois. Pode parecer difícil, mas tenha fé em mim e confiança de que é a melhor maneira.

Sinto saudades suas, meu amor. Muitas.

Amo você com todo meu coração.

Do seu

Jens

Anna deixou a carta cair no chão e segurou a cabeça com as mãos para tentar organizar os pensamentos desordenados. Não havia qualquer menção ao bebê... Será que ele não tinha recebido sua carta? E por quanto tempo mais ela precisaria esperá-lo?

Esse homem vai partir seu coração e destruí-la... As palavras de *Herr* Bayer ecoavam em sua mente, minando sua determinação de confiar no marido.

❋ ❋ ❋

De alguma forma, Anna conseguiu atravessar a duras penas o mês seguinte. Sem a menor ideia de quando Jens voltaria, foi vendo as moedas de *Frøken* Olsdatter minguarem e decidiu que precisava procurar algum trabalho na cidade.

Passou uma semana percorrendo as ruas de Leipzig indagando sobre vagas de garçonete ou lavadora de panelas, mas no instante em que qualquer patrão em potencial via sua barriga já proeminente, todos balançavam a cabeça e a mandavam embora.

– *Frau* Schneider, a senhora por acaso não precisa de alguma ajuda na cozinha ou com a faxina? – perguntou ela certo dia à alemã. – Agora que *Herr* Hougaard se foi e tenho que aguardar a volta do meu marido, estou entediada. Pensei que poderia me mostrar útil.

– O trabalho que fazemos aqui não é leve, mas se a senhora tiver certeza – respondeu a senhoria, fitando-a com atenção. – Sim, eu bem que gostaria de uma ajuda.

Frau Schneider começou colocando-a para trabalhar na cozinha preparando o desjejum; isso significava que Anna precisava acordar às cinco e meia da manhã. Depois de lavar as panelas, subia ao quarto dos hóspedes e trocava a roupa de cama quando necessário. Tinha as tardes livres, mas às cinco precisava voltar à cozinha para descascar batatas e preparar o jantar. Considerando sua falta de aptidão natural para a cozinha, via certa ironia na situação. Era uma labuta árdua e sem fim, e seu ventre pesava dolorosamente quando subia e descia as escadas, mas ela pelo menos ficava tão exausta que dormia a noite inteira.

– A que ponto cheguei? – indagou certa noite a si mesma deitada na cama, com pesar. – A maior celebridade de Christiania em poucos meses virou criada de cozinha. – Em seguida rezou pela volta do marido, como fazia todas as noites: – Querido Deus, por favor não permita que a fé e o amor que sinto por meu marido estejam errados e que todos aqueles que duvidaram dele estejam certos.

❖ ❖ ❖

Quando os ventos gelados de novembro começaram a soprar, Anna sentiu uma súbita dor na barriga no meio da noite. Após tatear para acender a lamparina a óleo ao lado da cama, levantou-se para aliviar o desconforto e, para seu horror, viu que os lençóis estavam ensopados de sangue. As dores faziam seu ventre se contrair a espasmos regulares, e ela abafou os gritos de dor. Assustada demais para chamar ajuda e desagradar a *Frau* Schneider, suportou sozinha as longas horas do trabalho de parto e, quando o dia despontou, baixou os olhos e viu um minúsculo bebê deitado entre suas pernas, imóvel.

Reparou em um pedaço de pele preso ao umbigo da criança, que também parecia estar preso a ela. Sem conseguir mais conter o terror que sentia, pôs-se a gritar com toda a dor, todo o medo e toda a exaustão que a dominavam. *Frau* Schneider apareceu na porta, e bastou deitar os olhos na carnificina sobre a cama para sair do quarto correndo e ir chamar a parteira.

Anna foi despertada de um sono exausto e febril por mãos suaves que alisaram seus cabelos para atrás e puseram um pano molhado sobre sua testa.

– Pronto, *Liebe*, pronto. Vou cortar o cordão e limpar você – murmurou a voz com gentileza.

– Ela está morrendo? – A voz conhecida de *Frau* Schneider penetrou na consciência de Anna. – Eu sabia, ah, sabia que deveria ter lhe pedido para ir embora no mesmo instante em que soube que ela estava grávida. É nisso que dá deixar meu coração de manteiga mandar na minha cabeça.

– Não, a jovem senhora vai ficar bem, mas o bebê nasceu morto, que tristeza.

– Ora, que tragédia, mas infelizmente preciso ir cuidar da vida. – Dito isso, *Frau* Schneider saiu do quarto com um muxoxo de desagrado.

Uma hora mais tarde, Anna já estava asseada e sentada sobre lençóis limpos. A parteira havia enrolado seu bebê em um xale e o entregou a ela para que se despedisse.

– Era uma menininha, querida. Tente não ficar abalada. Tenho certeza de que no futuro a senhora terá outros bebês.

Anna olhou para os traços perfeitos da filha, cuja pele, no entanto, já exibia um tom azulado. Beijou a menina carinhosamente na testa minúscula, entorpecida demais até para chorar, e então deixou que a parteira a tirasse dos seus braços.

33

— Agora que a senhora está mais forte, desejo lhe falar – disse *Frau* Schneider, tirando a bandeja do desjejum intacta do colo de Anna.

Uma semana havia se passado, e a menina continuava na cama, fraca demais para andar. *Frau* Schneider decidiu que já bastava.

Anna assentiu com letargia; já sabia o que ela iria dizer. E pouco lhe importava se ela a pusesse *mesmo* na rua. Já não ligava para mais nada.

— Desde o início do outono a senhora não recebe cartas do seu marido.
— Não.
— Ele disse quando iria voltar?
— Não. Só disse que voltaria.
— E a senhora acreditou?
— Por que ele iria mentir para mim?

Frau Scheider a encarou, consternada com a sua ingenuidade.

— A senhora tem dinheiro para me pagar o aluguel da semana passada?
— Tenho.
— E o da próxima? E o da seguinte depois da próxima?
— Ainda não olhei minha lata, *Frau* Schneider. Vou olhar agora. – Ela tateou debaixo do colchão e pegou a lata.

Frau Schneider não precisou ouvir que restavam poucas moedas lá dentro. Observou a menina abrir a lata e viu uma expressão de medo atravessar seus olhos azuis. Anna pegou duas moedas, entregou-as à senhoria, em seguida fechou a lata com um estalo.

— *Danke*. E o pagamento da parteira? Pode me dar o dinheiro dela também? Ela me deixou a conta antes de ir. E naturalmente há também a questão do enterro da sua filha. O bebê ainda está no necrotério da cidade, e a menos que a senhora queira que ela seja enterrada em uma vala comum, precisa pagar o enterro e a cova no cemitério.

– Quanto custa isso?

– Não sei dizer. Mas acho que na verdade é óbvio para nós duas que custa mais do que a senhora tem.

– Sim – concordou Anna, desalentada.

– Menina, eu não sou uma mulher má, mas também não sou santa. Afeiçoei-me a você, e sei que é uma boa moça, temente a Deus, que está nesta situação por causa de um homem. E não sou desprovida de coração a ponto de jogá-la na rua depois do que você sofreu. Mas nós duas precisamos ser realistas em relação ao que está acontecendo. Este quarto é o melhor que tenho a oferecer aos hóspedes, e a quantia que você ganhou fazendo os trabalhos domésticos mal dá para duas noites do aluguel semanal. Isso sem falar nas suas outras dívidas...

Ela olhou para Anna à espera de uma reação, mas os olhos mortos da moça não exibiram sequer uma centelha de brilho. Então suspirou antes de prosseguir.

– Assim sendo, sugiro que você continue a me ajudar na pensão trabalhando em tempo integral até seu marido voltar, se é que ele vai voltar, e em troca dos seus serviços eu lhe darei o quarto de empregada na área de serviço, na parte dos fundos da casa. Você comerá os restos do desjejum e do jantar e, além disso, eu lhe emprestarei o dinheiro necessário para pagar a parteira e dar à sua filha um enterro cristão decente. Então, o que me diz?

Anna foi incapaz de responder qualquer coisa. Quaisquer pensamentos que pudesse ter tido não estavam ao seu alcance. Ela só se encontrava fisicamente presente porque não tinha escolha, de modo que meneou a cabeça em um movimento automático.

– Ótimo. Então está decidido. Amanhã você levará suas coisas para o quarto novo. Um cavalheiro deseja alugar este quarto por um mês.

Frau Schneider caminhou até a porta e, quando sua mão grande e ágil segurou a maçaneta, ela se virou, com o cenho franzido.

– Não vai dizer obrigada, menina? Muita gente simplesmente jogaria você na sarjeta.

– Obrigada, *Frau* Schneider – entoou Anna, obediente.

A mulher murmurou alguma coisa, abriu a porta e saiu, e Anna entendeu que não havia demonstrado gratidão suficiente. Fechou os olhos para deixar a realidade longe. Era mais seguro ficar em um lugar onde nada nem ninguém pudesse alcançá-la.

Enquanto um vento gelado soprava no início de dezembro, Anna foi ao cemitério de Johannis e se postou sozinha diante do túmulo da filha.
Solveig Anna Halvorsen.
O Deus no qual sempre acreditara, o amor pelo qual havia sacrificado tudo, e agora sua filhinha... tudo estava perdido.

❊ ❊ ❊

Nos três meses seguintes, Anna apenas existiu. Trabalhava do raiar do dia até o cair da noite, e *Frau* Schneider aproveitou ao máximo o arranjo financeiro combinado quando ela estava vulnerável. A alemã ficava descansando em sua saleta privativa e incumbia Anna de um número cada vez maior de tarefas. À noite, a moça se deitava em seu estrado no quartinho fedendo à comida rançosa da área de serviço e ao esgoto do ralo estreito no quintal, tão exausta que dormia e não sonhava com nada.
Não havia mais sonhos para sonhar.
Quando reuniu coragem para perguntar em quanto tempo sua dívida seria saldada e ela começaria a receber algum salário, *Frau* Schneider respondeu com um rosnado cheio de zanga.
– Sua menina ingrata! Eu cuido de você pondo um teto sobre sua cabeça e comida na mesa, e mesmo assim você pede mais!
Não, era Frau *Schneider quem estava pedindo mais*, pensou Anna nessa noite. Ultimamente, cabia a ela fazer tudo na pensão, e ela sabia que deveria começar a tentar encontrar outro emprego que pelo menos lhe rendesse um salário, por menor que fosse. Ao tirar o vestido e examinar no espelho o rosto encardido, viu que estava com um aspecto pouco melhor do que o de uma criança de rua: quase morta de fome, vestida em andrajos e fedendo a sujeira. Seria quase impossível algum patrão lhe oferecer um emprego no estado em que ela se encontrava.
Pensou em escrever para *Frøken* Olsdatter, ou mesmo implorar a misericórdia dos pais. Quando indagou em uma loja de penhores quanto lhe pagariam pela pena que Lars tinha lhe dado, soube que sequer cobriria o custo de mandar uma carta pelo correio para a Noruega.
Além do mais, o que lhe restava de orgulho lhe dizia que ela havia causado a si mesma todo aquele infortúnio e que não merecia compaixão.
O Natal veio e se foi, e o gelo de janeiro foi sugando lentamente cada

grama de esperança e confiança que Anna ainda tivesse dentro de si. Suas preces, que antes pediam salvação, agora haviam se transformado em desejos de nunca mais acordar.

– Deus não existe, é tudo mentira... tudo mentira – murmurava ela para si mesma antes de sucumbir a um sono exausto.

Certo início de noite, em março, estava na cozinha picando legumes para o jantar dos hóspedes quando *Frau* Schneider entrou com um ar agitado.

– Anna, um cavalheiro está aqui para falar com você.

Ela se virou para a mulher com uma expressão de puro alívio no rosto.

– Não, não é seu marido. Levei-o até minha saleta. Tire o avental, lave o rosto e vá até lá assim que estiver pronta.

Com o coração pesado, Anna pensou se *Herr* Bayer teria vindo zombar dela. Pouco importava se tivesse, pensou, subindo o corredor até a saleta de *Frau* Schneider. Bateu na porta, nervosa, e alguém lhe disse para entrar.

– *Frøken* Landvik! Ou, melhor dizendo, *Fru* Halvorsen, que é como acredito que se deve chamá-la agora. Como vai, meu pequeno rouxinol?

– Eu... – Em choque, Anna encarou o cavalheiro, observando-o como se ele fosse um objeto em exibição no museu de sua vida passada.

– Vamos, menina, fale com *Herr* Grieg – repreendeu *Frau* Schneider. – Ela com certeza sabe responder quando quer – comentou, ácida.

– Sim, ela sempre foi uma moça decidida que sabia o que queria. O temperamento de artista é assim, madame – retrucou Grieg.

– Temperamento de artista? – *Frau* Schneider olhou para Anna com desdém. – Achei que isso fosse coisa do marido ausente dela.

– O marido desta mulher pode até ser um bom músico, mas essa jovem é o verdadeiro talento da família. Nunca a ouviu cantar, madame? Ela tem a voz mais esplêndida que eu já escutei, tirando a de minha querida esposa Nina, claro.

Anna ficou escutando em silêncio os dois falarem a seu respeito e saboreou a expressão de choque no rosto de *Frau* Schneider.

– Bem, é claro que, se eu soubesse, a teria trazido para esta saleta e a feito cantar para nossos hóspedes enquanto eu tocava piano. Apesar de amadora, sou muito entusiasmada. – *Frau* Schneider apontou para o antigo instrumento posicionado em um canto, que Anna não ouvira ser tocado desde o dia em que lá pisara.

– Tenho certeza de que está subestimando suas capacidades, madame. –

Edvard Grieg voltou sua atenção para Anna. – Minha pobre menina – falou, passando ao norueguês para a alemã não entender. – Só recentemente cheguei a Leipzig e recebi sua carta. Você parece quase morta de fome. Perdoe-me; se eu soubesse pelo que estava passando, teria vindo antes.

– *Herr* Grieg, por favor não se preocupe comigo. Eu estou bem.

– É óbvio que não está, e será um prazer ajudá-la em tudo que eu puder. A senhora deve alguma coisa a essa mulher horrorosa?

– Acho que não, senhor. Faz seis meses que não recebo salário, e acho que minhas dívidas já devem ter sido pagas há muito tempo. Mas ela talvez pense diferente.

– Minha pobre menina, coitadinha – disse Grieg, tomando cuidado para manter o tom leve diante da presença atenta de *Frau* Schneider. – Agora vou pedir um copo d'água, que a senhora irá buscar para mim. Depois irá até seu quarto arrumar quaisquer pertences que possua. Traga-me o copo d'água, em seguida pegue suas coisas e saia desta casa. Irei encontrá-la no *Bierkeller* na esquina de Elsterstraße. Enquanto isso, cuidarei de nossa *Frau* Schneider.

– Eu estava comentando com Anna que estou com uma sede tremenda, que não consigo aliviar. *Frau* Halvorsen sugeriu buscar um pouco d'água para mim – pediu ele, em alemão.

Quando *Frau* Schneider aprovou com um meneio de cabeça, Anna saiu da sala e atravessou depressa a área de serviço para ir fazer sua mala, como *Herr* Grieg havia lhe instruído. Encheu um copo com água de uma jarra e o levou até a saleta. Deixou a mala do lado de fora da porta e levou o copo lá dentro.

– Obrigado, minha cara – disse *Herr* Grieg quando ela lhe entregou o copo. – Agora tenho certeza de que deve ter muitos afazeres. Irei lhe falar antes de partir. – Virando-se para *Frau* Schneider, ele conseguiu dar uma leve piscadela para Anna, que se retirou apressada, pegou sua mala e saiu da casa.

Atordoada por aquela reviravolta, aguardou vinte minutos em frente ao *Bierkeller* até a conhecida silhueta de seu salvador descer a rua a passos rápidos na sua direção.

– Bem, *Fru* Halvorsen, espero que um dia o seu marido ausente me recompense por ter negociado a sua libertação!

– Ah, não... Ela o fez pagar para me deixar ir embora?

– Não, foi bem pior do que isso. Ela insistiu para que eu tocasse meu Concerto em Lá Menor naquele instrumento horroroso. Deveria usar aquele piano como lenha para esquentar aquele corpo cheio de banha no inverno. – Grieg deu uma risadinha e pegou do chão a mala de Anna. – Prometi visitá-la de novo para lhe fazer uma serenata, mas posso lhe garantir que não vou cumprir essa obrigação. Agora vamos chamar uma carruagem na praça para nos levar até Talstraße, e no caminho a senhora vai me contar tudo que sofreu nas mãos da malvada *Frau* Schneider. É como se a senhora fosse *Aschenputtel* e aquela mulher, sua madrasta má, que a expulsou para a cozinha para ser sua criada. Só faltam as duas irmãs feiosas!

Grieg deu a mão para Anna e a ajudou a subir na carruagem. Nessa hora, ela se sentiu de fato como uma princesa de conto de fadas sendo resgatada pelo príncipe.

– Vamos para a casa de meu grande amigo, o editor de música Max Abraham – falou Grieg.

– Ele está me esperando?

– Não, mas, minha cara madame, quando ficar sabendo sobre a sua terrível situação, terá imensa alegria em lhe dar um abrigo. Eu tenho direito a usar um conjunto de aposentos sempre que estou em Leipzig. A senhora ficará bastante confortável lá até encontrar outro lugar para morar. Se preciso for, dormirei em cima do piano de cauda.

– Por favor, senhor, não quero lhe causar nenhum problema ou desconforto.

– Posso lhe garantir que não vai ser o caso, cara madame. Eu só estava brincado – disse ele com um sorriso bondoso. – A casa de Max tem muitos quartos de hóspedes. Mas conte-me, como a senhora foi cair tanto da grande altura a que havia chegado na última vez em que a vi?

– Senhor, eu...

– Pensando bem, não me conte! – Grieg ergueu a mão e cofiou o bigode. – Deixe-me adivinhar! As atenções de *Herr* Bayer estavam se tornando insuportáveis. Talvez ele a tenha até pedido em casamento. A senhora recusou, porque estava apaixonada pelo seu belo, porém nada confiável tocador de rabeca e futuro compositor. Ele disse que estava vindo estudar em Leipzig e a senhora decidiu se casar com ele e acompanhá-lo. Acertei?

– Senhor, não zombe de mim, por favor. – Anna abaixou a cabeça. – É evidente que já conhece a história. Cada palavra do que disse é verdadeira.

– *Fru* Halvorsen... posso chamá-la de Anna?

– Claro.

– *Herr* Hennum me falou faz pouco tempo do seu súbito desaparecimento, embora eu não conhecesse os detalhes. E, pelo que escutei em Christiania, era óbvio que as intenções de *Herr* Bayer iam além da sua carreira. Quer dizer que o seu marido tocador de rabeca continua em Paris?

– Acho que sim. – Anna se perguntou como ele sabia.

– E hospedado no apartamento de uma rica benfeitora chamada baronesa von Gottfried, imagino eu.

– Não sei onde ele se hospeda, senhor. Há meses não tenho notícias. Não o considero mais meu marido.

– Minha cara Anna, como você sofreu – disse Grieg, estendendo uma das mãos para reconfortá-la. – Infelizmente, a baronesa é fervorosa na caça aos talentos musicais. E quanto mais jovens e atraentes, melhor.

– Perdoe-me, senhor, mas não tenho o menor interesse em saber os detalhes.

– Não, claro que não. Que insensibilidade a minha! Mas a boa notícia é que ela logo vai se cansar dele e seguir seu caminho, e ele então voltará para o seu lado. – Ele relanceou os olhos para ela. – Eu sempre disse que você era o espírito da minha Solveig. E, assim como ela, fica esperando ele voltar para você.

– Não, senhor. – A observação dele fez os traços de Anna endurecerem. – Eu não sou Solveig, e não vou esperar Jens voltar para mim. Ele não é mais meu marido, nem eu sou sua esposa.

– Anna, chega desse assunto por ora. Você agora está comigo e está segura. Farei tudo que puder para ajudá-la. – Ele fez uma pausa enquanto a carruagem encostava em frente a uma linda e luxuosa casa branca de quatro andares, com fileiras de janelas altas que se encerravam em graciosos arcos. Anna reconheceu a casa: era a sede da editora musical, onde tanto tempo antes ela havia deixado sua carta para *Herr* Grieg. – Pelo bem das aparências, é melhor que os outros acreditem que você apenas passou por maus bocados enquanto esperava seu marido voltar de Paris. Entende isso, Anna? – Os olhos azuis penetrantes de Grieg se cravaram nos dela por um instante, e a pressão da mão dele em torno da sua aumentou.

– Entendo, senhor.

– Por favor, me chame de Edvard. Pronto, chegamos – disse ele, soltando a mão dela. – Vamos entrar e fazer com que nos anunciem.

Ainda tonta com os acontecimentos do dia, Anna foi conduzida por uma criada até aposentos maravilhosamente arejados no sótão e pôde então mergulhar em um merecido banho. Após esfregar a sujeira dos últimos meses, pôs um vestido de seda que havia surgido como por magia sobre a cama de baldaquino. Achou estranho, mas o traje verde-esmeralda coube com perfeição no seu corpo diminuto.

Observou admirada a linda vista de Leipzig da ampla janela, e sua lembrança de ser prisioneira na pequena pensão começou a se dissipar à medida que ela olhava para o luxo que a cercava. Como fora instruída a fazer, desceu a escada e pensou, maravilhada, que, se não fosse por *Herr* Grieg, a essa hora ainda estaria na cozinha encardida de *Frau* Schneider, descascando cenouras para o jantar.

A criada a conduziu até a sala de jantar, e ela se sentou diante de uma comprida mesa entre Edvard, como agora devia chamá-lo, e *Herr* Abraham, seu anfitrião. Quando este lhe deu as boas-vindas à sua casa, Anna viu um par de olhos bondosos brilhando por trás dos óculos bem redondos. Havia outros músicos presentes, além de muitas risadas e boa comida. Embora estivesse faminta, não conseguiu comer muito; seu estômago havia se desacostumado a digerir tanto alimento. Em vez de comer, ficou sentada sem dizer nada, escutando, e beliscando com força a pele do antebraço para ter certeza de que estava realmente ali.

– Essa linda dama é a cantora mais talentosa da Noruega – falou Grieg, erguendo uma taça de champanhe na sua direção. – Olhem só para ela! É o verdadeiro símbolo de Solveig. Ela já serviu de inspiração para algumas canções folclóricas que escrevi este ano.

Na mesma hora, os convivas pediram que ele tocasse as novas músicas e Anna as cantasse.

– Talvez mais tarde, amigos, se Anna não estiver demasiado cansada. Ela atravessou um período muito difícil, prisioneira da mulher mais má de toda Leipzig!

Enquanto Edvard narrava os acontecimentos que haviam culminado com o resgate de Anna e os convidados arquejavam em todos os momentos certos, ela tentou não se sentir sufocada pelas difíceis lembranças do que tinha lhe acontecido.

– Pensei que minha musa houvesse desaparecido! Mas lá estava ela, morando em Leipzig, bem debaixo do nosso nariz! – Ele concluiu com um floreio. – A Anna!

– A Anna!

A mesa inteira ergueu as taças de cristal e bebeu à sua saúde.

Depois do jantar, Edvard a chamou para perto do piano e dispôs uma partitura na sua frente.

– E agora, Anna, em recompensa pelo meu heroico resgate, será que você consegue reunir forças para cantar? A canção se chama "A primeira prímula", e até agora ninguém a cantou, pois tinha que ser você. Venha... – disse ele, dando alguns tapinhas na banqueta do piano. – Sente-se aqui do meu lado e vamos ensaiar por alguns minutos.

– Senhor... Edvard – murmurou ela. – Faz muitos meses que não canto.

– Então sua voz descansou e vai alçar voo feito um pássaro. Agora escute a música.

Anna escutou, e seu único desejo foi que os dois estivessem sozinhos para ela ao menos poder cometer erros em particular, e não diante de uma plateia tão distinta. Quando Edvard anunciou que eles estavam prontos, os convivas se viraram ansiosos na sua direção.

– Anna, por favor, fique em pé; assim você controla melhor a respiração. Consegue ver a letra por cima do meu ombro?

– Sim, Edvard.

– Então vamos começar.

O corpo inteiro de Anna tremeu de nervosismo quando seu salvador tocou os primeiros acordes. Suas cordas vocais haviam passado tanto tempo sem uso que ela não fazia ideia do que sairia de sua boca quando a abrisse. De fato, as primeiras notas saíram certas, mas sem controle. No entanto, à medida que a linda música começou a lhe preencher a alma, sua voz recuperou a memória e a confiança e alçou voo.

Quando eles terminaram a canção, Anna soube que tinha sido boa o bastante. Houve fortes aplausos e pedidos de bis.

– Perfeito, minha cara Anna, como eu sabia que seria. Max, você publicaria essa canção no seu catálogo?

– Claro, mas também deveríamos organizar um recital na Gewandhaus junto com as outras canções folclóricas que você compôs se a angelical Anna aceitar cantá-las. É óbvio que foram escritas para a sua voz. – Max Abraham se curvou diante de Anna em uma pequena mesura respeitosa.

– Então vamos organizar isso – disse Edvard sorrindo para Anna, que deu o melhor de si para disfarçar um bocejo.

– Minha cara, posso ver que está exausta. Tenho certeza de que todos a perdoarão por se recolher cedo. Pelo que ouvimos dizer, os últimos tempos foram extremamente difíceis para a senhora – disse Max, para grande alívio de Anna.

Edvard se levantou e beijou a mão dela.

– Boa noite, Anna.

Ela subiu os três lances de escada até seu quarto. Lá encontrou a criada atiçando a lareira. Uma camisola já estava disposta sobre a grande cama de casal.

– Posso indagar a quem pertencem essas roupas? Servem tão bem em mim...

– São de Nina, mulher de Edvard. *Herr* Grieg me disse que a senhora não tinha trazido nada, e que eu deveria lhe apresentar peças do guarda-roupa de *Frau* Grieg – respondeu a criada enquanto desabotoava o vestido de Anna e a ajudava a despi-lo.

– Obrigada – agradeceu ela, desacostumada a ter ajuda. – Pode me deixar sozinha agora.

– Boa noite, *Frau* Halvorsen.

Depois de a criada sair, Anna se despiu, vestiu a macia camisola de popeline e se enfiou extasiada entre os lençóis limpos de linho.

Pela primeira vez em muitos meses, enviou aos céus uma prece agradecendo ao Deus que havia descartado e pedindo perdão por ter perdido a fé. Então fechou os olhos, exausta demais para pensar qualquer outra coisa, e caiu em um sono pesado.

✦ ✦ ✦

A história do resgate de Anna por Grieg das garras da malvada *Frau* Schneider se tornou o assunto preferido de toda Leipzig e ganhou vários e requintados detalhes ao longo das semanas que se seguiram. À medida que seu novo e poderoso mentor a acompanhava pelos círculos musicais e sociais da cidade, todas as portas se abriam para eles. Os dois compareceram juntos a lautos jantares nas mais lindas casas da cidade, depois dos quais pediam a Anna para cantar em troca do jantar, como Edvard dizia. Em outras noites, ela participava de pequenas *soirées* musicais na companhia de outros compositores e cantores.

Edvard sempre a apresentava como "o símbolo de tudo que há de mais puro e mais lindo no meu país natal" ou como "minha musa norueguesa perfeita". Ao cantar suas canções sobre vacas, flores, fiordes e montanhas, Anna pensava às vezes se deveria simplesmente se vestir com a bandeira nacional para ele poder agitá-la na sua frente. Não que se importasse; sentia-se honrada com o interesse que ele lhe demonstrava. Em comparação com a vida que tinha antes em Leipzig, cada segundo era um milagre.

Durante esses poucos meses, ela conheceu muitos grandes compositores da época, e o mais emocionante desses encontros foi com Pyotr Tchaikovsky, cuja música romântica e arrebatada ela adorava. Todos esses músicos iam visitar Max Abraham na C.F. Peters, que havia se transformado em uma das editoras de música mais admiradas de toda a Europa.

A editora funcionava na mesma casa, e Anna adorava descer aos andares inferiores para admirar os lindos volumes encadernados de partituras com suas capas verdes características, maravilhada com as composições de figuras ilustres como Bach e Beethoven. Também a fascinavam as prensas mecânicas do subsolo, que cuspiam páginas e mais páginas de partituras perfeitas a uma velocidade inacreditável.

Aos poucos, graças à boa comida, ao descanso e, principalmente, ao carinhoso cuidado que a casa inteira lhe dispensava, Anna foi recuperando a força e a confiança. A terrível traição de Jens ainda a magoava e lhe provocava uma raiva intensa, mas ela fazia o possível para afastar da mente esse sentimento e o próprio Jens. Não era mais uma criança ingênua que acreditava no amor, mas sim uma mulher cujo talento podia lhe proporcionar tudo que ela quisesse.

Como os pedidos de recitais chegavam com regularidade, tanto da Alemanha quanto do exterior, Anna também assumiu as próprias finanças; nunca mais na vida queria depender de homem algum. Na esperança de um dia poder comprar seu próprio apartamento, economizava cada centavo. Edvard a incentivava, dava-lhe apoio, e mais do que isso: os dois foram ficando cada vez mais próximos.

Às vezes, de madrugada, Anna acordava com o som plangente do piano de cauda lá embaixo, diante do qual ele tantas vezes se sentava para compor até tarde da noite.

Certa noite, no fim da primavera, atormentada pela visão recorrente da pobre filha morta, jazendo sozinha na terra fria, ela desceu do quarto e foi se sentar no primeiro degrau, bem em frente à sala de estar, para ouvir a melodia melancólica que Edvard estava tocando. Seus olhos se encheram de lágrimas e ela segurou a cabeça com as mãos e chorou, deixando a dor da perda escorrer junto com o pranto para fora de seu corpo.

– Minha cara menina, o que houve? – Anna se sobressaltou ao sentir a mão de alguém no seu ombro e viu os bondosos olhos azuis de Edvard a fitá-la.

– Perdão. Foi essa linda música que tocou minha alma.

– Pois eu acho que foi mais do que isso. Venha. – Ele a levou para dentro da sala e fechou a porta. – Sente-se aqui ao meu lado e use isto para secar os olhos. – Estendeu-lhe um grande lenço de seda.

Os cuidados de Edvard provocaram uma nova enxurrada de lágrimas que ela nada pôde fazer para conter. Depois de algum tempo, constrangida, ergueu os olhos para ele. Sentindo que lhe devia uma explicação, inspirou fundo e lhe contou sobre a perda do bebê.

– Minha querida menina, pobrezinha de você. Como talvez saiba, eu também perdi um filho... Alexandra viveu até os 2 anos e era a coisa mais querida, mais adorável, mais preciosa da minha vida. Sua morte me partiu o coração. Assim como você, perdi a fé em Deus e na própria vida. E confesso que isso teve consequências no meu casamento. Nina ficou totalmente inconsolável, e nos pareceu quase impossível reconfortar um ao outro.

– Bem, pelo menos esse foi um problema que eu não tive na época – comentou Anna, seca, e Edvard deu uma risadinha.

– Minha doce Anna, você se tornou tão querida para mim. Admiro sua determinação e sua coragem mais do que sou capaz de expressar. Ambos conhecemos um sofrimento genuíno, e talvez tudo que eu possa lhe dizer seja que precisamos buscar consolo na nossa música. E quem sabe... – Edvard a encarou, e estendeu a mão para segurar a sua. – Quem sabe um no outro.

– Sim, Edvard – disse ela, entendendo exatamente o que ele estava querendo dizer. – Acho que podemos fazer isso.

❉ ❉ ❉

Um ano depois, com a ajuda de Edvard, Anna pôde sair da casa de Talstraße e se mudar para sua própria e confortável residência em Sebastian-Bach-Straße, em um dos melhores bairros de Leipzig. Só se locomovia de carruagem e conseguia as melhores mesas nos restaurantes mais exclusivos da cidade. À medida que sua fama foi aumentando na Alemanha, começou a viajar com ele para dar recitais em Berlim, Frankfurt e muitas outras cidades. Além de cantar as composições de Grieg, seu repertório agora incluía "A canção do sino" da recém-estreada ópera *Lakmé*, e "Adeus, colinas e campos nativos", de sua ópera favorita de Tchaikovsky, *A donzela de Orléans*.

Houve até uma ida a Christiania para um recital no mesmo teatro em que ela havia iniciado carreira. Ela escreveu com antecedência para os pais e *Frøken* Olsdatter, e mandou *kroner* suficientes para pagar a viagem e reservar um quarto para eles no Grand Hotel, onde ela própria ficaria hospedada.

Depois de tudo que havia acontecido e do quanto se sentia mal por tê-los decepcionado, Anna esperou a resposta deles com grande ansiedade. Não precisava ter se preocupado. Todos aceitaram o convite, e foi um feliz reencontro. Durante um jantar de comemoração após o recital, *Frøken* Olsdatter lhe informou discretamente que *Herr* Bayer havia falecido pouco tempo antes. Ao ouvir a notícia, Anna expressou seus pêsames, mas então lhe implorou que voltasse com ela para Leipzig e se tornasse sua governanta.

Felizmente, Lise aceitou o emprego. Anna sabia que, nas atuais circunstâncias, precisava de alguém em quem pudesse confiar cegamente para trabalhar para ela dentro de sua casa.

No marido fujão, por sua vez, Anna pensava o mínimo possível. Sabia que a baronesa tinha sido vista em Leipzig e ouvira fofocas de que ela estava patrocinando outro jovem compositor, mas fazia anos que ninguém tinha notícia de Jens. Como Edvard havia comentado, ele tinha desaparecido feito um rato nos esgotos de Paris. Anna rezou para que estivesse morto, pois, embora levasse uma vida pouco convencional, estava feliz.

Isso até Edvard chegar a Leipzig durante o inverno de 1883 em resposta à carta urgente que ela lhe enviara.

– Você entende o que precisamos fazer, *Kjære*? Por todos nós?

– Entendo, sim – respondeu Anna, com os lábios contraídos de resignação.

❊ ❊ ❊

Ele só apareceu na primavera de 1884. A criada arranhou a porta da sala de estar para avisar a Anna que havia um homem esperando para falar com ela.

– Eu lhe disse que fosse para a entrada dos vendedores, mas ele se recusa a sair de onde está antes de vê-la. A porta da frente está fechada, mas ele está sentado no degrau. – A criada apontou para uma figura encolhida do outro lado da grande janela. – Devo chamar a polícia, *Frau* Halvorsen? Está claro que ele é um mendigo ou um ladrão, quiçá coisa pior!

Anna se levantou pesadamente do banco em que estava descansando e andou até a janela. Viu o homem sentado no degrau da frente, segurando a cabeça entre as mãos.

Sentiu um peso no coração e pediu ao Senhor outra vez para lhe dar forças. Somente Ele sabia como ela conseguiria suportar aquilo, mas, na atual situação, não lhe restava outra escolha.

– Por favor, mande-o entrar agora mesmo. Parece que o meu marido voltou.

Ally

Bergen, Noruega
Setembro de 2007

34

Foi com o coração na boca que li sobre a volta de Jens para Anna e virei apressada as páginas seguintes para descobrir o que havia acontecido em seguida. Mas Jens tinha decidido pular o que deviam ter sido meses extremamente difíceis e se concentrar mais na mudança do casal de volta para Bergen, um ano depois, para uma casa chamada Froskehuset, perto da propriedade de Grieg, Troldhaugen. E também na subsequente estreia de suas próprias composições em Bergen. Fui para a Nota do Autor na última página:

> Este livro é dedicado à minha maravilhosa esposa, Anna Landvik Halvorsen, que morreu tragicamente de pneumonia no início deste ano, aos 50 anos. Se ela não tivesse se disposto a me perdoar e me aceitar de volta quando apareci em sua porta tantos anos depois de abandoná-la, eu teria mesmo sido engolido pelas sarjetas de Paris. Em vez disso, graças ao seu perdão, nós tivemos uma vida feliz junto a nosso precioso filho, Horst.
>
> Anna, meu anjo, minha musa... você me ensinou tudo que realmente importa na vida.
> Eu amo você e sinto sua falta.
> Do seu
> Jens.

Perturbada e confusa, fechei o computador. Achava quase impossível acreditar que Anna, com seu temperamento forte e seus rígidos princípios morais – justamente as características que a haviam ajudado a sobreviver ao que Jens tinha feito a ela – pudesse ter perdoado o marido tão rápido e o aceitado de volta.

– Eu o teria chutado de casa e me divorciado dele assim que possível – falei para as paredes do quarto de hotel, muito irritada pela conclusão da inacreditável história de Anna.

Sabia que as coisas eram diferentes naquela época, mas Jens Halvorsen, encarnação viva do próprio Peer Gynt, parecia ter escapado sem qualquer tipo de punição.

Olhei para o relógio de pulso e vi que já passava das dez; levantei-me para ir ao banheiro e ferver água para uma xícara de chá.

Quando estava fechando as pesadas cortinas sobre as luzes piscantes do porto de Bergen, refleti seriamente, pensando se teria perdoado Theo se ele me abandonasse. Coisa que ele de certo modo tinha feito, aliás, da maneira mais terrível e definitiva possível. E, sim, eu sabia que também estava zangada e que ainda precisava perdoar o Universo. Ao contrário de Jens e Anna, minha história com Theo havia sido interrompida antes mesmo de começar, e não fora por culpa de nenhum dos dois.

Para não sucumbir ao sentimentalismo, cheguei meus e-mails e ataquei o cesto de frutas, já que estava cansada demais para descer e o serviço de quarto terminava às nove. Vi que havia mensagens de Ma, Maia e uma de Tiggy, dizendo que estava pensando em mim. Peter, pai de Theo, também tinha escrito, dizendo ter conseguido um exemplar do livro de Thom Halvorsen. Queria saber para onde mandá-lo. Respondi perguntando se ele poderia mandá-lo por FedEx para o endereço do hotel e decidi ficar em Bergen até o livro chegar.

No dia seguinte, iria procurar a casa de Jens e Anna e quem sabe fazer uma segunda visita a Erling, o simpático curador do Museu Grieg, para saber mais sobre a sua história. Estava gostando daquela cidade, muito embora minha investigação estivesse empacada.

De repente, o telefone ao lado da minha cama tocou e me sobressaltei.

– Alô?

– Oi, sou eu, Willem Caspari. Tudo bem com você?

– Tudo, sim. Obrigada.

– Que bom. Quer tomar café comigo amanhã de manhã? Tenho uma ideia que gostaria de lhe apresentar.

– Ahn... sim, está bem.

– Excelente. Durma bem.

A ligação foi encerrada abruptamente e pus o fone no gancho, sentindo-

-me um pouco incomodada por ter concordado com o pedido dele. Tentei entender por quê, e reconheci que era por culpa. Para ser sincera, uma pequena centelha de algo dentro de mim me dizia que eu me sentia fisicamente atraída por ele. Mesmo que minha cabeça e meu coração proibissem isso, meu corpo estava desobedecendo às suas ordens e agindo por conta própria. No entanto aquilo não era nem de longe um "encontro". E, mais importante ainda: pelo que Willem tinha dito sobre a morte do parceiro – Jack –, estava claro que ele era gay.

Enquanto me preparava para dormir, permiti-me uma risadinha; pelo menos aquela era uma paixonite segura, que decerto tinha muito mais a ver com o talento dele como pianista do que com qualquer outra coisa. Eu sabia que poderoso afrodisíaco isso podia ser e me perdoei por sucumbir.

❈ ❈ ❈

– Então, o que acha? – Os penetrantes olhos azul-turquesa de Willem se cravaram nos meus durante o café da manhã do dia seguinte.

– Quando vai ser o recital?

– Sábado à noite. Mas você já tocou a música antes, e temos o resto da semana para ensaiar.

– Meu Deus, Willem, isso faz dez anos. Estou muito lisonjeada por você ter me convidado, mas...

– "Sonata para Flauta e Piano" é uma peça linda, e nunca me esqueci de como você a tocou naquela noite no Conservatório de Genebra. Por definição, o fato de me lembrar da sonata e de você dez anos depois significa que foi uma apresentação espetacular.

– Não sou nem de longe tão talentosa ou bem-sucedida quanto você – protestei. – Pesquisei seu nome na internet, e você é um músico muito importante. Chegou a tocar no Carnegie Hall no ano passado! Então agradeço muito por me convidar, mas a resposta é não.

Ele observou a mim e meu café da manhã intocado. Eu estava mesmo muito enjoada.

– Está nervosa, não é?

– É claro que estou! Você pode imaginar como ficaria enferrujado depois de dez anos sem pôr as mãos no piano?

– Sim, mas também tocaria com um entusiasmo e um vigor renovados.

Por que pelo menos não vem me encontrar depois do concerto que vou dar hoje na hora do almoço para tocarmos a peça inteira juntos? Tenho certeza de que Erling não vai se importar, mesmo que considere uma blasfêmia tocar Francis Poulenc no território sagrado de Grieg. E o Logen, onde vai ser o recital de sábado, é um teatro bem bonito. É a ocasião perfeita para você voltar a tocar.

– Você está me pressionando, Willem – vociferei, agora à beira das lágrimas. – Por que faz tanta questão de que eu toque?

– Se alguém não tivesse me forçado a voltar ao piano depois da morte de Jack, eu provavelmente nunca mais teria tocado uma nota sequer, então talvez possamos dizer que, de um ponto de vista cármico, estou retribuindo o bem que me fizeram. Por favor?

– Ah, está bem, então. Apareço em Troldhaugen hoje à tarde para tentar – concordei, sentindo-me vencida pelo cansaço.

– Ótimo. – Ele bateu uma palma de contentamento.

– Você com certeza vai ficar horrorizado quando me ouvir. Eu toquei no funeral do Theo, mas não é a mesma coisa.

– Então, em comparação, isso agora vai ser moleza. Nos vemos às três – disse ele, levantando-se da mesa.

Observei-o ir embora; seu corpo franzino não fazia jus ao enorme café da manhã que eu acabara de vê-lo devorar. Era óbvio que ele vivia à base de adrenalina. Dez minutos depois, de volta ao meu quarto, abri o estojo da flauta com hesitação e olhei para o instrumento como se fosse um inimigo que tivesse que combater.

– O que foi que eu fiz? – murmurei.

Peguei as diferentes peças e as juntei, girando devagar os encaixes e alinhando o instrumento de modo correto. Depois de afinar a flauta e tocar algumas escalas rápidas, tentei tocar o primeiro movimento da sonata de cabeça. *Para uma primeira tentativa, até que não saiu tão ruim*, pensei, enxugando automaticamente a umidade excessiva e limpando debaixo das teclas antes de guardar o instrumento outra vez.

Então saí para dar um passeio pelo cais. Parei em uma das lojas com piso de tábuas de madeira para comprar um suéter, já que a temperatura parecia ter despencado e eu só trouxera roupas de verão na mochila.

Após passar de novo no hotel para buscar a flauta, peguei um táxi e subi a colina. Perguntei ao taxista se ele conhecia uma casa chamada Froskehuset, que ficava na mesma rua do Museu Grieg. Ele respondeu que não, mas que podíamos olhar os nomes das construções ao passar. Dito e feito: achamos a casa, uns poucos minutos mais abaixo na encosta em relação ao museu. Liberei o táxi e ergui os olhos para a bela casa de madeira em estilo tradicional, pintada em um tom creme. Quando cheguei perto do portão, vi que ela parecia meio malconservada: a tinta estava descascando da madeira e o jardim estava malcuidado. Fiquei parada do lado de fora me sentindo como um ladrão que planeja um roubo, e me perguntei quem poderia morar ali agora e se eu deveria simplesmente bater à porta para descobrir. Decidi não fazê-lo, e retomei a subida em direção ao museu.

Entrei no café me sentindo um pouco enjoada outra vez. Havia perdido totalmente o apetite desde a morte de Theo e sabia que tinha perdido peso. Mesmo sem fome, pedi um sanduíche aberto de atum e me forcei a comer.

– Oi, Ally. – Erling chegou sorrindo para me cumprimentar no canto do café. – Ouvi dizer que você tem um ensaio imprevisto hoje à tarde na sala de concerto, depois do recital?

– Se você não se importar, Erling.

– Nunca me importo de alguém tocar uma bela música lá dentro – garantiu-me ele. – Já leu mais alguma coisa da biografia de Jens Halvorsen?

– Na verdade, terminei o livro ontem à noite. Acabei de ir ver a casa em que ele e Anna moraram.

– Ah, é lá que o biógrafo e tataraneto Thom Halvorsen mora, por sinal. Mas você acha que pode ser parente da família Halvorsen?

– Se for, não vejo como isso é possível. Pelo menos não ainda.

– Bom, quem sabe Thom vai poder esclarecer melhor as coisas quando voltar de Nova York no fim da semana? Vai assistir ao concerto de Willem hoje na hora do almoço?

– Vou. Ele é extremamente talentoso, não é?

– É, sim. Como ele talvez tenha lhe contado, viveu uma tragédia pessoal algum tempo atrás. Acho que isso o tornou mais talentoso ainda como pianista. Na vida, esse tipo de acontecimento pode matar ou curar, se é que você me entende.

– Entendo, sim – respondi, tocada.

– Até mais tarde, Ally. – Erling meneou a cabeça para mim e se afastou.

Meia hora depois, eu estava novamente no auditório de Troldsalen ouvindo Willem tocar. Dessa vez o repertório era uma peça menos conhecida chamada "Humores", que Grieg havia escrito mais para o fim da vida, quando já mal conseguia sair de casa por causa da doença, mas ainda cambaleava até o chalé para escrever. Willem tocou a peça divinamente, e me perguntei onde estava com a cabeça por ter sequer cogitado tocar com um pianista tão experiente e talentoso. Ou, para ser mais exata, onde ele estava com a cabeça para querer tocar comigo.

Ao final da apresentação, depois de a plateia satisfeita se retirar, Willem acenou para eu descer até o palco, e fui me juntar a ele, nervosa.

– Nunca tinha ouvido essa peça antes. É esplêndida, e você a tocou lindamente – elogiei.

– Obrigado. – Ele me fez uma curta mesura, então parou para me observar. – Ally, você está branca feito um papel! Vamos andar logo com isso antes que desista e saia correndo.

– Ninguém pode entrar aqui, né? – perguntei, olhando para as portas lá em cima, nos fundos do auditório.

– Meu Deus! Você está começando a parecer tão paranoica quanto eu.

– Desculpe – balbuciei. Peguei minha flauta e a montei, e Willem me indicou a hora de começar.

Fiquei orgulhosa de conseguir chegar ao final dos doze minutos de música sem pular uma nota sequer, mas fui muito auxiliada pelo acompanhamento intuitivo dele e pelo timbre incrivelmente fluido do piano Steinway.

Willem me aplaudiu; o som ecoou bem alto pelo auditório vazio.

– Bom, se é assim que você toca depois de uma década, acho que vou pedir para eles dobrarem o preço do ingresso para o recital de sábado à noite.

– É muita gentileza sua dizer isso, mas não saiu nem de longe perfeito.

– Não, não mesmo, mas foi um começo fantástico. Agora sugiro que a gente repita a peça mais devagar, pois precisamos resolver algumas questões de tempo.

Passamos a meia hora seguinte ensaiando os três movimentos da peça, um por um. Depois de eu guardar a flauta, quando estávamos saindo juntos do auditório, dei-me conta de que não havia pensado em Theo nem uma vez nos últimos 45 minutos.

– Vai voltar para a cidade? – quis saber Willem.

– Vou.

– Então vou providenciar um táxi.

No caminho de volta ao centro de Bergen, agradeci-lhe e confirmei que aceitava tocar com ele no sábado.

– Nesse caso, fico muito feliz – respondeu ele, espiando distraído pela janela. – Bergen é mesmo um lugar muito especial, não?

– É. Eu também sinto isso.

– Um dos motivos pelos quais aceitei vir fazer os recitais na hora do almoço em Troldhaugen esta semana foi porque me convidaram para entrar para a Orquestra Filarmônica daqui e ser o pianista titular. Eu quis testar o terreno, pois isso significaria deixar meu santuário em Zurique e me mudar para cá quase em tempo integral. E, depois do que lhe contei ontem, você sabe que mudança imensa isso seria para mim.

– Jack morava em Zurique com você?

– Morava. Talvez esteja na hora de um novo começo. E pelo menos a Noruega é limpa – acrescentou ele, com uma expressão séria.

– Isso é – falei, rindo. – E o povo é muito simpático. Mas a língua deve ser difícil à beça de aprender.

– Tenho sorte, meu ouvido é muito apurado. Notas musicais, idiomas, de vez em quando um quebra-cabeça matemático: é dessas coisas que eu gosto. Além do mais, todo mundo aqui fala inglês.

– Bom, eu acho que a orquestra teria muita sorte se você viesse.

– Obrigado. – Ele me presenteou com um raro sorriso. – Chegamos ao hotel e entramos. – O que vai fazer hoje à noite?

– Ainda não pensei.

– Quer jantar?

Ele percebeu na hora a minha hesitação.

– Desculpe, você deve estar cansada. Nos vemos amanhã às três. Boa noite.

Ele se afastou abruptamente e me deixou ali plantada sozinha, culpada e confusa. Mas eu não estava passando muito bem, o que não era nem um pouco natural para mim. Fui para o quarto, deitei na cama e pensei com tristeza quantas coisas estavam "pouco naturais" para mim naquele momento.

35

Tive que ir às compras em Bergen para achar algo formal e recatado para a apresentação. Ao colocar o vestido preto simples que usaria no recital, afastei as lembranças da roupa semelhante com a qual comparecera ao funeral de Theo. Passei um pouco de rímel e senti a adrenalina começar a correr por minhas veias a tal ponto que tive que me inclinar acima da privada, e quase vomitei. Enxuguei os olhos lacrimejantes e voltei ao espelho para consertar o estrago no rímel e passar um batom. Então peguei o estojo da flauta e o casaco e desci de elevador para encontrar Willem no lobby do hotel.

Além de estar meio baleada fisicamente, eu também estava encucada com Willem desde o seu convite para jantar. Durante nossos ensaios juntos depois disso, sentira uma certa frieza no seu comportamento. Ele mantivera a conversa em um nível puramente "profissional", e nossos diálogos no táxi eram apenas sobre a peça que tínhamos ensaiado.

As portas do elevador se abriram e eu o vi à minha espera na recepção; a gravata borboleta e o smoking preto impecável lhe caíam bem. Torci para que a minha recusa não o tivesse deixado chateado. Tinha notado um leve toque do mesmo constrangimento pelo qual Theo e eu havíamos passado no comecinho do nosso relacionamento, e algo agora me dizia que Willem com certeza não era gay...

– Você está bonita – disse, levantando-se e vindo em minha direção.

– Obrigada, mas não estou me sentindo bonita.

– Parece que as mulheres nunca se sentem bonitas – comentou ele, brusco. Saímos do hotel e embarcamos no táxi que ele havia arrumado.

O silêncio reinou dentro do carro, e o desconforto entre nós dois me deixou frustrada. Willem parecia distante e tenso.

Chegamos ao Teatro Logen, entramos e Willem foi ao encontro da organizadora que nos aguardava no foyer.

– Venham, venham – disse ela, conduzindo-nos para dentro de uma elegante sala de concerto com o pé-direito alto, fileiras de assentos dispostas no chão e um estreito balcão circular no primeiro andar iluminado por lustres. Não havia nada no palco a não ser um piano de cauda e uma estante de partitura para mim. Os canhões de luz acendiam e apagavam enquanto os engenheiros eletricistas faziam as últimas checagens.

– Vou deixar vocês darem uma última passada – disse a mulher. – O público vai entrar quinze minutos antes do início, então vocês têm meia hora para avaliar a acústica.

Willem lhe agradeceu e subiu os degraus do palco até o piano. Ergueu a tampa e correu os dedos de um lado para o outro sobre as teclas.

– Um Steinway B – afirmou, aliviado. – E o som está bom. Então, vamos dar uma passada rápida?

Tirei a flauta do estojo e reparei que meus dedos tremiam quando a montei. Tocamos a sonata inteira, depois saí à procura do banheiro enquanto Willem praticava seus solos. Tive outra ânsia de vômito, e quando fui passar uma água fria no rosto zombei do meu próprio reflexo, que parecia um fantasma. Logo eu, que tinha fama de ser capaz de suportar as condições mais violentas no mar sem um pingo de náusea. Agora, em terra firme, por ter que tocar flauta durante doze minutos diante de uma plateia, parecia uma marinheira de primeira viagem enjoada com sua primeira tempestade.

De volta às coxias, espiei por entre os painéis e vi as pessoas entrando. Olhei de relance para Willem, que parecia estar realizando algum tipo de ritual a alguns metros de onde eu estava, com uma porção de murmúrios, andando para um lado e para o outro, fazendo exercícios com os dedos; deixei-o em paz. Infelizmente, a "Sonata para Flauta e Piano" era a penúltima peça do recital, o que me obrigaria a esperar sentada nas coxias, escondida e ansiosa.

– Tudo bem com você? – sussurrou Willem ao ouvir o apresentador dizer seu nome e ler os trechos mais importantes do seu currículo.

– Tudo, obrigada – respondi. Uma onda de aplausos varreu a plateia.

– Quero pedir desculpas formais pelo meu pretensioso convite para jantar no outro dia. Foi totalmente inadequado, considerando as circunstâncias. Eu sei da sua condição emocional atual, e de agora em diante vou respeitar isso. Espero que possamos ser amigos.

Com isso, ele pisou no palco, inclinou o corpo e se sentou ao piano.

Começou com o Estudo nº 5 de Chopin, em Sol Bemol Maior, veloz e complexo do ponto de vista técnico.

Enquanto escutava Willem tocar, fiquei pensando no eterno e intrincado balé que sempre ocorria entre homens e mulheres. Quando as últimas notas da peça encheram a sala, admiti que parte de mim sentia uma estranha decepção com o fato de ele querer que fôssemos amigos. Sem falar na culpa, lá no fundo da minha alma, toda vez que eu pensava no que Theo teria achado da confusão que a atração por Willem provocava em mim...

Depois do que me pareceu uma eternidade andando de um lado para o outro pelo espaço apertado das coxias, finalmente ouvi Willem me apresentar e fui me juntar a ele no palco. Abri-lhe um largo sorriso de agradecimento por sua gentileza e por todo o incentivo que ele havia me dado nos últimos dias. Então levei a flauta à boca, indiquei que estava pronta e começamos.

Depois de ele tocar sua última peça da noite, tornei a subir ao palco, e foi muito estranho agradecer os aplausos ao seu lado. Os organizadores chegaram até a me dar um pequeno buquê de flores para me agradecer.

– Parabéns, Ally, foi bom. Muito, muito bom, para dizer a verdade – parabenizou-me Willem enquanto descíamos do palco juntos.

– Concordo plenamente.

Uma voz conhecida fez eu me virar, e vi Erling, curador do Museu Grieg, em pé nas coxias ladeado por dois outros homens.

– Oi – cumprimentei-o com um sorriso. – E obrigada.

– Ally, este é Thom Halvosern, tataraneto e biógrafo de Jens Halvorsen. Além de violinista virtuose e maestro-assistente da Filarmônica de Bergen. E este é David Stewart, o chefe da orquestra.

– Prazer, Ally – disse Thom, enquanto David Stewart se virava para cumprimentar Willem. – Erling me disse que você está fazendo pesquisas sobre os meus tataravós.

Ergui os olhos para Thom e pensei reconhecê-lo, mas na hora não consegui identificar de onde. Ele tinha o colorido típico dos noruegueses: cabelos avermelhados, sardas no nariz e um par de grandes olhos azuis.

– Estou, sim.

– Nesse caso, eu ficaria feliz em ajudar no que puder. Mas me perdoe se hoje eu não estiver dizendo coisa com coisa. Acabei de chegar de Nova York. Erling foi me buscar no aeroporto, e viemos direto para cá ouvir Willem tocar.

– *Jet lag* é de matar – dissemos os dois ao mesmo tempo, antes de marcar uma pausa e dar um sorriso encabulado um para o outro.

– É mesmo – arrematei, bem na hora que David Stewart se virava para nós.

– Infelizmente preciso ir embora correndo, então vou me despedir – disse ele. – Thom, me ligue se as notícias forem boas. – Ele fez suas despedidas e saiu.

– Como você talvez saiba, Ally, estamos tentando convencer Willem a entrar para a Filarmônica daqui. Alguma inclinação até agora, Willem?

– Sim, Thom. E algumas perguntas também.

– Então sugiro que atravessemos a rua para comer e beber alguma coisa. Vocês vêm com a gente? – perguntou Thom a Erling e eu.

– Se tiver coisas para conversar com Willem, não queremos incomodar – respondeu Erling por nós dois.

– De forma alguma. Um simples "sim" de Willem vai bastar para abrirmos o champanhe.

Dez minutos depois, estávamos todos sentados em um aconchegante restaurante à luz de velas. Como Thom e Willem estavam curvados sobre a mesa, muito entretidos em uma conversa, fiquei falando com Erling, sentado à minha frente.

– Você tocou muito bem mesmo hoje, Ally. Bem demais para negligenciar esse talento, sem falar na alegria que tocar lhe proporciona.

– Você também é músico? – indaguei.

– Sou. Minha família inteira é de músicos, como a de Thom. Eu toco violoncelo e faço parte de uma pequena orquestra aqui na cidade. Bergen é uma cidade muito musical. Nossa Filarmônica é a orquestra mais antiga do mundo.

– Finalmente podemos pedir o champanhe! – interrompeu Thom. – Willem concordou em entrar para a nossa orquestra.

– Nada de champanhe para mim, obrigado. Nunca bebo álcool depois das nove – disse Willem com firmeza.

– Então acho melhor aprender, se vai se mudar para a Noruega – provocou Thom. – Só assim a gente consegue suportar os longos invernos daqui.

– Nesse caso, vou acompanhar vocês em homenagem ao dia de hoje – decidiu Willem, cortês, bem na hora que um garçom aparecia com uma garrafa.

– A Willem! – dissemos em coro enquanto a comida era servida.

– Na verdade, estou me sentindo bem mais alerta agora, depois de uma taça de champanhe. – Thom sorriu para mim. – Fale mais sobre o que liga você a Jens e Anna Halvorsen.

Expliquei-lhe rapidamente a história do legado de Pa Salt, do qual faziam parte a biografia de Anna escrita pelo marido Jens Halvorsen e as coordenadas da esfera armilar que haviam me conduzido primeiro a Oslo e agora a Bergen e ao Museu Grieg.

– Fascinante – murmurou ele, observando-me com um ar pensativo. – Quer dizer que nós podemos ser parentes? Para ser sincero, eu pesquisei muito recentemente a história da minha família, e no momento não consigo ver como isso seria possível.

– Nem eu – garanti a ele, subitamente desconfortável com o fato de ele talvez me tomar por uma ladra de genes interesseira. – Encomendei seu livro, aliás. Agora mesmo deve estar vindo lá dos Estados Unidos.

– Que bom. Mas eu tenho um exemplar sobrando em casa, é claro, se você quiser.

– Obrigada. Ou pelo menos posso pedir para você autografar o meu. Como está aqui em pessoa, quem sabe pode me ajudar com alguns detalhes? Você sabe o que aconteceu com a família Halvorsen nos anos seguintes à biografia de Jens?

– Sei, mais ou menos. Infelizmente não foi uma história muito feliz, com as duas guerras mundiais no meio. A Noruega ficou neutra na Primeira Guerra, mas foi bem prejudicada pela ocupação alemã na Segunda.

– Ah, é? Eu nem sabia que a Noruega tinha sido ocupada – confessei. – História não era o meu forte na escola. Na verdade, nunca sequer pensei no efeito que a Segunda Guerra Mundial poderia ter tido nos países menores, que não eram os protagonistas do conflito. E principalmente aqui, neste país pacífico, escondido no topo do mundo.

– Bom, em geral a gente aprende a história do nosso próprio país na escola, não é? Qual era o seu?

– Suíça – respondi com uma risadinha, olhando para ele.

– Neutra – entoamos os dois ao mesmo tempo.

– Bem, nós aqui fomos invadidos em 1940 – prosseguiu Thom. – Na verdade, a Suíça me lembrou a Noruega quando fui dar um concerto em Lucerna uns dois anos atrás. E não só por causa da neve. Os dois países com certeza parecem ter uma certa desconexão em relação ao resto do mundo.

– É – concordei. Fiquei observando Thom comer, ainda tentando entender por que ele me parecia tão familiar, e concluí que devia estar reconhecendo algumas características genéticas que vira nas fotografias de seus antepassados. – Os Halvorsens sobreviveram às guerras?

– É uma história bem triste, na verdade, e complexa demais para eu conseguir contar agora, com meu cérebro prejudicado pelo fuso horário. Mas a gente podia se encontrar em algum momento... quem sabe amanhã à tarde, na minha casa? É a mesma casa em que Jens e Anna moraram, e posso lhe mostrar onde eles passaram alguns dos momentos mais felizes do relacionamento deles. – Ele arqueou uma das sobrancelhas, e senti uma leve animação ao constatar que obviamente também conhecia a história do casal.

– Na verdade, eu vi a casa uns dias atrás, quando estava indo para Troldhaugen.

– Então sabe exatamente onde fica. Mas agora, se me dá licença, está na hora de eu ir para a cama. – Thom se levantou e voltou a atenção para Willem. – Bom voo de volta a Zurique, e tenho certeza de que a administração vai entrar em contato para falar sobre o seu contrato. Ligue para mim se pensar em mais alguma coisa. Às duas, amanhã, em Froskehuset, Ally?

– Sim. Obrigada, Thom.

Depois que nos despedimos de Erling, que fora levar Thom em casa, Willem perguntou:

– Quer voltar a pé? O hotel não fica longe.

– Acho que dou conta – falei, pensando que um pouco de ar puro talvez ajudasse com a dor de cabeça que estava sentindo. Seguimos pelas ruas calçadas de pedra e fomos dar no porto. Willem parou no cais.

– Bergen... meu novo lar! Será que tomei a decisão certa?

– Não sei dizer, mas seria complicado achar um lugar mais bonito do que este para morar. Difícil pensar que algo ruim possa acontecer aqui.

– É isso que está me preocupando. Será que estou entregando os pontos? Será que estou fugindo outra vez do que aconteceu com Jack? Tenho viajado feito um louco desde que ela morreu, e agora me pergunto se vim para cá me esconder. – Ele suspirou e começamos a margear o cais em direção ao nosso hotel.

Estranhei o fato de ele ter se referido ao parceiro como "ela".

– Ou você pode ver as coisas por um lado mais positivo e dizer que está seguindo em frente, recomeçando – sugeri.

– É, poderia. Na verdade, Ally, eu queria perguntar se você passou pelo processo todo de "por que continuei vivo depois que ele morreu".

– É claro que passei, e ainda estou passando. O Theo me obrigou a sair do veleiro no qual estávamos competindo logo antes de se afogar. Passei horas e horas pensando em como poderia tê-lo salvado se estivesse a bordo, mesmo sabendo que isso teria sido impossível.

– É... essa estrada não leva a nada. Eu passei a entender que a vida não passa de uma sequência aleatória de acontecimentos. Você e eu ficamos para trás; temos que seguir vivendo e pronto. Meu terapeuta me disse que é por isso que eu tenho sintomas de TOC. Quando Jack morreu, fiquei com a sensação de que não tinha controle, e venho compensando isso de forma exagerada desde então. Estou melhorando... hoje até tomei aquela taça de champanhe depois das nove... – Ele deu de ombros. – Um passinho de cada vez, Ally. Um passinho de cada vez.

– Sim. Qual é o nome todo de Jack?

– Jacqueline. Em homenagem a Jacqueline du Pré. O pai dela tocava violoncelo.

– Na primeira vez em que você falou nela, pensei que Jack fosse homem...

– Ah! Pois é, parece que isso é mais uma forma de controle, e funciona. Já me protegeu de muitas mulheres predadoras com quem cruzei. Basta uma referência a Jack e elas recuam. Eu posso não ser um astro do rock, mas depois dos espetáculos há sempre umas *groupies* de música clássica por perto, espichando os olhos para mim e pedindo para ver meu... ahn, instrumento. Uma delas chegou até a me dizer que tinha uma fantasia de me ver tocando o concerto para piano Nº 2 de Rachmaninoff nu.

– Bom, espero que você não tenha achado que eu fosse uma dessas.

– É claro que não. Na verdade... – Tínhamos parado em frente ao hotel, e Willem voltou os olhos para as águas calmas que batiam no cais. – ... foi o contrário. E, como já disse a você, meu convite para jantar foi inadequado. Típico de mim... – Ele suspirou, subitamente desanimado. – Enfim, obrigada por ter tocado comigo hoje, e espero que possamos manter contato.

– Willem, quem deve agradecer sou eu. Você me trouxe de volta à música. Agora preciso ir para a cama antes que eu me encolha e durma na calçada.

Entramos no lobby deserto.

– Eu vou embora amanhã cedo – disse-me ele. – Tenho que organizar as coisas lá em Zurique. Thom quer que eu venha o quanto antes.

– Quando você volta?

– Em novembro, a tempo de me preparar para o Concerto do Centenário de Grieg. – Paramos em frente ao elevador. – Você vai ficar mais tempo aqui?

– Não sei, Willem. Não sei mesmo.

– Bom – disse ele enquanto entrávamos no elevador e apertávamos nossos respectivos botões. – Este é o meu cartão. Dê notícias.

– Dou, sim.

O elevador parou no andar dele.

– Tchau, Ally. – Com um breve sorriso, ele meneou a cabeça para mim e saiu.

Dez minutos mais tarde, ao apagar meu abajur de cabeceira, torci para Willem manter *mesmo* contato. Apesar de estar a anos-luz de distância de outro relacionamento, eu gostava dele. E, depois do que ele acabara de dizer, achava que ele talvez também tivesse se interessado por mim.

36

— Olá – disse Thom com um sorriso ao abrir a porta de Froskehuset e me fazer entrar. – Venha até a sala. Quer beber alguma coisa?
– Um copo d'água está bom, obrigada.
Quando ele saiu, corri os olhos pela sala. A decoração excêntrica tinha um estilo que eu passara a identificar como tipicamente norueguês: caseiro e muito aconchegante. Uma coleção de poltronas desemparelhadas e um sofá com protetores de renda no encosto estavam dispostos em volta de um imenso fogareiro de ferro que com certeza espantava o frio à noite, pensei. O único objeto digno de nota na sala era o piano de cauda laqueado de preto junto à *bay window* com vista para o magnífico fiorde lá embaixo.
Fui olhar mais de perto a coleção de fotografias emolduradas dispostas sobre uma horrenda escrivaninha em falso estilo rococó, no canto. Uma das imagens em especial me chamou a atenção: era um menininho de uns 3 anos – Thom, imaginei – sentado no colo de uma mulher perto do fiorde, sob um sol forte. Os dois tinham o mesmo sorriso largo, as mesmas cores e os mesmos olhos grandes e expressivos. Quando Thom voltou, pude distinguir em seu rosto vestígios do garoto da fotografia.
– Desculpe o estado da casa – disse ele. – Faz só alguns meses que voltei para cá depois que minha mãe morreu, e ainda não tive tempo de mexer na decoração. Eu sou mais minimalista, mais no estilo escandinavo moderno; essas relíquias do passado não têm muito a ver comigo.
– Na verdade, eu estava justamente aqui pensando o quanto esse estilo me agrada. É tão...
– *Real!* – dissemos os dois ao mesmo tempo.
– Você leu meu pensamento direitinho – falou Thom. – Mas, pensando bem, se está mesmo fazendo pesquisas sobre Jens e Anna, é até adequado você ver o interior original antes de eu jogar a maior parte dessas coisas

dentro de uma caçamba. Muitos dos móveis que estão aqui foram deles e hoje devem ter uns 120 anos. Assim como tudo nesta casa, inclusive o encanamento. Foram eles que compraram o terreno... ou melhor, Anna comprou, em 1884. Eles levaram um ano para construir a casa.

– Eu nunca tinha ouvido falar em nenhum dos dois antes de ler o livro – confessei, desculpando-me.

– Bom, Anna era a mais conhecida do casal na Europa, mas Jens também era bem famoso, principalmente em Bergen. Ele começou mesmo a voar mais alto depois que Grieg morreu, em 1907, embora sua música fosse altamente derivada da do mestre e, para ser sincero, uma versão piorada. Não sei o quanto você sabe sobre o envolvimento de Grieg na vida do casal...

– Depois de ler o livro de Jens, sei bastante. Sei principalmente o que ele fez por Anna quando a resgatou na pensão em Leipzig.

– É. Bom, como você ainda não teve a oportunidade de ler meu livro, uma coisa que não deve saber é que foi Grieg quem encontrou Jens vivendo em Montmartre com uma mulher que trabalhava como modelo vivo para artistas. Ele tinha sido abandonado por sua benfeitora baronesa e ganhava a vida mal e mal tocando rabeca, na maior parte do tempo bêbado e drogado de ópio, como acontecia com muita gente no círculo boêmio de Paris da época. Parece que Grieg passou um grave sermão nele e então pagou sua passagem de volta para Leipzig, dizendo-lhe de forma bem clara para ir se jogar aos pés de Anna e pedir perdão.

– Quem contou isso a você?

– Meu bisavô Horst, a quem Anna revelou tudo em seu leito de morte.

– Quando Jens voltou, então?

– Por volta de 1884.

– Poucos anos depois de Grieg resgatar Anna em Leipzig? Não vou fazer rodeios, Thom: fiquei deprimida quando cheguei ao final do livro. Não consegui entender por que Anna aceitaria Jens de volta depois de tantos anos de abandono. Do mesmo jeito, agora não entendo por que Grieg teria ido procurá-lo em Paris. Ele devia saber o que Anna sentia então a respeito do marido. Não faz sentido algum.

Thom me observou como se estivesse refletindo sobre alguma coisa.

– Bom, é esse o problema da história, como descobri quando estava pesquisando a da minha própria família – disse ele por fim. – A gente descobre os fatos, mas é difícil saber quais foram as verdadeiras motivações humanas das pessoas envolvidas. Não esqueça que foi Jens quem escreveu a biografia. O livro não diz nada sobre o que Anna achava do assunto e foi publicado depois que ela morreu, basicamente um tributo do marido a ela.

– Eu, pessoalmente, teria recebido Jens com um facão de cozinha quando ele voltou com o rabo entre as pernas. Para mim, o primeiro noivo dela, Lars, parecia uma opção bem mais atraente.

– Lars Trulssen? Sabia que ele foi para os Estados Unidos e virou um poeta de algum renome? Casou-se com uma moça da terceira geração de uma rica família nova-iorquina com raízes norueguesas e teve uma penca de filhos.

– É mesmo? Que bom ouvir isso, me sinto muito melhor. Tive um pouco de pena dele, mas, enfim, nós mulheres nem sempre escolhemos o bonzinho, não é?

– Acho que prefiro não comentar sobre isso – disse Thom dando uma risadinha. – A única coisa que posso dizer é que, para um observador qualquer, eles continuaram casados e felizes pelo resto da vida. Ao que parece, Jens ficou eternamente grato a Grieg por salvá-lo da devassidão de Paris e a Anna por perdoá-lo. Os dois casais com certeza passavam muito tempo juntos, pois eram quase vizinhos de porta. Quando Grieg morreu, Jens ajudou a criar um departamento de música na Universidade de Bergen com o dinheiro que ele deixou. A escola agora se chama Academia Grieg; foi lá que eu estudei.

– Eu na verdade não sei nada sobre a família depois de 1907, ano em que termina o livro de Jens, e nunca sequer escutei nenhuma das composições dele.

– Na minha opinião não vale a pena escutar muita coisa que ele compôs. Mas quando vasculhei as muitas pastas de partituras que tinham passado anos mofando dentro de caixas no sótão, encontrei uma coisa muito especial. Um concerto para piano que ele escreveu e que, até onde sei pelas minhas pesquisas, nunca foi executado em público.

– Sério?

– Como este ano é o centenário de Grieg, vai haver diversos eventos, entre eles um concerto importante aqui em Bergen para marcar o fim do ano de comemorações.

– É, Willem comentou.

– Como você pode imaginar, o foco vai ser a música norueguesa, e seria maravilhoso estrear a obra do meu tataravô. Já falei com o Comitê de Programação e com o próprio Andrew Litton, nosso respeitado regente, e atualmente também meu mentor de regência. Eles ouviram a peça... espetacular, na minha opinião, e ela foi incluída no programa do concerto de 7 de dezembro. Como no sótão só consegui encontrar as partituras para piano, mandei um conhecido meu muito talentoso orquestrar a música. Mas quando cheguei em casa de Nova York, ontem, tinha um recado na secretária eletrônica dizendo que a mãe dele adoeceu algumas semanas atrás e que ele nem chegou a começar o trabalho.

Thom parou de falar um instante; pude ver a decepção em sua expressão.

– Não vejo mesmo como isso vai ficar pronto para dezembro. Uma pena... Na minha opinião, é de longe a melhor coisa que Jens compôs. E, claro, estrear uma obra original de um Halvorsen que tocou na estreia de *Peer Gynt* teria sido perfeito. Mas, enfim, chega dos meus problemas. E você, Ally? Já tocou em alguma orquestra?

– Nossa, nunca. Não acho que meu talento na flauta algum dia tenha atingido esse patamar. Estou mais para amadora.

– Depois de ouvi-la tocar ontem, vou ter que discordar. Willem disse que você estudou flauta quatro anos no Conservatório de Genebra. Isso é bem diferente de "amadora" – brincou ele.

– Pode ser, mas até algumas semanas atrás eu era velejadora profissional.

– É mesmo? Mas como?

Diante de uma xícara de chá que Thom havia encontrado para mim dentro de um armário, fiz-lhe um resumo da minha vida e dos acontecimentos que haviam precedido minha chegada a Bergen. Percebi que estava me acostumando a repetir a história me atendo aos fatos, sem chegar às emoções. Não sabia se isso era bom ou ruim.

– Meu Deus, Ally... eu achava que a minha vida fosse complicada, mas a sua... bem. Não sei como você suportou as últimas semanas. Meus parabéns, sério.

– Fiquei ocupada investigando meu passado – falei, tensa, querendo mudar de assunto. – Mas agora que já entediei você o bastante com a minha história, que tal retribuir o favor e me contar sobre os Halvorsens mais modernos? Se não se importar – acrescentei depressa, ciente de que se tratava da família dele. Não queria que ele pensasse que eu estava reivindicando qualquer propriedade permanente em relação a ela. – Enfim, qualquer que seja o meu vínculo, deve ter a ver com o passado recente, porque eu tenho só 30 anos.

– Eu também, na verdade. Nasci em junho. E você?

– 31 de maio, pelo que meu pai adotivo me falou.

– Sério? Bem, eu nasci em 1º de junho – disse Thom.

– Um dia de diferença – refleti. – Mas pode falar, sou toda ouvidos.

– Bom... – Thom tomou um gole de seu café. – Fui criado aqui em Bergen pela minha mãe, que morreu faz um ano. Foi assim que vim morar em Froskehuset.

– Eu sinto muito, Thom. Como você já sabe, eu conheço a sensação de perder um dos pais.

– Obrigado. Foi bem ruim na época, porque éramos muito próximos. Mamãe era mãe solteira, e não tinha nenhum pai por perto para nos dar apoio.

– Você sabe quem é seu pai?

– Ah, sei sim. – Thom arqueou uma das sobrancelhas. – Ele é a conexão de sangue com Jens Halvorsen. Meu pai, Felix, é bisneto dele. Mas, ao contrário de Jens, que pelo menos um dia voltou para Anna, meu pai nunca assumiu as próprias responsabilidades.

– Ele ainda está vivo?

– Vivíssimo, mesmo sendo vinte anos mais velho do que a minha mãe. Na minha opinião, meu pai tem o maior talento musical de todas as gerações de homens da família Halvorsen. E, assim como Anna, minha mãe cantava lindamente. Basicamente, ela foi fazer aulas de piano com meu pai e ele a seduziu. Ela engravidou aos 20 anos. Ele se recusou a aceitar que fosse o pai e recomendou a ela que me abortasse.

– Que barra. Foi isso que sua mãe lhe contou?

– Foi. E, conhecendo Felix, eu acredito nela totalmente – disse Thom com uma voz neutra. – Ela passou por muita dificuldade depois que eu nasci. Foi abandonada pelos pais... Eles eram de uma família do norte, da zona rural, muito antiquados em relação a esses assuntos. Martha, minha mãe, virou praticamente uma indigente. Não se esqueça de que trinta anos atrás a Noruega ainda era um país relativamente pobre.

– Que coisa horrível, Thom. E o que ela fez?

– Felizmente, meus bisavós Horst e Astrid se meteram na história e nos trouxeram para morar com eles. Mas eu acho que mamãe nunca se recuperou do que meu pai fez com ela. Passou o resto da vida tendo crises terríveis de depressão e nunca desenvolveu seu potencial de cantora.

– Felix reconheceu você como filho?

– Ele foi obrigado. A justiça ordenou um exame de DNA quando eu era adolescente – explicou Thom, com um ar sombrio. – Minha bisavó tinha morrido e deixado a casa no meu nome, e não no de Felix, neto deles. Ele contestou o testamento alegando que mamãe e eu éramos impostores e queríamos dar o golpe do baú, por isso o exame de DNA. E não deu outra! Cem por cento de comprovação que o sangue dos Halvorsens corre nas minhas veias. Não que eu algum dia tenha duvidado. Mamãe nunca teria mentido sobre uma coisa dessas.

– Sei. Bom, em primeiro lugar, tenho que confessar que o seu passado parece tão dramático quanto o meu – disse, sorrindo, e fiquei aliviada ao ver Thom retribuir o sorriso. – Você vê seu pai de vez em quando?

– Às vezes, na cidade, mas socialmente não.

– Quer dizer que ele mora por aqui?

– Ah, sim, lá no alto das montanhas, com suas garrafas de uísque e uma interminável fila de mulheres formando uma trilha até sua porta. Esse sim é um "Peer Gynt" que nunca admitiu seus erros. – Thom deu de ombros com tristeza.

– Mas estou meio confusa... Você falou nos seus bisavós, mas parece que falta uma geração. O que houve com seus avós? A mãe e o pai de Felix?

– Foi essa a história que mencionei para você ontem à noite. Na realidade, eu nunca cheguei a conhecer nenhum dos dois. Eles morreram antes de eu nascer.

– Sinto muito, Thom. – Fiquei admirada ao sentir meus olhos se encherem de lágrimas.

– Ai, Ally, meu Deus, não chore. Sério, eu estou bem, estou tocando a minha vida. Você encarou coisa bem pior recentemente.

– Eu sei que você está bem, Thom. Desculpe, sua história me comoveu, só isso – falei, sem entender direito por que isso tinha acontecido.

– Como você pode imaginar, não é um assunto sobre o qual eu fale com frequência. Na verdade, estou impressionado que eu tenha conseguido contar tudo a você com tanta honestidade.

– E eu estou grata por você ter compartilhado isso comigo, Thom. Só mais uma pergunta. Você algum dia já escutou o lado da história do seu pai?

Ele me encarou de um jeito estranho.

– Como poderia haver outro lado?

– Ah, você sabe...

– Além do fato de ele ser um filho da mãe inútil e egoísta, que abandonou minha mãe na pior e grávida, você quer dizer?

– É – falei bem baixinho, sabendo que estava pisando em terreno perigoso. Recuei depressa. – Pelo que você contou, deve ter mesmo razão, é essa a história e pronto.

– O que não quer dizer que eu às vezes não sinta pena do Felix – admitiu ele. – Ele estragou a própria vida e desperdiçou um talento incrível. Graças a Deus, eu herdei um pouco desse talento, e por isso sempre serei grato.

Vi Thom olhar para o relógio e entendi que era uma deixa para eu me despedir.

– Preciso ir andando. Já tomei seu tempo o suficiente.

– Não, Ally, por favor. Não vá ainda. Para dizer a verdade, acabei de pensar que estou com fome. Em Nova York está mais ou menos na hora do café da manhã. Quer umas panquecas? É quase a única coisa que eu sei fazer sem livro de receitas.

– Sério, se quiser que eu vá embora, é só dizer.

– Tudo bem, mas não quero. Você pode vir ser minha *sous-chef* na cozinha, que tal?

– Está bem.

Enquanto preparávamos as panquecas, Thom começou a me fazer mais perguntas sobre minha vida.

– Pelo que você disse mais cedo, seu pai adotivo parece ter sido um homem muito especial.

– Foi mesmo.

– E todas essas irmãs... você nunca deve ter sentido falta de companhia. Ser filho único às vezes é muito solitário. Quando eu era pequeno, era louco para ter irmãos.

– O único mal de que eu nunca padeci foi solidão. Sempre tive alguém com quem brincar, alguma coisa para fazer. E com certeza aprendi a dividir.

– Apesar de ter tudo só para mim, não gostava de ser o reizinho da minha mãe – falou ele, servindo as panquecas nos pratos. – Sempre senti uma pressão dela para corresponder às suas expectativas. Ela só tinha a mim.

– Eu e minhas irmãs fomos incentivadas apenas a sermos nós mesmas –

falei. Sentamo-nos à mesa da cozinha para comer. – Você sentiu culpa por sua mãe ter sofrido tanto para colocá-lo no mundo?

– Senti. E, para ser bem cruel, quando ela ficava deprimida e dizia que era culpa minha se a sua vida tinha saído dos trilhos, eu sentia vontade de gritar que nunca tinha pedido para nascer e que a decisão tinha sido *dela*.

– Bom, a gente forma um par e tanto, não é?

Com o garfo a meio caminho da boca, ele ergueu os olhos para mim:

– É mesmo. Mas é bom ter alguém capaz de entender a situação pouco usual da minha família.

– Eu também sinto isso. – Sorri para ele do outro lado da mesa. Ele sorriu de volta e tive uma forte impressão de *déjà vu*.

– Que estranho – comentou ele alguns segundos depois. – Tenho a sensação de que conheço você desde sempre.

– Eu sinto a mesma coisa – falei.

Mais tarde, ele me levou de carro de volta para o hotel.

– Está livre amanhã de manhã? – perguntou.

– Não planejei nada.

– Ótimo. Eu passo para pegar você e vamos dar um passeio curto de barco pelo porto. Aí conto o que aconteceu com meus avós Pip e Karine. Como falei, é um capítulo difícil e doloroso da história dos Halvorsens.

– Bem, você se importaria se fizéssemos isso em terra firme? Minha veia de marinheira desapareceu completamente desde que Theo morreu.

– Entendo. Por que não vai me visitar em Froskehuset de novo? Pego você às onze. Boa noite, Ally.

– Boa noite, Thom.

Despedi-me dele com um aceno em frente ao hotel e subi para o quarto. Postei-me junto à janela com os olhos perdidos na água, maravilhada ao pensar em quantas horas Thom e eu tínhamos passado conversando sobre qualquer assunto, sobre *todos* os assuntos, e como isso parecera fácil e natural. Tomei uma chuveirada e fui para a cama ciente de que, fosse qual fosse o resultado das minhas investigações sobre o passado, pelo menos eu estava fazendo amigos durante o processo.

Com esse pensamento, peguei imediatamente no sono.

37

Na manhã seguinte, ao acordar, a calma que eu havia sentido na véspera desapareceu quando corri até o banheiro para vomitar. Voltei para a cama e fiquei deitada, com os olhos marejados, sem entender por que andava me sentindo tão mal. Nunca tinha dado muito valor à minha saúde, uma vez que passara incólume por todas as doenças infantis e eu era sempre a fortaleza que ajudava Ma quando um vírus particularmente difícil de curar passava de irmã para irmã.

Agora estava me sentindo péssima e me perguntava se aquele primeiro mal-estar que tivera em Naxos na verdade se devera a algum tipo de vírus no sistema digestivo que ainda não havia passado, pois eu certamente não estava bem desde então. E a coisa estava piorando... Devia ser só a tensão das últimas semanas, pensei, impotente. Eu precisava comer; meu nível de glicose devia estar lá embaixo. Pedi ao serviço de quarto um café da manhã completo bem farto, decidida a devorar tudo. É assim que se trata enjoo no mar, Ally, falei para mim mesma ao me sentar na cama com a bandeja sobre os joelhos e lutar para comer o máximo que conseguia.

Vinte minutos depois, dei a descarga e mandei embora todo o café da manhã. Enquanto me vestia com gestos trêmulos, pois Thom chegaria em meia hora, resolvi que lhe pediria a indicação de um bom médico, pois era óbvio que eu estava doente. Na mesma hora que estava pensando isso, meu celular tocou.

– Alô?
– Ally?
– Oi, Tiggy, tudo bem?
– Tudo... tudo sim. Onde você está?
– Ainda na Noruega.
– Ah, tá – respondeu ela depois de um instante.
– O que houve?
– Nada... nada mesmo. Só queria saber se você já tinha voltado a Atlantis.

– Não, desculpe. Está tudo bem?

– Sim, tudo bem, tudo ótimo. Só liguei para saber como você estava.

– Estou bem. Descobrindo várias coisas sobre as pistas que Pa me deixou.

– Que legal. Avise quando voltar da Noruega; quem sabe a gente consegue se encontrar? – disse ela com uma falsa animação na voz. – Amo você.

– Também amo você.

Desci de elevador até o térreo, intrigada com o tom de voz de Tiggy. Estava acostumada com a sua serenidade, com a sua capacidade de sempre fazer todos em volta se sentirem melhor com a sua versão exclusiva de esperança esotérica. Mas naquele telefonema ela havia soado muito diferente. Prometi a mim mesma lhe mandar um e-mail mais tarde.

– Oi. – Thom veio na minha direção quando saí do elevador.

– Oi – disse, sorrindo e tentando recuperar a compostura.

– Está tudo bem, Ally? Você está meio... abatida.

– É, bom, na verdade não – falei enquanto caminhávamos até a saída. – Não estou me sentindo muito bem. Para ser sincera, já faz alguns dias. Tenho certeza de que não é nada grave, só uma infecção alimentar ou algo assim, mas queria perguntar se você conhece algum médico que eu pudesse consultar.

– É claro que conheço. Quer ir lá agora?

– Não, eu não estou tão mal assim, só não estou me sentindo... eu mesma.

Ele me ajudou a subir no seu velho Renault.

– Você está mesmo com uma cara péssima – disse ele, e pegou o celular. – Que tal marcar uma consulta para hoje mais tarde?

– Está bem, obrigada. Desculpe – murmurei. Ele digitou um número no aparelho e falou em norueguês com a pessoa do outro lado da linha.

– Pronto, marcado para as quatro e meia. Mas então... – Ele encarou meus traços abatidos e sorriu. – Sugiro levá-la direto para Froskehuset e acomodá-la debaixo de um edredom quentinho no sofá. Aí você pode decidir se prefere escutar a história dos meus avós ou me ouvir tocar violino.

– Não podemos fazer as duas coisas? – Dei-lhe um sorriso sem forças, perguntando-me como ele podia saber que, naquele dia frio de outono, com meu estômago sensível, a ideia de um edredom, de uma história e de um pouco de música era exatamente o que eu precisava.

Meia hora mais tarde, aninhada no sofá e com a ajudinha extra do imenso fogareiro de ferro aceso, pedi a Thom que tocasse violino para mim.

– Por que não começa com sua peça preferida para violino?

– Está bem. – Ele deu um suspiro fingido. – Mas, considerando seu estado hoje, não quero que pense que isso tem algum significado oculto.

– Combinado – prometi, levemente intrigada com o comentário.

– Então está bem.

Levando o violino amorosamente ao queixo, Thom o afinou e, então, as notas plangentes de uma das minhas peças preferidas começaram a sair das cordas. Entendi o que ele quisera dizer e soltei uma gargalhada.

Thom parou de tocar e sorriu.

– Eu falei...

– Sério, *A morte do cisne* também é uma das minhas favoritas.

– Ótimo.

Ele recomeçou a tocar, e fiquei ali deitada, aconchegada e confortável, ouvindo um virtuose dotado de talento natural me fazer aquela serenata. Senti-me honrada com aquele recital exclusivo. Quando a última nota triste se dissipou, uni as mãos e bati palmas.

– Que coisa linda!

– Obrigado. E agora, o que quer escutar?

– O que você mais gostar de tocar.

– Certo, então. Lá vai.

Passei os quarenta minutos seguintes ouvindo-o tocar uma fabulosa seleção de suas peças preferidas, entre as quais o primeiro movimento do Concerto para Violino em Ré Maior de Tchaikovsky e a sonata *Trinado do diabo*, de Tartini, e pude testemunhar enquanto ele se transportava para dentro de outro mundo, um mundo no qual eu tinha visto todo músico de verdade entrar quando tocava. Perguntei-me outra vez como podia ter passado os últimos dez anos sem música e sem músicos. Eu também já havia experimentado aquela sensação. Em algum momento, devo ter pegado no sono, tão relaxada, segura e quentinha que simplesmente me deixei levar. Até sentir um toque delicado no ombro.

– Desculpe, desculpe mesmo – falei, abrindo os olhos e dando com Thom a me encarar com preocupação.

– Eu poderia ficar seriamente ofendido com o fato de o único membro da plateia ter pegado no sono, mas não vou levar para o lado pessoal.

– E não deve mesmo, Thom. Juro a você que é um elogio, de um jeito meio irônico. Posso usar o banheiro? – perguntei, saindo de baixo da coberta.

– Pode, fica no corredor à esquerda.

– Obrigada.

Quando voltei, aliviada por estar me sentindo melhor do que de manhã, Thom já estava na cozinha diante de algo que borbulhava sobre o fogão.

– O que está fazendo? – perguntei.

– Almoço. Já passa da uma. Deixei você dormir por mais de duas horas.

– Meu Deus! Não é à toa que você está ofendido. Mil desculpas.

– Pelo que você me disse, passou por muita coisa nos últimos tempos.

– Passei, sim – concordei, sem vergonha de reconhecer isso. – Sinto tanta saudade do Theo...

– Imagino. Sei que isto vai soar bizarro, mas de certa maneira eu invejo você.

– Como assim?

– No sentido de que eu ainda não senti isso por mulher nenhuma. Já tive relacionamentos, mas nenhum deles levou a lugar nenhum. Ainda não encontrei a "alma gêmea" de que tanto falam.

– Mas vai encontrar, Thom. Tenho certeza.

– Pode ser... mas, para ser bem sincero, estou perdendo as esperanças à medida que vou ficando mais velho. Tudo isso me parece trabalhoso demais.

– Thom, alguém vai aparecer, do mesmo jeito que o Theo apareceu para mim, e aí você vai saber, simples assim. Mas o que tem aí nessa panela?

– A única outra coisa que eu sempre acerto... macarrão. À moda do Thom.

– Bom, não sei o que você põe no seu, mas tenho certeza de que o meu "macarrão especial" é muito melhor – provoquei. – É a minha especialidade.

– Sério? Duvido que seja melhor do que o meu. O povo vem lá das colinas de Bergen só para provar este macarrão – disse ele. Escorreu a massa, despejou um molho por cima e misturou. – Queira se sentar, por gentileza.

Comi com cautela, sem querer fazer uma nova visita ao banheiro, mas descobri que na realidade o macarrão de Thom, uma saborosa mistura de queijo, ervas e presunto, estava descendo bastante bem.

– E aí? – indagou ele, olhando para minha tigela vazia. – Estava bom?

– Excelente. Seu macarrão especial me ressuscitou. Agora estou pronta pra ouvir o concerto do seu tataravô. Isso se você quiser tocá-lo para mim...

– Claro. Mas lembre que o piano não é meu primeiro instrumento, de modo que não farei justiça à peça.

Voltamos para a sala e tornei a me acomodar no sofá, dessa vez sentada, enquanto Thom pegava a partitura em uma prateleira.

– Essa é a partitura original para piano?

– É – respondeu ele, ajeitando os papéis na estante. – Então tá, muita paciência comigo enquanto tento acertar, ok?

Quando ele começou a tocar, fechei os olhos e me concentrei na música. Sem dúvida nenhuma havia influências de Grieg, mas também algo único. Um magnífico e hipnótico tema que percorria a música inteira lembrava Rachmaninoff, e talvez um pouco Stravinsky. Thom terminou com um floreio e se virou para mim.

– O que achou?

– Já estou cantarolando a melodia na cabeça. É hipnotizante, Thom. Sério.

– Também acho. David Stewart e Andrew Litton pensam a mesma coisa. Amanhã vou me dedicar a encontrar alguém para concluir o arranjo para orquestra. Não sei se vão conseguir terminar a tempo, mas vale a pena tentar. Sinceramente, não sei como nossos antepassados conseguiam se virar. Se hoje em dia, mesmo com todo o auxílio dos computadores, já é difícil, imagine escrever à mão cada nota para cada instrumento de uma orquestra inteira na partitura; devia ser uma empreitada descomunal. Não é de estranhar que os grandes compositores levassem tanto tempo para concluir suas sinfonias e concertos. Eu tiro meu chapéu para Jens e seus semelhantes, tiro mesmo.

– Você faz mesmo parte de uma linhagem ilustre, não é?

– Hum, a grande questão, Ally, é saber se você também faz – disse ele devagar. – Depois que você foi embora ontem, tive muito tempo para pensar em qual poderia ser seu parentesco com o clã dos Halvorsens. Como meu pai Felix é filho único, e nenhum dos meus avós tampouco teve irmãos, só consegui encontrar uma solução.

– Qual?

– Estou com medo de você se ofender.

– Diga logo, Thom. Sério, eu aguento – falei.

– Está bem. Considerando o movimentado histórico do meu pai com as mulheres, fiquei pensando se não seria possível ele ter tido um filho ilegítimo. Que talvez nem *ele mesmo* saiba que existe.

Encarei-o, tentando processar mentalmente o que ele dizia.

– Imagino que seja uma teoria possível, sim. Mas, Thom, por favor lembre que ainda não existe nenhuma prova de que eu seja parente de sangue dos Halvorsens. Fico muito pouco à vontade de aparecer assim, do nada, e me intrometer na história da sua família.

– Escute, para mim, quanto mais Halvorsens houver, melhor. Atualmente eu sou o último da família.

– Bom, só há um jeito de saber. Perguntar para o seu pai.

– Tenho certeza de que ele vai mentir – disse Thom com amargura. – Como normalmente faz.

– Pelo que você diz, tomara que ele não tenha nenhuma relação comigo.

– Não estou querendo ser negativo, Ally, não mesmo. É que não tenho muita coisa positiva para falar dele. – Thom deu de ombros.

– Certo, deixe-me entender as gerações – prossegui. – Quer dizer que Jens e Anna tiveram um filho chamado Horst?

– Isso. – Thom foi até a escrivaninha e pegou um livro. – Esta é a biografia que escrevi. Fiz uma árvore genealógica da família Halvorsen. Tome. – Ele me entregou o livro. – Está no fim, antes dos agradecimentos.

– Obrigada.

– Horst era um violoncelista competente. Não estudou em Leipzig, mas em Paris – continuou ele enquanto eu procurava a árvore genealógica. – Depois voltou para a Noruega e veio tocar na Filarmônica de Bergen, onde ficou quase a vida inteira. Era um homem encantador, e mesmo que tivesse 92 anos quando eu nasci, ainda me lembro dele ativo na minha primeira infância. Segundo minha mãe me contou, meu bisavô foi a primeira pessoa a colocar um violino nas minhas mãos, quando eu tinha 3 anos. Ele morreu com 101 anos sem nunca ter ficado doente um dia sequer na vida. Tomara que eu tenha herdado esses genes.

– E os filhos dele?

– Horst se casou com Astrid, 15 anos mais nova, e eles passaram a maior parte da vida aqui em Froskehuset. Tiveram um filho que batizaram de Jens, em homenagem ao avô, mas por algum motivo ele sempre foi chamado de Pip.

– E o que aconteceu com ele? – indaguei, sem entender, com os olhos pregados na árvore genealógica.

– Foi essa a história à qual me referi. É bem dolorosa, Ally. Como você não está se sentindo muito bem, tem certeza de que vai querer escutar?

– Tenho – respondi, decidida.

– Está bem. Então, Jens Neto se revelou um músico de talento e foi para Leipzig estudar, assim como o avô tinha feito antes dele. Mas o ano era 1936, e o mundo, é claro, estava mudando...

Pip

Leipzig, Alemanha
Novembro de 1936

38

Jens Horst Halvorsen, mais conhecido como Pip, apelido que recebeu quando ainda era uma minúscula sementinha na barriga da mãe, caminhou a passos firmes na direção do imponente edifício de pedra onde funcionava o Conservatório Real de Música de Leipzig. Nessa manhã, ele e os colegas tinham uma aula inaugural com Hermann Abendroth, famoso regente da Orquestra Gewandhaus da cidade, e ele sentia todo seu corpo formigar de tanto entusiasmo. Desde que havia trocado o mundo musical estreito e limitado de Bergen, sua cidade natal, por Leipzig, todo um universo novo havia se descortinado para ele, tanto do ponto de vista criativo quanto pessoal.

Em vez da linda, mas aos seus ouvidos antiquada, música de compositores como Grieg, Schumman e Brahms, que ele havia escutado com o pai desde a infância, o Conservatório havia lhe apresentado compositores que estavam vivos. Seu atual favorito era Rachmaninoff, cuja *Rapsódia sobre um tema de Paganini,* que estreara dois anos antes nos EUA, era a peça que servira de inspiração para Pip compor as próprias músicas. Ele assobiava a melodia baixinho enquanto percorria as largas ruas de Leipzig. As aulas de piano e composição haviam instigado sua imaginação criativa e lhe apresentado ideias musicais progressistas. Além de admirar o talento musical de Rachmaninoff, ele também ficara enfeitiçado por *A sagração da primavera,* de Stravinsky, peça tão moderna e ousada que mesmo vinte anos depois da estreia em Paris, em 1913, ainda levava seu pai, ele próprio um experiente violoncelista, a qualificá-la como "obscena".

Enquanto caminhava, Pip ia pensando em Karine, o outro amor de sua vida. Ela era a musa que lhe servia de inspiração e que o incentivava a progredir cada vez mais. Um dia ele lhe dedicaria um concerto.

Os dois tinham se conhecido durante um recital na sala de concerto da Gewandhaus, cerca de um ano antes, em uma gelada noite de outubro. Pip acabara de começar o segundo ano no Conservatório e Karine, o primeiro. No foyer da Gewandhaus, enquanto eles esperavam para ocupar seus lugares na última fila da plateia, a moça deixou cair uma luva de lã e Pip a pegou do chão. Seus olhares haviam se cruzado quando ele lhe devolveu a peça – desde então eram inseparáveis.

Karine era uma mistura exótica de antepassados franceses e russos, fora criada em uma casa decididamente boêmia em Paris. Seu pai era um escultor francês de algum renome e sua mãe, uma bem-sucedida cantora de ópera. Sua própria criatividade havia encontrado um canal de expressão no oboé, e ela era uma das poucas alunas do Conservatório. Dona de cabelos negros e aveludados como a pelagem de uma pantera e olhos escuros brilhantes posicionados acima de malares saltados, Karine tinha uma pele que, mesmo no auge do verão, permanecia sempre pálida e branca como a neve da Noruega. Tinha um estilo único de se vestir e, em vez dos adornos tipicamente femininos, preferia usar calças compridas acompanhadas por jalecos de artista ou paletós de alfaiataria. Longe de lhe dar um aspecto masculino, essas roupas só faziam acentuar sua beleza lasciva. Sua única imperfeição física visível, da qual ela vivia reclamando, era o nariz, pelo visto uma herança do pai judeu. Pip não se importava que o nariz dela fosse igual ao de Pinóquio depois de contar uma mentira. Para ele, Karine era perfeita, sem tirar nem pôr.

Os dois já tinham conversado sobre seu futuro juntos: fariam o possível para arrumar empregos em orquestras na Europa, e depois disso torciam para conseguir economizar o suficiente para emigrar para os EUA e lá construir uma vida nova. Para ser bem honesto, esse era mais um sonho de Karine do que de Pip. Contanto que ela estivesse ao seu lado, ele conseguiria ser feliz em qualquer lugar, mas entendia por que a moça queria ir embora. Na Alemanha, a propaganda antissemita veiculada pelo partido nazista crescia em ritmo acelerado, e em outras regiões do país os judeus já eram constantemente intimidados.

Por sorte, Carl Friedrich Goerdeler, prefeito de Leipzig, ainda era um forte opositor do discurso nazista. Todos os dias, Pip garantia a Karine que nada de ruim iria lhe acontecer ali e que ele cuidaria dela. Sempre concluía dizendo que, quando estivessem casados, ela ganharia um sobrenome norueguês para substituir o seu, Rosenblum, mais obviamente judeu... "ainda que você seja *mesmo* um lindo botão de rosa", provocava ele toda vez que o assunto vinha à tona.

Nesse dia, porém, o sol estava brilhando e os tensos tremores provocados pela ameaça nazista pareciam distantes e exagerados. Apesar do ar gelado, em vez de pegar o bonde, Pip decidira naquela manhã fazer a pé o trajeto de vinte minutos de seus aposentos em Johannisgasse até o Conservatório. Caminhou pensando em como a cidade havia crescido desde a época de seu pai. Embora Horst Halvorsen tivesse morado a maior parte da vida em Bergen, havia nascido ali em Leipzig, e a consciência dessa conexão familiar dava a Pip uma sensação ainda mais forte de pertencimento.

Já perto do Conservatório, ele passou pela estátua de bronze de Felix Mendelssohn, fundador da escola de música, que ficava em frente à sala de concerto da Gewandhaus. Mentalmente, inclinou a boina para aquele grande homem antes de verificar seu relógio de pulso e apertar o passo ao se dar conta de que não tinha muito tempo.

Dois de seus melhores amigos, Karsten e Tobias, já estavam à sua espera, recostados em uma das colunas encimadas por arcos que formavam a fachada do prédio.

– Bom dia, dorminhoco. Karine não deixou você dormir, foi? – indagou Karsten com um sorrisinho malicioso.

A provocação fez Pip sorrir, bem-humorado.

– Não. Eu vim a pé e levou mais tempo do que imaginei.

– Pelo amor de Deus, andem logo, vocês dois – interrompeu Tobias. – Querem mesmo chegar atrasados na aula de *Herr* Abendroth?

Os três se juntaram ao fluxo constante de alunos que entravam na Großer Saal, uma sala ampla cujo teto arredondado era sustentado por fileiras de pilastras, com um balcão superior de onde se podia ver o térreo e o tablado. O espaço era usado tanto como sala de aula quanto como sala de concerto. Ao sentar-se, Pip recordou o primeiro recital de piano que dera ali e fez uma careta. Seus colegas e professores formavam um público bem mais crítico do que qualquer um que ele pudesse vir a encontrar no futuro em salas de concerto normais. De fato, depois de ele terminar, sua apresentação havia sido analisada e destruída.

Agora, dois anos e meio depois, ele se sentia quase imune a qualquer comentário ácido sobre seu modo de tocar; o Conservatório se orgulhava de formar músicos profissionais resistentes, prontos a sair por suas portas e integrar qualquer orquestra do mundo.

– Já leu o jornal de hoje? Nosso prefeito foi a Munique para uma reunião do Partido – sussurrou Tobias enquanto eles se acomodavam. – Com certeza vai sofrer mais pressão para aplicar as táticas antissemitas aqui em Leipzig. A situação está ficando mais perigosa a cada dia que passa.

Fortes palmas ecoaram quando Hermann Abendroth entrou na sala, mas Pip, mesmo aplaudindo, sentiu o coração bater um pouco mais depressa com a notícia que Tobias acabara de lhe dar.

Mais tarde, encontrou Karine e a melhor amiga dela, Elle, no café que costumavam frequentar, localizado entre a sua pensão e a das moças. As duas haviam se conhecido no primeiro semestre do Conservatório, pois estavam alojadas no mesmo quarto. Como tinham nascido na França e falavam o mesmo idioma, o vínculo fora imediato. Nessa noite, Elle havia trazido o namorado, Bo, sobre quem Pip pouco sabia, a não ser que ele também era aluno de música do segundo ano. A mesa pediu uma rodada de cerveja *Gose* e Pip reparou no contraste entre o encanto moreno de Karine e a beleza loura de olhos azuis de Elle. *A cigana e a rosa*, pensou, enquanto as bebidas eram servidas.

– Imagino que já tenha ouvido a notícia? – Karine baixou a voz para falar com ele. Ultimamente, não era possível saber quem estava escutando.

– Ouvi, sim – respondeu ele; podia ver a tensão impressa nos traços da namorada.

– Elle e Bo também estão preocupados. Você sabe que Elle também é judia, mesmo que não pareça. Que sorte a dela... – murmurou Karine. Então voltou a atenção para os amigos sentados do outro lado da mesa.

– Achamos que é só uma questão de tempo para acontecer aqui o que já está acontecendo na Bavária – disse Elle baixinho.

– Temos que esperar e ver o que o prefeito consegue lá em Munique. Mas, mesmo se o pior acontecer, tenho certeza de que ninguém vai se meter com os alunos do Conservatório – garantiu-lhes Pip. – Seja qual for a sua inclinação política, os alemães têm a música no coração e na alma. – Ao falar, desejou que suas palavras não soassem tão vazias. Olhou para Bo do outro lado da mesa, cujos olhos atormentados estavam sombrios quando ele passou um braço protetor em volta dos ombros de Elle. – Como você está, Bo? – indagou Pip.

– Bastante bem – respondeu o outro.

Bo era um homem de poucas palavras, que devia seu apelido à insistência de carregar consigo para onde fosse o arco do violoncelo, *Bogen* em alemão. Pip sabia que ele era um dos violoncelistas mais talentosos do Conservatório e que tinha um futuro brilhante pela frente.

– Onde vai passar o Natal?

– Eu...

Nessa hora, Bo olhou por cima do ombro de Pip; o choque fez seu corpo dar um tranco e a cor se esvair do seu rosto. Pip se virou e viu dois oficiais da SS entrarem energicamente pela porta, com seus típicos uniformes cinza e as pistolas em coldres de couro na cintura. Pip viu Bo estremecer e olhar para o outro lado. Infelizmente, aquela era uma visão frequente em Leipzig nos últimos tempos.

Os dois oficiais correram os olhos pelos clientes do café e então se sentaram a uma mesa próxima.

– Ainda não temos certeza do que vamos fazer – respondeu Bo, recobrando o sangue-frio.

Virando-se para Elle, sussurrou alguma coisa em seu ouvido; alguns minutos depois, os dois se levantaram para ir embora.

Karine e Pip observaram o casal de amigos ir embora da maneira mais discreta possível.

– Eles estão com muito medo – disse Karine com um suspiro.

– Bo também é judeu?

– Ele diz que não, mas muitos mentem, mesmo que sejam. Ele está preocupado com a mulher que ama. Acho que talvez eles não demorem a ir embora da Alemanha.

– Para onde?

– Ainda não sabem. Paris, talvez, mas, segundo Elle, Bo teme que, se a Alemanha causar uma guerra, ela chegue à França também. O meu país. – Karine estendeu a mão e, quando Pip a segurou, sentiu que estava tremendo.

– Como eu disse, vamos ver o que acontece quando o prefeito Goerdeler voltar – repetiu ele. – Se for preciso, Karine, nós também vamos embora.

No dia seguinte, Pip percorreu a bruma cinza suave da manhã de novembro até o Conservatório. Ao chegar perto da Gewandhaus, seus joelhos quase cederam ao deparar com a multidão reunida em frente ao edifício. Onde na véspera se erguia orgulhosa a estátua de Felix Mendelssohn, fundador judeu do Conservatório, agora não restava nada exceto uma pilha de entulho e pó.

– Ai, meu Deus do céu – murmurou ele entre os dentes ao passar apressado por todos, ouvindo os cânticos insultuosos entoados aos gritos por vários membros uniformizados da juventude hitlerista em meio às ruínas da estátua. – Começou.

Chegando ao Conservatório, encontrou uma multidão de alunos chocados no hall de entrada. Viu Tobias e foi até ele.

– O que houve?

– Haake, o vice-prefeito, mandou derrubar a estátua. Estava tudo planejado para quando Goerdeler estivesse em Munique. Agora ele com certeza vai ser forçado a renunciar. E então Leipzig estará perdida.

Pip procurou Karine em meio ao caos e a encontrou olhando por uma das janelas em arco. Ela se sobressaltou quando ele pôs uma das mãos no seu ombro, e quando se virou ele viu que seus olhos estavam cheios de lágrimas. Enquanto ele a abraçava, ela balançou a cabeça sem dizer nada.

Nesse dia, Walther Davisson, diretor do Conservatório, cancelou todas as aulas; a região estava muito tensa e o clima era considerado perigoso demais para os alunos. Karine disse que iria encontrar Elle em um café na esquina de Wasserstraße e Pip se ofereceu para acompanhá-la. Quando chegaram, Elle estava sentada com Bo em uma discreta mesa reservada.

– Agora que isso aconteceu, não temos mais ninguém para nos proteger – falou Karine, acomodando-se junto com Pip. – Todo mundo sabe que Haake é antissemita. Vejam como ele tentou aplicar aquelas leis horríveis do resto da Alemanha. Quanto será que vai demorar para eles impedirem médicos judeus de exercerem a medicina e arianos de os consultarem aqui em Leipzig?

Pip encarou os três rostos pálidos à sua volta.

– Não podemos entrar em pânico; vamos esperar Goerdeler voltar. Os jornais dizem que será daqui a poucos dias. De Munique, ele foi à Finlândia resolver uma questão relacionada à Câmara de Comércio. Estou certo de que, quando souber o que aconteceu, voltará para Leipzig na hora.

– Mas o clima na cidade é de ódio puro! – exclamou Elle. – Todo mundo sabe que muitos judeus estudam no Conservatório. E se eles decidirem ir mais longe e destruir o prédio inteiro, como fizeram com sinagogas em outras cidades?

– O Conservatório é um templo à música, não uma instituição política ou religiosa. Por favor, precisamos tentar manter a calma – reiterou Pip. Elle e Bo, porém, já estavam totalmente distraídos em uma conversa sussurrada.

– É muito fácil para você dizer tudo isso – observou Karine para ele, entre os dentes. – Você não é judeu e pode passar por um deles. – Ela examinou os olhos azul-claros e cabelos ondulados ruivo-alourados dele. – Para mim é diferente. Logo depois de a estátua ser derrubada, passei por um grupo de jovens a caminho do Conservatório e eles ficaram gritando "*Jüdische Hündin!*". – A lembrança a fez baixar os olhos. Pip sabia muito bem o que significava o xingamento: cadela judia. Seu sangue ferveu, mas perder as estribeiras não ajudaria em nada.

– E tem mais: não consigo nem falar com meus pais – continuou ela. – Eles estão nos Estados Unidos preparando a nova mostra de escultura do meu pai.

– Meu amor, eu a manterei segura. Mesmo que tenha que levá-la de volta para a Noruega para isso, nada de mau vai acontecer a você. – Ele segurou-lhe a mão e afastou uma mecha de cabelos pretos brilhantes de seu rosto ansioso.

– Promete?

Pip beijou-lhe a testa com carinho.

– Prometo.

❊ ❊ ❊

Para alívio de Pip, as coisas de fato se acalmaram ao longo dos dias seguintes. Goerdeler voltou e prometeu reerguer a estátua de Mendelssohn. O Conservatório reabriu, e toda vez que entravam, Pip e Karine faziam o possível para desviar os olhos da pilha de entulho. A música tocada pelos alunos parecia agora imbuída de uma paixão e pungência renovadas. Como se eles estivessem tocando para salvar a própria vida.

O feriado de Natal chegou, mas não era longo o bastante para que Pip ou Karine voltassem para casa. Em vez disso, os dois passaram uma semana em um pequeno hotel, no qual se registraram como marido e mulher. Como Pip fora criado em uma casa luterana, com uma rígida visão acerca do sexo antes do casamento, ficara surpreso com a atitude *laissez-faire* de Karine em relação ao tema quando ela havia sugerido que eles fossem para a cama poucas semanas depois de terem se conhecido. Descobrira que ela nem era mais virgem como ele. Quando eles fizeram amor pela primeira vez, Karine achou divertida a sua timidez.

– Mas é claro que isso é um processo natural para duas pessoas apaixonadas – provocou ela, em pé e nua na sua frente, posicionando os longos membros muito brancos de modo naturalmente elegante, com os seios perfeitos e miúdos empinados. – Nosso corpo foi feito para nos dar prazer. Por que negar isso a ele?

Nos últimos meses, Pip havia sido instruído nas artes do amor físico e chafurdava alegremente no que o pastor da sua cidade chamaria de pecados da carne. Era o primeiro Natal que passava longe da família, e concluiu que estar na cama com Karine era mil vezes melhor do que qualquer presente que pudesse ter recebido do Papai Noel na véspera de Natal em casa.

– Eu amo você – sussurrava ele sempre no seu ouvido deitado ao lado dela, fosse dormindo ou acordado. – Eu amo você.

❂ ❂ ❂

O novo semestre começou em janeiro, e Pip, sabendo que seu tempo no Conservatório era limitado, concentrou as energias em absorver tudo que lhe ensinavam. Durante o inverno gelado de Leipzig, andava pela neve cantarolando Rachmaninoff, Prokofiev e a *Sinfonia dos Salmos* de Stravinsky. À medida que fazia isso, as próprias composições começavam a se formar na sua cabeça.

Chegava no Conservatório, pegava umas folhas pautadas na bolsa e, com as mãos ainda meio congeladas, anotava as melodias antes de esquecê-las. Aos poucos, aprendera que o método de composição que funcionava melhor para ele era o que se baseava no pensamento livre e em deixar a imaginação fluir, em vez daquele usado pelos outros alunos, que envolvia o meticuloso planejamento de temas e a composição de apenas um compasso de cada vez, arranjado com grande cuidado.

Mostrou o trabalho a seu supervisor; este, apesar de fazer críticas, incentivou-o. Pip andava muito animado, pois sabia que aquilo era só o começo de seu processo individual. Seu sangue pulsava com energia e bombeava mais depressa pelas veias quando ele começava e escutar sua musa interior.

A cidade continuava relativamente calma; Goerdeler era candidato a reeleição, em março. O Conservatório inteiro o apoiava, e os alunos distribuíam folhetos e cartazes instando a cidade a votar. Karine parecia confiante na vitória.

– Apesar de ele até agora não ter conseguido reerguer a estátua, com certeza depois que o povo falar e ele for reeleito, o Reich não terá outra escolha senão apoiá-lo na empreitada – dissera ela, esperançosa, quando estavam os dois tomando café com Elle após um longo dia de campanha.

– Sim, mas todos sabemos que Haake se opõe abertamente à reeleição dele – contrapôs Elle. – A destruição da estátua de Mendelssohn revelou claramente a posição dele em relação aos judeus.

– Haake está só instigando a tensão para preparar seu ninho nazista – concordou Karine, sombria.

Na noite em que os votos foram contados, Pip, Karine, Elle e Bo se juntaram à multidão em frente à prefeitura e deram vivas eufóricos quando souberam que Goerdeler tinha sido reeleito.

❈ ❈ ❈

Infelizmente, quando os botões de flor brotaram nas árvores em maio e o sol enfim apareceu, a euforia na cidade se revelou efêmera.

Pip havia passado dias e noites compondo em sua sala de ensaio no Conservatório. Karine foi procurá-lo para dar as últimas notícias.

– Mandaram avisar de Munique... A estátua não vai ser reconstruída – disse ela, ofegante.

– Que notícia terrível. Mas, por favor, minha amada, tente não se preocupar. Falta pouco para o fim do semestre, e então poderemos avaliar a situação e bolar um plano.

– Mas, Pip, e se as coisas piorarem mais depressa do que isso?

– Tenho certeza de que não será o caso. Agora vá para casa; nos vemos à noite.

Mas Karine estava certa, e alguns dias depois Goerdeler renunciou. A cidade mergulhou outra vez no caos.

❈ ❈ ❈

Pip estava ocupado se preparando para as provas, além de estar também aperfeiçoando seu primeiro opus, que seria apresentado em um concerto de formatura logo antes do semestre acabar. Após ficar acordado até altas horas concluindo os arranjos para orquestra, esforçava-se para arrumar tempo de consolar a desesperada Karine.

– Elle me disse que ela e Bo vão embora de Leipzig assim que o semestre terminar, daqui a duas semanas, e não vão mais voltar. Segundo eles, é perigoso demais ficar aqui agora, com os nacional-socialistas livres para exigir as sanções contra os judeus que as outras cidades já estão aplicando.

– Para onde eles vão?

– Não sabem ainda. Talvez para a França, mas Bo teme que haja problemas lá também. O Reich tem defensores por toda a Europa. Vou escrever para meus pais pedindo conselho. Mas, se Elle for embora, eu também vou.

Essa informação atraiu toda a atenção de Pip.

– Mas pensei que os seus pais estivessem nos Estados Unidos.

– E estão. Meu pai está pensando em ficar por lá enquanto durar essa tempestade antissemita na Europa.

– E você iria para lá ficar com eles? – Pip sentiu uma onda de pânico lhe retorcer as entranhas.

– Se eles acharem que é o melhor a fazer, sim, iria.

– Mas... mas e nós dois? O que vou fazer sem você? – indagou ele, e pôde ouvir o tom egoísta na própria voz.

– Você poderia vir comigo.

– Karine, você sabe que eu não tenho dinheiro para viajar para os Estados Unidos. E como poderia ganhar a vida lá se não me formar no Conservatório e acumular alguma experiência antes de ir?

– *Chéri*, eu acho que você não está entendendo a gravidade da situação. Judeus nascidos na Alemanha, que vivem aqui há gerações, já perderam a cidadania. Os membros do meu povo não podem mais se casar com arianos nem servir no exército e estão proibidos de hastear a bandeira alemã. Ouvi dizer até que, em algumas regiões, eles estão reunindo bairros inteiros de judeus para deportá-los. Se tudo isso já aconteceu, quem pode saber a que ponto as coisas vão chegar? – Ela empinou o queixo, desafiadora.

– Quer dizer que você iria para os Estados Unidos sozinha e me deixaria aqui?

– Se isso for salvar minha vida, sim, claro. Pelo amor de Deus, Pip, sei que você está envolvido com a sua composição, mas imagino que prefira me ver viva do que morta, não é?

– Claro! Como você pode sequer sugerir que eu cogite outra coisa? – disse ele, e a raiva ficou clara na sua voz.

– Porque você se recusa a levar a sério o que está acontecendo. No seu mundo norueguês seguro nunca houve perigo. Nós, judeus, pelo contrário, sabemos que sempre vamos estar vulneráveis a perseguições, como aconteceu ao longo de toda a história. E agora não é diferente. Estamos sentindo isso, todos nós. Talvez seja só uma coisa tribal, mas nós sabemos quando o perigo é iminente.

– Não acredito que você iria sem mim.

– Pip! Por favor, não seja infantil! Você sabe que eu o amo e quero passar o resto da minha vida com você, mas esta... esta situação não é novidade para mim. Antes mesmo de o Reich legalizar as perseguições, nós sempre fomos alvo de antipatia. Em Paris, anos atrás, jogaram ovos no meu pai durante uma das exposições de escultura dele. Os sentimentos antissemitas existem há milhares de anos. Você precisa entender isso.

– Mas por quê?

Karine deu de ombros de leve.

– Porque a história fez de nós um bode expiatório, *chéri*. As pessoas sempre temem quem é diferente, e ao longo dos séculos nós fomos forçados a sair de um lugar para outro. Onde quer que cheguemos, nos instalamos e somos bem-sucedidos. Nós nos unimos, pois foi isso que aprendemos a fazer. Foi assim que sobrevivemos.

Pip baixou os olhos, constrangido. Karine tinha razão. Para ele, que havia passado a maior parte da vida na sua cidadezinha no topo do mundo, o que ela dizia era como uma história fictícia de outro mundo. E muito embora ele tivesse visto com os próprios olhos o entulho da estátua destruída de Mendelssohn, de certa forma justificara o ocorrido em sua mente dizendo que era apenas um grupo aleatório de rapazes fazendo um protesto, como os pescadores de vez em quando faziam quando o preço do combustível para barcos aumentava, mas os comerciantes de peixe se recusavam a subir o preço por quilo.

– Tem razão – falou. – Me perdoe, Karine. Sou um idiota ingênuo.

– Eu acho que tem mais a ver com o fato de você não *querer ver* a verdade. Você não quer que o mundo lá fora atrapalhe seus sonhos e planos para o futuro. Nenhum de nós quer. Mas a situação é essa. – Ela suspirou. – E a verdade é que eu não me sinto mais segura aqui na Alemanha. Então preciso ir embora. – Ela se levantou. – Vou encontrar Elle e Bo no Coffee Baum daqui a meia hora para conversar sobre a situação. Nos vemos mais tarde. – Ela o beijou no alto da cabeça e se afastou.

Depois de Karine sair, Pip baixou os olhos para a música espalhada pela escrivaninha à sua frente. A apresentação de sua obra estava marcada para dali a menos de duas semanas. Apesar de repreender a si mesmo pelo egoísmo, não pôde deixar de se perguntar se ela agora iria mesmo acontecer.

❂ ❂ ❂

Mais tarde, nesse mesmo dia, quando tornou a encontrar Karine, ela estava mais calma.

— Escrevi pedindo conselho aos meus pais, e enquanto isso não tenho outra escolha senão esperar a resposta. De modo que, no fim das contas, vou ouvir você tocar sua obra-prima.

Pip estendeu a mão e segurou a dela por cima da mesa.

— Você consegue me perdoar por ser tão egoísta?

— É claro que sim. Entendo que o momento não poderia ser pior.

— Estive pensando...

— Em quê?

— Que talvez a melhor solução fosse você ir passar o verão comigo na Noruega. Lá não precisaria se preocupar com sua segurança.

— Eu? Ir para a terra das renas, dos pinheiros e da neve? — brincou Karine.

— Na verdade nem sempre neva lá. Você vai descobrir que é um lugar lindo no verão — disse ele, ficando na defensiva na mesma hora. — Nós temos uma pequena população de judeus que é tratada exatamente igual a qualquer outro cidadão. Você vai estar segura. E, se a guerra estourar mesmo na Europa, não vai chegar à Noruega, nem ela nem os nazistas. Todo mundo lá diz que somos um país pequeno e irrelevante demais para repararem em nós. Em Bergen há também uma excelente orquestra.... uma das mais antigas do mundo. Meu pai toca violoncelo lá.

Os olhos escuros e brilhantes de Karine o observavam com atenção.

— Você me levaria para a sua casa?

— É claro! Meus pais já sabem tudo sobre você, e minha intenção é nos casarmos.

— Eles sabem que eu sou judia?

— Não. — Pip sentiu um rubor lhe subir às faces, em seguida teve raiva por permitir que isso acontecesse. — Mas não é porque eu não *queria* que eles soubessem. É porque a sua religião não importa, só isso. Meus pais são gente instruída, Karine, não camponeses. Lembre-se: meu pai nasceu em Leipzig. Estudou música em Paris e vive nos contando sobre a vida boêmia nas ruas de Montparnasse durante a Belle Époque.

Foi a vez de Karine se desculpar.

– Tem razão. Estou sendo arrogante. E talvez... – Ela levou um dos indicadores ao ponto entre os olhos, logo acima do nariz, e o esfregou, como sempre fazia quando estava pensando. – Talvez essa seja a resposta se eu não conseguir ir para os Estados Unidos. Obrigada, *chéri*. É bom pensar que existe um refúgio se as coisas aqui piorarem no futuro. – Ela se inclinou por cima da mesa e o beijou.

Mais tarde nessa noite, quando Pip foi para a cama, rezou para "o futuro" poder esperar até depois da apresentação da sua composição.

❖ ❖ ❖

Muito embora eles tivessem lido nos jornais sobre judeus apedrejados ao saírem da sinagoga, além de muitos outros incidentes preocupantes, Karine parecia menos ansiosa, talvez porque agora soubesse que havia um plano alternativo. Assim, nas duas semanas seguintes, Pip mergulhou fundo e se concentrou em sua música. Não se atrevia a tentar imaginar o que iria acontecer quando o semestre acabasse e vivia com medo de Karine receber uma resposta dos pais que talvez a fizesse partir para os Estados Unidos. Pensar nisso lhe dava calafrios, pois ele sabia que não tinha dinheiro para ir com ela antes de começar a ganhar alguma coisa como músico.

Na hora do almoço do dia da apresentação de formatura, quando seis novas obras curtas de alunos seriam executadas, Karine foi procurá-lo.

– *Bonne chance, chéri* – falou. – Elle e eu vamos lá torcer por você hoje à noite. Bo disse que, para ele, a sua é a melhor de todas.

– É muita gentileza de Bo dizer isso. E a contribuição dele para minha composição tocando violoncelo na orquestra é maravilhosa. Agora preciso ir fazer meu último ensaio. – Ele deu um beijo no nariz de Karine e subiu o comprido e ventoso corredor até a sala de ensaio.

Às sete e meia em ponto, Pip estava sentado de fraque na primeira fila da Großer Saal, junto com os cinco outros compositores. Walther Davisson, diretor do Conservatório, apresentou-os à plateia, e o primeiro dos rapazes subiu ao palco. Pip seria o último a se apresentar, e sabia que se lembraria para sempre da angustiante espera de uma hora e meia até chegar sua vez. No entanto, o tempo passou, e, depois de lançar aos céus uma pequena prece, ele subiu os degraus torcendo para não tropeçar, de tanto que suas pernas tremiam. Fez uma curta mesura para a plateia e sentou-se ao piano.

Depois de tocar, não conseguia se lembrar muito nem dos vivas que ecoaram quando os outros compositores se uniram a ele para um agradecimento conjunto. Tudo que sabia era que tinha tocado o melhor que poderia naquela noite, e era só isso que importava.

Mais tarde, foi cercado por colegas e professores; todos lhe deram tapinhas nas costas e disseram prever um grande futuro para ele. Um jornalista também lhe pediu uma entrevista.

– Meu Grieg particular – disse Karine, risonha, após conseguir desbravar a multidão para lhe dar um abraço. – *Chéri*, sua brilhante carreira acaba de começar.

❊ ❊ ❊

Como tinha exagerado muito no champanhe depois da apresentação, Pip se irritou ao ser acordado na manhã seguinte em sua pensão por uma batida à porta. Levantou-se cambaleando, foi abrir, e deparou com a senhoria ainda de camisola, com um ar muito irritado e reprovador.

– *Herr* Halvorsen, tem uma moça dizendo que precisa lhe falar com urgência esperando lá embaixo.

– *Danke, Frau* Priewe – agradeceu ele, fechando a porta. Vestiu a primeira camisa e a primeira calça que conseguiu encontrar.

Karine estava à sua espera na rua em frente à porta. Mesmo em uma emergência, pelo visto a regra de "proibido moças na casa" de *Frau* Priewe continuava a valer.

– O que foi? O que aconteceu?

– Ontem à noite três casas foram incendiadas... todas de judeus. E a pensão de Bo foi uma delas.

– Ai, meu Deus do céu! Ele...?

– Ele está vivo. Conseguiu escapar. Saiu pela janela do primeiro andar e pulou. Com seu precioso arco de violoncelo, claro. – Karine conseguiu dar um sorriso triste e irônico. – Pip, ele e Elle estão indo embora de Leipzig agora mesmo. E eu sinto de verdade que também devo ir. Venha, preciso de um café e, pelo visto, você também.

O pequeno café próximo ao Conservatório tinha acabado de abrir as portas. Estava deserto quando os dois se sentaram diante de uma mesa junto à janela e fizeram o pedido. Pip esfregou o rosto para tentar recobrar os sentidos. Estava com uma forte ressaca.

– Notícias dos seus pais? – indagou a Karine.

– Você sabe que até ontem eu não tinha tido. E hoje está cedo demais para o carteiro – respondeu ela, sem paciência. – Faz menos de quinze dias que escrevi para eles.

– O que Elle e Bo vão fazer?

– Vão embora da Alemanha assim que puderem, isso é certo. Mas nenhum dos dois tem dinheiro para ir para muito longe. Além do mais, nenhum de nós sabe para onde é seguro ir. Quanto a mim, o apartamento da minha família em Paris foi alugado enquanto meus pais estão nos Estados Unidos. Não tenho casa para onde voltar – disse ela com um dar de ombros.

– Então...? – Pip pressentiu o que ela estava dizendo.

– Sim, Pip. Se a sua oferta ainda estiver de pé, eu vou com você para a Noruega, pelo menos até ter notícias dos meus pais. É tudo que posso fazer. O semestre termina daqui a poucos dias, e a sua composição já foi tocada, então não vejo motivo para adiarmos. Hoje de manhã, quando estive com Elle e Bo, eles disseram que, depois dos incêndios de ontem à noite, o êxodo de judeus de Leipzig vai começar para valer, então precisamos ir embora enquanto ainda temos essa possibilidade.

– Sim – concordou Pip. – Claro.

– E... eu tenho mais uma coisa a lhe pedir.

– O quê?

– Você sabe que desde que cheguei em Leipzig, Elle virou praticamente uma irmã para mim. Os pais dela morreram durante a Grande Guerra, e ela e o irmão foram para um orfanato. Ele foi adotado quando era bebê, e ela não o vê desde então. Elle não teve a mesma sorte, e só porque sua professora de música percebeu seu talento com a flauta e a viola e a ajudou a conseguir uma bolsa ela hoje tem um futuro.

– Quer dizer que ela não tem casa?

– Tirando o orfanato, a casa dela é aqui em Leipzig, no quarto que ela divide comigo. Bo e eu somos os únicos parentes que ela tem. Pip, eles podem ir para a Noruega com a gente? Mesmo que seja só por algumas semanas. De um lugar seguro, eles podem esperar para ver como vai ficar a situação na Europa e decidir o que fazer. Sei que é pedir muito, mas eu simplesmente não posso deixar minha amiga para trás. E, como ela não quer largar Bo, ele também precisa ir.

Pip encarou sua expressão de desespero e imaginou o que os pais achariam se aparecesse na porta e anunciasse ter trazido três amigos para passar as férias na Noruega. Sabia que eles se mostrariam generosos e acolhedores, principalmente porque os três eram músicos.

– Sim, é claro que pode. Se for o que você achar melhor, meu amor.

– Podemos partir assim que possível? O quanto antes sairmos daqui, melhor. *Por favor?* Você vai perder a cerimônia oficial de formatura, mas...

Pip sabia que cada dia a mais que Karine ficava em Leipzig era não só um perigo, mas também um dia mais perto de uma possível resposta dos pais sugerindo que fosse encontrá-los nos Estados Unidos.

– Claro. Podemos ir todos juntos.

– Obrigada! – Karine o enlaçou pelos ombros, e ele viu alívio em seus olhos. – Venha, vamos avisar a Elle e Bo que eles vão conosco.

39

Dois dias depois, Pip fez seus amigos exaustos descerem a passarela do navio a vapor no porto de Bergen. Um breve telefonema da sala do diretor do Conservatório foi o único aviso que seus pais receberam sobre os convidados-surpresa. Seguiu-se uma apressada série de despedidas e agradecimentos com todos os amigos e supervisores, e o diretor lhe deu um tapinha especial nas costas, elogiando sua generosidade por levar os amigos para a Noruega.

– Fico triste por não ficar até o fim do semestre – disse Pip, apertando a mão de Walther Davisson.

– Acho que é sensato partir agora. Quem sabe o que pode acontecer? Em breve talvez não seja mais tão fácil. – Ele deu um suspiro triste. – Vá com Deus, meu garoto. Escreva-me quando chegar.

Pip se virou para os amigos. Os três encaravam cansados a sequência de casas de madeira coloridas que margeava o porto, tentando se adaptar ao ambiente. Bo mal conseguia andar. Estava com o rosto machucado por causa da queda após pular pela janela, e Pip desconfiava que tivesse fraturado o cotovelo. Elle havia prendido o braço direito do namorado ao peito com um lenço, e Bo não dera sequer um ai durante a longa viagem, apesar de mal conseguir disfarçar no rosto a dor que sentia.

Pip viu o pai em pé no cais e foi na sua direção com um largo sorriso.

– *Far!* – exclamou, e Horst passou os braços em volta dos ombros do filho para um abraço. – Como vai?

– Muito bem, obrigado. E sua mãe também está ótima – respondeu Horst, com um sorriso caloroso para todos. – Agora me apresente aos seus amigos.

Pip assim o fez, e os jovens apertaram a mão de seu pai com gratidão.

– Bem-vindos à Noruega – disse Horst. – Ficamos felizes em ter vocês aqui conosco.

– *Far* – lembrou-lhe Pip. – Eles não falam norueguês, lembra?

– Mas é claro! Mil desculpas. Alemão? Francês?

– Nossa língua materna é o francês, mas nós falamos alemão também – disse Karine.

– Então vamos falar francês! – Horst bateu palmas como uma criança animada. – Nunca tenho oportunidade de exibir meu excelente sotaque – disse ele com um sorriso, e seguiu tagarelando com eles nesse idioma enquanto caminhavam em direção ao carro.

A conversa prosseguiu por toda a sinuosa estrada nas colinas que saía de Bergen até chegar a Froskehuset, sua casa; agora quem se sentia excluído era Pip, pois sabia muito pouco francês. Sentado no banco do carona, observou o pai ao volante: Horst tinha os cabelos louros já ralos penteados para trás e seu rosto exibia as marcas de anos de bom humor; Pip quase não conseguia se lembrar do pai sem um sorriso no rosto. Horst havia deixado crescer um pequeno cavanhaque, que somado à barba fazia o filho pensar nos retratos que vira de pintores impressionistas franceses. Como ele tinha previsto, Horst parecia estar encantado de conhecer seus amigos, e ele nunca havia sentido mais amor pelo pai quanto diante daquela generosa recepção.

Em casa, Astrid, sua mãe, bonita como sempre, veio abrir a porta e dispensou a mesma calorosa acolhida, ainda que em norueguês. Seu olhar logo recaiu em Bo, a essa altura tão exausto e com tanta dor que precisava se apoiar em Elle para ficar em pé.

Astrid levou uma das mãos à boca.

– O que houve com ele?

– Ele pulou de uma janela quando sua pensão pegou fogo – contou Pip.

– Coitadinho! Horst, vá com Pip, levem nossos outros convidados para a sala. Bo, sente-se para eu dar uma olhada nos seus ferimentos – disse ela, e indicou com um gesto a cadeira que ficava junto ao telefone no hall.

– Minha mãe é enfermeira – explicou Pip para Karine entre os dentes enquanto os dois seguiam Horst e Elle pelo corredor. – Com certeza em algum momento vocês vão ouvir a história de como ela se apaixonou pelo meu pai quando estava cuidando dele depois de uma operação de apendicite.

– Ela parece bem mais jovem do que ele.

– E é: quinze anos. Meu pai sempre disse que arrumou uma noiva criança. Ela só tinha 18 anos quando engravidou de mim. Na verdade, os dois se adoram.

– Pip...

Ele sentiu no braço os dedos esguios e sensíveis de Karine.

– Oi?

– Obrigada. Por todos nós.

❂ ❂ ❂

À noite, depois de o médico ter sido chamado para fazer curativos em Bo e marcar uma consulta no hospital para ver se o cotovelo dele estava fraturado, Elle e Astrid ajudaram-no a subir até o andar de cima e o puseram para dormir no quarto de Pip.

Astrid então desceu para preparar o jantar; Pip a seguiu até a cozinha.

– Pobre rapaz – comentou ela. – Está completamente exausto. Seu pai me contou um pouco do que está acontecendo em Leipzig. Pode me passar o descascador de batatas?

– Claro. – Pip assim fez.

– Eles são refugiados ou três amigos que vieram conhecer a Noruega?

– As duas coisas, eu acho.

– E quanto tempo vão ficar?

– *Mor*, a verdade é que eu não sei.

– São todos judeus?

– Karine e Elle sim. Bo não tenho certeza.

– Reconheço que é difícil acreditar no que está acontecendo na Alemanha, mas acho que preciso acreditar. O mundo é um lugar muito cruel. – Ela deu um suspiro. – E Karine? É ela a moça sobre quem você tanto nos falou?

– É. – Pip observou a mãe continuar a descascar as batatas enquanto esperava ela comentar mais alguma coisa.

– Ela parece cheia de vida e muito inteligente. E imagino que dê trabalho de vez em quando – acrescentou Astrid.

– Ela com certeza me desafia. Aprendi muito sobre o mundo – falou Pip, um pouco na defensiva.

– É exatamente disso que você precisa: de uma mulher forte. Só Deus sabe o que seu pai teria feito sem mim – disse Astrid, rindo. – E estou orgulhosa do que você fez para ajudar seus amigos. Seu pai e eu faremos o que for possível para apoiá-los. Só tem uma coisa...

– O quê, *Mor*?

– Enquanto Bo não se recuperar, a sua generosidade relegou você ao sofá da sala.

❈ ❈ ❈

Após um jantar no terraço com vista para o glorioso fiorde lá embaixo, Elle subiu para ver Bo, a quem tinham levado uma bandeja com o jantar mais cedo, e depois foi se recolher. Horst e Astrid também foram se deitar. Pip escutou as risadinhas discretas dos dois ao subir a escada. Durante a refeição, quando viu a tensão desaparecer do rosto das duas moças, sentiu-se muito orgulhoso dos pais e grato por estar na Noruega.

– Eu também deveria subir – falou Karine. – Estou exausta, mas não se pode desperdiçar uma vista assim tão mágica. Está vendo? São quase onze da noite e ainda está claro.

– E o sol amanhã vai se levantar bem antes de você. Eu disse que aqui era lindo – falou Pip. Levantou-se da mesa e andou pelo terraço até se debruçar no guarda-corpo de madeira, que formava uma barreira entre a casa e os incontáveis pinheiros a descer pelas colinas em direção à água.

– É mais do que lindo... é de tirar o fôlego. E não estou falando só da paisagem. A acolhida dos seus pais, a gentileza deles... Estou encantada.

Pip a tomou nos braços, e ela chorou no seu ombro lágrimas silenciosas de alívio. Ergueu os olhos para ele e observou seu rosto.

– Diga que eu nunca vou ter que ir embora.

E ele disse.

❈ ❈ ❈

Na manhã seguinte, Horst levou Bo e Elle de carro até o hospital da cidade. O diagnóstico foi que Bo havia deslocado o cotovelo e sofrido uma fratura múltipla; ele ficou lá para fazer uma operação e pôr o osso no lugar. Elle passou os dias seguintes no hospital com o namorado, o que possibilitou a Pip apresentar Karine às maravilhas de Bergen.

Ele a levou a Troldhaugen, a casa de Grieg, que ficava a uma curta distância a pé da sua e era agora um museu. Viu como ela ficou encantada quando foram visitar a cabana construída na encosta do fiorde onde o mestre havia composto algumas de suas peças.

– Você também vai ter uma cabana destas quando ficar famoso? – perguntou-lhe ela. – Eu posso lhe trazer docinhos e vinho na hora do almoço, e podemos fazer amor no chão.

– Ah, nesse caso eu talvez precise trancar a porta. Um compositor não pode se distrair enquanto está trabalhando – provocou ele.

– Então talvez eu tenha que arrumar um amante para me entreter nessas horas solitárias – disparou ela de volta, com um sorriso travesso, virando-se para ir embora.

Aos risos, Pip a alcançou e a abraçou pela cintura, por trás, impedindo-a de continuar. Seus lábios buscaram a delicada curva do pescoço dela.

– Nunca – sussurrou ele. – Só eu, mais ninguém.

Eles pegaram o trem e foram até a cidade. Passearam pelas estreitas ruas calçadas de pedra e pararam em um café para almoçar, onde Karine pôde provar *aquavit* pela primeira vez.

Ambos riram quando os olhos dela lacrimejaram e ela declarou que a bebida era "mais forte do que absinto" antes de pedir na mesma hora uma segunda dose. Depois do almoço, ele a levou para ver o Teatro Nationale Scene, onde Ibsen já tinha sido diretor artístico e Grieg, regente da orquestra.

– Eles agora tocam em seu próprio teatro, o Konsert-palæet, onde meu pai passa boa parte da vida. Ele é o primeiro violoncelista da orquestra – disse Pip.

– Você acha que ele nos conseguiria um emprego?

– Tenho certeza de que poderia recomendar nosso nome, sim – respondeu ele, sem querer estragar o entusiasmo de Karine dizendo que não havia nem nunca houvera uma mulher tocando na Orquestra Filarmônica de Bergen.

Num outro dia, eles pegaram o Fløibanen, o minúsculo funicular que subia até o alto da montanha Fløyen, um dos sete imponentes picos ao redor de Bergen. Do mirante, tinha-se uma vista espetacular da cidade lá embaixo e do fiorde cintilante mais atrás. Olhando por cima do guarda-corpo, Karine suspirou de prazer.

– Com certeza não pode haver vista mais linda no mundo – disse ela baixinho.

Pip estava adorando aquele entusiasmo genuíno da namorada por Bergen, uma vez que os sonhos dela até então haviam se concentrado no objetivo bem mais ambicioso de ir para os Estados Unidos. Ela pediu a Pip para começar a lhe ensinar norueguês, pois ficava frustrada por não poder se comunicar com a mãe dele sem a presença de alguém para traduzir a conversa.

– Ela tem sido tão boa comigo, *chéri*, que eu quero lhe dizer no seu próprio idioma quanto estou agradecida.

❊ ❊ ❊

Bo voltou para casa com o braço direito imobilizado, e as noites transcorriam em jantares no terraço seguidos por concertos improvisados. Com as portas para o terraço escancaradas, Pip se sentava ao piano de cauda na sala. Dependendo da peça, Elle tocava viola ou flauta, Karine, oboé e Horst, violoncelo. Tocavam de tudo, desde as simples canções folclóricas norueguesas que Horst lhes ensinava com paciência até peças de antigos mestres como Beethoven ou Tchaikovsky, ou mesmo composições mais modernas de figuras como Bartók e Prokofiev; mas Horst se recusava a passar de Stravinsky. A esplêndida música descia pelas colinas até o fiorde. A vida de Pip se tornou uma junção harmoniosa de tudo que ele amava e necessitava, e ele se sentiu grato pelo fato de o destino ter levado seus amigos à Noruega.

Somente tarde da noite, deitado encolhido em uma cama improvisada no quarto que agora dividia com Bo, ansiando pelo corpo sensual e nu de Karine ao seu lado, ele pensava que nada na vida era totalmente perfeito.

❊ ❊ ❊

Quando o quente mês de agosto foi chegando ao fim, os atuais moradores da casa dos Halvorsens precisaram ter sérias conversas sobre o futuro. A primeira delas foi entre Pip e Karine certa noite, já bem tarde, na varanda depois de todo mundo ter se recolhido. A moça finalmente recebera uma carta dos pais, que tinham decidido ficar nos Estados Unidos até as tempestuosas nuvens da guerra passarem. Eles recomendaram à filha não voltar à Alemanha para o novo semestre. Da mesma forma, achavam desnecessário que ela empreendesse agora a longa e cara viagem até a América, uma vez que estava por enquanto escondida e segura na Noruega.

– Eles mandam beijos e agradecimentos aos seus pais – falou Karine, tornando a dobrar a carta e a guardando no envelope. – Acha que Horst e Astrid vão se importar se eu prolongar minha estadia?

– De jeito nenhum. Acho que meu pai está meio apaixonado por você. Ou pelo menos pelo jeito como você toca oboé – respondeu Pip, sorrindo.

– Mas, se eu for ficar aqui, não podemos continuar a abusar da hospitalidade dos seus pais. E estou com saudades de você, *chéri* – sussurrou Karine, aninhando-se junto a ele e dando uma delicada mordida no lóbulo da sua orelha. Buscou os lábios dele com os seus e os dois se beijaram, mas Pip interrompeu o beijo quando uma porta se abriu no andar de cima.

– Estamos debaixo do teto dos meus pais, e você precisa entender que...

– É claro que eu entendo, *chéri*. Mas quem sabe podemos encontrar um lugar para ficarmos juntos aqui. Quero tanto estar com você... – Karine pegou a mão dele e a levou até o próprio seio.

– E eu com você, meu amor – falou Pip, manobrando delicadamente a mão para longe caso alguém os pegasse desprevenidos. – Mas mesmo que os meus pais aceitem muitas coisas que outros na Noruega não aceitariam, qualquer sugestão de dividirmos a mesma cama sem estarmos casamos seria inaceitável, debaixo do teto deles ou do nosso. E seria um desrespeito por tudo que eles fizeram por nós.

– Eu sei, mas o que mais podemos fazer? Essa situação é uma agonia para mim. – Karine revirou os olhos. – Você sabe como eu preciso dessa parte do nosso relacionamento.

– Eu também preciso. – Pip às vezes tinha a sensação de que ele era a fêmea e ela o macho no que dizia respeito ao aspecto físico daquela união. – Mas a menos que você esteja disposta a se converter para se casar comigo, é assim que as coisas funcionam na Noruega.

– Vou ter que virar cristã?

– Para ser mais exato, você teria que virar luterana.

– *Mon Dieu!* Que preço alto para poder fazer amor. Nos Estados Unidos tenho certeza de que não existem essas regras.

– Pode ser, Karine, mas nós não estamos nos Estados Unidos. Vivemos em uma pequena cidade da Noruega. E por mais que eu ame você, viver juntos abertamente bem debaixo do nariz dos meus pais é algo que eu seria incapaz de fazer. Você entende?

– Entendo, entendo, mas me converter... bem, seria trair o meu povo. Embora minha mãe só tenha se tornado judia depois de se converter para se casar com meu pai, então geneticamente eu seja só metade judia. Tenho que perguntar o que meus pais acham. Eles deixaram o telefone da galeria do meu pai para uma emergência, e acho que isso é uma emergência. Se eles concordarem, podemos nos casar logo?

– Não tenho certeza absoluta das regras, mas acho que o pastor teria de ver o seu certificado de batismo.

– Como você bem sabe, eu não tenho. Não posso tirar um aqui?

– Você faria isso? Ser batizada como luterana?

– Umas gotinhas d'água e uma cruz na minha testa não vão tornar meu coração cristão, Pip.

– Não, mas... – Pip sentiu que ela não estava entendendo direito a questão. – Além do fato de que poderemos dormir juntos, você tem certeza de que quer se casar comigo?

– Me perdoe – disse ela com um sorriso. – A minha necessidade de cuidar do lado prático das coisas sobrepujou a parte romântica da conversa. É claro que eu quero me casar com você! Então vou fazer o necessário para que isso aconteça.

– Você se converteria por mim? – Pip ficou dominado pela emoção e se comoveu. Sabia muito bem o que a herança judaica significava para ela.

– Se os meus pais concordarem, sim. *Chéri*, eu preciso agir com a cabeça. E tenho certeza de que, nas atuais circunstâncias, qualquer deus, seja o seu ou o meu, vai me perdoar.

– Mesmo que eu esteja começando a pensar que você só me quer por causa do meu corpo – provocou Pip.

– Provavelmente – concordou ela, também brincando. – Amanhã peço ao seu pai para dar um telefonema para os Estados Unidos.

Pip observou-a sair do recinto e pensou em como ela o surpreendia constantemente com seu temperamento explosivo e raciocínio quixotesco. Pensou se algum dia entenderia de verdade o quanto ela era complexa. Pelo menos, se os dois conseguissem se casar, nunca ficaria entediado no futuro.

Os pais de Karine retornaram o telefonema da filha na noite seguinte.

– Eles concordaram – informou ela, grave. – E não só para eu poder me casar com você. Eles acham que eu ficaria mais segura se adotasse o seu sobrenome, só por garantia...

– Fico muito feliz, meu amor – disse ele, tomando-a nos braços e dando-lhe um beijo na boca.

– Então. – Depois de algum tempo, Karine se desvencilhou dele, agora com uma expressão mais leve. – Quando podemos organizar tudo?

– Assim que você se encontrar com o pastor e ele aceitar batizá-la.

– Amanhã? – indagou ela, descendo a mão até sua virilha.

– Estou falando sério – repreendeu ele, grunhindo com o toque dela e em seguida afastando sua mão a contragosto. – Ficar aqui na Noruega por enquanto vai fazer você feliz?

– Existem lugares piores para se fazer a vida, e por enquanto temos que viver um dia depois do outro até sabermos o que vai acontecer. Você sabe que eu adoro isto aqui, tirando essa língua horrível de vocês, claro.

– Então preciso tentar encontrar logo trabalho como músico para nos sustentar. Ou na orquestra daqui, ou quem sabe em Oslo?

– Talvez eu também possa arrumar trabalho.

– Talvez sim, quando tiver aprendido a dizer mais do que "por favor" e "obrigada" na nossa língua horrível – provocou ele.

– Está bem, está bem! Estou tentando.

– Sim. – Pip lhe deu um beijo no nariz. – Eu sei que está.

❂ ❂ ❂

Quando os dois anunciaram que desejavam se casar, Astrid preparou um jantar comemorativo para todos os seis.

– Vocês vão morar aqui em Bergen? – quis saber ela.

– Por enquanto, sim. Se você puder nos ajudar a arrumar empregos como músicos, *Far* – falou Pip.

– Com certeza posso perguntar por aí – respondeu Horst, e Astrid então se levantou e deu um abraço na futura nora.

– Agora chega de considerações práticas. Hoje é uma noite especial. Parabéns, *Kjære*, e bem-vinda à família Halvorsen. Fico especialmente feliz, pois achava que fôssemos perder Pip e seu talento para a Europa ou os Estados Unidos. E você trouxe o nosso filho para casa.

Pip traduziu as palavras da mãe e ficou com lágrimas nos olhos, assim como sua futura esposa.

– Parabéns – disse Bo de repente, puxando um brinde. – Elle e eu esperamos poder fazer a mesma coisa em breve.

❂ ❂ ❂

Astrid foi conversar com o pastor da igreja da cidade, que conhecia bem. Não revelou o que sabia sobre as origens judaicas de Karine, mas o pastor concordou em batizar a moça sem demora. Os Halvorsens e seus hóspedes assistiram à curta cerimônia e, mais tarde, de volta à casa, Horst chamou Pip de lado.

– Foi uma boa coisa o que Karine fez hoje, sob muitos aspectos. Um amigo meu da orquestra acabou de voltar de um concerto em Munique. A campanha dos nazistas contra os judeus está ganhando força.

– Mas com certeza nunca vai nos afetar aqui...

– É de se pensar que não, mas quando um louco consegue atrair a atenção de tanta gente, e não só na Alemanha, quem pode saber onde isso tudo vai dar? – respondeu Horst.

Pouco depois, Bo e Elle anunciaram que também ficariam em Bergen. Bo havia tirado o gesso, mas seu cotovelo ainda estava enrijecido demais para tocar violoncelo.

– Estamos os dois rezando para ele se recuperar logo. Bo tem tanto talento... – confidenciou Elle a Karine à noite no quarto que dividiam. – Todos os sonhos dele dependem disso. Por enquanto, ele arrumou trabalho numa oficina que confecciona cartas náuticas no porto. Ofereceram-nos um pequeno apartamento que fica em cima da loja. Nós fingimos que já somos casados, e eu farei faxina para a esposa do dono da oficina.

– Vocês sabem norueguês suficiente para isso? – perguntou Karine à amiga, com inveja.

– Bo aprende rápido. Eu me esforço. Além do mais, o dono da oficina é alemão, que, como você sabe, nós dois falamos bastante bem.

– E vocês vão se casar de verdade?

– Nós queremos, sim, mas precisamos economizar. Então por enquanto precisamos viver uma mentira. Segundo Bo, a verdade mora no coração, não em um pedaço de papel.

– Concordo – disse Karine, estendendo a mão para a amiga. – Promete que vamos continuar próximas quando vocês se mudarem para a cidade?

– Claro. Você é minha irmã em todos os sentidos, menos no nome, Karine. Eu amo você e não tenho como agradecer o suficiente a Pip pelo que vocês dois fizeram por nós.

❀ ❀ ❀

— E nós em breve também teremos nosso próprio teto? – perguntou Karine a Pip na manhã seguinte, depois de lhe contar a novidade de Elle e Bo.

— Se a entrevista de amanhã correr como espero, daqui a algum tempo, sim – respondeu Pip. O pai havia lhe conseguido uma entrevista com Harald Heide, regente da Filarmônica de Bergen.

— Vai correr, *chéri* – garantiu-lhe Karine com um beijo. – Vai, sim.

❂ ❂ ❂

Quando chegou ao Konsert-palæet, Pip estava quase tão nervoso quanto ao fazer o teste para ingressar no Conservatório. Talvez, pensou com amargura, porque agora sua performance tinha consequências no mundo real, enquanto naquela época ele era um rapaz despreocupado, sem responsabilidades a não ser consigo mesmo. Apresentou-se à mulher da bilheteria, que o conduziu por um corredor até uma espaçosa sala de ensaio onde havia um piano e várias estantes de partitura. Dali a pouco, um homem alto, de ombros largos, com olhos alegres e fartos cabelos louro-escuros, veio encontrá-lo e se apresentou como Harald Heide.

— Seu pai elogiou seus talentos em mais de uma ocasião, *Herr* Halvorsen. É óbvio que ele está encantado por tê-lo de volta à Noruega – comentou o regente, apertando a mão de Pip de modo caloroso. – Soube que o senhor toca piano e violino?

— Isso mesmo, maestro, embora o piano tenha sido meu instrumento principal quando estudei em Leipzig. Espero um dia me tornar compositor.

— Então venha, vamos começar. – Com um gesto, Heide indicou que Pip deveria se sentar ao piano, enquanto ele próprio se acomodou em um estreito banco encostado a uma das paredes da sala. – Quando estiver pronto, *Herr* Halvorsen.

As mãos de Pip tremeram um pouco quando ele as ergueu acima do teclado, mas quando iniciou a lenta série da abertura do primeiro movimento do Concerto para Piano nº 2 em Dó Menor, de Rachmaninoff, seu nervosismo desapareceu. A paixão arrebatada da música o invadiu. Ele fechou os olhos e conseguiu escutar mentalmente o acompanhamento das seções de cordas e metais enquanto seus dedos executavam como numa dança a rápida progressão de arpejos que se seguia. Estava na metade da parte lenta e lírica em Mi Bemol Maior quando *Herr* Heide o mandou parar.

– Acho que já ouvi o suficiente. Uma maravilha mesmo. Se o senhor tocar violino com metade desse talento, *Herr* Halvorsen, não vejo motivo algum para não lhe oferecer um emprego. Vamos até minha sala, lá conversaremos melhor.

Uma hora mais tarde, Pip chegou em casa extasiado. Assim que entrou, deu a notícia a Karine e aos pais: estava agora oficialmente empregado pela Orquestra Filarmônica de Bergen.

– Vai ser só como substituto, para cobrir o piano e o violino quando os titulares tiverem outro compromisso ou não estiverem se sentindo bem, mas *Herr* Heide me disse que o pianista atual já está velho e volta e meia não consegue tocar. Talvez não demore a se aposentar.

– Franz Wolf parece um portão enferrujado e tem artrite nos dedos. Você terá muitas oportunidades de tocar. Muito bem, filho! – Horst lhe deu um tapa nas costas. – Vamos tocar juntos como eu fazia com meu pai, Jens.

– Você também disse a ele que é compositor? – pressionou Karine.

– Disse, mas tudo tem seu tempo, e por enquanto estou apenas grato por poder sustentá-la quando nos casarmos, como deve fazer um marido.

– E quem sabe um dia eu também possa tocar na orquestra – falou Karine, e fez uma careta. – Não acho que eu vá dar uma boa *Hausfrau*.

Pip traduziu para a mãe o que a noiva acabara de dizer, e Astrid sorriu.

– Não se preocupe. Enquanto você e seu pai estiverem tocando, ensinarei a Karine tudo que ela precisa saber sobre como cuidar de uma casa.

– Dois Halvorsens em uma orquestra outra vez, um filho prestes a se casar e, tenho certeza, muitos netos para amar no futuro. – Os olhos de Horst brilhavam de felicidade.

Pip viu Karine arquear as sobrancelhas escuras para ele. Já dissera inúmeras vezes que não tinha instinto materno e que era egoísta demais para ter filhos. Ele não a levava a sério; achava que fosse o seu jeito de tentar chocar dizendo coisas que não se dizia. E ele a amava por isso.

❊ ❊ ❊

Karine e Pip se casaram no dia anterior à véspera do Natal. Uma nevasca recente havia disposto sobre a cidade um imaculado cobertor branco e as luzes cintilantes nas ruas do Centro davam a tudo uma atmosfera de conto de fadas quando eles foram até o Grand Hotel Terminus em uma carruagem puxada a cavalo. Após a recepção pela qual Horst insistira em pagar, os recém-casados enfim se despediram dos convidados e subiram. Ao entrar no quarto – um presente de casamento de Elle e Bo – caíram nos braços um do outro com uma voracidade que só seis meses de abstinência eram capazes de gerar. Enquanto se beijavam, Pip soltou os botões do vestido de renda cor creme de Karine e, quando a roupa deslizou por seus ombros e braços, os dedos dele seguiram o mesmo caminho e tocaram suas omoplatas elegantes antes de irem roçar os mamilos rosa. Ela gemeu, agarrou um tufo dos cabelos dele e, afastando a boca da sua, guiou a cabeça do marido em direção ao próprio seio. Soltou um arquejo de prazer ao sentir os lábios dele se fecharem em volta do mamilo e ao mesmo tempo empurrou o vestido pelo quadril até finalmente ir ao chão. Pip então a pegou no colo e a levou até a cama com a respiração acelerada e curta, enlouquecido de tanto desejo. Em pé ao lado da cama, começou atabalhoadamente a tirar as próprias roupas, mas Karine se ajoelhou no colchão e o deteve.

– Não... agora é a minha vez – falou, com a voz rouca.

Com destreza, desabotoou primeiro a camisa, em seguida a calça. Poucos segundos depois, puxou-o para cima de si, e os dois se perderam um no outro.

Passado o prazer, ficaram deitados os dois juntos, saciados, ouvindo o relógio da antiga praça da cidade bater a meia-noite.

– Com certeza valeu a pena me converter por isso – afirmou Karine, levantando-se apoiada no cotovelo e sorrindo enquanto encarava o marido nos olhos e acariciava seu rosto com as costas dos dedos. – E se eu não disse isso antes, vou dizer agora, poucas horas depois de virar sua mulher... e quero que você nunca se esqueça: amo você, *chéri*, e não consigo me lembrar de um tempo em que tenha sido mais feliz do que agora.

– Nem eu – sussurrou ele, tirando a mão dela da própria face e a levando aos lábios. – Que dure para sempre.

– Para sempre.

40

1938

Durante os meses de janeiro, fevereiro e março, enquanto a neve e a chuva castigavam Bergen sem trégua e as breves horas de luz do sol logo cediam lugar à escuridão, Pip passava várias horas por dia ensaiando com a Filarmônica de Bergen. No início só era chamado para tocar nos concertos noturnos uma vez por semana, no máximo, mas à medida que o pobre velho pianista Hans começou a tirar cada vez mais licenças por causa da artrite, Pip foi se tornando aos poucos uma presença frequente na orquestra.

Enquanto isso, dedicava o tempo livre a compor seu primeiro concerto. Não mostrava a ninguém o resultado de seu trabalho. Nem mesmo a Karine. Quando estivesse pronto, dedicaria o concerto a ela. À tarde, depois dos ensaios, muitas vezes ficava no teatro. Ali, rodeado pela atmosfera fantasmagórica de um auditório sem músicos nem plateia, trabalhava em sua composição no piano do fosso da orquestra.

Karine, por sua vez, mantinha-se ocupada com Astrid, por quem havia desenvolvido um grande amor. Seu norueguês foi melhorando aos poucos e, guiada pela paciente mão da sogra, ela se esforçava para aprender a arte das prendas domésticas.

Sempre que o trabalho de Elle permitia, Karine encontrava a amiga no diminuto apartamento em cima da oficina de cartas náuticas de frente para o porto e as duas conversavam sobre suas esperanças e planos para o futuro.

– Não posso evitar a inveja que sinto por vocês terem a própria casa – confessou Karine certa manhã, enquanto tomavam café. – Pip e eu agora somos casados, mas ainda moramos na casa dos pais dele e dormimos em seu quarto da infância. Do ponto de vista romântico, não é o lugar mais sedutor que existe. Sempre temos que tomar cuidado para não fazer barulho, mas eu vivo ansiando pela liberdade de fazer amor sem pensar em mais nada.

Elle estava acostumava com as declarações ousadas da melhor amiga.

– Sua hora vai chegar, tenho certeza. – Ela sorriu. – Você tem sorte de ter o apoio dos pais de Pip. Para nós ainda é complicado. O cotovelo de Bo melhorou bastante, mas ainda não sarou o suficiente para ele poder fazer um teste para a orquestra daqui, nem de qualquer outro lugar, aliás. Ele está arrasado por não poder se dedicar à sua paixão no momento... e eu também, para dizer a verdade.

Karine sabia exatamente do que a amiga estava falando: confinada como estava a um ambiente doméstico desde que chegara a Bergen, suas habilidades musicais também tinham ficado restritas às apresentações noturnas casuais em Froskehuset. Mas ela reconhecia também que os seus problemas empalideciam e pareciam insignificantes se comparados aos desafios que Elle e Bo eram obrigados a enfrentar.

– Sinto muito, Elle. Estou sendo egoísta.

– Não está não, irmã. A música está no nosso sangue e é difícil viver sem ela. Pelo menos a incapacidade de Bo tocar teve uma consequência boa. Ele está gostando de trabalhar na confecção de cartas náuticas e começou a se dedicar a aprender sobre métodos de navegação. Por enquanto está satisfeito, e eu também estou.

– Que bom – falou Karine. – E fico feliz por ainda estarmos morando na mesma cidade e podermos nos encontrar sempre que quisermos. Não sei o que eu faria sem você.

– Nem eu sem você.

❄ ❄ ❄

No início de maio, Pip anunciou a Karine que havia economizado dinheiro suficiente para alugar uma casinha em Teatergarten, no coração da cidade, a poucos passos do teatro e da sala de concerto.

Quando lhe contou isso, ela desatou a chorar.

– Essa notícia veio num ótimo momento, *chéri*. Porque, tirando todo o resto, preciso lhe contar que estou... *Mon Dieu!* Estou grávida.

– Mas que notícia maravilhosa! – exclamou Pip, correndo para junto da mulher e envolvendo-a em um abraço exultante. – Tente não fazer uma cara tão horrorizada – zombou ele, erguendo seu queixo trêmulo para poder encará-la nos olhos. – Você, que acredita tanto no poder da natureza, deveria ser a primeira a admitir que uma criança é apenas o resultado de dois corações batendo apaixonados.

– Eu sei de tudo isso, mas estou enjoando loucamente todo dia de manhã. E se eu não gostar do bebê? E se me revelar uma péssima mãe? E se...

– Shh, pronto. Você está só assustada. Como todas as mães de primeira viagem.

– Não! As mulheres que eu conheço sempre se alegraram com as suas gestações. Ficavam lá sentadas feito éguas prenhes, alisando a barriga que despontava e aproveitando a atenção de todos. Mas tudo que *eu* consigo ver é um estranho dentro do meu corpo, levando embora meu abdômen lisinho e esgotando minha energia!

Com isso, ela desabou junto a ele com outro surto de soluços ruidosos.

Pip reprimiu um sorriso, inspirou fundo e fez o que pôde para consolá-la.

Mais tarde, nessa mesma noite, os dois contaram a Horst e Astrid que eles seriam avós e que ele e Karine se mudariam para a própria casa.

Seguiu-se uma rodada geral de felicitações, mas Horst não deu um copo a Karine quando a garrafa de *aquavit* começou a circular.

– Está vendo? – reclamou ela ao se deitar na cama ao lado de Pip. – Todos os meus prazeres agora são coisa do passado.

Pip riu baixinho, tomou-a nos braços e pôs a mão debaixo da camisola para acariciar a leve protuberância da barriga. Pensou que era como ver o primeiro despontar de uma lua crescente no céu estrelado. Ele e ela tinham feito aquilo juntos. E era um milagre.

– São só mais seis meses, Karine. E eu juro que na noite do parto levo para a sua cabeceira uma garrafa inteira de *aquavit* e você vai poder beber tudo.

❋ ❋ ❋

No início de junho, o casal se mudou para a casa nova em Teatergarten. Embora minúscula, era linda e perfeita, com o exterior de ripas azul-claras e uma varanda de madeira que se abria da cozinha. Durante o verão, enquanto Pip estava no trabalho, Karine deu duro para decorar o interior com a ajuda de Astrid e Elle e pôs vasos de petúnias e lavanda na varanda.

Apesar do orçamento apertado, a casa logo se tornou um porto seguro de tranquilidade e aconchego.

❋ ❋ ❋

Na noite de seu vigésimo segundo aniversário, em outubro, Pip chegou em casa do teatro depois de uma apresentação noturna e encontrou Karine, Elle e Bo em pé na sala de estar.

– Feliz aniversário, *chéri* – disse Karine, com os olhos brilhando de animação. Os três se afastaram para revelar um piano de armário posicionado mais atrás, no canto da sala. – Sei que não é um Steinway, mas já é um começo.

– Mas como...? – indagou Pip, estupefato. – Não temos dinheiro para uma coisa dessas.

– Com isso me preocupo eu, você se contente em aproveitar. Um compositor precisa ter o próprio instrumento disponível em todos os momentos para poder perseguir sua musa – disse ela. – Bo já testou e disse que o timbre é bom. Venha, Pip, toque para nós.

– Claro.

Pip foi até o piano, correu os dedos pela tampa que protegia as teclas e admirou a marchetaria simples que decorava a madeira dourada do painel mais acima. Não havia marca de fabricante, mas o instrumento tinha uma construção sólida e estava em excelente estado; era óbvio também que havia sido encerado com muito amor. Ao erguer a tampa, ele deparou com as teclas reluzentes, então olhou em volta em busca de um lugar para se sentar.

Elle se adiantou apressada.

– E este aqui é o nosso presente – disse, tirando uma banqueta estofada de trás de uma cadeira onde estava escondida e pousando-a diante do piano. – Foi Bo quem esculpiu a madeira. Eu costurei o assento.

Pip olhou para os pés de pinho esculpidos com elegância e para o intrincado bordado do assento. Ficou maravilhado.

– Eu... eu não sei o que dizer – falou, sentando-se. – A não ser obrigado, a vocês dois.

– Isso não é nada em comparação com o que você e sua família fizeram por nós, Pip – disse Bo em voz baixa. – Feliz aniversário.

Pip levou os dedos ao teclado e começou a tocar os primeiros compassos do Capriccio em Sol Bemol de Tchaikovsky. Bo tinha razão: o instrumento de fato tinha um timbre bonito, e ele pensou, animado, que agora poderia trabalhar em seu concerto a qualquer hora do dia ou da noite.

❋ ❋ ❋

Conforme a gravidez de Karine avançava, faltando apenas algumas semanas para o parto, Pip passava o tempo sentado diante de seu amado piano, compondo com frenesi e experimentando acordes e variações harmônicas. Sabia que, quando o bebê nascesse, a paz da casa logo seria perturbada de maneira irrevogável.

Felix Mendelssohn Edvard Halvorsen, batizado em homenagem ao pai de Karine, veio ao mundo feliz e saudável no dia 15 de novembro de 1938. Justamente como Pip desconfiava, apesar de todos os medos de Karine, ela abraçou a maternidade como se tivesse nascido para isso. Embora satisfeito por vê-la tão realizada e feliz, precisava admitir que às vezes se sentia excluído daquele estreito vínculo entre mãe e bebê. Toda a atenção da esposa estava agora concentrada no precioso menino, e Pip adorava e detestava essa mudança de foco em igual proporção. O que achava mais difícil de suportar era que, antes, Karine sempre o incentivava a trabalhar nas suas composições; ultimamente, porém, parecia que toda vez que ele se sentava ao piano ela o mandava fazer silêncio.

– Pip! O neném está dormindo e você vai acordá-lo.

No entanto, um motivo em especial o deixava grato pelo fato de Karine estar fechada naquele casulo maternal: assim ela não tinha mais interesse em ler os jornais, que a cada semana pareciam expor as tensões crescentes na Europa. Após a anexação da Áustria pela Alemanha, em março, no final de setembro houvera um lampejo de esperança de que a guerra pudesse ser evitada: França, Alemanha, Grã-Bretanha e Itália haviam assinado o Acordo de Munique, que cedia à Alemanha a área dos Sudetos, na Tchecoslováquia, em troca de uma promessa de Hitler de que o país germânico não faria mais nenhuma exigência territorial. O primeiro-ministro da Grã-Bretanha, Neville Chamberlain, chegara a anunciar em um discurso que o acordo conduziria à "paz na nossa época". Pip desejou com todas as forças que o britânico estivesse certo. À medida que o outono foi passando, contudo, as conversas no fosso da orquestra e nas ruas de Bergen se tornaram cada vez mais sombrias; poucos acreditavam que o Acordo de Munique fosse se sustentar.

Pelo menos as festividades do Natal proporcionaram uma bem-vinda trégua. O casal passou o dia de Natal na casa de Horst e Astrid junto com Elle e Bo. Na véspera do ano-novo, deram uma festa em casa e, quando os sinos da meia-noite anunciaram a chegada do ano de 1939, Pip abraçou a mulher e a beijou com ternura.

– Meu amor, eu devo a você tudo que sou. Nunca serei capaz de lhe agradecer o suficiente por tudo que você tem sido para mim. E por tudo que você me deu – sussurrou ele. – Um brinde a nós três.

❋ ❋ ❋

No primeiro dia no ano, Karine – após ser convencida a deixar Felix sob os carinhosos cuidados dos avós – embarcou junto com Pip, Bo e Elle no navio Hurtigruten e eles zarparam do porto de Bergen para subirem a magnífica costa oeste da Noruega. Diante das incontáveis paisagens esplendorosas pelas quais passaram, Karine chegou a esquecer o remorso materno. Sua preferida foi a cascata das Sete Irmãs, suspensa à beira do fiorde de Geiranger.

– É mesmo de tirar o fôlego, *chéri* – comentou ela em pé no convés com Pip, envolta em várias camadas de lã para se proteger das temperaturas abaixo de zero. Os dois admiraram, maravilhados, as incríveis esculturas naturais de gelo que se formaram quando a cachoeira congelou em pleno movimento com a chegada do inverno.

O Hurtigruten continuou a subir o litoral, entrando e saindo de fiordes, e parou em vários portos pequeninos para entregar comida e correspondência; o navio era uma linha de abastecimento para os moradores das comunidades isoladas que povoavam a costa.

Durante o trajeto até o ponto mais setentrional da viagem, Mehamn, bem no alto da costa ártica da Noruega, Pip falou aos companheiros sobre o fenômeno da aurora boreal.

– As Luzes do Norte são como um espetáculo celeste de luzes do próprio Deus – falou, tentando resumir em palavras a beleza do fenômeno, mas sabendo que não estava lhe fazendo jus.

– Você já viu? – quis saber Karine.

– Já, mas só uma vez, quando as condições estavam boas e as luzes desceram ao sul o suficiente para chegar até Bergen. Nunca fiz esta viagem antes.

– Como elas se formam? – indagou Elle, erguendo os olhos para o céu limpo e estrelado.

– Tenho certeza de que existe uma explicação técnica, mas não sou a pessoa indicada para fornecê-la – admitiu Pip.

– E talvez nem seja necessário explicar – comentou Bo.

A travessia depois de Tromsø ficou agitada, e as duas moças se recolheram à cabine quando o barco se aproximou da ponta do Cabo Norte. O capitão informou que aquele era o melhor ponto para se observar as Luzes do Norte, mas, sabendo o quanto Karine estava passando mal, Pip não teve escolha senão deixar Bo sozinho olhando para o céu e descer para cuidar dela.

– Eu disse que não gostava de barcos – gemeu Karine, agachada acima do saquinho atenciosamente providenciado para quem enjoava no mar.

Quando eles se afastaram do Cabo Norte e recomeçaram a descer em direção a Bergen, o dia rompeu com águas mais tranquilas. Bo deu bom-dia a Pip no refeitório com um semblante dominado pelo entusiasmo.

– Eu vi, amigo! Eu vi o milagre! E a sua majestade basta para convencer o mais fervoroso descrente de que existe um poder maior. Que cores... verde, amarelo, azul... o céu inteiro se acendeu, radioso! Eu... – Bo se engasgou com as próprias palavras, em seguida recobrou o controle. Com os olhos a brilhar por causa das lágrimas contidas, estendeu os braços para Pip e lhe deu um abraço. – Obrigado – agradeceu. – Obrigado.

❉ ❉ ❉

De volta a Bergen, Pip se recolhia à sala de concerto deserta ou à casa dos pais para usar o piano que havia lá, tudo de modo a não incomodar o pequeno Felix. Constatou que seu raciocínio estava disperso devido às incontáveis noites maldormidas nas quais o bebê se esgoelava por causa das cólicas, das quais era particularmente inclinado a padecer. Embora Karine se levantasse para cuidar do filho e deixasse Pip dormir, pois sabia o quanto ele precisava trabalhar, o choro agudo de Felix ecoava nas paredes finas da pequena casa, tornando o repouso impossível para os dois.

– Talvez eu devesse apenas pôr um pouco de *aquavit* na mamadeira dele e acabar com isso – falou Karine exausta durante o café da manhã depois de uma noite particularmente ruim. – Esse bebê está acabando comigo. – Ela deu um suspiro. – Sinto muito pelo incômodo, *chéri*. Pelo visto eu não consigo acalmá-lo. Que mãe terrível eu sou...

Pip a abraçou e enxugou suas lágrimas com os dedos.

– É claro que não é, meu amor. Isso vai passar, prometo.

À medida que o verão foi se aproximando, ambos começaram a pensar que nunca mais teriam uma noite de sono ininterrupta na vida. Então, na primeira noite de silêncio, os dois acordaram automaticamente às duas da madrugada, horário em que a gritaria em geral começava.

– Você acha que ele está bem? Por que não está chorando? *Mon Dieu!* E se ele tiver morrido? – falou Karine, e desceu correndo da cama para ir até o berço encaixado em um canto do minúsculo quarto. – Não... ele está respirando, e não parece estar com febre – sussurrou ela em pé junto a Felix, com uma das mãos na testa do bebê.

– Então o que ele está fazendo? – indagou Pip.

Um sorriso começou a se formar nos lábios de Karine.

– Dormindo, *chéri*. Ele só está dormindo.

❖ ❖ ❖

Quando a paz em casa foi restaurada, Pip voltou a trabalhar em sua música. Depois de muito refletir, havia decidido batizar sua composição de *Concerto do Herói*. A história que lera sobre a sacerdotisa que contrariava as regras do templo ao se permitir fazer amor com um jovem admirador e depois, quando ele se afogou, se jogava no mar atrás dele, condizia bem com o temperamento dramático e independente de Karine. Além do mais, Karine *era mesmo* a sua "heroína", e Pip sabia que, se um dia a perdesse, faria a mesma coisa.

Certa tarde de agosto, ele pousou o lápis que usava para escrever nas partituras e se espreguiçou com os braços acima da cabeça, aliviado. O último arranjo para orquestra estava pronto. Sua composição estava concluída.

No domingo seguinte, o casal levou o pequeno Felix de trem para visitar os avós em Froskehuset. Depois do almoço, Pip distribuiu as partituras de violoncelo, violino e oboé e pediu que Karine e Horst as estudassem. Após um curto ensaio – tanto seu pai quanto sua mulher eram ótimos na leitura a primeira vista –, ele se sentou ao piano e a pequena orquestra começou a tocar.

Vinte minutos depois, Pip pousou as mãos no colo. Ao se virar, viu Astrid enxugando lágrimas dos olhos.

– Foi meu filho quem compôs isso... – sussurrou ela, erguendo os olhos para o marido. – Acho que ele herdou o talento do seu pai, Horst.

– Herdou, mesmo – concordou ele, visivelmente comovido. Deu um tapa no ombro de Pip. – Que composição inspirada, filho! Você precisa tocá-la para Harald Heide o quanto antes. Aposto que ele vai querer estreá-la aqui em Bergen.

❋ ❋ ❋

– É claro que tudo isso se deve a mim por ter lhe dado o piano – afirmou Karine, extasiada, quando os dois estavam sentados no trem de volta para casa. – E agora, quando você ficar rico, vai poder substituir o colar de pérolas que vendi para comprá-lo. – Ao ver a expressão de choque no rosto do marido, ela se curvou para beijar sua bochecha. – Não se preocupe, meu amor. Você deixou Felix e eu muito orgulhosos, e nós o amamos.

Pip reuniu coragem para procurar Harald Heide na sala de concerto antes da primeira apresentação noturna da semana. Foi ter com ele nos camarins e explicou que havia composto um concerto e desejava ouvir sua opinião a respeito.

– Por que deixar para amanhã o que se pode fazer hoje? Toque-o para mim agora, que tal? – sugeriu o regente.

– Ahn... está bem, maestro.

Nervoso, Pip se sentou, levou os dedos ao teclado e tocou o concerto inteiro de cabeça. Harald não o deteve e, no fim, aplaudiu bem alto.

– Bem, bem, muito bom, muito bom mesmo, *Herr* Halvorsen. O tema recorrente é incrivelmente original e fascinante. Eu mesmo já o estou cantarolando. Dei uma olhada aqui nestas páginas e vi que alguns arranjos precisam ser alterados, mas posso ajudá-lo com isso. Será que temos um novo Grieg entre nós? – indagou ele, devolvendo as partituras para Pip. – A influência do trabalho dele é bem visível na estrutura, mas acredito ter escutado um pouco de Rachmaninoff, e de Stravinsky também.

– Espero que tenha escutado também um pouco de mim, maestro – respondeu Pip, ousado.

– Escutei, escutei sim. Parabéns, rapaz. Acho que podemos pensar em incluir a peça no programa no início da primavera, o que lhe daria tempo para trabalhar nos arranjos.

Depois do concerto, Pip tomou a liberdade de acordar Karine, que já estava dormindo.

– Dá para acreditar, *Kjære*? Está acontecendo de verdade! Nessa mesma época, no ano que vem, talvez eu seja um compositor profissional!

– Essa é a notícia mais maravilhosa que já recebi. Não que eu tenha duvidado sequer por um segundo. Você vai ser influente – disse ela, com uma risadinha. – Eu vou ser a mulher do célebre Pip Halvorsen.

– Vou me chamar "Jens Halvorsen", é claro – corrigiu ele. – Vou usar o nome correto que era do meu avô.

– Que ficaria muito orgulhoso de você, *chéri*, tenho certeza. Assim como eu estou.

Eles brindaram à notícia com uma dose de *aquavit* cada um e completaram a comemoração fazendo amor em silêncio para não acordar Felix, que dormia em paz no berço ao pé da cama.

❋ ❋ ❋

Por que a felicidade é sempre tão curta? Foi a pergunta que Pip fez a si mesmo, arrasado, quando leu no jornal do dia 4 de setembro que, após a invasão alemã da Polônia, no dia 1º daquele mês, França e Grã-Bretanha haviam declarado guerra à Alemanha. Ao sair de casa e percorrer a curta distância até a sala de concerto para ensaiar, pôde sentir o desânimo cobrindo os moradores da cidade como uma capa.

– Mas a Noruega conseguiu se manter neutra na última guerra, então por que não nessa? Nós somos um país de pacifistas, e não deveríamos ter nada a temer – declarou Samuel, um dos colegas músicos de Pip, enquanto a orquestra afinava os instrumentos no fosso. Estavam todos embasbacados com a notícia e tomados pela tensão e pelo nervosismo.

– Ah, mas lembre que Vidkun Quisling, líder do partido fascista aqui da Noruega, está fazendo o possível para angariar apoio à causa de Hitler – retrucou Horst, sombrio, enquanto passava resina no arco do violoncelo. – Ele já deu muitas palestras sobre o que chama de "questão judaica". Se ele chegar ao poder, que Deus não permita, há poucas dúvidas de que tomaria o partido dos alemães.

Após o concerto, Pip chamou o pai de lado.

– *Far*, você acha mesmo que nós vamos entrar nessa guerra?

– Infelizmente, é uma possibilidade. – Horst deu de ombros com tristeza. – E mesmo que o nosso país resista a pegar em armas para qualquer um dos lados, tenho dúvidas de que o regime alemão vá nos deixar em paz.

Nessa noite, Pip fez o que pôde para consolar Karine, cujos olhos exibiam de novo o medo que ele vira em Leipzig.

– Por favor, fique calma – disse-lhe ele. Ela andava para lá e para cá pela cozinha segurando o pequeno Felix contra o peito, em um gesto protetor, como se os nazistas fossem entrar de repente pela porta e lhe arrancar o filho dos braços. O menino se contorcia. – Lembre-se, você agora foi batizada luterana e seu sobrenome é Halvorsen. Mesmo se os nazistas invadirem nosso país, o que é muito pouco provável, ninguém vai saber que você é judia de nascença.

– Ah, Pip! Não seja tão ingênuo! É só olhar para mim e eles vão ver a verdade. Depois disso, bastará investigar um pouco. Você não entende como eles são meticulosos... nada consegue detê-los quando querem nos encontrar! E o nosso filho? Ele tem sangue judeu! Eles podem levá-lo também!

– Não vejo como eles podem descobrir alguma coisa. Além do mais, temos que acreditar que não vão chegar até aqui – falou Pip, empurrando de propósito para o fundo da mente, com determinação, os comentários que ouvira do pai mais cedo. – Várias pessoas me disseram que existe um fluxo constante de judeus vindo da Europa para a Noruega pela Suécia, para *fugir* da ameaça nazista. Eles veem nosso país como um porto seguro. Por que você não consegue ver isso?

– Porque eles podem estar errados, Pip... eles podem estar errados. – Ela deu um súbito suspiro e desabou sentada em uma cadeira. – Será que vou ser sempre obrigada a sentir medo?

– Eu juro, Karine, que farei tudo que puder para proteger você e Felix. Custe o que custar, meu amor.

Ela ergueu para ele os olhos escuros atormentados e incrédulos.

– Eu sei que é esse o seu desejo, *chéri*, e lhe agradeço por isso, mas infelizmente pode ser que dessa vez nem você consiga me salvar.

Assim como havia acontecido depois de a estátua de Mendelssohn em Leipzig ser reduzida a ruínas, Pip sentiu a atmosfera de tensão se acalmar no mês seguinte, à medida que todos na Noruega começavam a aceitar a situação e reagir de acordo. O rei Haakon e o primeiro-ministro Johan Nygaardsvold fizeram o possível para assegurar aos cidadãos que a Alemanha não tinha interesse naquele cantinho minúsculo do mundo que era o país deles. Não havia por que entrar em pânico, repetiam, embora o Exército e a Marinha tivessem sido mobilizados e diversas precauções já estivessem sendo tomadas caso o pior acontecesse.

Ao mesmo tempo, guiado pelas mãos experientes e cuidadosas de Harald, Pip passava horas aperfeiçoando os arranjos de seu concerto. Logo antes do Natal, Harald lhe deu a maravilhosa notícia de que o *Concerto do Herói* seria incluído na Programação de Primavera. À noite, isso deu margem a rodadas extras de *aquavit* quando ele chegou em casa.

– Minha primeira apresentação será dedicada a você, meu amor.

– E eu estarei lá para ouvi-lo dar à luz sua obra-prima. Você estava presente quando dei à luz a minha – falou Karine, embriagada, atirando-se nos braços dele.

Os dois então fizeram amor ruidosamente, com entrega, sem se preocupar com o filho, que estava passando a noite na casa dos avós.

41

Em uma chuvosa manhã de março de 1940, sentado em frente a Karine à mesa do café, Pip viu o cenho da mulher se franzir profundamente quando ela leu uma carta dos pais.

– O que foi, amor? – perguntou.

Ela o encarou.

– Meus pais estão dizendo que nós deveríamos partir para os Estados Unidos agora mesmo. Estão convencidos de que o plano de *Herr* Hitler é dominar o mundo, de que ele não vai sossegar enquanto não tiver o controle da Europa e depois vai querer mais ainda. Mandaram alguns dólares para nos ajudar com o custo da viagem, está vendo? – Ela abanou para ele umas notas de dinheiro. – Se vendermos o piano, seria fácil conseguir o que falta. Segundo eles, agora nem a França nem mesmo a Noruega estão livres do risco de uma invasão.

Faltavam só algumas semanas para a estreia de Pip, marcada para um concerto especial de domingo no teatro Nationale Scene no dia 14 de abril. Ele sustentou o olhar de Karine.

– Perdão, mas como é que os seus pais, que estão a milhares de quilômetros daqui, podem saber mais do que nós sobre a situação da Europa?

– Porque eles têm uma visão geral, uma neutralidade que não conseguimos ter. Nós estamos *dentro* da situação, e talvez estejamos todos nos enganando aqui na Noruega, porque é a única coisa que podemos fazer para nos tranquilizarmos. Pip, de verdade, eu acho que está na hora de irmos embora – insistiu ela.

– Minha querida, você sabe tão bem quanto eu que o futuro de nós três depende do sucesso da estreia do meu concerto. Como eu poderia virar as costas para isso agora?

– Para garantir a segurança da sua mulher e do seu filho, talvez?

– Por favor, Karine, não diga isso! Eu fiz tudo que pude para proteger você e vou continuar fazendo. Se quisermos ter um futuro nos Estados Unidos, eu preciso antes criar uma reputação que me preceda. Caso contrário, chegarei apenas como mais um candidato a compositor de um país do qual a maioria dos americanos nunca ouviu falar. Duvido que consiga entrar na Filarmônica de Nova York sequer para servir o chá, quem dirá como um músico a ser levado a sério.

Pip viu um súbito lampejo de raiva nos olhos da mulher.

– Tem certeza de que é dinheiro que você quer? Ou será que o mais importante é o seu ego?

– Pare de ser condescendente – retrucou ele, frio, levantando-se da mesa. – Eu sou seu marido e pai do seu filho. Quem toma as decisões nesta casa sou eu. Tenho reunião com Harald daqui a vinte minutos. Conversamos sobre esse assunto depois.

Pip saiu de casa fervilhando de ressentimento e pensando que às vezes Karine o pressionava demais. Além de ler todos os jornais que conseguia encontrar, ele estava sempre com os ouvidos bem atentos e monitorava cuidadosamente os boatos que corriam pelas ruas e no fosso da orquestra. Havia dois músicos judeus entre eles, e ninguém parecia pensar que houvesse motivo para pânico. Ninguém havia sugerido que *Herr* Hitler tivesse planos iminentes de invadir o país. *Com certeza os pais de Karine estão alarmados*, pensou ele enquanto percorria as ruas da cidade. Como a estreia era dali a três semanas, seria uma loucura total eles viajarem agora.

Pela primeira vez, pensou, sentindo uma onda de irritação brotar dentro de si por ter suas opiniões contrariadas, Karine teria que escutar o marido.

❊ ❊ ❊

– Então que seja. – Com um dar de ombros, Karine descartou a questão quando Pip lhe disse, nessa mesma noite, que seu plano era que a família permanecesse em Bergen até depois da estreia. – Se acha que sua mulher e seu filho estão seguros aqui, não tenho outra escolha senão confiar em você.

– Eu acredito, sim, que vocês estão seguros. Pelo menos por enquanto. No futuro, podemos avaliar a situação conforme a necessidade. – Pip a viu se levantar da cadeira, tensa, após escutar sua veemente recusa da opinião dos sogros e do instinto pessoal da própria mulher. – Não posso impedi-

-la de ir, claro, se for isso que você quiser fazer – acrescentou ele dando de ombros, cansado.

– Como você bem disse, é meu marido, e eu preciso acatar sua opinião e seu juízo. Felix e eu vamos ficar com você, claro. Nosso lugar é aqui. – Ela lhe deu as costas e continuou a caminhar em direção à porta. Então parou e tornou a se virar. – Só rezo para você estar certo, Pip. Porque, se não estiver, que Deus ajude todos nós.

❂ ❂ ❂

Cinco dias antes do dia marcado para a estreia do concerto de Pip, a máquina de guerra alemã atacou a Noruega. Como toda a frota mercante estava ocupada ajudando a Grã-Bretanha a fazer um bloqueio no Canal da Mancha para proteger o país de uma invasão, a Noruega foi pega totalmente desprevenida. Com sua pífia força naval, os noruegueses deram o melhor de si para defender os portos de Oslo, Bergen e Trondheim, e conseguiram até destruir um navio de guerra alemão carregado de armas e mantimentos no fiorde de Oslo. Entretanto, o bombardeio por mar, ar e terra foi incessante e impossível de deter.

Com Bergen sitiada, Pip, Karine e Felix buscaram abrigo em Froskehuset, nas colinas, onde ficaram, petrificados de terror, ouvindo o zumbido da Luftwaffe no céu e o barulho dos tiros na cidade lá embaixo.

Pip não conseguia erguer os olhos para encarar a mulher; sabia exatamente o que o olhar dela lhe diria. Nessa noite, eles se deitaram na cama, ambos calados, e ficaram lá, como dois estranhos, com Felix dormindo entre eles. Depois de algum tempo, sem conseguir mais suportar aquilo, Pip procurou a mão dela.

– Como você vai conseguir me perdoar? – perguntou ele para o escuro.

Karine deixou passar um longo intervalo antes de responder.

– Porque é o meu dever. Você é meu marido e eu amo você.

– Eu juro que, mesmo agora que isso aconteceu, nós estamos seguros. Todo mundo diz que os cidadãos noruegueses não têm nada a temer. Os nazistas só nos invadiram para proteger o transporte do minério de ferro da Suécia que os abastece. Não tem nada a ver com nós dois.

– Não, Pip. – Karine deu um suspiro exausto. – Mas tem sempre a ver *conosco*.

✹ ✹ ✹

Durante os dois dias seguintes, os moradores de Bergen receberam garantias dos ocupantes alemães de que nada tinham a temer e de que a vida seguiria seu curso normal. Suásticas foram penduradas na sede da prefeitura e soldados de uniforme nazista enchiam as ruas. O centro da cidade fora duramente atingido durante a batalha por Bergen, levando ao cancelamento de todos os concertos previstos.

Pip se desesperou. Havia arriscado a vida da mulher e do filho por uma estreia que agora sequer iria acontecer. Saiu de casa e subiu a colina até a floresta. Deixou-se desabar sobre um tronco de árvore caído e enterrou o rosto nas mãos. Pela primeira vez em sua vida adulta, chorou copiosamente de vergonha e horror.

Nessa noite, Bo e Elle foram visitá-los em Froskehuset, e os seis discutiram a situação.

– Ouvi dizer que o nosso corajoso rei conseguiu sair de Oslo – informou Elle a Karine. – Está escondido em algum lugar no Norte. E Bo e eu também vamos embora.

– Quando? Como? – quis saber Karine.

– Bo tem um amigo pescador que trabalha no porto. Ele disse que vai nos levar até a Escócia, nós e qualquer um que queira ir junto. Vocês querem?

Karine lançou um olhar furtivo na direção de Pip, muito entretido em uma conversa com o pai.

– Duvido que meu marido queira. Felix e eu corremos perigo aqui? Elle, por favor, me diga. O que Bo acha?

– Nenhum de nós sabe, Karine. Mesmo que consigamos alcançar a Grã-Bretanha, talvez os alemães cheguem lá também. Essa guerra parece uma praga a se espalhar por toda parte. Pelo menos aqui você está casada com um norueguês, além de agora ser luterana. Contou para alguém sobre sua verdadeira religião e origem?

– Não! Tirando meus sogros, claro.

– Então talvez seja melhor ficar aqui com o seu marido. Você tem o sobrenome dele e a história da famosa família Halvorsen em Bergen para protegê-la. Para Bo e eu é diferente. Não temos nada para nos esconder. Só somos gratos a Pip e à família dele por terem nos acolhido e nos salvado do perigo. Se tivéssemos ficado na Alemanha... – Elle estremeceu. – Andei ouvindo histórias de campos para judeus, de famílias inteiras que desapareceram de casa na calada da noite.

Karine também tinha ouvido essas histórias.

– Quando vocês vão embora?

– Não vou dizer. É melhor você não saber, para o caso de as coisas aqui piorarem. Por favor, não comente nada com Pip nem com os pais dele.

– Vai ser em breve?

– Vai. E Karine... – Elle segurou a mão da amiga. – Temos que nos despedir agora. Tudo que posso fazer é torcer e rezar para um dia nos vermos de novo.

Elas se abraçaram com os olhos úmidos de lágrimas e ficaram de mãos dadas, em uma postura de silenciosa solidariedade.

– Estarei sempre aqui para ajudar você, amiga – sussurrou Karine. – Me escreva quando chegar à Escócia.

– Vou escrever, prometo. Não esqueça que, apesar de ter julgado mal a situação, seu marido é um homem bom. Como alguém a não ser os da nossa raça poderia ter previsto o que está acontecendo? Perdoe Pip, Karine. Ele não consegue entender o que é viver sempre com medo.

– Vou tentar – respondeu Karine.

– Ótimo. – Com um leve sorriso, Elle se levantou do sofá e fez um gesto para Bo, indicando que estava pronta para ir embora.

Ao vê-los sair, Karine soube, com uma certeza que vinha do fundo da alma, que nunca mais colocaria os olhos em nenhum dos dois.

❋ ❋ ❋

Dois dias mais tarde, Karine e Pip enfrentaram a viagem colina abaixo e voltaram para casa. Viram que a fumaça ainda subia das casas incendiadas na parte do porto destruída pelos bombardeios e pelo fogo.

A oficina de cartas náuticas era uma delas.

Ficaram ambos parados, horrorizados, sem conseguir desgrudar os olhos da pilha fumegante.

– Eles estavam aí dentro? – perguntou Pip, engasgado.

– Não sei – respondeu Karine, lembrando-se da promessa feita a Elle. – Pode ser.

– Meu Deus do céu. – Pip caiu de joelhos e começou a chorar, mas na mesma hora Karine viu um pelotão de soldados alemães chegar marchando pela rua.

– Levante-se! – sibilou ela. – *Agora!*

Pip obedeceu, e os dois menearam a cabeça com deferência para os soldados que passaram, torcendo para serem vistos apenas como um jovem casal norueguês apaixonado.

❧ ❧ ❧

Na manhã do dia em que o *Concerto do Herói* devia ter estreado, Pip acordou e constatou que Karine já tinha se levantado. Viu Felix ainda dormindo a sono solto no berço ao pé da cama e desceu para procurá-la. Ao entrar na cozinha, encontrou um bilhete em cima da mesa.

Fui comprar pão e leite. Volto logo. Um beijo.

Foi até a porta da frente e saiu à rua aflito para procurá-la, perguntando-se que bicho a poderia ter mordido para sair de casa sozinha. Ao longe, pôde ouvir o estouro ocasional de tiros: alguns pelotões do exército norueguês continuavam a resistir até o amargo fim, embora ninguém tivesse qualquer ilusão em relação a quem sairia vencedor.

Quando não encontrou vivalma na rua deserta a quem pudesse perguntar pela mulher, Pip tornou a entrar na casa e foi acordar o filho. O menino, que tinha agora um ano e cinco meses, saiu da cama e desceu a escada de mãos dadas com o pai sobre as perninhas hesitantes. Ouviu-se uma nova e súbita rajada de tiros bem alta.

– Bang bang! – imitou Felix, sorrindo. – Cadê mamãe? Fome!

– Ela vai voltar logo. Vamos ver o que conseguimos encontrar na cozinha para você comer.

Ao abrir a despensa e constatar que não havia nada lá dentro, reparando nas duas garrafas de leite vazias junto à pia, Pip entendeu na hora por que Karine tinha saído. Recorreu a um pedaço de pão, sobra do jantar da véspera, para manter Felix tranquilo até ela voltar. Sentou o filho no colo e leu uma história para ele, tentando se concentrar em algo que não o próprio medo.

Duas horas mais tarde, ainda não havia sinal algum de Karine. Desesperado, Pip foi bater à porta da vizinha. A mulher o tranquilizou dizendo que já estava havendo racionamento de comida e que na véspera ela mesma tinha ficado mais de uma hora na fila para comprar pão.

– Tenho certeza de que ela vai voltar logo; talvez tenha precisado ir mais longe do que o normal para encontrar mantimentos.

Pip voltou para casa e decidiu que não dava mais para aguentar. Vestiu Felix e saiu, segurando o menino pela mão com firmeza. Colunas de fumaça acre do bombardeio da Luftwaffe ainda pairavam acima da baía e ainda se podia ouvir barulhos de tiros ocasionais. Embora passasse das onze, as ruas estavam quase desertas. Ele viu que a padaria da qual eles eram fregueses estava com as venezianas fechadas, assim como a quitanda e a peixaria mais adiante em Teatergarten. Ouviu os passos pesados de uma patrulha e, ao dobrar a esquina deparou com os soldados marchando na sua direção.

– Soldado! – Alheio a qualquer perigo que eles pudessem representar, Felix apontou para os homens.

– É, soldado – falou Pip, tentando atinar aonde Karine poderia ter ido. Então pensou na pequena sequência de comércios em Vaskerelven, logo depois do teatro. Ela muitas vezes lhe pedia para passar lá na ida ou na volta do trabalho, caso eles estivessem precisando de alguma coisa.

Quando eles chegaram perto do teatro, Pip ergueu os olhos e viu que a fachada estava completamente destruída. A visão o fez engasgar de horror. Seu primeiro pensamento foi que, embora as partituras originais para piano estivessem em Froskehuset, o resto de seus arranjos estava trancado a sete chaves no escritório do teatro.

– Meu Deus... quase com certeza estão destruídas – murmurou, atarantado.

Para o filho não perceber quanto ele estava abalado e assustado, desviou os olhos da fachada e passou pelas ruínas do teatro decidido a não se permitir pensar no que havia lá dentro.

– *Far*? Por que estão dormindo?

Felix apontou para a praça a alguns metros dali, e foi então que Pip viu os cadáveres, uns dez ou doze, que pareciam ter sido jogados no chão como bonecos de pano descartados. Pôde ver que dois deles usavam o uniforme militar norueguês, enquanto os outros eram obviamente civis: homens, mulheres e até mesmo um menininho. Devia ter havido um confronto mais cedo, e alguns inocentes tinham sido pegos no fogo cruzado.

Tentou puxar o filho para longe, mas Felix permaneceu grudado no mesmo lugar e apontou para um dos corpos.

– Vamos acordar *Mor* agora, *Far*?

Ally

Bergen, Noruega

Setembro de 2007

42

Lágrimas faziam meus olhos arderem quando Thom, que havia me contado a história andando de um lado para outro, finalmente se deixou cair em uma cadeira.

– Meu Deus, Thom, não sei nem o que dizer. Que coisa mais horrível – sussurrei depois de algum tempo.

– É. Terrível mesmo. É tão difícil acreditar que faz só duas gerações... E tudo aconteceu bem aqui, no que as pessoas por tanto tempo consideraram um porto seguro no topo do mundo.

– Como Pip conseguiu suportar a morte de Karine? Ele deve ter se sentido totalmente responsável.

– Ally, eu... Ele não conseguiu suportar, enfim.

– Como assim?

– Depois de encontrar Karine morta na praça, ele trouxe Felix para ficar aqui com os avós. Disse a Horst e Astrid que iria dar uma volta, que precisava de um tempo para pensar. Quando a noite caiu e ele não voltou, Horst saiu à sua procura. E encontrou o filho morto na mata logo acima da casa. Ele tinha pegado a espingarda de caça do pai no barracão e se matado.

De tão chocada e horrorizada, fiquei sem conseguir falar.

– Meu Deus do céu, coitadinho do Felix.

– Ah, o Felix ficou bem – disse Thom, abruptamente. – Ele era pequeno demais para entender o que tinha acontecido, e é claro que Horst e Astrid o criaram.

– Mesmo assim, perder pai e mãe no mesmo dia... – Li a expressão de Thom e decidi me calar.

– Sinto muito, Ally – reconheceu ele, pois tinha percebido a dureza na própria voz. – De fato, e acho que isso foi ainda pior, ele só soube a verdade sobre a morte do pai quando um sujeito muito esperto da Filarmônica resolveu lhe contar um belo dia, pensando que ele já soubesse.

– Ui – falei, e estremeci.

– Ele estava com 22 anos e tinha acabado de entrar para a orquestra. Muitas vezes me perguntei se foi isso que o fez sair dos trilhos, perder o foco e começar a beber... – Thom deixou a frase em suspenso.

– Pode ser – respondi, com delicadeza. Minha vontade era responder que sim, eu tinha certeza de que uma revelação daquelas bastaria para desestabilizar qualquer um, mas me contive.

De repente, Thom olhou para o relógio e deu um pulo.

– Temos que ir, Ally, senão vamos perder sua hora no médico.

Saímos de casa, pulamos no carro e Thom desceu a colina bem depressa em direção ao centro de Bergen. Chegando ao consultório, encostou o carro em frente à entrada.

– Vá entrando, eu vou estacionar e já venho.

– Não tem necessidade, Thom. Sério.

– Vou entrar mesmo assim. Nem todo mundo aqui fala inglês ou francês, você sabe. Boa sorte. – Ele me sorriu e partiu na direção do estacionamento.

Fui chamada na hora e, embora o inglês da médica não fosse perfeito, bastou para ela entender o que eu estava tentando lhe dizer. Ela me fez várias perguntas, em seguida me fez um exame pélvico minucioso.

Depois do exame, quando me sentei, disse que pediria um exame de sangue e de urina.

– Qual o problema? – perguntei, nervosa.

– Quando foi sua última menstruação, senhorita... D'Aplièse?

– Ahn... – A verdade era que eu não me lembrava. – Não tenho certeza.

– Existe alguma possibilidade de a senhorita estar grávida?

– Eu... eu não sei – respondi, incapaz de processar a enormidade daquela pergunta.

– Bem, vamos fazer os exames de sangue só para excluir qualquer outra possibilidade. Mas o seu útero com certeza está aumentado, e, portanto, os enjoos que a senhorita vem sentindo provavelmente se devem às primeiras semanas de uma gestação. Eu diria que está grávida de uns dois meses e meio.

– Mas eu perdi peso – falei. – Não pode ser isso.

– Algumas mulheres emagrecem por causa dos enjoos. A boa notícia é que isso tende a passar depois do primeiro trimestre. A senhorita deve melhorar muito em breve.

– Certo. Bem... obrigada.

Levantei-me, e me senti subitamente sem ar e tonta quando ela me entregou o potinho para levar ao banheiro e me indicou onde ficava a enfermeira que tiraria meu sangue. Saí do consultório, encontrei o banheiro mais próximo, fiz o que precisava fazer e fiquei ali, sentada, suando e tremendo, tentando desesperadamente me lembrar da última vez que tinha ficado menstruada.

– Ai, meu Deus – falei para as paredes, que fizeram o som reverberar. Tinha sido logo antes de subir a bordo com Theo e sua tripulação para treinar para a Regata das Cíclades, em junho...

Saí do banheiro trôpega e fui tirar sangue. Pensei desanimada em quantas vezes tinha ouvido mulheres dizerem que não haviam percebido estarem grávidas. Eu sempre dava risada delas, pensando como alguma mulher poderia deixar de ficar menstruada sem pensar no assunto. E agora essa mulher era *eu*. Com tudo o que tinha acontecido nas últimas semanas, o fato simplesmente passara despercebido.

Mas como? Fiquei pensando nisso enquanto ia ao encontro da enfermeira que ia coletar meu sangue e arregaçava a manga para que ela pudesse apertar o garrote acima do cotovelo. Eu sempre havia sido muito cuidadosa e tomava a pílula religiosamente. Mas então pensei naquela noite em Naxos na qual havia passado tão mal na frente de Theo e na qual ele cuidara de mim com tanto carinho. Seria possível que aquilo tivesse de alguma forma afetado o efeito do anticoncepcional? Ou será que eu simplesmente esquecera de tomar o remédio algum dia, no turbilhão depois da morte de Pa...?

Voltei para a recepção, entreguei minha amostra de urina e fui informada de que o resultado sairia no dia seguinte à tarde e eu deveria telefonar para o consultório para saber.

– Obrigada – falei para a recepcionista. Quando me virei, vi que Thom estava atrás de mim.

– Está tudo bem, Ally?

– Está sim, eu acho.

– Ótimo.

Segui-o de volta até o carro e fiquei sentada em silêncio enquanto ele me levava até meu hotel.

– Tem certeza de que está tudo bem? O que a médica falou?

– Ah, ela disse que eu estava... cansada, estressada. Pediu uns exames –

respondi, vaga. Não estava preparada para divulgar os detalhes dos quinze minutos que podiam ter mudado minha vida até conseguir processar o fato.

– Bom, eu tenho um compromisso com a orquestra na Sala Grieg amanhã de manhã, mas será que posso passar no seu hotel para ver como você está depois, por volta do meio-dia?

– Pode, sim. Seria ótimo. Obrigada por tudo, Thom.

– De nada. E desculpe se a minha história de hoje a perturbou. Me ligue se precisar de alguma coisa, está bem?

Desci do carro e reparei em sua expressão preocupada.

– Claro. Tchau.

Fiquei parada em frente à porta do hotel olhando o carro desaparecer de novo ao longo do cais. Precisava ter certeza, e a farmácia que vira do carro no caminho devia estar prestes a encerrar o expediente. Subi correndo os poucos metros de ladeira e cheguei ofegante bem na hora em que estavam fechando as portas. Comprei o que precisava e voltei para o hotel a um passo bem mais lento.

No banheiro, segui as instruções e aguardei os dois minutos.

Atrevi-me a dar uma espiada na haste plástica e vi que, em poucos segundos, a linha já estava ficando inconfundivelmente azul.

Nessa noite, passei por toda uma gama de emoções. Um imenso alívio por não estar realmente doente, apenas grávida, seguido pelo duplo temor de que não apenas havia algo em meu corpo que eu absolutamente não controlava, mas de que teria que lidar sozinha com o bebê quando ele nascesse. Então, depois de algum tempo e de forma totalmente inesperada, uma alegria começou aos poucos a borbulhar dentro de mim.

Eu estava grávida do filho de Theo. Parte dele continuava viva... e naquele exato momento crescia e ficava mais forte a cada dia dentro de mim. Havia nesse pensamento algo de tão milagroso que, apesar do medo, derramei lágrimas de alegria ao constatar como a vida de fato parecia sempre encontrar um jeito de se renovar.

Uma vez superado o choque inicial, levantei-me e comecei a andar pelo quarto. Não me sentia mais letárgica nem enjoada ou assustada, mas sim repleta de uma nova energia. Quer eu quisesse quer não, aquilo estava acontecendo, e agora eu precisava pensar no que iria fazer. Que tipo de lar poderia dar a um filho? E onde seria esse lar? Sabia que, por sorte, dinheiro não seria um problema. E com certeza não me faltaria ajuda se eu quisesse:

Ma em Genebra, Celia em Londres. Sem falar nas cinco tias corujas que minhas irmãs virariam. Não seria uma criação convencional, mas jurei a mim mesma dar o melhor de mim para ser mãe e pai do filho de Theo.

Bem mais tarde, quando sosseguei para tentar dormir, ocorreu-me de repente que nem por um segundo desde que eu tivera a confirmação havia me passado pela cabeça a possibilidade de não ter aquele filho.

❀ ❀ ❀

– Oi, Ally – disse Thom no dia seguinte, beijando-me nas duas bochechas no lobby do hotel. – Está com uma cara melhor hoje. Fiquei preocupado ontem à noite.

– Estou me sentindo melhor... eu acho – arrematei, com um sorriso amargo. Decidi que, no fundo, eu estava louca para dividir a notícia com alguém. – Na verdade parece que eu estou grávida, é por isso que tenho passado tão mal.

– Ah... nossa, uau, que maravilha... não é? – indagou ele, tentando avaliar meus pensamentos.

– É, eu acho que é sim, Thom. Mesmo que seja um grande choque. E inesperado. E que o bebê não tenha pai. Mas estou tão... feliz!

– Então eu também estou feliz por você.

Sabia que ele ainda estava me olhando para se certificar de que eu não estava apenas tentando bancar a corajosa.

– Sério, está tudo bem. Na verdade, mais do que bem.

– Ótimo. Nesse caso, meus parabéns.

– Obrigada.

– Já contou para mais alguém?

– Não. Você é o primeiro.

– Que honra! – Comentou ele. Saímos do hotel em direção ao carro. – Mas agora não sei se o que eu tinha planejado para hoje à tarde é adequado, levando em conta o seu... estado delicado.

– O que era?

– Pensei que a gente poderia fazer uma visita ao Felix para ver o que ele tem a dizer. Como a conversa provavelmente vai ser meio pesada, talvez seja melhor deixar para lá, por enquanto.

– Não, sério, eu estou totalmente bem. Tenho certeza de que o medo por estar me sentindo tão mal me fez passar mais mal ainda. Agora que sei o motivo, posso começar a planejar as coisas. Então, sim, vamos visitar o Felix.

– Como eu disse ontem, existe grande probabilidade de que, mesmo sabendo da sua existência, ele negue tudo. Eu estava bem debaixo do seu nariz, e mesmo assim ele se recusou a aceitar que eu fosse seu filho.

– Thom? – falei, depois de entrarmos no carro.

– Hum?

– Você parece ter mais certeza do que eu do meu vínculo de parentesco com você e os Halvorsens.

– E talvez tenha, mesmo – reconheceu ele, dando a partida no carro. – Fato número um: você me disse que o seu pai deixou para cada uma das filhas uma pista em relação ao próprio passado, o lugar onde a história de cada uma começou. No seu caso, foi o livro do meu tataravô. Fato número dois: você é ou já foi musicista, e já está provado cientificamente que o talento pode ser transmitido pelos genes. Fato número três: você já se olhou no espelho?

– Por quê?

– Ally, olhe só para nós dois!

– Tá. – Aproximamos nossas cabeças e encaramos o retrovisor.

– É – concluí. – A gente é parecido. Mas, para ser bem sincera, essa foi uma das primeiras coisas que pensei quando cheguei aqui: que eu parecia todo mundo.

– Concordo que você tem o colorido norueguês. Mas não está vendo? Até as nossas covinhas são parecidas. – Thom encostou os dedos na sua, e eu o imitei e toquei a minha.

Inclinei-me por cima da alavanca de marchas e lhe dei um abraço.

– Bom, mesmo que a gente descubra que não é parente, acho que encontrei meu novo melhor amigo. Desculpe se isso parece uma fala de filme da Disney, mas neste exato momento estou me sentindo dentro de um filme, mesmo – falei, e ri com o absurdo daquilo tudo.

– Então... – começou ele enquanto nos afastávamos do meio-fio. – Me diga outra vez: está mesmo disposta? Está pronta para visitar o ogro da colina que pode ou não ser seu pai biológico?

– Estou, sim. É assim que você o chama? Ogro?

– Ogro é um elogio em comparação com os nomes pelos quais já o chamei antes, sem falar nos adjetivos usados pela minha mãe.

Começamos a margear o porto.

– Não acha que seria bom avisar que estamos indo? – perguntei.

– Se ele souber que vamos, quase com certeza vai ter "saído", então não.

– Bom, pelo menos me fale um pouco mais sobre ele antes de chegarmos.

– Tirando o fato de ele ser um desocupado inútil que jogou a vida e o talento no lixo?

– Ah, Thom, não fale assim. Pelo que você me contou ontem, Felix teve uma infância tenebrosa. Perdeu o pai e a mãe de forma horrível.

– Está bem, desculpe. É que são muitos anos de ressentimento, instigado pela minha mãe, reconheço. Para resumir, foi Horst quem ensinou meu pai a tocar piano. E, pelo que reza a lenda, ele tocava concertos aos 7 anos e aos 12 já compunha os seus próprios. Com os arranjos para orquestra e tudo – Thom ia falando enquanto dirigia. – Com 17 anos, conseguiu uma bolsa para estudar em Paris, e depois de ganhar o concurso Chopin em Varsóvia foi logo aceito na orquestra daqui. Ele foi o pianista mais jovem que a Filarmônica de Bergen já contratou. Minha mãe me disse que a partir daí foi ladeira abaixo. Ele não tinha a menor ética profissional, chegava atrasado aos ensaios, muitas vezes de ressaca, e à noite já estava bêbado. Todo mundo o aturava por ele ser muito talentoso, mas um dia não deu mais.

– Mais ou menos como o seu bisavô Jens – refleti.

– Exato. Enfim, depois de algum tempo, ele foi expulso da orquestra por chegar atrasado ou nem dar as caras um sem-número de vezes. Horst e Astrid também lavaram as mãos e não tiveram outra escolha que não expulsá-lo de Froskehuset. Acho que doeu muito neles serem duros com alguém que amavam para o seu próprio bem. Mesmo assim, Horst deixou o neto usar o chalé que ele e Astrid tinham construído anos antes, quando queriam ir caçar na floresta. A construção era bem básica, para não dizer outra coisa. Felix vivia basicamente às custas das mulheres que seduzia, então, segundo minha mãe, vivia passando de uma para a outra. Até hoje, com luz elétrica e água encanada, o chalé mal passa de uma cabana melhorada.

– A cada frase que você diz, Felix se parece mais com Peer Gynt. Como ele conseguiu levar a vida sem trabalhar?

– Ele teve que ganhar algum dinheiro para financiar seu consumo de álcool dando aulas particulares de piano. Foi assim que conheceu minha mãe. Infelizmente, pouca coisa mudou nos trinta anos desde então. Ele até hoje é bêbado, duro, um mulherengo envelhecido e totalmente indigno de confiança.

– Que desperdício de talento – lamentei, com um suspiro.

– Pois é, uma tragédia. Então é isso. Um resumo da história do meu pai.

– Mas e agora, o que ele faz lá em cima o dia inteiro? – perguntei. Estávamos subindo cada vez mais pelas colinas.

– Para falar a verdade, não sei dizer. Só sei que ele ainda aceita um ou outro aluno, e depois vai direto gastar o dinheiro que ganha com uísque. Felix está ficando velho, mas isso não quer dizer que tenha perdido o charme. Ally, sei que o que vou dizer vai parecer inadequado, considerando o motivo pelo qual você está indo lá, mas estou com medo de ele dar em cima de você.

– Eu me viro, Thom, pode deixar – garanti, com um sorriso.

– Disso eu tenho certeza. É que eu me sinto... como se tivesse que proteger você. E estou começando a me perguntar por que estou fazendo-a passar por isso. Talvez fosse melhor ir falar com ele sozinho antes e explicar a história primeiro.

Pude sentir a tensão na voz dele e tentei aliviá-la.

– Por enquanto seu pai não representa absolutamente nada para mim. É um desconhecido. A gente... *você* está fazendo uma baita suposição sobre o que pode ou não ser verdade. E, seja lá qual for a verdade, não vai ser doloroso para mim, prometo.

– Tomara que não, Ally. Tomara mesmo. – Ele diminuiu a velocidade do carro e estacionou ao lado de uma ladeira coberta por pinheiros. – Chegamos.

Ao seguir Thom pelos degraus cobertos de mato que pareciam conduzir a algum tipo de habitação, entendi que aquela era uma situação bem mais dolorosa para ele do que para mim. Independentemente do que houvesse no alto daqueles degraus, eu continuaria a ter um pai que havia me amado e me protegido durante toda a minha infância. E com certeza não estava procurando nem precisava de outro.

Depois do ponto mais alto da colina, os degraus começaram a descer, e vi um pequeno chalé de madeira aninhado em uma clareira entre as árvores que me fez pensar na casa da bruxa na história de João e Maria.

Em pé diante da porta, Thom apertou minha mão.

– Preparada?

– Preparada – respondi.

Vi que ele hesitou antes de bater. Ficamos esperando uma resposta.

– Eu sei que ele está em casa. Vi a motinho dele no pé da colina – murmurou Thom, e tornou a bater. – É triste, mas ele agora não tem nem mais dinheiro para um carro, e além do mais já foi parado tantas vezes pela polícia que parece pensar que a mobilete é um meio de transporte mais invisível. Meu Deus, como ele é burro!

Dali a algum tempo, ouvimos o barulho de passos lá dentro e uma voz disse algo em norueguês ao mesmo tempo que a porta se abriu. Thom traduziu para mim.

– Ele está esperando um aluno. Acha que somos ele.

Uma figura surgiu, e encarei os olhos azuis brilhantes do pai de Thom. Se eu esperava um velho detonado, com o nariz inchado por causa da bebida e o corpo castigado por anos de abuso de álcool, estava enganada. O homem em pé na soleira da porta estava descalço e vestia uma calça jeans com um grande rasgo no joelho e uma camiseta que parecia estar usando para dormir havia dias. Eu já tinha calculado que ele devia estar beirando os 70 anos, mas os fios brancos em seus cabelos eram raros e o rosto exibia poucas rugas. Se eu o tivesse visto na rua, teria pensado que era no mínimo dez anos mais jovem.

– Oi, Felix. Como vai? – cumprimentou-o Thom.

Ele piscou para nós dois; sua surpresa era evidente.

– Vou bem. O que está fazendo aqui?

– Viemos fazer uma visita. Faz tempo que não nos vemos, essas coisas. Esta é Ally.

– Namorada nova, é? – Os olhos dele recaíram sobre mim e senti que me avaliava fisicamente. – Bonita.

– Não, Felix, ela não é minha namorada. Podemos entrar?

– Eu... a faxineira não tem vindo, então está tudo uma bagunça, mas sim, por favor, entrem.

Naturalmente, não entendi nada dessa conversa toda, já que eles falaram em norueguês.

– Ele fala inglês? – sussurrei, seguindo Thom para dentro da casa. – Ou francês?

– Deve falar. Vou perguntar. – Thom explicou minha deficiência linguística, e Felix meneou a cabeça e começou na mesma hora a falar francês.

– *Enchanté*, mademoiselle. Você mora na França? – perguntou ele. Conduziu-nos até uma sala de estar espaçosa, mas caótica e suja, repleta de pilhas bambas de livros e jornais velhos, xícaras de café usadas e peças de roupa aleatórias jogadas sem cuidado sobre móveis variados.

– Não. Em Genebra – respondi.

– Ah, a Suíça... Estive lá uma vez para um concurso de piano. Um país muito... organizado. Você é suíça? – perguntou ele, gesticulando para nos sentarmos.

– Sou – respondi. Afastei discretamente para o lado um suéter velho e um chapéu amassado, de modo a abrir espaço no sofá de couro surrado para Thom e para mim.

– Ah, que pena. Eu estava com esperança de podermos conversar sobre Paris, onde desperdicei minha juventude – disse ele com uma risadinha rouca.

– Sinto muito decepcioná-lo. Embora eu conheça Paris bastante bem.

– Não tão bem quanto eu, mademoiselle, eu garanto. Mas essa é outra história. – Felix deu uma piscadela, e eu não soube se dava de ombros ou se ria.

– Com certeza – respondi, dócil.

– Podemos falar inglês, por favor? – pediu Thom, abrupto. – Assim todo mundo entende.

– Mas então, o que a traz aqui? – perguntou Felix, trocando de idioma conforme solicitado.

– Para resumir, Ally está à procura de respostas – disse Thom.

– Sobre o quê?

– Sobre sua verdadeira origem.

– Como assim?

– Ela foi adotada quando era bebê e o pai adotivo dela morreu faz algumas semanas, deixando algumas informações para ajudá-la a encontrar a família biológica se ela quisesse – declarou Thom. – Uma das pistas que ela recebeu foi a biografia de Jens e Anna Halvorsen escrita pelo seu bisavô. Então eu pensei que talvez você pudesse ajudá-la.

Vi os olhos de Felix relancearem outra vez na minha direção. Ele pigarreou, então estendeu a mão para um saquinho de fumo e uma seda e enrolou um cigarro.

– E como exatamente você acha que eu posso ajudar?

– Bom, Ally e eu descobrimos que temos a mesma idade. E... – Vi Thom num embate interior consigo mesmo antes de prosseguir. – Eu estava pensando se houve alguma mulher que você conheceu... alguma namorada, sei lá... que... bom, que teve uma filha mulher por volta da mesma época em que a mamãe me teve.

Ao ouvir isso, Felix soltou uma gargalhada que pareceu um latido e acendeu o cigarro.

– Felix, por favor, isso não é assunto para rir.

Estendi a mão e apertei a de Thom para tentar mantê-lo calmo.

– Desculpe, eu sei que não. – Felix se controlou. – Ally é apelido de Alisson?

– Na verdade, de Alcíone.

– Uma das Sete Irmãs das Plêiades – observou ele.

– Isso. Fui batizada em homenagem a ela.

– Foi mesmo? – De repente, ele recomeçou a falar francês, e eu não soube dizer se era de propósito para irritar Thom ou não. – Bom, Alcíone, infelizmente não sei de mais nenhum filho que eu tenha gerado. Mas se você quiser que eu ligue para todas as minhas ex-namoradas e pergunte se elas, sem o meu conhecimento, tiveram uma filha trinta anos atrás, ligarei com prazer.

– O que ele falou? – quis saber Thom com um sussurro.

– Nada importante – respondi a Felix em um francês rápido. – Não culpe Thom por fazer perguntas difíceis. Eu sempre achei que essa busca não fosse dar em nada. Seu filho é uma ótima pessoa e estava só tentando me ajudar. Sei que a relação de vocês dois é difícil, mas o senhor deveria se orgulhar dele. Não vamos tomar mais o seu tempo. – Levantei-me. Estava farta de ser tratada com aquela condescendência. – Vamos, Thom – falei, tornando a passar para o inglês.

Thom também se levantou, e pude ver dor nos seus olhos.

– Caramba, Felix, você é difícil mesmo – comentou ele.

– O que foi que eu fiz? – protestou o pai, dando de ombros.

– Eu sabia que era uma perda de tempo – murmurou Thom com raiva enquanto seguíamos depressa até a porta. Saímos e tornamos a subir os degraus.

Senti a mão de alguém no meu ombro. Era Felix.

– Perdão, Ally. Foi o choque. Onde está hospedada?

– No Havnekontoret – respondi, tensa.

– Está bem. Tchau, então.

Ignorei-o e me apressei para alcançar Thom.

– Desculpe, Ally. Foi uma ideia idiota – disse ele ao destrancar a porta do carro para entrar.

– Não foi, não – falei, para reconfortá-lo. – Obrigada por tentar. Agora, por que não voltamos para a sua casa e eu preparo uma xícara de café para você se acalmar?

– Tá. – Ele engatou a ré e partiu a toda, fazendo o pequeno motor do Renault rugir feito um leão furioso com a força desnecessária de seu pé no pedal.

❖ ❖ ❖

De volta a Froskehuset, Thom desapareceu por algum tempo; era óbvio que desejava ficar sozinho. Entendi quão profunda era a dor do passado. A rejeição de Felix tinha deixado uma cicatriz feia e aberta, que, depois de ter conhecido o personagem, eu duvidava que um dia fosse fechar. Sentei-me no sofá e me distraí folheando as velhas partituras do concerto para piano escrito por Jens Halvorsen, que formavam uma pilha mal-arrumada sobre a mesa à minha frente. Ao passar os olhos pela primeira página, reparei em números escritos em caligrafia miúda no canto inferior direito. Meu cérebro fez o possível para voltar às aulas que tivera quando estava na escola, e peguei uma caneta para traduzir os números na última página do meu diário.

– Ah, mas é claro! – falei em voz alta, com uma exclamação de triunfo. *Talvez isso deixe Thom um pouco mais alegre*, pensei. – Tudo bem? – perguntei quando ele reapareceu.

– Tudo. – Ele se sentou ao meu lado.

– Lamento que você tenha ficado chateado, Thom.

– E eu lamento ter apresentado você a ele. Por que achei que fosse ser diferente? Nada nem ninguém muda, Ally, a verdade é essa.

– Pode ser, mas, Thom, escute uma coisa – interrompi. – Desculpe mudar de assunto, mas eu acho que acabei de descobrir uma coisa muito interessante.

– O quê?

– Bem, você simplesmente partiu do pressuposto de que este concerto era obra do seu tataravô Jens...

– Sim. Por que não partiria?

– E se não fosse?

– O nome dele está na folha de rosto da partitura original. – Thom olhou para mim, sem entender, e apontou para a partitura. – Essa bem aí na sua frente. Está escrito que foi ele quem compôs.

– E se o concerto de piano que você achou não tivesse sido escrito pelo seu tataravô Jens, mas por Jens Halvorsen Neto, seu avô, mais conhecido como Pip? E se este fosse o *Concerto do Herói* dedicado a Karine que nunca chegou a ser tocado? E, pelos motivos que você me explicou ontem, Horst o teria guardado no sótão, porque não podia suportar ouvi-lo de novo depois do que havia acontecido com o filho e a nora?

Deixei essa ideia pairar no ar e esperei Thom pegá-la.

– Pode continuar. Estou escutando.

– Eu sei que você disse que o concerto tinha uma sonoridade norueguesa e, sim, com certeza há algumas influências. Não sou historiadora da música, então não leve a ferro e fogo o que vou dizer, mas a música que você tocou para mim ontem não se encaixa com o que estava sendo produzido no início do século XX. Pude distinguir toques de Rachmaninoff e, mais importante ainda, de Stravinsky também. E Stravinsky só começou a compor suas obras mais marcantes nas décadas de 1920 e 1930, bem depois da morte do primeiro Jens Halvorsen.

Uma nova pausa se fez e vi Thom refletir sobre o que eu acabara de dizer.

– Tem razão. Acho que eu simplesmente parti do princípio de que esse era o trabalho do primeiro Jens. Partituras velhas, para mim, são velhas e pronto, quer tenham oitenta, noventa ou cem anos. Encontrei tantas lá no sótão que com certeza tinham sido compostas por Jens Halvorsen que imaginei que o concerto fosse dele também e pronto. E o título não é *Concerto do Herói*, é? Mas sabe de uma coisa? Quanto mais penso a respeito, mais tenho a sensação de que talvez você esteja certa – reconheceu ele.

– Você me disse que todas as partituras do arranjo para orquestra original quase certamente se perderam quando o teatro foi bombardeado. Esta deve ser a composição original para piano de Pip, escrita antes mesmo de ele escolher o nome do concerto – falei, apontando para as páginas.

– Os outros trabalhos do meu tataravô eram bem mais românticos e pouco originais. Mas este aqui tem fogo, tem paixão... É diferente de todas as outras coisas compostas por ele que escutei. Meu Deus, Ally. – Thom deu um sorriso débil. – A gente começou com o seu mistério, e agora parece que estamos resolvendo o meu.

– Na realidade, temos uma prova irrefutável – afirmei, e até eu pude ouvir uma certa satisfação na minha voz.

– Ah, é?

– É. Olhe aqui. – Apontei para as letrinhas escritas a tinta na parte inferior direita da página. – MCMXXXIX – li em voz alta.

– E daí?

– Você estudou latim na escola? – perguntei.

– Não.

– Bom, eu sim, e essas letras representam números.

– Sim, isso até eu sei. Mas essas daí formam o quê?

– O ano de 1939.

Thom ficou em silêncio, digerindo o significado daquilo.

– Então esta é *mesmo* uma composição do meu avô.

– Pela data, deve ser, sim.

– Eu... eu não sei o que dizer.

– Nem eu. Principalmente depois do que você me contou ontem.

Ficamos os dois sentados em silêncio por algum tempo.

– Meu Deus, Ally, é mesmo um achado incrível – disse Thom, recuperando finalmente a fala. – Enfim, não só por causa do significado emocional, mas também pelo fato de a estreia original na Filarmônica de Bergen ter sido marcada para quase setenta anos atrás. E por causa de tudo que contei, a peça nunca mais tornou a ver a luz do dia.

– E Pip a dedicou a Karine... sua "heroína". – Mordi os lábios quando as lágrimas me subiram aos olhos. A relação com minha própria vida era evidente.

Pensei em como os dois também eram jovens e estavam apenas começando a vida quando o destino interferiu de forma cruel. E em como eu tinha sorte por viver em uma época melhor, por ainda estar viva e, com sorte, ter o privilégio de criar o filho que carregava dentro de mim.

– É. – Thom, que tinha lido minha expressão, me deu um abraço espontâneo. – O que quer que a gente descubra ser um do outro, Ally, eu prometo que sempre vou estar ao seu lado. Prometo.

– Obrigada, Thom.

– Agora vou levá-la para casa e dar um pulo na Sala Grieg para falar com David Stewart, o chefe da orquestra. Tenho que contar a ele a história do *Concerto do Herói*. E ele precisa me ajudar a encontrar alguém capaz de orquestrá-la a tempo para o Concerto do Centenário de Grieg. A peça tem que ser tocada nessa noite. E ponto final.

– É – concordei. – Tem mesmo.

❋ ❋ ❋

Um bilhete me aguardava na recepção quando entrei no hotel depois de pegar uma carona com Thom. Abri-o dentro do elevador e, para minha surpresa, vi que era de Felix.

"Ligue para mim", dizia o recado. Seguia-se um número de celular.

É claro que eu não iria ligar, não depois da péssima maneira como ele se comportara mais cedo. Tomei uma ducha e fui me deitar, refletindo sobre os acontecimentos do dia e pensando mais uma vez em como sentia pena de Thom.

Thom, que desde o início da vida soubera ter um pai ciente da sua existência, mas que o havia rejeitado. Lembrei-me das minhas noites de adolescente, quando reclamava da autoridade de Ma ou Pa Salt e desejava conhecer meus pais verdadeiros que, eu tinha certeza, iriam me entender muito melhor.

Ao pegar no sono, mais uma vez me dei conta de que havia tido uma infância abençoada.

43

Na manhã seguinte, antes de qualquer coisa, liguei para a médica para pegar o resultado do exame de urina. Como eu já sabia, deu positivo, e ela me parabenizou, simpática.

– Quando voltar para Genebra, senhorita D'Aplièse, vai precisar começar o pré-natal – instruiu ela.

– Sim, farei isso. E muito obrigada.

Continuei deitada na cama tomando um chá fraco, pois não conseguia suportar o cheiro de café. Embora ainda estivesse muito enjoada, agora que sabia que era natural, isso não me preocupava mais. Pensei que precisava me lembrar de comprar um livro sobre gravidez. Eu não tinha a menor ideia sobre nada relacionado a ter um bebê, mas será que alguma mulher tinha, antes de passar pela experiência?

Meus sentimentos em relação à maternidade sempre haviam sido um tanto ambivalentes; eu não era nem fortemente contra, nem fortemente a favor. Era uma daquelas coisas que poderiam ou não vir a acontecer no futuro. Theo e eu tínhamos conversado a respeito, claro, e dado risada ao inventar nomes ridículos para nossos herdeiros imaginários. Tínhamos comentado como o estábulo em "Algum Lugar" teria que ser grande o suficiente para abrigar toda essa nossa prole bronzeada, que teria uma infância digna de um romance. Infelizmente, isso não iria acontecer. E em algum momento do futuro próximo eu precisaria decidir se eu queria ter o bebê. E onde ficava esse tal de "lar".

O telefone tocou na cabeceira e atendi. A recepção me avisou que era o Sr. Halvorsen querendo falar comigo. Imaginei que fosse Thom, então disse à mulher para completar a ligação.

– *Bonjour*, Ally. *Ça va?*

Para meu horror, era Felix.

– Sim, tudo bem – respondi, seca. – E com o senhor?

– Quanto meus velhos ossos permitirem. Está ocupada?
– Por quê?
Houve um silêncio na linha antes de ele responder.
– Eu queria conversar com você.
– Sobre?
– Não quero falar pelo telefone, então me avise quando estiver disponível para me encontrar.
Pelo tom de voz, pude ver que o assunto era sério, fosse ele qual fosse.
– Daqui a uma hora mais ou menos? Aqui no hotel?
– Ótimo.
– Combinado. Nos vemos, então.
Estava sentada na recepção à sua espera quando ele chegou, segurando em uma das mãos um capacete gasto. Quando me levantei para cumprimentá-lo, perguntei-me se a luz estava ruim ou se ele tinha mesmo envelhecido da noite para o dia. Agora parecia o homem idoso que de fato era.
– *Bonjour,* mademoiselle – disse ele, forçando um sorriso. – Obrigado por ter tirado esse tempo para me encontrar. Sugere algum lugar onde possamos conversar?
– Acho que o hotel tem um lounge para os hóspedes. Serve?
– Sim.
Conduzi-o pelo lobby até o lounge deserto. Ele se sentou, passou um tempo me olhando, então abriu um sorriso fraco.
– Está cedo demais para um drinque?
– Não sei, Felix. É você quem sabe.
– Um café, então.
Fui encontrar uma garçonete para trazer café e uma água para mim, e pensei no quanto Felix parecia desanimado nessa manhã, como se a energia que o movia houvesse se desintegrado e ele estivesse agora vazio. Ficamos jogando conversa fora até a garçonete trazer nossas bebidas e se retirar; eu sabia que, fosse qual fosse o teor da conversa, era preciso que ocorresse em particular e sem interrupções. Olhei para Felix com um ar de expectativa enquanto ele bebia um gole de café e reparei que suas mãos tremiam ao segurar a xícara.
– Ally, em primeiro lugar, quero falar com você sobre Thom. É óbvio que vocês dois são próximos.
– Somos, mas devo ressaltar que só nos conhecemos há poucos dias. É extraordinário, mesmo. Já existe uma verdadeira ligação entre nós dois.

Os olhos de Felix se estreitaram por um instante.

– Deve haver. Pelo jeito como vocês se comportaram juntos ontem, pensei que já se conhecessem há anos. Enfim, voltando ao assunto, imagino que ele tenha lhe contado a história de como eu me recusei a aceitar que era seu pai?

– Contou, sim.

– Você acreditaria se eu dissesse que, até o exame de DNA, eu achava sinceramente que ele não fosse meu filho?

– Se é o que o senhor diz, eu tenho que acreditar.

– É verdade, Ally. – Felix assentiu, veemente. – Martha, mãe de Thom, era minha aluna. Sim, nós tivemos um caso breve, mas talvez Thom nunca tenha lhe dito que, ao mesmo tempo, Martha tinha um namorado firme. Na verdade, ela era noiva desse rapaz quando nos conhecemos e o casamento já estava marcado.

– Entendo.

– Sem querer parecer arrogante, bastou Martha me ver uma vez e pronto: apaixonou-se loucamente, a ponto de isso virar uma obsessão – prosseguiu Felix. – É claro que, para mim, a coisa toda não significou nada. Para falar sem rodeios, era só sexo e pronto. Eu nunca quis nada além disso, nem de mulher nenhuma, aliás. Na verdade, Ally, nunca fui um homem para casar e com certeza não tinha vocação para ser pai. Hoje em dia vocês talvez usem a expressão "medo de relacionamento", mas eu sempre deixei claro para minhas namoradas que era assim. Cresci na época do amor livre, nos loucos anos 1960, quando todo mundo de repente se libertou das antigas regras. E, para o bem ou para o mal, essa atitude nunca me abandonou. É assim que eu sou. – Ele deu de ombros.

– Certo – falei. – Então, quando a mãe de Thom lhe contou que estava grávida, o que o senhor disse?

– Que se ela quisesse ter o bebê, que na época pensei que devia ser filho do noivo dela, já que só tínhamos transado umas duas vezes, ela deveria contar para ele e se casar o quanto antes. Ela me disse que tinha rompido o noivado na noite anterior porque se dera conta de que não o amava. Pelo visto, amava *a mim*. – Felix levou uma das mãos à testa e a passou nos olhos. – Sinto vergonha em dizer que ri na cara dela, falei que ela era louca. Tirando o fato de não haver prova de que o filho fosse meu, a ideia de morarmos juntos e bancarmos a família feliz era um absurdo. Eu mal tinha dinheiro para comer, morava em um chalé gelado... Mesmo que eu quisesse, o que poderia ter oferecido a uma mulher e um filho? Então eu a mandei embora pensando que, se soubesse que não teria futuro comigo, não lhe restaria alternativa a não ser voltar correndo para o noivo. Mas é claro que ela não voltou. Em vez disso, pouco depois do parto, foi correndo para Horst e Astrid, meus avós, que a essa altura estavam com 93 e 78 anos, e contou a eles que filho da mãe eu tinha sido com ela. Se o meu relacionamento com os dois já era conturbado, isso foi a gota d'água. Meu avô e eu mal tornamos a nos falar até ele morrer, embora eu o idolatrasse quando era pequeno. Horst foi um homem maravilhoso, Ally, maravilhoso mesmo. Quando eu era mais novo, considerava-o meu herói. – Felix ergueu para mim uns olhos tristonhos. – Você me acha um filho da mãe? Como Thom?

– Não estou aqui para julgar o senhor. Estou aqui para ouvir o que tem a dizer – respondi, cautelosa.

– Certo. Depois de eu dizer que não queria ter nada a ver com aquela criança, Martha desapareceu, mas me escreveu para avisar que teria o bebê e ficaria na casa de uma amiga no Norte, perto da família, até decidir o que fazer. Nas incontáveis cartas que me escreveu, continuava dizendo que me amava. Eu nunca respondia, torcendo para que o silêncio a incentivasse a virar a página. Ela era jovem e muito atraente, e eu tinha certeza de que não teria dificuldade para encontrar outra pessoa que lhe desse o que ela precisava. Aí eu... recebi uma carta acompanhada por uma foto, logo depois do parto. Eu...

Felix fez uma pausa. Vi-o olhar para mim de modo estranho e então continuar.

– Passei os meses seguintes sem notícias dela, até que um dia a vi empurrando um carrinho no centro aqui de Bergen. Como covarde que sou, eu me escondi. – Ele fez uma careta. – Mas depois perguntei a um amigo se ele sabia onde Martha estava morando. E foi ele quem me contou que meus avós a tinham acolhido, porque ela não tinha para onde ir. Pelo visto, a amiga com quem estava morando a tinha posto para fora. Thom talvez tenha lhe dito que ela sofria crises de depressão, e não gosto nem de imaginar como deve ter sido o pós-parto.

– O que o senhor achou de ela ter ido morar com seus avós? – perguntei.

– Fiquei uma fera! Senti que eles tinham sido manipulados para acolher uma moça que dizia ter tido um filho meu, mas o que eu podia fazer?

Ela conseguira convencê-los totalmente. Meus avós já tinham desistido de mim anos antes, julgando-me um imprestável imoral, de modo que aos seus olhos meu comportamento era apenas natural. Meu Deus, Ally, como fiquei bravo. Passei anos assim. Sim, eu tinha cometido um erro ao engravidar uma mulher, mas eles nunca quiseram ouvir a minha versão da história, nem sequer uma vez. Martha os fez acreditar que eu era um merda e pronto. Olhe, vou pedir uma bebida. Você quer alguma coisa?

– Não, obrigada.

Vi-o se levantar e sair do lounge em busca do bar perto da recepção. Tentei recordar as palavras de Pa Salt sobre o outro lado de uma história. Tudo que Felix tinha dito até ali fazia sentido. E, mesmo ele sendo um alcoólatra irresponsável, eu não achava que fosse mentiroso. Ele era muito franco, por sinal. Se a história era verdade, conseguia entender completamente o ponto de vista dele.

Felix voltou com uma grande dose de uísque na mão.

– *Skål!* – exclamou, dando uma golada.

– O senhor já tentou contar algumas dessas coisas para o Thom?

– É claro que não. – Ele riu alto. – Desde o dia em que nasceu, ele escutou que eu não valia nada. Além do mais, passou a defender a mãe com intensidade, o que é compreensível. Mas, com o passar dos anos, senti, sim, pena dele, fosse ele meu filho ou não. Sabia pelas fofocas da cidade que Martha tinha crises recorrentes de depressão. Pelo menos o fato de Thom morar com meus avós durante seus primeiros anos de formação deve ter lhe dado alguma estabilidade emocional. Martha era mesmo meio maluca; parecia uma criança, e vivia achando que tudo seria exatamente do jeito que ela queria.

– Então o senhor deixou a situação como estava até descobrir que Thom tinha herdado a casa da sua família?

– Sim. Horst morreu quando Thom tinha 8 anos, mas a minha avó, que era bem mais nova, morreu quando ele tinha 18. Quando o advogado me disse que eu tinha herdado o violoncelo de Horst e uma pequena quantia em dinheiro e que todo o resto tinha ficado para Thom, senti que precisava mesmo fazer alguma coisa.

– E como se sentiu quando descobriu que era *mesmo* o pai dele?

– Absolutamente estupefato – reconheceu Felix, tomando outro gole de uísque. – Mas a vida é assim mesmo, não é? – Ele riu. – Vive nos pregando pequenas peças. Sei que o fato de eu ter contestado o testamento fez Thom me odiar ainda mais. Mas, diante do que acabei de contar, tenho certeza de que você entende que eu estava convencido de que ele era um filhote de cuco aboletado no meu ninho hereditário.

– O senhor ficou feliz quando soube que Thom era seu filho? – perguntei, sentindo-me um pouco uma terapeuta analisando um paciente. Theo teria amado aquilo tudo, pensei.

– Para ser sincero, não consigo me lembrar do que senti – admitiu Felix. – Nas primeiras semanas depois que o teste deu positivo, bebi sem parar. Martha, claro, me escreveu uma carta triunfante, cheia de animosidade, que eu joguei no fogo. – Ele suspirou fundo. – Que confusão. Que grande confusão!

Ficamos os dois sentados em silêncio por um tempo, e tentei digerir o que ele tinha me contado. Senti uma grande tristeza por aquelas vidas que tinham dado tão errado.

– Thom me disse que o senhor era muito talentoso como pianista e compositor – arrisquei.

– Era? Pois saiba que eu ainda sou! – Pela primeira vez, Felix deu um sorriso genuíno.

– Então é uma pena que não use o seu talento.

– E como sabe que não uso, mademoiselle? Aquele instrumento lá no meu chalé é meu amante, meu algoz e minha sanidade. Eu posso beber demais e não ser confiável o bastante para ninguém me contratar profissionalmente, mas isso não significa que tenha parado de tocar. O que você acha que eu fico fazendo o dia inteiro naquele chalé no meio do nada? Tocando, tocando para mim mesmo. Quem sabe um dia eu a deixo escutar – completou ele com um sorriso.

– Thom também?

– Duvido que ele vá querer, e acho que não posso culpá-lo. Ele foi a maior vítima nessa situação. Preso entre uma mãe amargurada e depressiva e um pai que nunca assumiu responsabilidade. Ele tem todo o direito de me desprezar.

– Com certeza o senhor deveria contar a ele o que acabou de me contar.

– Ally, eu juro: bastaria eu dizer uma palavra negativa sobre a sua preciosa mãezinha para ele sair porta afora. Além do mais, seria cruel destruir a crença que ele carregou por toda a vida de que ela foi uma vítima inocente e tirá-la do pedestal, especialmente agora que já morreu. Que importância tem isso? – Ele suspirou. – O que está feito está feito.

Gostei mais de Felix nessa hora, pois o que ele acabara de dizer mostrava que se importava com os dois. Mesmo que pelo visto não tivesse feito muita coisa para ganhar a estima do filho.

– Mas então, posso perguntar por que o senhor me contou isso tudo? Quer que *eu* conte para Thom?

Felix passou alguns segundos a me encarar, então pegou o copo de uísque e o esvaziou.

– Não.

– Então é para me dizer que ele estava certo? Que eu sou outra filha ilegítima sua? De outra mulher? – brinquei, ainda que a expressão nos olhos dele me informasse que ele tinha mais a dizer.

– Não é tão simples assim, Ally. Merda! Com licença. – Mais uma vez, ele se levantou e quase correu até o bar, de onde voltou dali a poucos minutos com outra dose imensa de uísque. – Desculpe, não é preciso dizer que sou alcoólatra. E, só para constar, eu toco muito melhor quando estou bêbado.

– Felix, o que você quer me dizer? – insisti, sabendo que ele perderia a linha de raciocínio à medida que o uísque penetrasse sua corrente sanguínea.

– O fato é que... eu entendi ontem quando vi você e Thom sentados lado a lado no meu sofá, feito duas cópias idênticas. Aí juntei dois mais dois. Passei a noite inteira acordado pensando se era certo ou errado contar para você. Ao contrário do que todos pensam a meu respeito, tenho certos códigos morais e emocionais. E a última coisa que eu quero é causar mais danos além dos que já causei.

– Felix, por favor, me conte e *pronto* – tornei a pedir.

– Está bem, mas, como eu já disse, também estou deduzindo. Certo...

Vi-o tatear o bolso em busca de alguma coisa e pegar um velho envelope, que pousou sobre a mesa bem na minha frente.

– Quando Martha me escreveu dizendo que tinha dado à luz, Ally, ela mandou junto uma foto.

– É, o senhor falou. Uma foto de Thom.

– Sim. De Thom. Mas ela estava com outro bebê no colo também. Uma menina. Martha teve gêmeos. Quer ver a carta e a foto?

– Ai, meu Deus – balbuciei. Sentindo a sala de repente começar a girar, agarrei o braço do sofá. Pus a cabeça entre as pernas e senti quando Felix se sentou ao meu lado e deu alguns tapinhas nas minhas costas.

– Tome, Ally, beba um pouco de uísque. Sempre ajuda com o choque.

– Não. – Afastei o copo com a mão; o cheiro me deixou enjoada. – Não posso, estou grávida.

– Caramba! – Ouvi-o dar um suspiro. — O que foi que eu fiz?

– Passe-me a água. Já estou me sentindo um pouco melhor.

Ele o fez e tomei alguns goles. Senti a tontura passar.

– Desculpe-me por isso, mas estou bem agora.

Espiei o envelope em cima da mesa e o peguei. Com as mãos tão trêmulas quanto as de Felix, abri-o e tirei lá de dentro uma folha de bloco de anotações e uma velha fotografia em preto e branco da bonita mulher que eu sabia ser a mãe de Thom, pois a vira nas fotos em Froskehuset. Ela segurava no colo dois bebês enrolados em mantas.

– Posso ler a carta?

– Está em norueguês. Eu teria que ler para você.

– Sim. Por favor, leia.

– Certo. Primeiro está escrito o endereço, que é Hospital São Olavo, em Trondheim. A data é 2 de junho de 1977. Então, aí vai. – Felix pigarreou. – "Meu querido Felix, pensei que devesse lhe avisar que dei à luz gêmeos. Um menino e uma menina. A menina chegou primeiro, logo antes da meia-noite do dia 31 de maio, e nosso filho algumas horas depois, na madrugada de 1º de junho. Estou muito cansada por causa do longo trabalho de parto, e talvez fique mais uma semana aqui ou algo assim, mas estou me recuperando bem. Mando uma foto de nossos bebês, e se você quiser vê-los agora que nasceram, ou a mim, por favor, venha nos visitar. Eu amo você. Martha." Pronto. É isso que diz a carta.

A voz de Felix saiu rouca, e parecia que estava prestes a chorar.

– Trinta e um de maio... o dia do meu aniversário.

– Sério?

– Sério. – Encarei-o com o rosto vazio de expressão, em seguida tornei a olhar para os bebês da foto. Com as mantas, era impossível distinguir um do outro, e eu não fazia ideia de qual dos dois eu poderia ser.

– Só posso supor que, como Martha não tinha casa nem marido, decidiu dar um de vocês para adoção logo depois do nascimento – arriscou Felix.

– Mas quando o senhor a viu em Bergen depois de ela voltar do parto...

com certeza deve ter se perguntado onde o segundo bebê tinha ido parar. – Engoli em seco. – Onde *eu* tinha ido parar.

– Ally, eu acho que imaginei que o outro tivesse morrido – disse Felix, pousando a mão sobre a minha com hesitação. – Martha nunca mais mencionou sua existência para mim... Nem, até onde eu sei, para meus avós ou para Thom. Pensei que a lembrança fosse simplesmente dolorosa demais, de modo que ela havia decidido afastá-la da mente. Além do mais, depois disso nós mal nos falamos, e quando o fizemos foi para trocar palavras de raiva e amargura.

– Esta carta... – Franzi o cenho, sem entender. – É como se Martha acreditasse que vocês dois fossem ficar juntos.

– Talvez ela achasse que o fato de eu ver a foto de dois bebês, que pelo visto eram meus filhos, provocaria em mim uma reação emocional. Que, como eles tinham vindo ao mundo, eu não teria outra escolha que não levar a sério as minhas responsabilidades.

– Você respondeu à carta?

– Não. Me perdoe, Ally, mas não.

Minha cabeça parecia prestes a explodir com as informações que eu acabara de receber e meu coração estava repleto de emoções contraditórias. Antes de saber que Felix era quase com certeza meu pai biológico, eu conseguia racionalizar o que ele havia me contado sobre o passado. Agora, porém, não sabia mais o que sentia em relação a ele.

– Talvez não seja eu. Não existe absolutamente nenhuma prova concreta de que seja – murmurei, aflita.

– É verdade, mas basta olhar para vocês dois juntos e somar a isso sua data e ano de nascimento e o fato de o seu pai adotivo ter posto você na pista de um Halvorsen. Eu ficaria muito surpreso se não fosse você – disse Felix com uma voz branda. – Hoje em dia é bem fácil ter certeza, como eu mesmo senti na pele. Um exame de DNA vai confirmar na hora. Eu teria prazer em ajudá-la, se for isso que você quer, Ally.

Repousei a cabeça no encosto do sofá e respirei fundo, com os olhos fechados; sabia que não precisava de nenhuma confirmação. Como o próprio Felix tinha dito, tudo se encaixava. E, além de todas as razões que ele acabara de citar, havia o fato de que, no mesmo instante em que eu pusera os olhos em Thom, tivera a sensação de que o conhecia desde sempre, de que ele me era de alguma forma familiar. Nós éramos *mesmo* idênticos. Nos últimos dias, muitas vezes havíamos expressado o mesmo pensamento ao mesmo tempo e rido disso. Pensar que havia encontrado meu irmão gêmeo me deixava tonta de felicidade, mas ao mesmo tempo eu tinha que lidar com o fato de minha mãe biológica ter sido obrigada a escolher qual dos filhos entregar para a adoção. E de ela ter escolhido a mim.

– Sei o que está pensando, Ally, e sinto muito – disse Felix, interrompendo meus pensamentos. – Não sei se isso ajuda, mas quando Martha me contou que estava grávida disse estar convencida de que era um menino e de que era isso que ela queria. Tenho certeza de que, para ela, a decisão foi com base no sexo. Nada além disso.

– Obrigada, mas no momento isso não faz com que eu me sinta melhor.

– Não, tenho certeza que não. O que posso dizer? – Ele deu um suspiro.

– Nada. Pelo menos não ainda. Mas obrigada por dividir isso comigo. O senhor se importa se eu ficar com a carta e com a foto um tempinho? Prometo devolver.

– Claro, pode ficar.

– Me desculpe, mas quero ir dar uma volta. Sozinha – falei, decidida, e me levantei. – Preciso de um pouco de ar fresco.

– Entendo. Mais uma vez, me perdoe por ter lhe contado. Com certeza não teria feito isso se soubesse que você está grávida. Deve piorar tudo.

– Na verdade, Felix, estar grávida torna tudo muito melhor. Obrigada por ter sido tão sincero comigo.

Saí do lounge, e em seguida, do hotel até dar com o ar gelado e carregado de maresia. Comecei a caminhar rapidamente pelo cais em direção ao mar. Embarcações ancoradas faziam carga e descarga, e depois de algum tempo cheguei a um cabeço de amarração e me sentei na superfície dura e fria. Estava ventando, então prendi os cabelos que esvoaçavam em volta do meu rosto com o elástico que sempre trazia no pulso.

Agora eu sabia. Uma mulher chamada Martha tinha engravidado de mim em Bergen de um homem chamado Felix, me dado à luz e imediatamente me entregado para adoção. Minha mente racional me dizia que esse último ato era apenas o resultado inevitável daquela investigação sobre minhas verdadeiras origens, mas mesmo assim a dor de minha mãe ter escolhido a mim entre os dois bebês me queimava por dentro.

Será que eu teria preferido ser o bebê com quem ela havia ficado, e trocar de lugar com Thom?

Eu não sabia...

O que *sabia*, porém, era que desde o dia do meu nascimento existia um universo paralelo que avançava junto com o meu e poderia facilmente ter sido o *meu* destino. E agora esses dois universos tinham colidido, e eu trafegava pelos dois ao mesmo tempo.

– Martha. Minha mãe. – Pronunciei as palavras em voz alta e me perguntei se, considerando seu nome, eu também a teria chamado de "Ma".

A ironia me fez sorrir. Ergui os olhos para um casal de gaivotas que passou planando no vento. Então pensei na vida que estava crescendo dentro de *mim*, uma vida que eu nunca havia esperado que existisse...

Mesmo meras 24 horas depois de descobrir que estava grávida e sem nunca ter pensado direito na ideia de ser mãe, o instinto protetor que crescia dentro de mim era tão forte quanto qualquer amor que eu já tivesse sentido.

– Como você pôde me dar para adoção? – gritei para o mar. – Como pôde fazer isso? – tornei a indagar, e um soluço me subiu pela garganta.

Deixei as lágrimas correrem livremente pelo rosto, e o vento forte as secava à medida que caíam.

Eu jamais saberia por que minha mãe tinha feito aquilo. Jamais ouviria seu lado da história. Jamais saberia quanto ela havia sofrido ao me entregar para adoção e se despedir de mim pela última vez. E ela decerto teria abraçado Thom duas vezes mais forte, pois ainda tinha a ele para amar.

Enquanto meu fluxo de consciência corria solto, levantei-me e recomecei a andar com um passo apressado. Meus pensamentos colidiam uns com os outros como as ondas do porto que, confusas por não poderem fluir livremente, espelhavam meu desespero.

Aquilo doía. Doía muito.

Perguntei a mim mesma: *O que vim procurar nessa viagem? Dor?*

Ally, você está se deixando sentir pena de si, falei para mim mesma, firme. *E o Thom? Você encontrou seu irmão gêmeo.*

É. E o Thom?

À medida que comecei a me acalmar e pensar no lado positivo, percebi que, assim como Maia, que fora em busca de seu passado, eu também havia encontrado o amor, ainda que de modo bem diferente. Ainda na noite anterior, eu tinha ido para a cama sentindo pena de Thom e de sua infância difícil. Também confessei a mim mesma que, até então, ficara preocupada com quão próxima dele eu me sentia. Incapaz de categorizar o que ele representava para mim, recusara-me a admitir que sentia amor por ele. Mas sentia, sim. E saber que ele era meu irmão gêmeo tornava todos esses sentimentos naturais e aceitáveis.

Ao chegar à Noruega, eu havia acabado de perder as duas pessoas mais importantes da minha vida. Quando iniciei a longa caminhada de volta ao hotel pela beira do cais, entendi que a dor da descoberta fora mais do que compensada por ter encontrado Thom.

Cheguei ao hotel totalmente exausta. Fui para o quarto, avisei à recepção para bloquear meu telefone e caí num sono profundo e sem sonhos.

Já havia escurecido quando acordei. Olhei para o relógio e vi que passava das oito da noite; eu tinha dormido várias horas. Afastei o edredom e fui lavar o rosto com água fria; lembrei-me do que Felix tinha me contado. Antes de começar a digerir a informação, porém, percebi que estava faminta, então vesti uma calça jeans, um moletom e desci para comer alguma coisa no restaurante.

Para minha surpresa, ao atravessar o lobby, vi Thom sentado em um dos sofás. Ele se levantou com um pulo assim que me avistou; seu rosto exibia uma expressão preocupada.

– Tudo bem com você, Ally? Tentei ligar para o seu quarto, mas o telefone estava bloqueado.

– Tudo... O que está fazendo aqui? Não tínhamos combinado de nos encontrar hoje, tínhamos?

– Não, mas por volta da hora do almoço abri a porta e deparei com Felix, histérico. Meu Deus, Ally, ele estava até chorando, então o levei para dentro, dei-lhe um pouco de uísque e lhe perguntei qual era o problema. Ele me disse que tinha contado uma coisa para você que não deveria ter contado, mas que não sabia que você estava grávida. Estava preocupadíssimo com o seu estado emocional. Disse que você tinha ido dar um longo passeio pelo porto.

– Bom, como você pode ver, eu não me joguei no mar. Thom, tudo bem continuarmos essa conversa no restaurante? Estou faminta.

– Claro. Isso pelo menos é bom sinal – disse ele, genuinamente aliviado. Encontramos uma mesa e nos sentamos. – Então... Ele me contou a história toda.

Espiei-o por cima do cardápio.

– E?

– Assim como você, fiquei muito chocado, claro, mas Felix estava tão abalado que na verdade me peguei reconfortando-o. Pela primeira vez na vida, tive pena dele.

Chamei a garçonete, pedi-lhe para trazer um pouco de pão sem demora e um filé com fritas.

– Quer alguma coisa? – perguntei a Thom.

– Por que não? Vou querer a mesma coisa. E uma cerveja, por favor – pediu ele à garçonete.

– Mas quando você disse que o seu pai contou a história "toda", isso inclui a verdade sobre sua mãe quando Felix a conheceu?

– Sim. Mas, se eu acredito nele ou não, é outra história.

– Já eu, como completa observadora de tudo isso até poucos dias atrás, acho que acreditei nele. Não que isso justifique o que ele fez... ou, melhor dizendo, o que ele *não fez* – acrescentei depressa, sem querer que Thom achasse que eu estava tomando partido e defendendo Felix. – Mas talvez isso ajude a explicar o comportamento dele. Ele se sentiu manipulado por todo mundo.

– Infelizmente ainda não cheguei ao estágio em que posso confiar nele, ou mesmo começar a confiar nele, mas pelo menos hoje vi um pouco de remorso. Enfim, chega de falar sobre como estou ou não me sentindo. E você? Foi você quem teve o choque. Eu sinto muito, Ally, muito mesmo. Sinto que deveria pedir desculpas por ter sido o bebê com quem minha mãe ficou.

– Deixe de ser bobo, Thom. Nós nunca vamos saber os verdadeiros motivos que a levaram a fazer o que fez, e mesmo que agora seja bem ruim pensar nesse assunto, o que está feito está feito. Para minha própria paz de espírito, eu gostaria de ver se o hospital onde Martha nos deu à luz tem algum registro, quem sabe algum detalhe sobre a minha adoção posterior. E, se você não se importar, queria que nós fizéssemos um exame de DNA.

– Claro. Mas eu não acho que haja muita dúvida, né?

– É – concordei. Quando o pão chegou, arranquei um pedaço e o enfiei na boca com avidez.

– Bom, apesar do trauma, pelo menos o seu apetite parece ter voltado. Ally, talvez este não seja um bom momento para começar a pensar nos pontos positivos, já que você ainda está tendo que lidar com os negativos, mas acabei de me dar conta de que vou ser tio. Estou muito feliz.

– Nunca é cedo demais para começar a olhar o lado positivo, Thom – afirmei. – Antes de eu chegar à Noruega, estava muito perdida e sozinha. E agora tenho a impressão de que encontrei uma nova família. Embora meu verdadeiro pai seja um bêbado sem escrúpulos.

Thom estendeu a mão pela mesa até a minha e a segurou timidamente.

– Oi, irmã gêmea.

– Oi, irmão gêmeo.

Passamos um bom tempo de mãos dadas. Eu sabia que ambos estávamos transbordando de emoção. Éramos duas metades que formavam um inteiro. Simples assim.

– Que estranho... – dissemos os dois ao mesmo tempo, e rimos.

– Você primeiro. Afinal de contas, é a mais velha.

– Caramba, que pensamento estranho. Na minha família, eu sempre fui a segunda em relação a Maia. E fique descansado: vou tirar total vantagem da minha recém-descoberta posição de superioridade – impliquei com ele.

– Não duvido disso nem por um segundo – disse Thom. – Mas nós dois dissemos que algo era estranho...

– É, mas agora esqueci o que era. Tem tanta coisa estranha acontecendo neste momento... – falei.

Nossa comida chegou.

– Nem me diga! – Thom se serviu da cerveja e ergueu o copo para brindar com a minha água. – Bom, a nós dois, reunidos depois de trinta anos. Sabe de uma coisa?

– Hum?

– Eu não sou mais filho único.

– Verdade. E sabe de outra coisa?

– Hum?

– As Seis Irmãs agora têm um irmão.

44

Durante o jantar, Thom sugeriu que eu me mudasse para Froskehuset sem demora.

– Não tem nada mais desanimador do que um quarto de hotel e, tecnicamente, Ally, metade daquela casa deve ser sua – disse ele ao subir os degraus da frente com minha mochila.

– Falando nisso, o que significa *Froskehuset*, afinal? – perguntei.

– "Casa do Sapo". Parece que Horst disse a Felix que costumava deixar no descanso de partitura do piano uma réplica do sapinho que Grieg carregava consigo. Não faço ideia do que aconteceu com o sapinho, mas talvez isso tenha algo a ver com o nome que deram à casa.

– Acho que não resta mais dúvida. – Thom largou minha mochila no chão e, com um sorriso, levei a mão a um bolso lateral e peguei meu próprio sapinho. – Olhe. Esta é a outra pista que Pa Salt me deixou. Vi dezenas de sapinhos parecidos no Museu Grieg.

Thom pegou o objeto e o estudou. Então sorriu para mim.

– Ele estava mandando você para cá, Ally. Para o seu verdadeiro lar.

❋ ❋ ❋

Thom e eu providenciamos um exame genético, e Felix insistiu para nos fornecer amostras de saliva e um folículo capilar. Em uma semana, ficou confirmado que eu era mesmo irmã gêmea de Thom, e Felix, o pai que eu acabara de encontrar.

– É claro que, por sermos de sexos diferentes, não somos idênticos – falei, examinando os dados do resultado. – Cada um de nós possui seu próprio perfil de DNA.

– Claro. Eu sou bem mais bonito do que você, mana.

– Obrigada.

– De nada. Então, vamos ligar para o nosso pai e dar a boa notícia?

– Por que não? – concordei.

À noite, Felix apareceu devidamente equipado com uma garrafa de champanhe e outra de uísque para si. Brindamos os três à nossa herança genética em comum. Pude ver que Thom ainda estava muito reticente em relação ao pai, mas fazia um esforço por minha causa. Também reparei em como Felix estava tentando se redimir. Já era um começo, pensei, enquanto bebericava um dedinho de champanhe com o pai e o irmão que acabara de encontrar.

Na hora de ir embora, Felix se levantou e cambaleou até a porta.

– Tem certeza de que está bem para dirigir esse troço ladeira acima? – perguntei ao vê-lo pôr o capacete.

– Faço isso há quase quarenta anos e ainda não caí nenhuma vez – respondeu ele, grunhindo. – Mas obrigado por perguntar. Faz tempo que ninguém se importa o suficiente para isso. Boa noite, e obrigado. Apareça, sim? – arrematou ele em voz alta ao desaparecer noite adentro.

Fechei a porta e dei um suspiro; sabia que não deveria deixar transparecer na frente de Thom a pena que sentia de Felix.

Como sempre, porém, meu irmão gêmeo leu meus pensamentos.

– Não tem problema – disse ele quando voltei para a sala e fui até o fogareiro aquecer minhas mãos frias.

– O que não tem problema?

– Você sentir pena de Felix. Na verdade, mesmo sem querer, eu também sinto. Não estou pronto para perdoá-lo pelo que ele fez com a minha mãe, mas ver a mãe caída morta no meio da rua e ter um pai que se mata poucas horas mais tarde... – Thom estremeceu. – Mesmo que ele não consiga se lembrar dos detalhes, nada poderia ser pior, né? E quem pode saber que tipo de cicatriz isso deixou?

– É. Quem pode saber? – concordei.

– Mas, enfim, chega de falar no Felix. – Thom soltou o ar e me encarou. – Tem mais uma coisa que eu queria dividir com você.

– É mesmo? Que cara séria. Será que vai me dizer que eu tenho outra irmã ou outro irmão?

– Isso cabe a Felix, mas quem sabe? – brincou ele. – Estou me referindo a algo mais... – Thom se esforçou para encontrar a palavra certa. – Mais fundamental.

– Não consigo imaginar algo mais fundamental do que descobrir que meu verdadeiro sobrenome é Halvorsen.

– Sem saber, você acaba de acertar na mosca, Ally. Quero lhe mostrar uma coisa. – Ele se levantou e atravessou a sala até a pequena escrivaninha no canto, pegou uma chave dentro de um vaso em cima do móvel e o destrancou. Abriu uma gaveta, pegou uma pasta e voltou para se sentar no sofá ao meu lado. Não disse nada, apenas esperei que ele organizasse os pensamentos, fossem quais fossem.

– Certo. Então, você se lembra de ter ficado irritada depois de ler a biografia de Jens Halvorsen sobre a vida dele e de Anna? Que não conseguiu acreditar que Anna tivesse aceitado Jens de volta sem dar um pio depois de ele abandoná-la em Leipzig durante todos aqueles anos?

– É claro que me lembro. E continuo sem entender. O próprio Jens diz, no livro, que pensava que ela tivesse desistido do amor e dele. E Anna é descrita como uma jovem tão decidida que acho impossível acreditar que o tenha aceitado de volta do jeito que aceitou.

– Exatamente. – Thom tornou a me encarar.

– Desembuche, então – incentivei.

– E se ela tiver sido obrigada?

– A quê?

– A aceitá-lo de volta?

– Pelo bem das aparências, você quer dizer? Porque naquela época uma mulher não podia se separar sem um escândalo?

– Sim, mas não exatamente. Você com certeza está certa em relação à moralidade da época.

– Thom, já passa das onze da noite, e não estou com disposição nenhuma para um jogo de adivinhação – falei. – Diga o que quer dizer e pronto.

– Certo, mas antes você precisa me jurar guardar segredo total, sério. Não pode contar nem para Felix. Não falei com mais ninguém sobre isso.

– Thom, você está começando a dar a impressão de que encontrou o velocino de ouro enterrado debaixo de Froskehuset. Por favor, fale logo.

– Desculpe, mas é que o fato é uma verdadeira bomba. Então, quando eu estava pesquisando o relacionamento de Jens e Anna Halvorsen com Grieg para o meu livro, segui os passos deles e fui até Leipzig. E lá encontrei isto aqui.

Thom pegou um envelope na pasta, tirou uma folha de papel lá de dentro e me entregou.

– Dê uma olhada.

Passei os olhos pelo documento, e vi que era a certidão de nascimento de um certo Edvard Horst Halvorsen.

– Nosso bisavô. E daí?

– Tenho certeza de que você não deve se lembrar de cabeça, mas na biografia Jens conta que ele voltou para Leipzig em abril de 1884.

– É, para ser sincera, não me lembro mesmo.

– Bom, aqui está uma cópia da página do livro. – Ele me entregou. – Eu assinalei o trecho relevante. Segundo a certidão de nascimento, porém, Horst nasceu em 30 de agosto de 1884. Então, tecnicamente, Anna deu à luz uma criança viva depois de uma gestação de quatro meses. Mesmo nos dias de hoje, isso é impossível.

Examinei a data na certidão e vi que ele tinha razão.

– Talvez Jens tenha esquecido o mês exato em que voltou para Leipzig. Afinal de contas, estava escrevendo em retrospecto, muitos anos depois do ocorrido.

– Foi também o que pensei. Pelo menos no começo.

– Está tentando me dizer que o bebê que Anna estava esperando, ou seja, Horst, não poderia ser filho de Jens?

– É. Estou. – Os ombros dele caíram de repente, eu não soube dizer se por alívio, desespero ou medo. Talvez uma mistura das três coisas.

– Está bem, até aí eu entendo. Mas o que mais você descobriu para confirmar essa teoria?

– Isto aqui.

Thom me entregou outro papel da pasta. Vi que era a cópia de uma antiga carta em norueguês. Antes que eu pudesse reclamar que não conseguiria ler, ele me passou outro papel.

– A tradução em inglês.

– Obrigada. – Li o texto, que trazia a data de março de 1883. – É uma carta de amor.

– Isso. E no lugar de onde essa saiu existem muitas outras.

– Thom, de quem é essa carta? – indaguei, erguendo os olhos para ele. – Quem é o "Sapinho" que assinou? – Antes de ele conseguir responder, entendi tudo. – Ai, meu Deus – murmurei. – Não precisa nem me dizer. Você disse que havia outras cartas?

– Dezenas. Ele era um correspondente muito prolífico. Escreveu quase

20 mil cartas para diferentes pessoas durante a vida. E eu comparei a caligrafia com as cartas que estão no museu de Bergen. É ele, com certeza.

– Mas onde você achou essas cartas? – perguntei, engolindo em seco.

– Bem aqui nesta sala, debaixo do nariz de todo mundo. E estavam aqui havia 110 anos.

– Onde? – indaguei, passeando os olhos pela sala.

– Achei o esconderijo inteiramente por acidente. Uma caneta rolou para debaixo do piano de cauda, ali, e quando me ajoelhei para pegar bati com a cabeça no fundo do instrumento. Olhei para cima e reparei que uma estreita borda de madeira de uns dois centímetros e meio de altura tinha sido acrescentada à estrutura. Venha, vou lhe mostrar.

Ficamos os dois de quatro no chão debaixo do piano para examinar a estrutura. E ali, bem no meio, debaixo das cordas do piano, havia uma bandeja rasa de compensado presa de forma grosseira ao instrumento. Thom a pegou pelo fundo e a deslizou pelo estreito trilho de madeira.

– Viu? – disse ele, pondo a bandeja em cima da mesa depois de nos levantarmos. – Dezenas.

Fui pegando com cuidado carta após carta e as examinei, assombrada. De tão desbotada, a tinta sobre o papel amarelado era quase ilegível, ainda que eu conseguisse ler norueguês, mas pude ver que as datas iam de 1879 a 1884 e que estavam assinadas *Liten Frosk*.

– E mesmo que ele sempre tenha sido conhecido como Horst, talvez você tenha percebido que, pela certidão, nosso bisavô foi batizado com o nome Edvard – retomou Thom.

– Eu... não sei o que dizer – falei, ainda fitando a linda caligrafia de uma das cartas à minha frente. – Estas cartas de Edvard Grieg para Anna com certeza têm valor inestimável. Você as mostrou para algum historiador?

– Como eu disse antes, não as mostrei para ninguém.

– Mas por que então não as incluiu no seu livro? Elas são uma prova cabal de que Grieg e Anna Halvorsen tiveram um relacionamento.

– Na verdade, elas provam mais do que isso. Depois de lê-las, não resta dúvida de que os dois foram amantes. Por pelo menos quatro anos.

– Caramba... Bom, se isso for verdade, tenho certeza de que você teria vendido milhões de exemplares se seu livro incluísse uma revelação bombástica dessas sobre um dos maiores compositores do mundo. Não entendo por que não o fez.

– Ally, você ainda não entendeu por quê? – indagou ele, com o cenho franzido. – Ainda não somou dois mais dois?

– Pare de ser condescendente, Thom – retruquei, irritada. – Estou tentando analisar a situação como um todo, mas preciso de um tempo. Então essas cartas confirmam que Anna e Grieg eram amantes. E imagino que você ache que o pai do bebê de Anna era Grieg?

– Acredito que há uma boa chance de ser, sim. Lembra que eu lhe disse que foi o próprio Grieg quem tirou Jens das sarjetas de Paris? Isso foi no final de 1883, depois de ter passado quase o ano inteiro separado da esposa Nina, morando na Alemanha. Então, na primavera de 1884, na mesma época em que Jens apareceu na porta da casa de Anna, Grieg voltou a morar com Nina em Copenhague. E Edvard Horst Halvorsen nasceu em agosto daquele ano.

– Edvard Horst Halvorsen, filho de Grieg – murmurei, tentando dar conta do enorme significado de tal possibilidade.

– Como você mesma disse depois de ler o livro, por que diabos Grieg iria a Paris procurar Jens seis anos depois de seu desaparecimento? E por que Anna estaria disposta a aceitá-lo de volta? A menos que houvesse algum tipo de acordo entre ela e Grieg, pelo bem das aparências. Não podemos esquecer que, na época, Grieg era um dos homens mais conhecidos da Europa. Ainda que fosse aceitável ele ser visto pela cidade acompanhando musas talentosas como Anna, ele preferiu evitar o escândalo de ser apontado como o pai de um filho ilegítimo. Não esqueça que Grieg na época estava separado de Nina e que existem provas documentais de que ele e Anna viajaram pela Alemanha juntos dando recitais. Pode muito bem ter havido fofocas quanto ao relacionamento dos dois, mas a volta do marido dela teria posto fim às especulações quando um bebê nascesse poucos meses depois. Anna e Jens se mudaram para Bergen no mesmo ano, e o menino foi apresentado na Noruega como filho do casal.

– E Anna teria aceitado que era isso que devia fazer? Viver uma mentira?

– Você precisa lembrar que Anna também era famosa na época. Qualquer sugestão de escândalo em relação a ela também teria posto fim à sua carreira na música. Ela entendia que Grieg jamais se divorciaria de Nina. E, além do mais, ambos sabemos que Anna era uma moça pragmática e sensata. O meu palpite é que eles combinaram isso, os dois.

– Mas, se você tem razão e Jens encontrou Anna grávida de quatro meses ao voltar, por que ele ficou?

– Provavelmente porque sabia que, se não ficasse, teria morrido na pobreza pouco depois nas ruas de Paris. E Grieg quase com certeza deve ter prometido fazer todo o possível para ajudá-lo em sua carreira de compositor na Noruega. Ally, você não entende? Todo mundo saía ganhando.

– Então, dali a menos de um ano, os dois casais passaram a ser vizinhos um do outro aqui mesmo. Nossa, Thom... você acha que Nina algum dia desconfiou da verdade?

– Sinceramente, eu não saberia dizer. Não resta dúvida de que ela adorava Edvard e ele a ela, mas ser casada com um personagem famoso desses tinha um preço, como acho que sempre tem. Talvez ela tenha ficado contente com o fato de o marido voltar. E havia Horst, claro. Morar assim tão perto possibilitava que Grieg visitasse o suposto filho sempre que quisesse sem levantar suspeitas. Lembre-se: ele e Nina não tinham filhos vivos. Em uma das muitas cartas que escreveu a um colega compositor, Grieg afirma que adorava o bebê Horst.

– Quer dizer que Jens teve que suportar a situação?

– Sim. Pessoalmente, eu acho que foi bem-feito por ter abandonado Anna. Ele passou o resto da vida vivendo à sombra de Grieg, e quase com certeza criando o filho ilegítimo do mestre em seu lugar.

– Então por que escrever uma biografia dos dois, se ele e Anna tinham um segredo desses para proteger?

– Você deve saber que Anna morreu no mesmo ano que Grieg. Foi nessa época que as composições de Jens começaram a deslanchar de verdade. Eu acho que o livro não passou de uma tentativa de alcançar a fama que Jens sentia que nunca havia alcançado até então. Foi um sucesso de vendas na época da publicação e deve ter lhe valido bastante dinheiro.

– Ele deveria ter tomado mais cuidado com as datas – observei.

– Quem poderia saber, Ally? A não ser que alguém fosse até Leipzig atrás da certidão de nascimento de Horst, como eu fiz.

– Sim, mais de 120 anos depois. Tudo isso não passa de especulação, Thom...

– Dê uma olhada nestas fotos – disse ele, puxando três fotografias da pasta. – Este aqui é Horst jovem e estes são os seus dois possíveis pais. Com qual dos dois você acha que ele se parece?

Olhei para as imagens e vi que restavam poucas dúvidas.

– Mas Anna tinha cabelos claros e olhos azuis, assim como Grieg. Horst pode muito bem ter herdado a aparência física da mãe.

– Verdade – concordou Thom. – Essa história toda só é alimentada pelas únicas ferramentas que temos à nossa disposição para investigar o passado: vestígios documentais e uma boa dose de suposição.

Prestei pouca atenção no que Thom estava dizendo; de repente, comecei a entender o que aquilo significava.

– Então, se você estiver certo, Horst, Felix e eu somos...

– Pois é. Como eu disse no começo, estritamente falando, você no fim das contas talvez não seja uma Halvorsen.

– Sério, Thom, é coisa demais para absorver. A gente pode provar isso de alguma forma, se quiser?

– Claro. John, irmão de Grieg, teve filhos, e os descendentes deles ainda estão vivos. Poderíamos lhes apresentar as provas e perguntar se eles aceitam fazer um exame de DNA. Já pensei mais de cem vezes em entrar em contato com eles, mas de que adiantaria provocar um furacão desses e manchar a reputação imaculada de Grieg? Isso tudo aconteceu mais de 120 anos atrás, e eu, pessoalmente, prefiro divulgar minha música pelos motivos *certos*, não me aproveitando de um escândalo histórico. Então decidi deixar o passado no passado. Foi por isso que não incluí a descoberta no livro. Agora você precisa tomar sua própria decisão, Ally, e não posso culpá-la se quiser ter certeza, mesmo que eu preferisse não mexer nessa história.

– Meu Deus, Thom. Por trinta anos eu me contentei em não saber absolutamente nada sobre as minhas origens. Então acho mesmo que, por enquanto, uma nova herança genética só já vai bastar – falei, sorrindo. – E Felix? Você disse que não contou para ele.

– Não, porque não podia confiar que ele não sairia por aí bêbado alardeando que é bisneto de Grieg e colocando todo mundo na merda.

– Concordo. Nossa... – Dei um suspiro. – Que história.

– É. E, agora que eu tirei esse peso do peito, que tal uma xícara de chá?

✦ ✦ ✦

Alguns dias depois, quando minha certidão de nascimento original chegou, mostrei-a a Thom. Eu tinha escrito para o hospital e para o cartório de nascimentos e óbitos da região, que ficava em Trondheim, não só porque queria ver a prova, mas também para descobrir qualquer detalhe sobre como Pa Salt tinha me encontrado.

– Está vendo? Meu nome de origem é "Felicia" – falei. – Deve ser por causa de Felix.

– Eu gosto bastante. É bem bonito, bem mulherzinha – brincou Thom.

– Desculpe, mas mulherzinha é uma coisa que eu não sou. Ally combina muito mais comigo – retruquei.

Mostrei-lhe outro documento que havia chegado junto com a certidão, segundo o qual eu fora adotada no dia 3 de agosto de 1977. Havia um carimbo de aspecto oficial no canto inferior, mas nenhum outro detalhe.

– Todas as agências de adoção com as quais entrei em contato me escreveram de volta dizendo que não tinham nenhum registro oficial de adoção e que, portanto, concluíam que o processo tinha sido conduzido em âmbito particular. Ou seja: Pa Salt deve ter conhecido Martha em algum momento – refleti, guardando na pasta a carta mais recente.

– É só uma ideia, Ally – disse Thom de repente. – Mas você me disse que Pa Salt adotou seis meninas, todas batizadas em homenagem às estrelas das Plêiades. E se tiver sido *ele* quem escolheu *você*? E se eu que tiver sido deixado de lado?

Pensei a respeito e vi que ele tinha razão. Aquilo diminuiu minha dor na mesma hora. Levantei-me e fui até ele, que estava sentado ao piano. Enlacei-o pelo pescoço e o beijei no alto da cabeça.

– Obrigada por isso.

– Não há de quê.

Olhei para a partitura equilibrada no piano, coberta de anotações a lápis.

– O que está fazendo com isso?

– Ah, só dando uma olhada no que o sujeito que David Stewart recomendou para começar a trabalhar nos arranjos para orquestra do *Concerto do Herói* fez até agora.

– E que tal?

– Para ser sincero, pelo que vi até agora, não estou muito bem impressionado. Duvido muito que vá ficar pronto para a estreia em dezembro, no Concerto do Centenário de Grieg. Já estamos quase no fim de setembro, e a música precisa estar pronta e na gráfica no fim do mês que vem, para a orquestra ter tempo de ensaiar. Como David aprovou a inclusão do concerto no programa, vou ficar arrasado se ele não entrar, mas isto aqui... – Ele deu de ombros. – Simplesmente não parece certo. E com certeza não está à altura de ser mostrado ao chefe da orquestra.

– Queria poder fazer alguma coisa para ajudar – falei. Então um pensamento me ocorreu, mas não tive certeza se deveria expressá-lo.

– O que foi? – perguntou Thom. Eu estava descobrindo que era impossível esconder qualquer coisa do meu recém-descoberto irmão gêmeo.

– Se eu lhe disser, promete que não vai descartar logo de cara?

– Está bem, prometo. Pode falar.

– Felix... quero dizer... nosso pai poderia fazer os arranjos. Afinal de contas, ele é filho de Pip. Tenho certeza de que terá sensibilidade com a música do próprio pai.

– O quê? Ficou maluca, Ally? Sei que está tentando fazer a gente bancar a familiazinha feliz, mas, sério, assim já é demais. Felix é um bêbado imprestável que nunca realizou nada na vida. Eu não poderia dar o precioso concerto do nosso avô para ele destruir. Ou, pior, para chegar à metade e desistir. Se quisermos ter alguma chance de vê-lo estrear no centenário, com certeza esse não é o caminho a seguir.

– Você sabia que Felix ainda toca muitas horas por dia? Só por diversão? E você mesmo me disse várias vezes que ele era um gênio, que compunha e orquestrava as próprias peças quando era adolescente – insisti.

– Chega, Ally. Assunto encerrado.

– Tudo bem. – Dei de ombros e saí da sala.

Estava frustrada, chateada. Aquele era o primeiro desentendimento entre Thom e eu.

Mais tarde, nesse mesmo dia, Thom saiu de casa para um compromisso na orquestra. Eu sabia que as partituras originais de Pip Halvorsen ficavam guardadas na escrivaninha da sala de estar. Totalmente insegura, sem saber se estava fazendo a coisa certa ou não, destranquei a escrivaninha e peguei a pilha de papéis. Guardei-a dentro de uma sacola, peguei a chave do carro que havia alugado e saí da casa.

❖ ❖ ❖

– O que acha, Felix?

Eu havia lhe explicado a história por trás do *Concerto do Herói* e dito como estávamos desesperados para orquestrar a peça. Acabara de ouvi-lo tocar o concerto do início ao fim. Apesar de ser a primeira vez que vira a partitura, sua execução não tivera um erro sequer. Além de exibir uma proficiência técnica e uma sensibilidade que eram as marcas de um pianista de grande talento.

– Maravilhoso, sério. Meu Deus, como meu pai era talentoso.

Era óbvio que ele estava comovido; por instinto, fui até ele e apertei seu ombro.

– Era mesmo, não é?

– Uma tragédia eu não conseguir me lembrar dele. Mal passava de um bebê quando ele morreu, entende?

– Eu sei. E é uma tragédia essa peça nunca ter estreado. Não seria incrível se estreasse?

– Sim, sim, com os arranjos certos... Por exemplo, aqui nos primeiros quatro compassos, um oboé, ao qual se juntaria uma viola aqui... – Ele apontou para a partitura. – Mas com os tímpanos entrando quase imediatamente depois, de surpresa, assim. – Ele ilustrou a batida com dois lápis. – Isso chocaria aqueles que pensassem estar ouvindo mais um pastiche de Grieg. – Ele deu um sorriso malicioso e vi o brilho em seus olhos quando estendeu a mão para pegar uma partitura em branco e a preencheu com o arranjo que acabara de descrever. – Diga a Thom que seria um golpe de mestre. E depois... – continuou ele, recomeçando a tocar. – Depois vêm os violinos, ainda acompanhados pelos tímpanos para dar aquela sensação de perigo.

Ele tornou a preencher alguns compassos da partitura. Então, de repente, parou e ergueu os olhos para mim.

– Desculpe. Estou me empolgando. Mas obrigado por me mostrar isso.

– Felix, quanto tempo você achar que levaria para fazer a orquestração inteira desse concerto?

– Uns dois meses, talvez? Talvez seja *mesmo* porque o meu pai foi o autor, mas consigo ouvir exatamente como ele deveria ficar.

– O que acha de três semanas?

Ele me encarou, revirou os olhos e deu uma risadinha.

– Está de brincadeira, não é?

– Não estou, não. Vou precisar tirar uma xerox da partitura de piano para você, mas se conseguisse orquestrar esse concerto e apresentar a Thom da mesma forma brilhante que acabou de fazer para mim, duvido que o chefe da Orquestra Filarmônica de Bergen consiga dizer não.

Felix passou um tempo sentado em silêncio, pensando.

– Está me desafiando, é isso? É para provar ao Thom que eu sou capaz?

– Tirando o fato de que a peça está no programa do Concerto do Centenário de Grieg, em dezembro, é, sim. Porque, pelo que acabei de ouvir, você é brilhante, brilhante mesmo. E se não se importar que eu diga isso, o prazo apertado significa que você vai precisar se concentrar totalmente.

– Uma mistura e tanto de elogios e ofensas, minha jovem – disse Felix com um muxoxo. – Vou escolher ficar com os elogios, porque você tem razão, claro. Eu funciono muito melhor trabalhando com um prazo e, nos últimos anos, têm faltado disso por aqui.

– Quer dizer que vai tentar?

– Se eu aceitar essa empreitada, farei muito mais do que tentar, isso eu lhe garanto. Vou começar hoje à noite mesmo.

– Bom, infelizmente eu vou ter que levar as partituras para piano comigo. Não quero que Thom descubra o que estamos fazendo.

– Ah, não se preocupe com isso, já estou com ela na cabeça. – Felix juntou as partituras, formou com elas uma pilha bem-arrumada e me entregou. – Traga-me uma cópia amanhã, mas depois disso não quero que fique vindo aqui o tempo todo para conferir o meu trabalho. Então nos vemos daqui a três semanas.

– Mas...

– Sem mas – disse ele, acompanhando-me até a porta.

– Está bem. Eu trago as partituras amanhã. Tchau, Felix.

– E... Ally?

– Oi?

– Obrigado pela oportunidade.

45

$\mathcal{P}$assei as três semanas seguintes indócil, andando de um lado para outro em casa. Sabia que orquestrar bem uma sinfonia em geral exigiria meses de trabalho árduo. No entanto, mesmo que Felix só conseguisse completar os primeiros cinco minutos, torci que isso bastasse para convencer Thom do que eu mesma havia escutado. Se ele não fizesse nada, nada estaria perdido e Thom jamais ficaria sabendo.

Todo mundo merece uma segunda chance, pensei comigo mesma ao ouvir a porta da frente se abrir e Thom chegar após uma apresentação da ópera *Carmen* com a filarmônica. A temporada de concertos havia começado, e quando ele desabou no sofá, exausto, peguei uma cerveja gelada na geladeira e lhe entreguei.

– Obrigado, Ally. Eu bem que poderia me acostumar com isso – disse ele, abrindo a cerveja. – Na verdade, andei pensando em umas coisas nesses últimos dias.

– Ah, é?

– Você já resolveu onde vai ter a Polegarzinha?

Polegarzinha era um apelido para o bebê, surgido quando Thom tinha me perguntado de que tamanho ele estava agora e eu, usando como referência o recém-comprado livro sobre gravidez, havia usado o polegar para demonstrar.

– Ainda não.

– Então que tal ficar aqui em Froskehuset comigo? Você vive dizendo que está se coçando para reformar a casa, e eu certamente não tenho tempo para isso. Considerando o tal instinto de fazer ninho sobre o qual você leu no livro outro dia, que tal canalizar isso de forma prática e pôr mãos à obra? Em troca de abrigo e comida... cujo custo está aumentando, visto o tamanho do seu duplo apetite – brincou ele. – Além, é claro, do seu direito oficial a metade da casa.

– Thom, esta casa é sua. Sério! Eu nunca sequer cogitaria tirar metade dela de você.

– Bem, então que tal você investir algum dinheiro na reforma da casa se isso for possível? Eu diria que seria uma troca justa. Está vendo? Não estou sendo tão generoso quanto você pensou.

– Reformar esta casa não vai custar muito, embora eu esteja pensando que esse fogareiro horroroso tem que ser arrancado e substituído por uma lareira moderna, além de, quem sabe, uma calefação debaixo do piso nos outros cômodos. Ah, e também é preciso comprar um boiler novo e trocar o encanamento dos banheiros, porque estou cheia de ter um filete de água quente no chuveiro quando tomo banho, e tem ainda...

– Lá vamos nós – disse Thom com uma risadinha. – Calculo pelo menos um milhão de *kroner* para fazer o serviço direito. A casa vale uns quatro milhões, então eu estaria lhe pagando um pouco mais para ser minha designer de interiores. Teríamos que combinar que, se um de nós dois algum dia quiser se mudar, o outro poderá comprar sua parte na casa, mas Ally, eu acho importante você sentir que você e o bebê têm o seu próprio lar.

– Até agora eu me virei bastante bem sem lar nenhum.

– Até agora você nunca teve um filho. Como fui criado em uma casa que minha mãe vivia dizendo que não era nossa, eu gostaria que minha sobrinha ou sobrinho não tivessem essa preocupação. Talvez possa oferecer meus serviços de figura paterna e mentor até outro homem aparecer para fazer esse papel. Coisa que, tenho certeza, um dia vai acontecer – concluiu ele.

– Mas, Thom, se eu ficasse aqui...

– O quê?

– Eu teria que aprender norueguês! E isso é impossível.

– Bom, você e o bebê podem aprender juntos – falou ele sorrindo.

– Mas e quando um de nós ou os dois encontrarem outra pessoa?

– Como eu disse, a gente pode vender a casa ou comprar a parte do outro. Além do mais, não esqueça que aqui tem quatro quartos. E como eu me recuso a deixar você ficar com um homem que eu não aprovar, não tem motivo nenhum para não podermos viver aqui juntos, em comunidade. De toda forma, não acho que a gente deva se preocupar muito com o que *poderia* acontecer. Essa não é uma das suas frases preferidas?

– Antigamente era, mas... eu agora preciso planejar o futuro.

– Claro. A maternidade já está mudando você.

Nessa noite, ao me deitar, pensei em como Thom tinha razão. Eu não estava mais pensando só em mim, mas no que era melhor para o neném. Não havia dúvida de que era feliz ali, me sentia segura e tranquila naquele país que estava aprendendo a amar. E por algum motivo o fato de a minha verdadeira origem me ter sido negada tornava ainda mais importante que meu filho ou filha pudesse abraçar a sua. Nós poderíamos fazer isso juntos.

Na manhã seguinte, eu disse a Thom que, a princípio, achava a ideia maravilhosa e que adoraria ficar e ter o bebê em Bergen.

– Também vou ver se consigo mandar trazerem para cá o iate Sunseeker de Theo. Mesmo que eu não consiga reunir coragem para subir a bordo, talvez você queira levar seu sobrinho para passear pelos fiordes da Noruega no verão no meu lugar.

– Ótima ideia – concordou Thom. – Mas para o bem do bebê, Ally, sem falar no seu próprio, você algum dia vai ter que voltar ao mar.

– Eu sei, mas não vai ser agora – falei, seca. – A única coisa que me preocupa é o que eu iria fazer depois de brincar de ser designer de interiores e dar à luz. – Pus sobre a mesa as panquecas que ele adorava para o café da manhã.

– Viu? Você está fazendo de novo, Ally. Projetando o futuro.

– Cale a boca, Thom. Eu sou uma mulher que trabalhou a vida inteira, que encarou um desafio por dia.

– E não acha que se mudar para outro país e ter um filho bastam como desafio?

– É claro que bastam, por enquanto. Mas, mesmo que eu vire mãe, preciso ter algo para fazer.

– Talvez eu possa ajudar – disse Thom, casualmente.

– Como assim?

– Tem sempre lugar na orquestra para uma flautista com o seu talento. Na verdade, eu ia sugerir uma coisa.

– Ah, é? O quê?

– Você já está sabendo sobre o Concerto do Centenário de Grieg, aquele que ia incluir o *Concerto do Herói*, mas que agora provavelmente não vai mais. A primeira metade do programa tem a suíte *Peer Gynt*, e eu estava pensando em como seria adequado uma Halvorsen de verdade tocar os primeiros compassos de "Amanhecer". Na verdade, já comentei isso com David Stewart, e ele achou a ideia maravilhosa. O que você acha?

– Você já falou com ele?

– É claro que já, Ally. Ele adorou, e...

– Mesmo eu tocando mal, meu sobrenome vai garantir a vaga – concluí no seu lugar.

– Ah, parece até que você está sendo insensível de propósito! Ele a ouviu tocar com Willem no Teatro Logen, lembra? O que estou tentando dizer é que nunca se sabe aonde essa noite pode levar. De modo que eu não me preocuparia muito em arrumar um emprego se você decidir fincar raízes permanentes por aqui.

Estreitei os olhos e o encarei com intensidade.

– Você já pensou em tudo, não é?

– Já, sim. Do mesmo jeito que você teria feito.

❋ ❋ ❋

Exatamente três semanas depois do dia em que eu havia levado o concerto para Felix, bati à porta de sua casa com o coração acelerado. Ele demorou um pouco para atender, e comecei a desconfiar que, embora já fosse quase meio-dia, ainda estivesse dormindo para curar a ressaca.

Quando ele apareceu, com os olhos vermelhos, de camiseta e cueca samba-canção, fiquei desanimada.

– Oi, Ally. Entre.

– Obrigada.

A sala fedia a álcool e tabaco rançoso, e minha tensão aumentou quando vi as garrafas de uísque vazias enfileiradas como pinos de boliche sobre a mesa de centro.

– Desculpe a bagunça. Sente-se – disse ele, tirando de cima do sofá um cobertor esfarrapado e um travesseiro. – Acho que passei as últimas semanas dormindo onde caía.

– Ah.

– Quer beber alguma coisa?

– Não, obrigada. Você sabe por que estou aqui, não sabe?

– Vagamente – disse ele, passando a mão pelos cabelos ralos. – Tem alguma coisa a ver com o concerto?

– Isso, tem sim. E aí? – fui logo perguntando, já desesperada para saber se ele havia encarado o desafio.

– Então... onde foi mesmo que eu coloquei?

Havia partituras empilhadas por todo o recinto, e muitas outras folhas amassadas e emboladas que já estavam ali na minha última visita continuavam no mesmo lugar acumulando poeira e teias de aranha. Arrasada, fiquei observando enquanto ele vasculhava prateleiras, gavetas que transbordavam e olhava atrás do sofá em que eu estava sentada.

– Eu sei que guardei em algum lugar seguro... – murmurou ele, abaixando-se para olhar debaixo do piano. – Arrá! – exclamou, triunfante, ao erguer o tampo do lindo Blüthner de cauda e prendê-lo com a vara de madeira. – Aqui está. – Colocou a mão lá dentro e pegou uma gigantesca pilha de partituras, que trouxe até mim e jogou no meu colo; meus joelhos quase cederam com o peso de tanto papel. – Prontinho.

Vi que as primeiras folhas, reunidas dentro de uma pasta de plástico transparente, eram a música original para piano. A seção seguinte era a flauta, depois vinha a viola e em seguida os tímpanos, exatamente como ele havia descrito. Fui folheando as pastas e mais pastas de partituras preenchidas com capricho. Quando cheguei aos metais já tinha me esquecido para quantos instrumentos ele havia composto arranjos. Levantei o rosto com uma expressão de puro assombro, e o vi sorrir de volta com um ar de superioridade.

– Se você me conhecesse há mais tempo, filha querida que acabei de encontrar, saberia que um desafio musical é algo que eu sempre encaro. Sobretudo se for importante como esse.

– Mas... – Meu olhar recaiu sobre as garrafas de uísque na mesa à minha frente.

– Como bem me lembro de ter lhe dito, eu trabalho melhor bêbado. É triste, mas é verdade. Enfim, está tudo aí, pronto para você levar para o meu querido filho e ver qual vai ser o veredito dele. Pessoalmente, acho que meu pai e eu produzimos a obra de um gênio.

– Bem, não tenho qualificação para julgar a qualidade dos arranjos, mas com certeza a quantidade de trabalho que você realizou no tempo que tinha é um milagre.

– Noite e dia, querida, noite e dia. Vá lá, pode ir.

– Sério?

– Sim, quero voltar a dormir. Não dormi muito desde a última vez que nos vimos.

– Está bem – assenti, levantando-me com a imensa pilha de partituras imprensada contra o peito.

– Me avise sobre o veredito, sim?

– Claro.

– Ah, e diga ao Thom que mandei avisar que a única parte em relação à qual ainda não estou convencido é quando as trompas entram junto com o oboé no terceiro compasso do segundo movimento. Pode ser que esteja um pouco exagerado. Tchau, Ally.

Com isso, a porta se fechou com firmeza atrás de mim.

❋ ❋ ❋

– O que é isso? – quis saber Thom ao chegar em casa à tarde após um compromisso com a orquestra e reparar nas pilhas de partituras arrumadas com esmero sobre a mesa de centro da sala.

– Ah, são só os arranjos prontos do *Concerto do Herói* – respondi, casualmente. – Quer um café?

– Até parece... – respondeu ele, e então fez uma cara de espanto que chegou a ser cômica ao se dar conta do que estava vendo.

Andei com calma até a cozinha, servi o café e, quando voltei para a sala, vi Thom já folheando as partituras, do mesmo jeito que eu tinha feito.

– Como? Quando? *Quem?*

– Felix. Nas últimas três semanas.

– Está de brincadeira!

– Não estou, não. – Sua expressão me fez querer dar um soco no ar.

Ele pigarreou, fazendo a voz descer uma oitava.

– Bom, não sei quanto à qualidade, claro, mas... – falou.

Observei-o começar a cantarolar a parte do oboé, as violas, e em seguida examinar os tímpanos e começar a rir.

– Maravilha! Gostei muito.

– Você ficou bravo?

– Depois eu digo. – Ele então olhou para mim, e vi nos seus olhos entusiasmo e respeito genuíno. – Mas à primeira vista Felix fez um trabalho incrível. Esqueça o café; vou ligar para David Stewart para pegá-lo antes de ele sair. Vou levar as partituras para ele agora mesmo. Tenho certeza de que vai ficar tão surpreso quanto nós.

Ajudei-o a recolher as partituras e acenei para ele da porta, desejando-lhe boa sorte. Estava empolgadíssima.

Em pé diante da porta da frente, ergui os olhos para as estrelas.

– Pip, sua "heroína" vai enfim estrear – sussurrei.

❊ ❊ ❊

À medida que o outono foi passando e os preparativos para a apresentação do concerto ganharam força, agora com os inspirados arranjos completos para orquestra de Felix, eu me mantive ocupada com meus próprios preparativos. Havia entrado em contato com Georg Hoffman e explicado minha situação. Ele concordou que pôr um teto, que em parte era meu, sobre a minha cabeça e a do meu filho parecia uma ideia sensata. Reuni minhas magras economias pessoais e o pouco de dinheiro deixado por Theo e comecei a reforma de Froskehuset. Uma imagem já havia se formado na minha mente: um lindo refúgio escandinavo, com piso e paredes de pinho claro de demolição, móveis assinados por jovens designers noruegueses e as mais modernas tecnologias de fontes de energia limpa.

Eu vinha lutando contra o fato de que, tecnicamente, tanto Thom quanto eu deveríamos fazer o que era correto com Felix e, no mínimo, conceder-lhe um terço da propriedade da casa quando mexêssemos na escritura para incluir meu nome. Quando mencionei o assunto a Felix, ele sorriu.

– Não, meu bem, obrigado. É muita gentileza sua oferecer, mas estou feliz aqui no meu chalé e, de toda forma, nós dois sabemos exatamente para onde esse dinheiro iria.

Na semana anterior, além disso, a Peters Edições – conhecida como C.F. Peters na época em que publicava a música de Grieg tantos anos antes, em Leipzig – já havia se informado sobre o *Concerto do Herói*, e uma gravação estava programada para o ano seguinte com a Filarmônica de Bergen. Como herdeiro legal dos direitos de apresentação e publicação da obra do pai, sem falar em seu próprio trabalho nos arranjos, Felix tinha uma boa chance de vir a ganhar bastante dinheiro caso o concerto fizesse o sucesso que Andrew Litton esperava.

Com a consciência aliviada – quer isso se devesse ao instinto de fazer ninho ou não –, foi com muito otimismo e entusiasmo que conversei com os comerciantes e construtores da cidade, consultei especialistas em planejamento e olhei incontáveis revistas e sites na internet. Pensei em como minhas irmãs morreriam de rir de mim: Ally, interessada em design de interiores? E fiquei pensando no quanto os hormônios eram responsáveis por muitas ações humanas.

Quando estava folheando um catálogo com amostras de tecido, me dei conta, culpada, de que não tinha ligado para Ma com a devida frequência desde que chegara a Bergen. Nem para Celia, aliás. E agora que eu acabara de passar da "fase perigosa" dos três meses, as duas mereciam saber a notícia.

Liguei primeiro para Ma, em Genebra.

– Alô?

– Ma, sou eu, Ally.

– *Chérie!* Que maravilha ouvir você.

Sorri, aliviada ao ouvir o tom caloroso e completamente desprovido de reprovação em sua voz.

– Como você está? – indagou ela.

– Bom, para dizer a verdade, essa é uma pergunta e tanto – respondi, com uma risada pesarosa.

Então, em um discurso pontuado pelas expressões de surpresa e assombro de Ma, contei-lhe sobre Thom e Felix e como as pistas de Pa Salt tinham me conduzido aos dois.

– Espero que você entenda por que decidi ficar mais um pouquinho aqui em Bergen – disse, por fim. – E há mais uma coisa que não contei e complica um pouco a situação: estou grávida do Theo.

Um silêncio momentâneo do outro lado da linha foi seguido por um arquejo de alegria.

– Mas que notícia maravilhosa, Ally! Quer dizer, depois de tudo que você... de tudo por que você passou. Para quando é o bebê?

– Dia 14 de março. – Achei informação demais lhe dizer que, após o ultrassom confirmar a data exata prevista para o nascimento, eu havia calculado que o bebê fora concebido no dia ou por volta do dia da morte de Pa.

– Ai, Ally, *chérie*, eu não poderia estar mais feliz por você. Está feliz também? – quis saber ela.

– Muito – tranquilizei-a.

– Suas irmãs também vão ficar. Elas vão ser titias, e teremos um novo bebê em Atlantis. Já contou para elas?

– Ainda não. Queria contar para você primeiro. Tenho estado em contato com Maia, Estrela e Tiggy nas últimas semanas, mas não estou conseguindo encontrar Electra. Ela não respondeu minhas mensagens nem meus e-mails. Quando liguei para o agente dela em Los Angeles e deixei recado, ninguém me retornou. Está tudo bem com ela?

– Tenho certeza de que ela deve estar só muito ocupada... você sabe como a agenda dela é maluca – respondeu Ma depois do que pensei ter sido uma minúscula pausa. – Até onde eu sei, ela está bem.

– Bom, fico aliviada. Mas, além disso, quando liguei para Estrela em Londres e pedi para falar com a Ceci, ela só disse que Ceci não estava. Não tive notícia de nenhuma das duas desde então.

– Entendo – disse Ma, sem se comprometer.

– Você tem alguma ideia do que está acontecendo?

– Infelizmente, não. Mas nesse caso também acho que não há nada com que você precise se preocupar.

– Você me avisa se tiver notícias delas?

– Claro, *chérie*. Mas me fale mais sobre os seus planos para quando o bebê nascer.

❊ ❊ ❊

Quando finalmente encerrei a conversa com Ma, após convidá-la para o Concerto do Centenário de Grieg em dezembro, assim como a todas as minhas irmãs que ela conseguisse localizar, digitei o número de Celia. Como Ma, ela pareceu encantada em me ouvir.

Eu já tinha decidido que queria dar a notícia da gravidez a Celia ao vivo; sabia quanto esse momento seria emocionante para ela. Além disso, ainda faltava resolver a questão das cinzas de Theo.

– Celia, infelizmente eu agora não posso falar muito, mas estava pensando... você se importaria se eu pegasse um avião para visitar você daqui a uns dias?

– Ally, não precisa pedir. Você é bem-vinda aqui quando quiser. Eu adoraria vê-la.

– Talvez a gente pudesse ir a Lymington e... – Minha voz falhou ao dizer essas palavras, sem que eu pudesse evitar.

– Sim, chegou a hora – disse ela baixinho. – Vamos fazer isso juntas, como ele queria.

❊ ❊ ❊

Dois dias mais tarde, meu voo pousou em Heathrow, onde Celia me aguardava no desembarque. Quando estávamos saindo do aeroporto em seu velho Mini, ela me olhou do banco do motorista.

– Espero que não se importe, Ally, mas nós não vamos para Chelsea, e sim direto para Lymington. Não sei se cheguei a lhe contar que ainda tenho um chalé lá. É pequeno, mas é para onde Theo e eu íamos nas férias escolares, para podermos velejar juntos. Eu pensei que... que de alguma forma fosse adequado nós ficarmos lá.

Estendi a mão e apertei a sua, fechada com força em volta do volante.

– Parece perfeito, Celia.

E era, mesmo. O pequeno chalé ficava bem no centro georgiano de Lymington, cercado por ruas calçadas de pedra e pitorescas construções em tons pastel. Deixamos as malas no exíguo hall de entrada e acompanhei Celia até uma aconchegante sala com vigas no teto. Ela então segurou minha mão.

– Ally, antes de eu lhe mostrar o seu quarto, só queria avisar que o chalé tem apenas dois quartos... um é meu, o outro... bem, é onde Theo dormia, e é claro que ainda contém... muitas lembranças.

– Não tem problema, Celia – tranquilizei-a, como sempre tocada por sua gentileza e consideração comigo.

– Talvez você queira levar sua mala lá para cima? Vou acender a lareira e começar a preparar o jantar. Trouxe umas coisinhas de casa para poder improvisar alguma coisa para a gente. A menos que você prefira comer fora...

– Acho ótimo ficar em casa, Celia, obrigada. Já desço para ajudar você.

Peguei minha mochila e subi a escada. No alto, vi uma porta de madeira baixa na qual tinham sido impressas grosseiramente, com o auxílio de um molde vazado, as palavras "Cabana do Theo". Abri a porta e vi uma cama estreita embaixo da janela de guilhotina, com um surrado ursinho de pelúcia cor de caramelo sentado nos travesseiros. As paredes irregulares estavam cobertas por imagens de iates, e acima da cômoda pintada pendia uma antiquada boia salva-vidas listrada de vermelho e branco. Lágrimas fizeram arder meus olhos ao constatar a semelhança com meu próprio quarto de menina em Atlantis.

– Minha alma gêmea – sussurrei, sentindo a energia de Theo à minha volta.

Então me sentei na cama, peguei o ursinho e o apertei contra o peito. A consciência de que Theo jamais veria o próprio filho fez as lágrimas escorrerem pelo meu rosto.

Nessa noite, Celia e eu ficamos conversando amigavelmente enquanto ela preparava um ensopado de frango. Um fogo crepitava na lareira da sala, e nos acomodamos para comer no sofá desbotado e molenga.

– Que lugar aconchegante, Celia. Agora entendo por que você ama tanto isto aqui.

– Tive sorte de herdar essa casa dos meus pais. Os dois também gostavam de velejar, e aqui era o lugar perfeito para trazer Theo quando ele era pequeno. Peter nunca foi muito fã da vela, e de toda forma estava quase sempre viajando a trabalho nessa época, de modo que Theo e eu passávamos muito tempo aqui, fosse qual fosse o motivo.

– Falando em Peter, tem tido notícias dele? – perguntei delicadamente.

– Por estranho que pareça, tenho sim. Na verdade, eu diria até que estamos bem próximos nas últimas semanas. Ele tem me ligado sempre, e estamos até fazendo planos de ele passar o Natal comigo em Chelsea. Já que nós dois pelo visto estamos meio sem rumo. – Um leve rubor surgiu nas bochechas delicadas de Celia. – Sei que isso pode soar estranho, mas é como se a morte de Theo de alguma forma tivesse levado embora a amargura entre nós.

– De forma alguma. Sei que ele magoou você de um jeito horrível, mas tenho realmente a sensação de que reconhece os erros que cometeu e como eles a machucaram.

– Bom, Ally, ninguém é perfeito. E talvez eu também tenha amadurecido e visto algumas coisas que fiz de errado. Com certeza sei que, depois de Theo nascer, por muitos anos ele se tornou o meu mundo. Eu afastei Peter, e como você decerto já percebeu ele não lida muito bem com o fato de ser ignorado. – Ela deu um sorriso.

– É, posso imaginar que não. Mas pelo menos fico feliz que vocês tenham voltado a se falar.

– Na verdade, eu disse a ele que íamos espalhar as cinzas do Theo amanhã de manhã na hora do sol nascer, mas não tive notícias. Isso é a cara do Peter... – Celia suspirou. – Ele nunca foi muito bom em falar as coisas que realmente importam. Mas, enfim, chega de falar sobre mim. Quero saber tudo que você tem feito na Noruega. Você já comentou no carro que estava seguindo as pistas deixadas por seu pai. Se quiser me contar, eu adoraria ouvir a história toda.

Passei a hora seguinte narrando os detalhes da minha estranha jornada em busca das minhas raízes. Como na conversa com Ma, o único detalhe que omiti foi a possível relação genética com Edvard Grieg. Assim como Thom, sentia que era melhor guardar segredo quanto a essa revelação. Sem provas sólidas, ela nada significava, e era, portanto, irrelevante.

– Ora, estou pasma! – exclamou Celia quando terminei o relato e ambas afastamos nossas bandejas com o jantar. – Você encontrou um novo irmão gêmeo e um novo pai também. Que reviravolta extraordinária... Como está se sentindo com isso tudo?

– Para falar a verdade, estou animadíssima. Thom é tão... igual a mim – falei, com um sorriso. – E espero não estar sendo insensível se disser que, embora tenha perdido meu mentor com a morte de Pa Salt e minha alma gêmea com a de Theo, pareço ter encontrado outro homem com quem posso formar um vínculo, embora de modo inteiramente diferente.

– Ally, querida, isso é maravilhoso, maravilhoso mesmo! Que viagem você fez nessas últimas semanas...

– Na verdade, Celia, a viagem ainda não terminou. Tem mais uma coisa que eu preciso contar. – Encarei-a nos olhos, reparei na sua expressão intrigada e inspirei fundo. – Você vai ser avó.

A expressão intrigada se transformou em uma incompreensão momentânea durante o tempo que ela levou para processar minhas palavras. Sua boca então formou um sorriso extático, e ela se esticou pelo sofá para me dar um abraço bem apertado.

– Ally, eu mal posso acreditar numa coisa dessas... Tem certeza?

– Tenho, sim. Uma médica de Bergen confirmou a gestação. E na semana passada fui fazer a primeira ultra. – Levantei-me do sofá para pegar minha bolsa e remexi lá dentro até encontrar o que estava procurando. Peguei a imagem em preto e branco granulosa e lhe entreguei. – Sei que não está lá grande coisa, mas Celia, esse é o seu neto... ou neta.

Ela pegou o ultrassom e o examinou, traçando com os dedos o contorno embaçado da minúscula vida que crescia dentro de mim.

– Ally.... – Quando ela enfim falou, sua voz saiu embargada de emoção. – É... é a coisa mais linda que eu já vi.

Depois de rirmos, chorarmos e nos abraçarmos mais uma dezena de vezes, tornamos a nos acomodar no sofá, ambas um pouco tontas.

– Pelo menos agora eu consigo pensar na nossa... tarefa de amanhã com alguma esperança no coração – disse Celia. – Falando nisso, eu tenho um bote a vela que fica na marina daqui. Acho que o mais óbvio a fazer é partirmos assim que o dia raiar e... pôr Theo para descansar no mar.

– Eu... eu sinto muito, mas não vou conseguir – gaguejei. – Depois que Theo morreu, jurei nunca pôr os pés em um barco. Espero que você entenda.

– Entendo sim, querida, mas por favor, pense um pouco. Como você mesma disse, não se pode simplesmente bloquear o passado. Acho que você já sabe que Theo teria detestado pensar que a separou da sua paixão.

E nessa hora eu entendi que, por mais difícil que parecesse, eu devia aquilo a Theo e ao nosso filho: tinha que voltar ao mar.

– Você tem razão, Celia – assenti, depois de algum tempo. – É exatamente isso que devemos fazer.

❊ ❊ ❊

Na manhã seguinte, acordei com o despertador do meu celular antes de o sol nascer, e fiquei alguns instantes desorientada até sentir a textura de algo áspero na bochecha. Acendi a luz da cabeceira e vi o velho ursinho de pelúcia de Theo deitado no travesseiro ao meu lado. Estendi a mão para pegá-lo e enterrei o nariz no pelo áspero, como se assim, de alguma forma, fosse conseguir inalar seu espírito. Desci da cama, vesti rapidamente uma legging e um suéter grosso e desci as escadas, onde Celia já estava me esperando. Não foi preciso dizer nada quando olhei para a urna azul de aspecto inócuo que ela segurava.

As ruas de Lymington estavam desertas quando saímos do chalé e descemos a pé até a marina sob a meia-luz leitosa que precedia a aurora. Quando paramos no píer de madeira onde o bote de Celia ficava atracado, o único outro sinal de atividade nos arredores era um barco de pesca ali perto. Os dois tripulantes nos cumprimentaram com um breve meneio de cabeça, em seguida retomaram a tarefa de remendar as redes antes de sair para a pesca do dia.

– Theo teria adorado isso, sabia? O ritmo eterno das marés e do mar, que segue como sempre foi desde o início dos tempos.

– É, ele teria adorado mesmo...

Ambas nos viramos ao escutar a voz conhecida e vimos Peter caminhando na nossa direção. Observei a expressão de espanto de Celia e depois o jeito como seu rosto se acendeu quando ele lhe abriu os braços e ela se aninhou junto ao seu peito. Fiquei parada onde estava, deixando os dois terem aquele momento juntos, mas eles então andaram na minha direção e Peter me abraçou também.

– Então tá – disse ele, e sua voz falhou. – É melhor andarmos logo com isso.

Enquanto Celia subia a bordo, ele sussurrou no meu ouvido:

– Só espero não dar vexame na frente de vocês duas vomitando o café da manhã nessa hora tão solene. Não sou muito bom no mar, Ally.

– E no presente momento eu também não – murmurei de volta. – Venha, vamos fazer isso juntos – falei, estendendo a mão para ele.

Embarcamos, e enquanto eu tentava me acostumar com o fato de estar a bordo, nervosa, ajudei Peter a se equilibrar e a se sentar.

– Pronta para partir, Ally?

– Sim – respondi a Celia, e tratei de içar as velas e desatar as cordas.

Os primeiros raios cor-de-rosa e dourados do sol já se estendiam para tocar o litoral, cintilando na crista das ondas preguiçosas à medida que avançávamos a bordo do Solent. Enquanto Celia assumiu o leme, fiquei andando pelo convés para ajustar as velas. A brisa gelada impulsionava a embarcação e soprava com delicadeza meus cabelos para longe do rosto, e, embora eu estivesse com medo de voltar ao mar, senti-me estranhamente em paz. Imagens de Theo passaram pela minha cabeça, mas, pela primeira vez desde a sua partida, pensar nele me encheu tanto de alegria quanto de tristeza.

Quando chegamos a um ponto a algumas centenas de metros da costa, de onde se tinha uma magnífica vista do porto de Lymington, recolhemos as velas; Celia desapareceu debaixo do convés e tornou a surgir segundos depois segurando a urna azul. Fomos na direção de Peter, que estava na popa da embarcação, verde de enjoo, e o ajudamos a ficar em pé entre nós duas.

– Segure você, Peter – instruiu Celia na mesma hora em que o sol da manhã finalmente rompeu o horizonte em toda sua glória.

– Preparadas? – perguntou ele.

Aquiesci, e nós três pusemos as mãos em volta da urna, tão insignificante vista de fora, mas imbuída de tantos sonhos, esperanças e recordações. Quando Peter ergueu a tampa e lançou o conteúdo ao vento, observamos a fina nuvem de cinzas descer flutuando até se juntar à espuma do mar lá embaixo. Fechei os olhos com força, e uma única lágrima escorreu pela minha bochecha.

– Adeus, meu querido – sussurrei, e desci a mão instintivamente para acariciar a curva da barriga. – Saiba que o nosso amor continua vivo.

46

7 de dezembro de 2007

Como sempre, acordei cedo, cutucada por um leve movimento dentro de mim. Verifiquei as horas e vi que passava um pouco das cinco; torci para aquilo não ser um prenúncio do futuro e para o bebê não ter estabelecido seu padrão de sono já dentro do útero. Ainda estava escuro lá fora quando espiei por entre as cortinas com os olhos cansados. Uma grossa camada de gelo cobria a janela. Fui ao banheiro e voltei para a cama para tentar dormir de novo. Sabia que aquele seria um dia cheio. À noite, a Sala Grieg estaria com sua lotação máxima de 1.500 espectadores para o Concerto do Centenário. Entre eles estariam meus amigos e parentes. Estrela e Ma chegariam a Bergen de avião à tarde para assistir ao concerto, e pensar em encontrá-las me fazia formigar de tanta ansiedade.

De um jeito estranho, eu sentia que minha gravidez e o bebê que crescia dentro de mim eram coletivos: embora eu fosse a mãe e a responsável por ele, sua vinda ao mundo dali a três meses criaria um vínculo entre um grupo de seres humanos até então díspares.

Além da ligação com o passado que eu acabara de resgatar – Felix, meu pai, e Thom, meu irmão gêmeo – havia também as cinco tias, que com certeza mimariam muito aquela criança. Electra, que finalmente havia me mandado um e-mail de parabéns em resposta ao meu, já tinha despachado por FedEx uma caixa repleta de roupinhas de bebê de marca que custavam os olhos da cara. Eu recebera mensagens comoventes de quase todas as minhas irmãs, e, naturalmente, de Ma, que do seu jeito tranquilo e discreto eu sabia que devia estar louca para segurar o recém-nascido no colo e reviver as preciosas lembranças de quando nós chegamos para ficar aos seus cuidados. E havia, por fim, o lado de Theo da família: Celia e Peter, que faziam parte do meu presente mais recente e também estariam na plateia naquela noite. Eu sabia que eles também seriam uma parte muito bem-vinda do meu futuro e do futuro do meu filho.

– O círculo da vida – murmurei comigo mesma, e pensei em como, pelo menos para mim, em meio a perdas terríveis houvera também vida e uma esperança renovada. Como Tiggy havia comentado ao se referir à linda rosa que floresce durante seu tempo de vida, e depois aos outros botões da mesma roseira que começam a se abrir enquanto a primeira flor vai perdendo as pétalas, eu também havia aprendido o milagre da natureza. E apesar de, em poucos meses, ter perdido as duas pessoas mais importantes da minha vida, fora preenchida com um amor que, eu sabia, só faria se fortalecer. E me sentia abençoada por isso.

E nessa noite, depois do espetáculo, os diferentes fios da minha história iriam se encontrar pela primeira vez durante um jantar.

Isso me levou a pensar novamente em Felix...

A programação da noite era bem direta: a primeira peça apresentada seria a suíte *Peer Gynt*, e na verdade quem estaria na flauta seria *eu*, a tataraneta de Jens Halvorsen, que tocaria aqueles primeiros e famosos compassos como ele havia feito mais de 130 anos antes, na estreia. Ou talvez até, como Thom e eu havíamos refletido em particular, a tataraneta do próprio compositor. Fosse como fosse, ambos tínhamos o direito de estar ali. Thom estaria bem perto, no primeiro violino – o mesmo violino que era o segundo instrumento de Jens –, e a história dos Halvorsen fecharia um círculo completo.

A mídia tinha feito grande alarde em relação ao nosso vínculo familiar, e o interesse fora intensificado ainda mais pelo fato de a segunda parte do programa ser a estreia do recém-descoberto concerto para piano de Jens Halvorsen Neto, orquestrado por Felix, filho do compositor, que conduziria a orquestra ao piano.

Andrew Litton, o renomado regente da Filarmônica de Bergen, ficara extasiado ao descobrir aquela obra perdida e assombrado com os inspirados arranjos de Felix, sem falar no pouco tempo que ele tivera para concluí--los. No entanto, quando Thom perguntou a David Stewart se o pai poderia tocar o concerto na noite de estreia, o chefe da orquestra recusou na hora.

Depois dessa conversa, Thom voltou para casa e balançou a cabeça para mim.

– Ele disse que conhece Felix há muito tempo e que a estreia do concerto e a apresentação em si são importantes demais para serem postas em risco. Eu admito que concordo, Ally. Por mais maravilhosa que tenha sido a sua ideia de reunir pela música... – Ele apontou para minha barriga. – ... o que na realidade são cinco gerações da família Halvorsen, Felix é o elo mais fraco. E se ele tomar um porre na noite anterior e simplesmente não aparecer? Você sabe tão bem quanto eu que o sucesso desse concerto depende do pianista. Se ele estivesse só tocando pratos lá no fundo seria outra coisa, mas, ao piano, Felix estaria no centro do palco. E as pessoas que mandam na filarmônica não querem correr o risco de dar vexame se o nosso papaizinho querido não der as caras. Como eu já contei, ele foi demitido anos atrás por ter provado que não era de confiança.

Eu tinha entendido. Mas não estava disposta a desistir de Felix.

Assim, fora lhe falar no que Thom e eu tínhamos batizado de seu "fosso" e perguntara se, caso eu brigasse por sua participação, ele poderia me jurar de pés juntos – pela vida do neto que estava para nascer – que compareceria a todos os ensaios e estaria lá no dia do concerto.

Nessa manhã, Felix me encarou com seus olhos cansados e embaçados pela bebida e deu de ombros.

– É claro que sim. Não que precise ensaiar. Ally meu bem, eu seria capaz de tocar dormindo depois de ter entornado algumas garrafas.

– Você sabe que não é assim que funciona – repreendi. – E se a sua atitude vai ser essa, então... – Virei as costas e comecei a andar em direção à porta.

– Está bem.

– Está bem o quê? – perguntei.

– Eu juro que vou me comportar.

– Sério?

– Sério.

– Porque eu estou pedindo?

– Não. Vou me comprometer porque é o concerto do meu pai e eu quero fazer jus a ele. E também porque sei que ninguém vai conseguir tocá-lo melhor do que eu.

Fui então falar com David Stewart pessoalmente, e depois de ouvi-lo recusar mais uma vez a participação de Felix ao piano, tenho vergonha de admitir que lancei mão de uma certa chantagem.

– Afinal de contas, Felix é filho de Pip e, portanto, é provavelmente o detentor legal dos direitos do concerto – falei, com os olhos baixos para não ficar vermelha. – Meu pai está tendo sérias dúvidas em relação a permitir que ele seja apresentado. Está preocupado que, se não puder tocar a música do que jeito que o seu pai teria querido, então talvez seja melhor nem incluí-la no espetáculo.

Eu estava apostando no fato de a orquestra querer desesperadamente fazer a estreia mundial da mais empolgante composição norueguesa desde as obras de Grieg. E graças a Deus meu instinto estava certo. David enfim cedeu e concordou.

– Mas vamos chamar Willem para ensaiar com a orquestra também. Aí pelo menos se o seu pai nos deixar na mão, a noite não vai ser um desastre. E eu nem vou avisar à imprensa que ele vai tocar antes da apresentação. Combinado?

– Combinado – falei. Selamos o acordo com um aperto de mão e fui embora de cabeça erguida, comemorando mentalmente o meu *coup de grâce*.

Embora Felix tivesse *de fato* cumprido a palavra e chegado na hora para os ensaios ao longo da semana anterior, todos sabíamos que não havia garantia de que ele não fosse sumir na hora H. Afinal de contas, já tinha feito isso antes.

Felix não fora oficialmente anunciado como pianista, e Thom me disse ter descoberto que dois programas diferentes haviam sido impressos: um com o nome de Felix, outro com o de Willem.

Senti-me um pouco culpada por isso. Não devia ser muito agradável para o ego de Willem saber que a primeira opção era um bêbado envelhecido e pouco confiável só porque o sobrenome dele era Halvorsen. Mas Willem tocaria o Concerto para Piano em Lá Menor de Grieg na primeira metade do evento, o que pelo menos era um certo consolo.

Em uma noite da semana anterior, eu fora ver Thom tocar na orquestra e Willem estava ao piano executando o Concerto para Piano nº 1 de Liszt. Ao observar aqueles dedos esguios e talentosos voarem por cima do teclado, suas narinas infladas e os cabelos escuros caindo por cima da testa, senti na barriga um conhecido friozinho que nada tinha a ver com o bebê abrigado dentro do meu corpo. E pensei que pelo menos aquela minha reação física instintiva a ele significava que, com o tempo, eu talvez viesse a superar a morte de Theo, mesmo que fosse demorar um pouco. Eu tinha 30 anos e uma vida inteira pela frente. E estava certa de que Theo não iria querer que eu a vivesse no celibato.

Por ironia, Thom e Willem tinham ficado próximos – no início ligados pelo trabalho, mas depois por uma amizade pessoal que se desenvolveu em paralelo à relação profissional. Thom o havia convidado para ir à nossa casa na semana seguinte, e eu ainda não decidira se preferia estar presente ou não.

Conformada enfim com o fato de que não conseguiria mais dormir naquela manhã, liguei o laptop para checar meus e-mails. Vi que Maia tinha me escrito e abri a mensagem.

> Querida Ally, só para dizer que estarei pensando em você hoje. Queria estar aí também, mas o Brasil fica muito longe da Noruega. A gente também subiu para as montanhas, porque até para mim o calor do Rio é forte demais. Estamos na fazenda, e não consigo nem descrever quanto aqui é lindo. A casa precisa de muita reforma, mas pensamos em transformá-la em um centro para as crianças pobres poderem ter liberdade e espaço para correr e aproveitar esta natureza gloriosa. Mas chega de falar de mim. Espero que você e o neném estejam bem, e mal posso esperar para conhecer minha nova sobrinha ou sobrinho. Estou muito orgulhosa de você, irmãzinha. Beijos, Maia.

Sorri, satisfeita em constatar que ela parecia feliz, e fui tomar uma chuveirada antes de vestir minha calça de corrida, uma das únicas peças de roupa que ainda comportavam minha barriga cada vez mais volumosa. Recusava-me a gastar dinheiro com roupas de gestante e passava a maior parte dos dias usando um dos suéteres largos de Thom. Havia comprado um vestido preto para a apresentação daquela noite, e Thom tinha comentado gentilmente como a roupa me caía bem, mas eu desconfiava que estivesse apenas sendo educado.

Desci as escadas e fui até a cozinha improvisada, temporariamente instalada na sala de estar até a reforma acabar, e constituída por uma bancada com uma chaleira elétrica e um micro-ondas. A cozinha de verdade estava no osso, mas pelo menos o grosso do trabalho já estava concluído, pensei. Tínhamos um boiler novo e os operários em breve iriam instalar a calefação sob o piso, mas a obra estava levando *o dobro* do tempo previsto, e eu estava em pânico, morrendo de medo de que a casa não ficasse pronta antes de o neném nascer. O instinto de fazer o ninho continuava a me impulsionar e, como era compreensível, isso enlouquecia os operários.

– Bom dia – falou Thom, aparecendo atrás de mim com os cabelos eriçados como sempre ficavam logo depois de sair da cama. – Chegou o grande dia – disse ele com um suspiro. – Como está se sentindo?

– Nervosa, animada, e pensando se...

– Se o Felix vai aparecer – entoamos em uníssono.

– Café? – ofereci quando a água ferveu na chaleira.

– Sim, por favor. A que horas o seu povo chega? – indagou ele, caminhando distraído até as portas de vidro novas que davam para o terraço e proporcionavam uma vista gloriosa e desimpedida das coníferas e do fiorde lá embaixo.

– Ah, em horários diferentes durante o dia. Eu disse a Ma e Estrela para passarem na entrada dos artistas antes da apresentação e darem um oi. – Meu estômago já sensível se contraiu de ansiedade ao pensar nisso. – Que ridículo, né? Estou muito mais preocupada com o fato de um punhado de amigos e parentes me verem tocar do que com o que qualquer crítico possa dizer.

– É claro. Nada mais natural. Pelo menos você vai fazer seu solo logo no começo. E depois a gente só vai ter de suar até Felix tocar a última nota do *Concerto do Herói*.

– Eu nunca toquei para uma plateia tão grande – me queixei. – E com certeza não para uma plateia pagante.

– Vai correr tudo bem – disse ele, mas quando lhe entreguei o café pude sentir que ele também estava nervoso. Era um grande dia para nós dois. A quatro mãos, sentíamos ter gerado uma nova entidade musical que estava prestes a vir ao mundo. E, nessa noite, como dois pais orgulhosos, iríamos testemunhar seu nascimento.

– Vai ligar para o Felix para ver se ele está lembrado? – quis saber Thom.

– Não. – Eu já tinha decidido que não ligaria. – Ele precisa se responsabilizar por isso sozinho.

– Verdade. – Thom deu um suspiro. – Certo. Vou tomar uma ducha. Você consegue estar pronta para sair daqui a vinte minutos?

– Consigo.

– Meu Deus, tomara que ele apareça.

Foi então que me dei conta de que, apesar de qualquer afirmação contrária, o fato de Felix aparecer ou não à noite significava ainda mais para Thom do que para mim.

– Ele vai aparecer. Eu sei que vai.

Duas horas mais tarde, porém, quando ocupei meu lugar na orquestra para o ensaio e vi a banqueta do piano vazia, minha confiança murchou. Às dez e quinze, quando Andrew Litton falou que não podia mais esperar para começar, segurei o celular entre as palmas das mãos quentes, tensa.

Não, eu não iria telefonar para ele.

Willem já fora chamado para assumir o lugar de Felix ao piano, e Thom lançou um olhar desolado na minha direção quando Andrew Litton levantou a batuta para começar.

– Como você pôde fazer isso? Seu merda! – praguejei entre os dentes.

Bem nessa hora, vi meu pai biológico chegar correndo pelo auditório em direção ao palco, ofegante e pálido.

– Duvido que alguém aqui vá acreditar em mim – disse ele, subindo os degraus. – Mas a minha moto quebrou no meio da descida do morro e tive que pedir carona para percorrer o resto do caminho. Trouxe comigo a gentil senhora que me resgatou na estrada para servir de prova. Hanne, estou dizendo a verdade?

Cento e um pares de olhos acompanharam seu dedo que apontava para os fundos do auditório, onde estava em pé uma mulher de meia-idade, nervosa e obviamente constrangida.

– Hanne, conte a eles.

– Sim, a moto dele enguiçou e eu lhe dei carona.

– Obrigado. Haverá um ingresso à sua espera na bilheteria para a apresentação de hoje à noite. – Felix se virou para a orquestra e fez uma reverência exagerada. – Perdoem-me ter atrasado vocês, mas às vezes as coisas não são o que parecem.

Depois do ensaio, vi Felix parado junto à entrada dos artistas fumando um cigarro e fui até ele.

– Oi, Ally. Me desculpe. Mas dessa vez, ao contrário das outras, foi por um motivo legítimo.

– Pois é. Quer ir beber alguma coisa?

– Não, meu bem, obrigado. Preciso ficar comportado para hoje à noite, lembra?

– Lembro, sim. Que coisa incrível, não é? São quatro ou até cinco gerações da família Halvorsen reunidas hoje aqui.

– Ou da família Grieg, dependendo do ponto de vista – disse ele, dando de ombros.

– Ué... Você sabe sobre isso?

– É claro que eu sei. Anna contou para Horst em seu leito de morte e disse onde as cartas estavam escondidas. E meu avô me contou logo antes de eu ir estudar em Paris. Já li todas elas. Bem picantes, não é?

A revelação casual me deixou pasma.

– Você nunca pensou em dizer nada? Em usar as cartas?

– Alguns segredos realmente deveriam permanecer secretos, não acha, meu bem? E você, mais do que ninguém, deveria saber que o que importa não é a origem genética, mas em quem a pessoa *se transformou*. Boa sorte hoje à noite. – Com isso, Felix acenou para mim e saiu pela porta dos artistas.

Às seis e meia, Estrela me mandou uma mensagem avisando que ela e Ma tinham chegado. Fui buscar Thom na sala de preparação dos músicos e juntos subimos o corredor; eu estava muito nervosa com a ideia de apresentar meu irmão gêmeo à minha irmã.

– Ma – falei, apressando o passo ao me aproximar. Casual e elegante, ela usava um paletó Chanel *bouclé* e uma saia azul-marinho.

– Ally, *chérie*, que maravilha ver você. – Ma me deu um abraço e senti o cheiro conhecido de seu perfume, sinônimo de abrigo e segurança.

– Oi, Estrela. É maravilhoso ver você também. – Abracei-a, em seguida me virei para Thom, que observava minha irmã com a boca escancarada. – E este aqui é Thom, meu mais novo irmão – apresentei-o. Estrela ergueu os olhos para ele e abriu um sorriso tímido.

– Oi, Thom – cumprimentou ela, e cutuquei-o para que ele respondesse.

– Ah, oi. É, ahn... é um prazer conhecer você, Estrela. E você também, Ma, ahn... quer dizer, Marina.

Franzi o cenho para Thom, que estava se comportando de modo bem esquisito. Ele em geral era efusivo ao cumprimentar as pessoas, e fiquei um pouco chateada por não estar sendo assim naquele momento.

– E nós estamos encantadas em conhecer você, Thom – falou Marina. – Obrigada por cuidar de Ally por mim.

– A gente cuida um do outro, não é, mana? – respondeu ele, sem deixar de olhar para Estrela.

Nesse instante, um aviso pelo alto-falante chamou os membros da orquestra para subirem ao palco.

– Bom, infelizmente vamos ter que ir agora, mas nos vemos no foyer depois da apresentação – falei. – Meu Deus, como estou nervosa – completei com um suspiro, beijando as duas para me despedir.

– Você vai se sair maravilhosamente bem, *chérie*, eu sei que vai – disse Ma para me reconfortar.

– Obrigada. – Acenei para elas e tornei a descer o corredor com Thom. – O gato comeu sua língua? – perguntei a Thom.

– Nossa, mas a sua irmã é linda, hein? – foi tudo que ele conseguiu dizer enquanto eu o seguia até o palco para nossa conversa com Andrew Litton antes da apresentação.

❂ ❂ ❂

– Estou preocupada – sussurrei para Thom quando tornamos a subir ao palco exatamente às 7h27 da noite, sob aplausos ensurdecedores. – Ele ainda parece estar sóbrio. E me disse que toca bem melhor bêbado.

Ao ver meu cenho franzido de genuína ansiedade, Thom deu uma risadinha.

– Eu sinto pena de Felix, sinto mesmo. Coitado, o cara não consegue acertar! E, lembre-se, ele ainda tem a primeira metade inteira da apresentação e o intervalo para remediar essa situação. Agora pare de se preocupar com ele e aproveite esse momento maravilhoso da história dos Halvorsens... ou dos Griegs. Amo você, mana – concluiu ele com um sorriso, e nos afastamos para ocupar nossos lugares na orquestra.

Sentei-me entre os músicos da seção de madeiras, sabendo que dali a três minutos iria me levantar para tocar os primeiros quatro compassos de "Amanhecer". E, como Felix tinha me dito mais cedo, pouco importava quem havia me concebido originalmente. O importante era eu ter recebido a dádiva da vida, e cabia a mim fazer dela e de mim o melhor que pudesse.

Quando as luzes diminuíram e o silêncio tomou conta do auditório, pensei em todos aqueles que me amavam e estavam em algum lugar daquela escuridão torcendo por mim.

E pensei em Pa Salt, que dissera que eu iria encontrar minha maior força no momento de maior fraqueza. E em Theo, que havia me ensinado o que era amar alguém de verdade. Nenhum dos dois estava presente fisicamente, mas eu sabia que deviam estar muito orgulhosos de mim me observando lá de cima com as estrelas.

E então sorri ao pensar na nova vida dentro de mim que eu ainda não conhecia.

Levei a flauta à boca e comecei a tocar por todos eles.

Estrela

7 de dezembro de 2007

As luzes do auditório diminuíram e vi minha irmã se levantar de seu lugar no palco. Pude ver o nítido contorno da nova vida que ela carregava desenhado por baixo do vestido preto. Ally fechou os olhos por um instante, como quem faz uma prece. Quando finalmente levou a flauta à boca, uma mão segurou a minha e apertou de leve. E eu soube que Ma também estava sentindo a emoção daquele momento.

À medida que a linda e conhecida melodia que fizera parte da minha infância e da de minhas irmãs em Atlantis flutuava pelo auditório, senti um pouco da tensão das últimas semanas escorrer para fora de mim conforme a música ia ficando mais alta. Enquanto escutava, soube que Ally estava tocando por todos aqueles que havia amado e perdido, mas entendi também que, assim como o sol nasce após uma longa noite escura, sua vida agora tinha uma nova luz. E, quando a orquestra se juntou à sua flauta e o lindo som alcançou um crescendo, comemorando o raiar de um novo dia, senti a mesma coisa.

No *meu próprio* renascimento, porém, outros tinham sofrido, e essa era a parte que eu ainda precisava racionalizar. Só havia entendido recentemente que existiam muitos tipos diferentes de amor.

No intervalo, Ma e eu fomos até o bar, e Peter e Celia Falys-Kings, que se apresentaram como os pais de Theo, juntaram-se a nós para uma taça de champanhe. O modo como o braço de Peter repousava de modo protetor na cintura de Celia os fazia parecer um jovem casal apaixonado.

– *Santé* – falou Ma, batendo com a taça na minha. – Que noite maravilhosa, não?

– Sim, é mesmo – respondi.

– Foi tão lindo quando Ally tocou. Queria que as suas outras irmãs tivessem estado aqui para escutar. E o pai dela, claro.

Vi o cenho dela se franzir com uma súbita preocupação, e me perguntei que segredos ela estaria guardando. E que peso eles a obrigavam a suportar. Assim como os meus.

– A Ceci não conseguiu vir, afinal? – perguntou ela, hesitante.

– Não.

– Vocês têm se visto ultimamente?

– Não tenho passado muito tempo no apartamento, Ma.

Ela não me pressionou para saber mais. Sabia que não adiantava.

Senti a mão de alguém roçar meu ombro e me sobressaltei. Sempre fui muito sensível ao toque. Peter rompeu o pesado silêncio, embora com isso eu estivesse acostumada.

– Oi, todo mundo. – Ele se virou para Ma. – Quer dizer que a senhora é a "mãe" que cuidou de Ally quando ela era pequena?

– Sou, sim – respondeu ela.

– Fez um trabalho incrível.

– Isso se deve a ela, não a mim – retrucou Ma, modesta. – Todas as minhas meninas me dão muito orgulho.

– E você é uma das famosas irmãs da Ally? – indagou Peter, voltando para mim os olhos penetrantes.

– Sou.

– Qual é o seu nome?

– Estrela.

– E qual é a sua posição?

– Sou a terceira.

– Interessante. – Ele tornou a me encarar. – Eu também era o terceiro dos meus irmãos. Ninguém nunca me escutava nem prestava atenção no que eu dizia. Certo?

Não respondi.

– Aposto que passa uma porção de coisas pela sua cabeça, não é? – insistiu ele. – Na minha, pelo menos, passava.

Mesmo que ele tivesse razão, eu não iria concordar. Então dei de ombros e fiquei calada.

– Ally é uma pessoa muito especial. Nós dois aprendemos muito com ela – falou Celia, abrindo-me um sorriso caloroso e mudando de assunto.

Pude ver que ela pensava que os meus silêncios significassem que eu estava achando difícil lidar com Peter, mas não. Quem achava os meus silêncios difíceis eram os outros.

– Sim, é mesmo. E agora nós vamos ser avós. Que presente sua irmã nos deu, Estrela – falou Peter. – E dessa vez quero estar sempre por perto do pequeno. A vida é curta demais, não é?

O sinal de dois minutos tocou e todos à minha volta esvaziaram os copos, por mais cheios que estivessem. Tornamos a entrar no auditório e ocupamos nossos lugares. Ally já tinha me contado por e-mail sobre as suas descobertas na Noruega. Observei Felix Halvorsen atentamente quando ele subiu ao palco, e concluí que o vínculo genético não tivera nenhum impacto nas características físicas de Ally. Reparei também em seu passo arrastado ao caminhar em direção ao piano, e me perguntei se ele estaria bêbado. Fiz uma pequena prece para que não fosse o caso. Pelo que Ally havia comentado mais cedo, sabia o que aquela noite significava para ela e para Thom, o irmão recém-descoberto. Eu havia simpatizado com ele na hora, ao sermos apresentados mais cedo.

Quando Felix levou os dedos acima do teclado e fez uma pausa, senti todo mundo na plateia prender a respiração junto comigo. A tensão só foi rompida quando os dedos deles tocaram as teclas, e os primeiros compassos do *Concerto do Herói* foram tocados em público pela primeira vez. Segundo o programa, pouco mais de 68 anos após terem sido escritos. Durante a meia hora seguinte, todos fomos testemunhas de uma apresentação de rara beleza, gerada por uma perfeita alquimia entre compositor e intérprete, pai e filho.

Quando meu coração ganhou asas e se pôs a voar junto com a linda música, tive um vislumbre do futuro.

– A música é o amor à procura de uma voz – falei entre os dentes, citando Tolstói. Agora, precisava encontrar a *minha* voz. E também a coragem para usá-la.

Os aplausos foram estrondosos e muito merecidos; a plateia inteira se levantou para bater os pés no chão e dar vivas. Felix fez várias reverências, então chamou o filho e a filha que estavam na orquestra para que se juntassem a ele no palco, acalmou a plateia e dedicou a apresentação ao falecido pai e aos dois filhos.

Nesse gesto, vi uma prova viva de que era possível continuar e operar uma mudança que os outros acabariam aceitando, por mais difícil que fosse.

Quando os espectadores começaram a se levantar, Ma tocou meu ombro e me disse alguma coisa.

Aquiesci, distraída, sem escutar direito o que ela dizia, e murmurei que a encontraria no foyer. E fiquei sentada ali. Sozinha. Pensando. Enquanto isso, tive uma vaga consciência de todos da plateia subindo os corredores do auditório e passando por mim. Então, com o rabo do olho, vi uma silhueta conhecida.

Meu coração disparou dentro do peito, meu corpo se levantou por vontade própria, e saí correndo pelo auditório vazio até a multidão que se aglomerava junto às saídas, no fundo. Tentei desesperadamente tornar a ver o que tinha visto, implorando para aquele perfil inconfundível reaparecer para mim no meio de tanta gente.

Abri caminho até o foyer, e minhas pernas me carregaram até o lado de fora e o ar gelado de dezembro. Fiquei parada na rua, torcendo para ver de novo só para ter certeza, mas a figura tinha desaparecido.

Agradecimentos

Eu tinha só 5 anos quando meu pai voltou de suas viagens à Noruega, trazendo um LP da suíte *Peer Gynt*, de Grieg, que viria a se tornar a música de fundo da minha infância e embalar suas odes à beleza do país e sobretudo aos esplendorosos fiordes.

Segundo ele, se eu um dia tivesse oportunidade, tinha que ir vê-los com meus próprios olhos. Por coincidência, a Noruega foi o primeiro país a me convidar para uma turnê com um de meus livros. Lembro-me de ter ficado sentada no avião com os olhos cheios de lágrimas, voando na direção do que meu pai costumava chamar de topo do mundo. Da mesma forma que Ally, também tive a sensação de estar seguindo as palavras do meu falecido pai.

Depois dessa primeira visita, estive na Noruega muitas vezes e, assim como meu pai, também me apaixonei. De modo que houve poucas dúvidas em relação a qual deveria ser a ambientação do segundo livro da série As Sete Irmãs.

A irmã da tempestade tem por base fatos históricos verídicos e figuras norueguesas conhecidas, como Edvard Grieg e Henrik Ibsen, embora a minha descrição de suas personalidades no livro seja fruto apenas da minha imaginação e não provenha de fatos reais.

Este livro me exigiu extensas pesquisas, porém fui agraciada por encontrar muitas pessoas maravilhosas que me proporcionaram ajuda valiosíssima. Algumas delas, que conheci em minha viagem de pesquisa, aparecem no livro como elas mesmas, e agradeço-lhes por terem me permitido usar seus nomes verdadeiros na minha história.

Os amigos da minha fantástica editora, Cappelen Damm, tiveram papel fundamental em me apresentar às pessoas com quem tive que falar. Meu primeiro (e maior) obrigada, portanto, vai para Knut Gorvell, Jorid Mathiassen, Pip Hallen e Mariann Nielsen.

Em Oslo:

Obrigada a Erik Edvardson, do Museu Ibsen, que me mostrou as fotografias originais da montagem de *Peer Gynt* e me contou sobre a "voz fantasma" de Solveig, cuja verdadeira identidade permanece um mistério até os dias de hoje. Foi isso que me forneceu a chave para a história "do passado".

Toda a perspectiva histórica sobre a vida na Noruega da década de 1870 foi generosamente oferecida por Lars Roede, do Museu de Oslo, e a compreensão detalhada dos trajes, nomes, meios de transporte e costumes noruegueses dos anos 1870 veio, de Else Rosenqvist e Kari-Anne Petersen, do Museu Norsfolke.

Também preciso mencionar Bjorg Larsen Rygh, da Cappelen Damm (cuja dissertação sobre sistemas de esgoto e encanamentos de Christiania em 1876 saiu bem melhor que a encomenda!).

Obrigada ainda a Hilde Stoklasa, da Oslo Cruise Network, e um agradecimento muitíssimo especial à equipe do Grand Hotel, que me serviu comida e bebida a todas as horas do dia enquanto eu escrevia a primeira versão desta obra.

Em Bergen:

Tenho uma dívida com John Rullestad, que me apresentou a Erling Dahl, ex-diretor do Museu Grieg em Troldhaugen. Vencedor do Prêmio Grieg, Erling é o mais importante biógrafo de Grieg no mundo. Ele e o atual diretor do museu, Sigurd Sandmo, não apenas me proporcionaram acesso total à casa de Grieg (pude até me sentar diante de seu piano de cauda!), como também me deram uma profunda compreensão da vida e personalidade do compositor.

Erling também me apresentou a Henning Malsnes, da Orquestra Filarmônica de Bergen, que me explicou como se administra uma orquestra no dia a dia e me falou sobre a história da filarmônica durante a guerra. Por fim, Erling me permitiu conhecer o renomado compositor norueguês Knut Vaage, que me explicou o processo de composição orquestral segundo uma perspectiva histórica.

Obrigada também a Mette Omvik, que me forneceu alguns ótimos detalhes sobre o teatro Den Nationale Scene.

Também não posso deixar de agradecer à equipe do Hotel Havnekontoret, que cuidou de mim durante minha estadia na cidade.

Em Leipzig:

Muito obrigada a Barbara Wiermann, do Real Conservatório de Música, e a minha encantadora amiga Caroline Schatke, da editora Peters, cujo pai, Horst, fez com que nos reuníssemos sob as circunstâncias mais fortuitas e comoventes possíveis.

Como não levo muito jeito para o mundo das coisas náuticas, fui auxiliada em todas as questões marítimas por David Beverley, e na Grécia por Jovana Nikic e Kostas Gkekas, da "Sail in Greek Water". Por seu auxílio com a pesquisa sobre a Regata Fastnet, gostaria de agradecer tanto à equipe do Royal London Yacht Club quanto às pessoas do Royal Ocean Racing Club, em Cowes.

Além disso, preciso dizer obrigada a Lisa e Manfred Rietzler, que me levaram para passear no seu Sunseeker e me mostraram tudo de que o iate era capaz.

Também tenho muitíssimo a agradecer a Olivia, minha fantástica assistente, e à minha esforçada equipe de edição e pesquisa, formada por Susan Moss e Ella Micheler. As três tiveram que trabalhar em horários bastante flexíveis para conseguir cuidar não apenas da série As Sete Irmãs, mas também da reescrita e da edição de todos os meus outros títulos em catálogo.

Obrigada a meus trinta editores internacionais mundo afora, em especial Catherine Richards e Jeremy Trevathan, da Pan Macmillan do Reino Unido, Claudia Negele e Georg Reuchlein, da Random House Alemanha, e Peter Borland e Judith Curr, da Atria, nos Estados Unidos. Todos me deram grande apoio e abraçaram os desafios e as emoções de uma série composta por sete livros.

Obrigada à minha espetacular família, que tem se mostrado tão paciente ao me ver passar a vida sempre com um manuscrito e uma caneta a tiracolo. Sem Stephen (que também faz as vezes de meu agente), Harry, Bella, Leonora e Kit, essa jornada literária significaria muito pouco. Obrigada à minha mãe, Janet, à minha irmã, Georgia.

Agradeço ainda a Jacquelyn Heslop e aproveito para fazer uma menção muito especial a Flo, minha fiel companheira de escrita, que perdemos em fevereiro e de quem ainda sentimos muita falta. E também cito com carinho Rita Kalagate.

Por fim, obrigada a vocês, leitores, cujo amor e força enquanto viajo aos quatro cantos do mundo e ouço *as suas* histórias são para mim uma fonte de inspiração e humildade.

São coisas assim que me fazem perceber que nada do que eu possa vir a escrever é capaz de competir com a incrível e infinitamente complexa jornada que é estar vivo.

Lucinda Riley
Junho de 2015

Bibliografia

A *irmã da tempestade* é uma obra de ficção com fundo histórico. As fontes usadas para pesquisar a época e os detalhes das vidas dos personagens estão listadas abaixo.

Henrik Ibsen. *Peer Gynt*, Penguin Classics, Londres, 1970.

William H. Halverson. *Edvard Grieg: Letters to Colleagues and Friends* (Cartas a colegas e amigos), Peer Gynt Press, Columbus, 2001.

William H. Halverson. *Edvard Grieg: Diaries, Articles and Speeches* (Diários, artigos e discursos), Peer Gynt Press, Columbus, 2001.

Erling Dahl Jr. *My Grieg: A Personal Introduction to Edvard Grieg's Life and Music* (Meu Grieg: Uma introdução pessoal à vida e à música de Edvard Grieg), Vigmostad & Bjoerke, Bergen, 2007.

Robert Ferguson. *Henrik Ibsen: A New Biography* (Henrik Ibsen: Uma nova biografia), Faber & Faber, Londres, 2010.

M. C. Gillington. *A Day with Edvard Grieg* (Um dia com Edvard Grieg), Hodder & Stoughton, Londres, 1886.

David Monrad-Johansen. *Edvard Grieg*, Princeton University Press, Princeton, 1938.

Rudolf Rasmussen. *Rulle: De andre. Minner og meninger om livet på scene og podium* (Os outros: Memórias e opiniões sobre a vida no palco e no pódio), Classica Antikvariat, Oslo, 1936.

Museu Judaico de Oslo. *What Happened in Norway? Shoah and the Norwegian Jews* (O que aconteceu na Noruega? O holocausto e os judeus da Noruega), Oslo, 2013.

Robert Graves. *Greek Myths* (Mitos gregos), Penguin, Londres, 2011.

Robert Graves. *A deusa branca*, Bertrand Brasil, Rio de Janeiro, 2003.

Munya Andrews. *The Seven Sisters of the Pleiades* (As Sete Irmãs das Plêiades), Spinifex Press, Melbourne, 2004.

CONHEÇA OS LIVROS DE LUCINDA RILEY

A garota italiana
A árvore dos anjos
O segredo de Helena
A casa das orquídeas
A carta secreta
A garota do penhasco
A sala das borboletas
A rosa da meia-noite
Morte no internato
A luz através da janela

Série As Sete Irmãs
As Sete Irmãs
A irmã da tempestade
A irmã da sombra
A irmã da pérola
A irmã da lua
A irmã do sol
A irmã desaparecida

Série Anjos da Guarda
Graça e o Anjo do Natal
Gui e o Anjo dos Sonhos

Para descobrir mais sobre as inspirações da série,
incluindo mitologia grega, a constelação das Plêiades
e esferas armilares, confira o site de Lucinda em português:

http://br.lucindariley.co.uk/

Na página você também encontrará informações
sobre fatos históricos e pessoas reais que aparecem neste livro, como a
construção do Cristo Redentor e o escultor Paul Landowski.

editoraarqueiro.com.br